AGATHA CHRISTIE

Весь Эркюль Пуаро

Cards on the Table

•

Hallowe'en Party

•

Murder in the Mews

Novels, Short stories

Агата Кристи
Весь Эркюль Пуаро

Карты на стол

Карты на стол
•
Вечеринка в Хэллоуин
•
Убийство в извозчичьем дворе

Романы, рассказы

Москва
ЦЕНТРПОЛИГРАФ
2000

УДК 820
ББК 84(4Вел)
К82

Серия «Весь Эркюль Пуаро»
выпускается с 2000 года

Выпуск 10

*Разработка серийного оформления
художника И.А. Озерова*

Художник Е.М. Ульянова

Кристи Агата

К82   Карты на стол: Детективные романы, рассказы. — Пер. с англ. / Комментарии. — «Весь Эркюль Пуаро». — М.: ЗАО Изд-во Центрполиграф, 2000. — 603 с.

ISBN 5-227-00984-8 (Вып. 10)
ISBN 5-227-00641-5

Даже самая, казалось бы, незначительная деталь не ускользает от внимания знатока детективного дела Эркюля Пуаро. В романе «Карты на стол» он вычисляет убийцу, проанализировав запись счетов игроков в бридж. В романе «Вечеринка в Хэллоуин» раскрывает убийство тринадцатилетней девочки, отталкиваясь от воспоминаний людей о давно прошедших событиях. В сборнике рассказов «Убийство в извозчичьем дворе» хитроумными действиями разоблачает преступников и добивается справедливости.

УДК 820
ББК 84(4Вел)

ISBN 5-227-00984-8 (Вып. 10)
ISBN 5-227-00641-5

Карты на стол

Роман

Cards on the Table

Предисловие автора

Господствует мнение, что детективная история подобна скачкам с большим количеством участников — лошадей и жокеев. «Платите деньги и делайте ваш выбор!» Причем фаворита детектива обычно выбирают по абсолютно противоположному принципу, нежели на ипподроме, — он должен выглядеть аутсайдером. Найдите среди персонажей наименее вероятного кандидата на роль преступника — и в девяти случаях из десяти ваша задача выполнена.

Так как я не хочу, чтобы мои преданные читатели с отвращением отбросили эту книгу, предпочитаю заранее предупредить их, что этот роман совсем иного рода. Здесь всего четыре участника состязания, и любой из них, при соответствующих обстоятельствах, мог совершить преступление. Это сильно уменьшает элемент сюрприза. Тем не менее я думаю, что эти четыре персонажа, каждый из которых совершил убийство в прошлом и способен совершить его вновь, должны вызывать не меньший интерес. Они относятся к абсолютно разным человеческим типам, а мотив и способ преступления, совершенного каждым из них, характерны именно для этого персонажа. Таким образом, выводы приходится делать на сугубо психологической основе, но это отнюдь не менее увлекательно, так как, в конечном счете, именно душевное состояние убийцы вызывает наибольший интерес.

В качестве дополнительного аргумента в пользу этой истории могу добавить, что это было одним из любимейших дел Эркюля Пуаро. В то же время, когда он поведал о нем своему другу капитану Гастингсу, тот счел его очень скучным. Интересно, с кем из них согласятся мои читатели.

Глава 1
МИСТЕР ШАЙТАНА

— Мой дорогой мсье Пуаро!

Это произнес мягкий, мурлычущий голос, чей обладатель намеренно использовал его как инструмент — в нем не было ничего импульсивного или непреднамеренного.

Обернувшись, Эркюль Пуаро церемонно поклонился и обменялся рукопожатиями с обратившимся к нему человеком. Во взгляде сыщика мелькнуло нечто необычное. Казалось, будто случайная встреча пробудила в нем эмоции, которые ему редко приходилось испытывать.

— Мой дорогой мистер Шайтана, — отозвался Пуаро.

Оба умолкли, походя на дуэлянтов en garde[1].

Вокруг них неторопливо двигалась толпа праздных, хорошо одетых лондонцев. Повсюду слышались негромкие голоса:

— Дорогой, это просто великолепно!

— Они божественны, не так ли, дорогая?

Дело происходило на выставке табакерок в Уэссекс-Хаус. Входная плата составляла одну гинею, а выручка шла в помощь лондонским больницам.

— Как же я рад вас видеть, друг мой! — продолжал мистер Шайтана. — Что-то в последнее время стали

---

[1] Перед боем (*фр.*). (*Здесь и далее примеч. перев.*)

мало вешать и гильотинировать. В преступном мире мертвый сезон? Или сегодня здесь ожидается ограбление? Хотя это было бы слишком изысканно.

— Увы, мсье, — ответил Пуаро, — я пришел сюда исключительно как частное лицо.

На момент внимание мистера Шайтаны отвлекло прелестное юное создание с мелкими локонами, как у пуделя, с одной стороны головы, и изделием из черной соломки в виде трех рогов изобилия — с другой.

— Моя дорогая, почему вы не пришли на мою вечеринку? Она была просто очаровательной! Столько людей говорили со мной! Одна женщина даже сказала «здравствуйте», «до свидания» и «благодарю вас», но бедняжка была из Гарден-Сити...

Покуда прелестное юное создание подыскивало подобающий ответ, Пуаро внимательно изучал волосяное украшение над верхней губой мистера Шайтаны.

Прекрасные усы — возможно, единственные в Лондоне, которые могли бы соперничать с усами мсье Эркюля Пуаро.

«И все же они не настолько роскошны, — подумал он, — и решительно уступают моим во всех отношениях. Tout de même[1] они привлекают внимание».

Последнее относилось ко всей персоне мистера Шайтаны, намеренно старавшегося походить на Мефистофеля. Мистер Шайтана был высоким и худощавым, с длинным меланхоличным лицом, иссиня-черными бровями, усами с жесткими вощеными кончиками и миниатюрной черной эспаньолкой. Его одежда выглядела произведением искусства — изысканным и несколько причудливым.

Все истинные англичане при виде мистера Шайтаны испытывали горячее желание пнуть его ногой и бросали с удручающим отсутствием оригинальности: «Паршивый иностранец!»

Их жены, дочери, сестры, тети, матери и даже бабушки отвечали на это следующее, варьируя выражения в зависимости от их возраста: «Знаю, дорогой.

---

[1] Все же (*фр.*).

Конечно, этот тип ужасен. Но он так богат, устраивает такие чудесные вечеринки и всегда рассказывает о ком-нибудь забавные сплетни».

Никто не знал, был ли мистер Шайтана аргентинцем, португальцем, греком или представителем какой-либо другой национальности, презираемой коренными британцами.

Но всем были точно известны три факта.

Мистер Шайтана жил на широкую ногу в роскошной квартире на Парк-Лейн.

Он устраивал замечательные приемы и вечеринки — большие и маленькие, респектабельные и несколько странные.

Наконец, он был человеком, которого почти все немного побаивались.

Что являлось причиной последнего, едва ли можно описать словами. Возможно, ощущение, что мистер Шайтана слишком много обо всех знает и обладает довольно своеобразным чувством юмора.

Почти все считали, что оскорблять мистера Шайтану весьма рискованно.

В данный момент его чувство юмора было направлено на смешного маленького человечка — Эркюля Пуаро.

— Выходит, даже полицейские нуждаются в отдыхе? — заметил мистер Шайтана. — Решили на старости лет изучать искусство, мсье Пуаро?

Пуаро добродушно улыбнулся.

— Вижу, — сказал он, — вы представили на выставку три табакерки.

Мистер Шайтана снисходительно махнул рукой:

— Подбираю разные мелочи тут и там. Вы должны как-нибудь прийти ко мне домой. У меня есть несколько интересных вещиц. Я не ограничиваю себя определенными периодами и категориями предметов.

— Ваши вкусы всеобъемлющи, — с улыбкой промолвил Пуаро.

— Совершенно верно.

Внезапно в глазах мистера Шайтаны заплясали огоньки, уголки рта приподнялись, а брови причудливо изогнулись.

— Я могу даже продемонстрировать вам экспонаты по вашей части, мсье Пуаро!

— Значит, у вас есть личный «Черный музей»?[1]

— Ба! — Мистер Шайтана с презрением щелкнул пальцами. — Чашка брайтонского убийцы, отмычка знаменитого взломщика — все это детские штучки! Я никогда не обременял себя подобным хламом. В моей коллекции только лучшие предметы такого рода.

— А что вы считаете лучшими предметами в области преступления? — осведомился Пуаро.

Мистер Шайтана склонился вперед и положил два пальца на плечо Пуаро.

— Людей, которые их совершают! — драматически прошептал он.

Брови Пуаро слегка приподнялись.

— Ага, я вас удивил! — воскликнул мистер Шайтана. — Мы с вами, дорогой друг, смотрим на эти вещи, так сказать, с противоположных полюсов. Для вас преступление — рутинная процедура: убийство, расследование, улики и, в конце концов (ибо вы, несомненно, способный человек), арест и приговор. Но меня такие банальности не интересуют. К тому же пойманный убийца всегда неудачник — товар второго сорта. Нет, я смотрю на дело с артистической точки зрения — я коллекционирую лучших!

— А лучшие — это?..

— Те, кому удалось выйти сухими из воды, дорогой мой! Преступники, которые наслаждаются жизнью и которых никогда не коснулась тень подозрения. Признайте, что это забавное хобби.

— Забавное? Я бы использовал совсем иной эпитет.

— Идея! — воскликнул Шайтана, не обращая внимания на слова Пуаро. — Маленький обед для встречи с моими экспонатами! Не понимаю, как это раньше не приходило мне в голову. Дайте мне только немного времени... Нет, не на будущей неделе, а, скажем, недели через две. Вы свободны? Какой день мы назначим?

---

[1] «Черный музей» — музей криминалистики в Скотленд-Ярде.

— Любой день, который вам подойдет, — с поклоном ответил Пуаро.

— Отлично. Тогда в пятницу, восемнадцатого. Сейчас запишу в книжечке. Право же, эта идея меня вдохновляет!

— Не уверен, что она вдохновляет меня, — медленно произнес Пуаро. — Я благодарен вам за ваше любезное приглашение, но...

— Но это шокирует вашу буржуазную чувствительность? — прервал его Шайтана. — Дорогой мой, вы должны освободиться от ограниченности полицейского менталитета.

— Мое отношение к убийству действительно чисто буржуазное, — сказал Пуаро.

— Почему, друг мой? Я согласен с вами, если речь идет о грубом кровавом преступлении. Но убийство может быть искусством, а убийца — художником!

— Согласен.

— Тогда в чем же дело?

— В том, что он при этом остается убийцей.

— Право же, мой дорогой мсье Пуаро, блестящая работа может служить смягчающим обстоятельством! Вы, словно человек, лишенный воображения, хотите, чтобы каждого убийцу поймали, надели на него наручники, посадили под замок и однажды утром повесили. А на мой взгляд, по-настоящему удачливый убийца заслуживает пожизненной пенсии и приглашения на обед!

Пуаро пожал плечами:

— Я не столь нечувствителен к искусству преступления, как вам кажется. Я могу по достоинству оценить удачливого убийцу так же, как и восхищаться тигром — этим великолепным полосатым зверем. Но я буду восхищаться им снаружи — не входя в клетку, если долг не велит мне так поступить. Понимаете, мистер Шайтана, тигр может прыгнуть...

— Понимаю. — Шайтана рассмеялся. — А убийца?

— Может убить, — серьезно ответил Пуаро.

— Дружище, какой же вы паникер! Значит, вы не придете взглянуть на мою коллекцию... тигров?

— Напротив, с удовольствием приду.

13

— Как смело!

— Вы не вполне понимаете меня, мистер Шайтана. Мои слова были предупреждением. Вы просили меня признать, что ваша идея коллекционировать убийц забавна. Я сказал, что мне приходит на ум другое слово. Ваше хобби, мистер Шайтана, может оказаться опасным!

Мистер Шайтана разразился мефистофельским смехом.

— Так я могу ожидать вас восемнадцатого? — спросил он.

— Можете, — с легким поклоном отозвался Пуаро. — Mille remerciments[1].

— Я организую приятную вечеринку, — пообещал Шайтана. — Не забудьте — в восемь часов.

Он двинулся прочь.

Некоторое время Пуаро стоял, глядя ему вслед, потом задумчиво покачал головой.

Глава 2

ОБЕД У МИСТЕРА ШАЙТАНЫ

Дверь квартиры мистера Шайтаны открылась бесшумно. Седовласый дворецкий, впустивший Пуаро, столь же бесшумно ее закрыл и проворно избавил гостя от пальто и шляпы.

— О ком я должен доложить? — бесстрастным тоном осведомился он.

— О мсье Эркюле Пуаро.

В холл донеслись звуки голосов, когда дворецкий открыл дверь в гостиную и объявил:

— Мсье Эркюль Пуаро.

С бокалом шерри в руке Шайтана шагнул ему навстречу. Одет он был как всегда безукоризненно. Мефистофельские черты вечером казались еще заметнее — особенно насмешливый изгиб бровей.

— Позвольте мне вас представить. Вы знакомы с миссис Оливер?

---

[1] Тысяча благодарностей (фр.).

Как истый шоумен, он явно получил удовольствие, когда Пуаро слегка вздрогнул от удивления.

Миссис Ариадна Оливер была широко известна как автор детективных и других сенсационных романов. Она также писала многословные (хотя и не всегда безупречно грамотные) статьи типа «Преступные наклонности», «Знаменитые преступления на почве страсти», «Убийство ради любви и ради корысти». При этом миссис Оливер была ярой феминисткой, и когда пресса освещала какое-нибудь громкое убийство, то неизменно присутствовало интервью с ней, где приводились ее слова: «Если бы женщина стояла во главе Скотленд-Ярда!..» Она твердо верила в женскую интуицию.

В остальном миссис Оливер была приятной женщиной средних лет с красивыми глазами, внушительными плечами и непокорной седеющей шевелюрой, с которой она постоянно экспериментировала. Миссис Оливер могла то выглядеть высокоинтеллектуальной — с волосами, зачесанными назад с высокого лба и собранными в толстый пучок на затылке, то неожиданно появиться с маленькими локонами Мадонны, а то и вовсе растрепанной. Этим вечером она решила попробовать челку.

Миссис Оливер дружелюбным басом приветствовала Пуаро, с которым уже встречалась на литературном обеде.

— Суперинтенданта Бэттла вы, несомненно, знаете, — продолжал мистер Шайтана.

Крупный мужчина с лицом, словно вытесанным из дерева, шагнул вперед. При взгляде на него создавалось впечатление, что он вообще-то весь деревянный — но из того сорта дерева, который идет на шпангоуты прочного боевого корабля[1].

Суперинтендант Бэттл считался между тем одним из самых способных офицеров Скотленд-Ярда. И это при том, что он всегда выглядел флегматичным и даже несколько туповатым.

---

[1] Непереводимая игра слов: Battle (Бэттл) — фамилия суперинтенданта, battleship — линкор (*англ.*).

— Я знаком с мсье Пуаро, — сказал суперинтендант.

Его лицо на момент расплылось в улыбке, но тут же приняло прежнее деревянное выражение.

— Полковник Рейс, — представил мистер Шайтана.

До сих пор Пуаро не встречался с полковником Рейсом, но кое-что слышал о нем. Красивый, темноволосый, загорелый мужчина лет пятидесяти, полковник обычно находился на каком-нибудь из аванпостов империи — особенно если там начинались серьезные неприятности. Секретная служба — мелодраматичный термин, однако он наиболее точно мог объяснить любителю характер деликатной деятельности полковника Рейса.

Пуаро начал понимать всю пикантность намерений хозяина дома.

— Наши другие гости запаздывают, — сказал мистер Шайтана. — Возможно, это моя вина. Кажется, я просил их прийти в четверть девятого.

Но в этот момент дверь открылась, и дворецкий доложил:

— Доктор Робертс.

Вошедший словно являл собой пародию на врача, внушающего оптимизм пациентам. Это был веселый румяный мужчина средних лет с маленькими, быстро моргающими глазками, лысеющей головой, склонностью к полноте и общим обликом аккуратного, хорошо продезинфицированного практикующего медика. Держался он бодро и уверенно, внушая всем видом, что его диагноз будет правильным, а лечение — приятным и успешным («немного шампанского для полного выздоровления»). Одним словом, человек, знающий свое дело.

— Надеюсь, я не опоздал? — осведомился доктор Робертс.

Он пожал руку хозяину дома, который представил его остальным. Доктор казался особенно довольным знакомством с Бэттлом.

— Вы один из важных шишек в Скотленд-Ярде, верно? Как интересно! Конечно, невежливо заставлять вас говорить о делах, но предупреждаю, что я попытаюсь это сделать. Меня всегда интересовали преступления. Возможно, для врача это не слишком подходяще. Нервным пациентам об этом лучше не рассказывать — ха-ха!

Дверь снова открылась.

— Миссис Лорример.

В комнату вошла хорошо одетая женщина лет шестидесяти. У нее были точеные черты лица, красиво уложенные седые волосы и четкий, резкий голос.

— Полагаю, я не слишком поздно? — спросила миссис Лорример, подойдя к хозяину дома.

Она отвернулась от него, чтобы поздороваться с доктором Робертсом, с которым была знакома.

— Майор Деспард, — объявил дворецкий.

Майор был высоким, худощавым мужчиной, чье красивое лицо несколько портил шрам на виске. По окончании представлений он разговорился с полковником Рейсом, обмениваясь с ним опытом участия в сафари.

Дверь открылась в последний раз, и дворецкий доложил:

— Мисс Мередит.

Вошла хорошенькая девушка лет двадцати с небольшим. Она была среднего роста, с каштановыми локонами и большими, широко расставленными серыми глазами. Лицо было припудрено, но не нарумянено, речь — медленной и довольно робкой.

— Боже мой, неужели я последняя? — воскликнула она.

Мистер Шайтана приблизился к ней с бокалом шерри и витиеватым комплиментом. Его представления звучали официально и почти церемонно.

Мисс Мередит осталась потягивать шерри рядом с Пуаро.

— Наш друг весьма педантичен, — заметил Пуаро.

— Да, — согласилась девушка. — В наши дни люди обходятся без представлений. Они просто говорят: «Надеюсь, вы всех знаете».

— Независимо от того, так это или нет?

— Конечно. Иногда из-за этого возникают неловкие ситуации, но, по-моему, представляться каждому еще хуже. — Поколебавшись, она спросила: — Это миссис Оливер — писательница?

В этот момент в комнате звучал зычный бас Ариадны Оливер, обращавшейся к доктору Робертсу:

— Вы не можете отмахиваться от женского инстинкта, доктор. Женщины всегда чувствуют такие вещи.

Забыв о челке, она попыталась стряхнуть волосы со лба.

— Да, это она, — ответил девушке Пуаро.

— Та, что написала «Труп в библиотеке»?

— Та самая.

Мисс Мередит слегка нахмурилась:

— А тот мужчина с деревянным лицом — мистер Шайтана сказал, что он суперинтендант?

— Из Скотленд-Ярда.

— А вы?

— А я?

— Я все о вас знаю, мсье Пуаро. Это вы раскрыли преступления Эй-Би-Си[1].

— Мадемуазель, вы заставляете меня краснеть от смущения.

Мисс Мередит сдвинула брови:

— Мистер Шайтана... — Она не договорила.

— Можно сказать, что у него «преступные намерения», — спокойно заметил Пуаро. — Несомненно, ему хочется послушать, как мы будем дискутировать. Он уже натравил друг на друга миссис Оливер и доктора Робертса. Сейчас они обсуждают яды, не оставляющие следов.

— Что за странный человек! — воскликнула мисс Мередит.

— Доктор Робертс?

— Нет, мистер Шайтана. — Она слегка поежилась. — В нем есть нечто пугающее. Никогда не знаешь, что может показаться ему забавным. Возможно, что-то жестокое.

---

[1] См. роман «Убийства по алфавиту».

— Вроде охоты на лис?

Мисс Мередит укоризненно посмотрела на него:

— Я имела в виду... ну, что-то восточное.

— Возможно, у него несколько извилистый ум, — согласился Пуаро.

— Вы хотите сказать, что он сумасшедший?

— Нет-нет, всего лишь не похож на других.

— Не думаю, что он мне очень нравится, — призналась мисс Мередит.

— Зато вам понравится его обед, — заверил ее Пуаро. — У него великолепный повар.

Она с сомнением посмотрела на него, потом рассмеялась:

— Кажется, ничто человеческое вам не чуждо!

— Разумеется. Я ведь человек.

— Понимаете, — сказала мисс Мередит, — я всегда робею при встрече со знаменитостями.

— Вы должны не робеть, мадемуазель, а испытать радостное возбуждение — держать наготове книжечку для автографов и ручку.

— Дело в том, что меня не слишком интересуют преступления. Думаю, это относится ко всем женщинам. Детективными историями обычно увлекаются мужчины.

— Увы! — печально вздохнул Пуаро. — Что бы я ни дал, лишь бы стать в эту минуту хотя бы самой незначительной из кинозвезд!

Дворецкий распахнул дверь.

— Обед подан, — возвестил он.

Прогноз Пуаро полностью оправдался. Обед был изысканным, а сервировка — безупречной. Мягкое освещение, полированное дерево, голубоватый блеск бокалов с ирландским виски... Сидящий во главе стола мистер Шайтана выглядел в полумраке более демонически, чем когда-либо.

Он церемонно извинился за неравное число мужчин и женщин.

Справа от него сидела миссис Лоример, а слева — миссис Оливер. Мисс Мередит поместилась между суперинтендантом Бэттлом и майором Деспардом, а Пуаро — между миссис Лоример и доктором Робертсом.

Последний весело шепнул Пуаро:

— Надеюсь, вы не собираетесь монополизировать единственную хорошенькую девушку. Вы, французы, не тратите время даром, верно?

— Я бельгиец, — уточнил Пуаро.

— Думаю, старина, это то же самое, когда дело касается леди, — усмехнулся доктор.

После этого, сменив шутливый тон на профессиональный, он начал рассказывать сидящему по другую сторону от него полковнику Рейсу о последних достижениях в лечении сонной болезни.

Миссис Лоример обернулась к Пуаро и заговорила о новейших пьесах. Её критические суждения были весьма проницательными. Они переключились на книги, а потом на международную политику. Пуаро нашел собеседницу толковой и хорошо информированной.

На противоположной стороне стола миссис Оливер расспрашивала майора Деспарда, знает ли он какие-нибудь неизвестные и необычные яды.

— Ну, например, кураре.

— Дорогой мой, это vieux jeu![1] Его использовали сотни раз. Я имею в виду что-нибудь новое!

— Дикие племена весьма старомодны, — сухо ответил майор Деспард. — Они пользуются теми же испытанными средствами, что и их деды и прадеды.

— Как это скучно! — вздохнула миссис Оливер. — Я думала, они постоянно экспериментируют с разными травами и тому подобным. Какой шанс для исследователей! Они могли бы вернуться домой и поубивать всех своих богатых дядюшек каким-нибудь ядом, о котором никто никогда не слышал.

— Для этого нужно отправляться не в джунгли, а в самые что ни на есть цивилизованные места, — сказал Деспард. — Например, в современные лаборатории — за культурами невинных на вид микробов, вызывающих серьезнейшие болезни.

— Для моих читателей это не подойдет, — решительно возразила миссис Оливер. — Кроме того, за-

---

[1] Устарело! (фр.)

просто можно перепутать названия — стафилококки, стрептококки и так далее. Моей секретарше в них не разобраться, да и вообще, по-моему, это очень скучно. Как вы думаете, суперинтендант Бэттл?

— В реальной жизни люди не стремятся к особой изощренности, миссис Оливер, — ответил суперинтендант. — Обычно они пользуются мышьяком, так как его легко раздобыть.

— Чепуха! — заявила миссис Оливер. — Этот просто потому, что многие преступления остаются неизвестными для вас в Скотленд-Ярде. Будь там женщина...

— Вообще-то они у нас есть.

— Да, эти жуткие констебльши в нелепых шляпках, которые пристают к людям в парках! Я имею в виду женщину во главе Скотленд-Ярда. Женщины все знают о преступлениях!

— Обычно из них получаются ловкие преступницы, — согласился суперинтендант Бэттл. — У них есть голова на плечах. Просто удивительно, как они умудряются выходить сухими из воды.

Мистер Шайтана негромко засмеялся.

— Яд — женское оружие, — заметил он. — Многие отравительницы, должно быть, так и остались неразоблаченными.

— Конечно! — радостно подхватила миссис Оливер, кладя на тарелку щедрую порцию паштета из гусиной печенки.

— У врачей тоже немало возможностей, — задумчиво продолжал мистер Шайтана.

— Я протестую! — воскликнул доктор Робертс. — Если мы отравляем наших пациентов, то только случайно. — Он искренне расхохотался.

— Если бы я совершил преступление... — Мистер Шайтана сделал паузу, которая привлекла всеобщее внимание. Все посмотрели на него. — То, думаю, самым простым способом. Всегда возможен несчастный случай — например, на охоте с ружьем или дома... — Он пожал плечами и поднял бокал. — Но кто я такой, чтобы рассуждать об этом в присутствии стольких экспертов?

Мистер Шайтана отхлебнул из бокала. Пламя свечей отбрасывало красные тени от вина на его лицо с вощеными усами, маленькой эспаньолкой, причудливо изогнутыми бровями.

Воцарилось молчание.

— Ангел пролетел, — пошутила миссис Оливер. — Мои ноги не скрещены — значит, это черный ангел!

Глава 3

ИГРА В БРИДЖ

Когда они вернулись в гостиную, там уже стоял столик для бриджа. Подали кофе.

— Кто играет в бридж? — спросил мистер Шайтана. — Знаю, что миссис Лорример и доктор Робертс. А вы играете, мисс Мередит?

— Да, хотя и не очень хорошо.

— Майор Деспард? Отлично. Тогда вы вчетвером и располагайтесь здесь.

— Слава Богу, что будет бридж, — сказала Пуаро миссис Лорример. — Я одна из самых заядлых игроков, какие когда-либо существовали. Если я прихожу на обед, а там нет бриджа, то просто засыпаю! Мне очень стыдно, но ничего не могу поделать.

Четверо игроков разбились на пары. Миссис Лорример предстояло играть с Энн Мередит против майора Деспарда и доктора Робертса.

— Женщины против мужчин, — промолвила миссис Лорример, садясь на стул и тасуя карты с ловкостью профессионала. — Скверные карты, не так ли, партнер? Играю два.

— Желаю вам выиграть, — сказала миссис Оливер, в которой взыграли феминистские чувства. — Покажите мужчинам, что они не всегда могут добиваться своего.

— У них, бедняжек, нет никакой надежды, — бодро произнес доктор Робертс, принимаясь тасовать другую колоду. — По-моему, ваша сдача, миссис Лорример.

Майор Деспард медленно опустился на стул и посмотрел на Энн Мередит так, словно впервые осознал, что она необычайно хорошенькая.

— Снимите, пожалуйста, — нетерпеливо сказала миссис Лорример.

Вздрогнув, майор снял протянутую ему колоду.

Миссис Лорример начала сдавать опытной рукой.

— В другой комнате есть еще один столик для бриджа, — сообщил мистер Шайтана.

Он направился ко второй двери, и остальные последовали за ним в маленькую, комфортабельно меблированную курительную, где был приготовлен второй столик.

— Один человек — лишний, — заметил полковник Рейс.

— Я не играю, — покачал головой мистер Шайтана. — Бридж не из тех игр, которые меня забавляют.

Остальные запротестовали, предлагая отказаться от игры, но он не пожелал и слушать. В конце концов они сели за столик. Пуаро и миссис Оливер играли против Бэттла и Рейса.

Некоторое время мистер Шайтана наблюдал за ними, снисходительно улыбаясь мефистофельской улыбкой, посмотрел, при каких картах миссис Оливер объявила два без козырей, а затем бесшумно вышел в соседнюю комнату.

Сидящие там были поглощены игрой, быстро объявляя с серьезными лицами: «Одна черва». «Пас». «Три трефы». «Три пики». «Четыре бубны». «Дубль». «Четыре черви».

Улыбнувшись своим мыслям, мистер Шайтана пересек комнату и сел в большое кресло у камина. На соседний столик только что поставили поднос с напитками. Отблески пламени играли на хрустальных пробках.

Во всем склонный к артистизму, мистер Шайтана создал иллюзию, будто комната освещена только огнем в камине. Маленькая, прикрытая абажуром лампочка рядом с ним в случае надобности позволила бы ему читать. Более сильная лампа горела только над столиком для бриджа, откуда продолжали доноситься монотонные возгласы:

— Один без козыря... — четкий и решительный голос миссис Лорример.

— Три черви... — голос доктора Робертса, в котором звучали агрессивные нотки.

— Пас... — тихий голос Энн Мередит.

Деспард немного помедлил перед заявкой. Он не был тугодумом, просто привык быть уверенным в правильности своего хода.

— Четыре черви.

— Дубль.

Колеблющийся свет упал на лицо мистера Шайтаны.

Он продолжал улыбаться. Его веки слегка дрогнули. Вечеринка получилась забавной...

— Пять бубен. Игра и роббер, — объявил полковник Рейс и обернулся к Пуаро. — Вам повезло, партнер. Не думал, что вам это удастся. Хорошо, что они не пошли с пик.

— Думаю, это почти ничего бы не изменило, — великодушно произнес суперинтендант Бэттл.

Он назвал пики. У его партнера, миссис Оливер, пики имелись, но «что-то подсказало ей» пойти с трефы, и это привело к катастрофическому результату.

Полковник Рейс посмотрел на часы:

— Десять минут первого. Сыграем еще разок?

— Простите, — сказал суперинтендант Бэттл, — но я с возрастом привык ложиться рано.

— Я тоже, — присоединился Эркюль Пуаро.

— Тогда подведем итоги, — предложил Рейс.

Результатом вечерних пяти робберов стала сокрушительная победа мужского пола. Миссис Оливер проиграла остальным три фунта и семь шиллингов. Больше всех выиграл полковник Рейс.

Миссис Оливер скверно играла в бридж, но умела не унывать при проигрыше. Она бодро рассталась с деньгами.

— Сегодня мне не везло, а вот вчера все время шла превосходная карта, — сказала она. — Три раза подряд одни крупные козыри.

Поднявшись, миссис Оливер подобрала красиво расшитую вечернюю сумочку и вовремя удержалась от того, чтобы не стряхнуть волосы со лба.

— Полагаю, наш хозяин в соседней комнате, — заметила она и направилась к двери. Остальные двинулись за ней.

Мистер Шайтана сидел в кресле у камина. Игроки были поглощены бриджем.

— Дубль пять треф, — произнесла миссис Лорример своим холодным, резким голосом.

— Пять без козырей.

— Дубль пять без козырей.

Миссис Оливер и суперинтендант Бэттл подошли к столику. Партия обещала быть захватывающей.

Полковник Рейс направился к мистеру Шайтане. Пуаро пошел следом за ним.

— Нам пора идти, Шайтана, — сказал Рейс.

Мистер Шайтана не ответил. Его голова склонилась на грудь — казалось, он спал. Рейс с усмешкой взглянул на Пуаро и подошел ближе. Внезапно он издал приглушенный возглас и склонился над креслом. Тотчас же очутившийся рядом с ним Пуаро посмотрел туда, куда указывал полковник Рейс, — на какой-то предмет, походивший на узорчатую запонку, но не являвшийся ею...

Наклонившись, Пуаро приподнял руку мистера Шайтаны, потом отпустил ее и кивнул, встретив вопросительный взгляд Рейса. Последний повысил голос:

— Суперинтендант Бэттл, на одну минуту.

Суперинтендант подошел к ним. Миссис Оливер продолжала наблюдать за игрой.

Несмотря на флегматичную внешность, суперинтендант Бэттл соображал очень быстро.

— Что-нибудь не так? — тихо спросил он, подняв брови.

Полковник Рейс кивком указал на безмолвную фигуру в кресле.

Когда Бэттл склонился над ней, Пуаро задумчиво посмотрел на видимую ему часть лица мистера Шайтаны. Демоническое выражение исчезло полностью — с открытым ртом оно выглядело глупым...

Эркюль Пуаро покачал головой.

Суперинтендант осмотрел то, что казалось лишней запонкой на рубашке мистера Шайтаны, не прикасаясь к ней, потом, как и Пуаро, приподнял безжизненную руку и опустил ее.

Бэттл выпрямился, не проявляя никаких эмоций, но чувствовалось, что он готов немедленно взять на себя инициативу.

— Пожалуйста, минутку внимания, — обратился он к игрокам в бридж. Его голос настолько изменился, став сугубо официальным, что головы сидящих за столиком сразу же повернулись к нему, а рука Энн Мередит с тузом пик застыла в воздухе.

— Должен с сожалением сообщить вам, — продолжал суперинтендант, — что наш хозяин, мистер Шайтана, мертв.

Миссис Лоримэр и доктор Робертс вскочили на ноги. Деспард нахмурился. Энн Мередит слегка вскрикнула.

— Вы уверены, приятель? — Доктор Робертс, в котором пробудились профессиональные инстинкты, быстро направился к креслу.

Массивная фигура Бэттла преградила ему дорогу.

— Одну минуту, доктор Робертс. Не могли бы вы сначала сказать мне, кто входил в эту комнату и выходил из нее сегодня вечером?

Робертс уставился на него:

— Входил и выходил? Не понимаю. Никто.

— Это верно, миссис Лоримэр? — обратился к ней суперинтендант.

— Абсолютно верно.

— Ни дворецкий, ни кто-нибудь из слуг?

— Нет. Дворецкий принес этот поднос, когда мы только сели играть. С тех пор он не появлялся.

Суперинтендант Бэттл посмотрел на Деспарда.

Майор кивнул.

— Да... это правда... — запинаясь произнесла Энн.

— Что все это значит? — нетерпеливо спросил Робертс. — Дайте мне осмотреть его — возможно, это просто обморок.

— Это не обморок. Прошу прощения, но никто не должен прикасаться к нему до прибытия полицейского врача. Мистер Шайтана был убит, леди и джентльмены.

— Убит? — одновременно воскликнули Энн и миссис Лорример — одна с испугом и недоверием, другая резким, негодующим голосом.

— Господи! — вырвалось у доктора Робертса.

Деспард молча смотрел пустым взглядом на фигуру в кресле.

Суперинтендант Бэттл медленно кивнул. Он походил на фарфорового китайского мандарина. Выражение его лица было полностью отсутствующим.

— Заколот, — уточнил он и спросил: — Кто-нибудь из вас вставал из-за стола во время игры?

На обращенных к нему лицах Бэттл видел страх, непонимание, возмущение, но не замечал ничего, что могло бы ему помочь.

— Ну?

Майор Деспард успел подняться и стоял как солдат на параде.

— Думаю, — спокойно ответил он, — каждый из нас время от времени вставал из-за стола, чтобы принести напитки или подбросить поленьев в камин. Я делал и то и другое. Когда я подходил к камину, Шайтана спал в кресле.

— Спал?

— Так мне показалось.

— Возможно, так оно и было, — промолвил Бэттл, — а может быть, он уже был мертв. Вскоре мы к этому вернемся. А сейчас я прошу вас пройти в соседнюю комнату. — Он повернулся к Рейсу, спокойно стоящему рядом: — Полковник Рейс, может быть, вы пройдете с ними?

Рейс понимающе кивнул:

— Хорошо, суперинтендант.

Четыре игрока в бридж медленно вышли.

Миссис Оливер опустилась на стул в дальнем конце комнаты и стала тихо всхлипывать.

Бэттл коротко поговорил по телефону.

— Местная полиция и врач из участка прибудут немедленно, — сообщил он. — В управлении приказали, чтобы я занялся этим делом. Как по-вашему, мсье Пуаро, сколько времени он мертв? Я бы сказал, значительно больше часа.

— Согласен. Увы, точнее определить невозможно. Нельзя сказать: «Этот человек мертв один час двадцать пять минут и сорок секунд».

Бэттл рассеянно кивнул:

— Он сидел прямо перед камином. Это несколько меняет дело. Держу пари, наш доктор скажет, что он мертв больше часа, но не более двух с половиной часов. И никто ничего не видел и не слышал. Поразительно! Какой отчаянный риск. Ведь он мог вскрикнуть.

— Но не издал ни звука. Убийце повезло. Как вы сказали, mon ami[1], он отчаянно рисковал.

— У вас есть какие-нибудь идеи насчет мотива, мсье Пуаро?

— Думаю, кое-что есть, — медленно отозвался Пуаро. — Скажите, мсье Шайтана не намекал вам на то, какого рода вечеринка нас ожидает?

Суперинтендант с любопытством посмотрел на него:

— Нет, мсье Пуаро. Он ничего не говорил. А что?

Послышался звонок и стук дверного молотка.

— Это полиция, — сказал Бэттл. — Пойду впущу их. Вскоре мы выслушаем вашу историю. А сейчас займемся рутинной работой.

Пуаро кивнул, и Бэттл вышел из комнаты.

Миссис Оливер продолжала всхлипывать.

Пуаро подошел к столику для бриджа. Ни к чему не прикасаясь, он стал разглядывать записи счета, время от времени качая головой.

_____

[1] Мой друг (*фр.*).

— Глупый вздорный человечек! — бормотал Эркюль Пуаро. — Изображать дьявола и стараться пугать людей... Quel enfantillage![1]

Дверь открылась. Вошел полицейский врач с саквояжем в руке. За ним следовал участковый инспектор, переговариваясь с Бэттлом. Последним появился фотограф. Констебль остался в холле.

Начиналась обещанная суперинтендантом рутинная работа по расследованию преступления.

Глава 4
ПЕРВЫЙ УБИЙЦА?

Эркюль Пуаро, миссис Оливер, полковник Рейс и суперинтендант Бэттл сидели вокруг стола, за которым недавно обедали.

Прошел час. Тело обследовали, сфотографировали и унесли. Дактилоскопист также удалился, выполнив свою работу.

Суперинтендант Бэттл посмотрел на Пуаро:

— Прежде чем впустить этих четверых, я хочу услышать, что вы можете мне сообщить. Судя по вашим словам, за этой вечеринкой кое-что скрывалось?

Подробно и тщательно Пуаро пересказал свою беседу с Шайтаной в Уэссекс-Хаус.

Суперинтендант Бэттл скривил губы. Казалось, он сейчас свистнет.

— Живые экспонаты-убийцы! Думаете, он в самом деле имел это в виду? Он вас не разыгрывал?

Пуаро пожал плечами:

— Нет. Шайтана гордился своим мефистофельским отношением к жизни. Он обладал непомерным тщеславием и притом был недалеким человеком — поэтому он сейчас мертв.

— Понимаю, — промолвил суперинтендант, обдумав услышанное. — Восемь гостей и он сам. Четыре, так сказать, «сыщика» и четверо убийц!

---

[1] Какое ребячество! (*фр.*)

29

— Это невозможно! — воскликнула миссис Оливер. — Никто из этих людей не может быть преступником!

Бэттл с удивлением глянул на нее:

— Я не так в этом уверен, миссис Оливер. Убийцы выглядят и ведут себя практически так же, как все прочие. Зачастую они кажутся приятными, разумными, хорошо воспитанными людьми.

— В таком случае это доктор Робертс, — твердо заявила миссис Оливер. — Как только я увидела этого человека, то инстинктивно почувствовала, что с ним что-то не так. А мой инстинкт меня никогда не подводит.

Бэттл обернулся к полковнику Рейсу. Тот пожал плечами, поняв, что вопросительный взгляд суперинтенданта относится к рассказу Пуаро, а не к подозрениям миссис Оливер.

— Вполне возможно, — сказал он. — Следовательно, Шайтана был прав минимум в одном случае. В конце концов, он мог только подозревать, что эти люди — убийцы, но едва ли быть в этом уверенным. Шайтана мог оказаться правым во всех четырех случаях, но в одном из них он, безусловно, не ошибся — его смерть доказывает это.

— Один из них испугался. Вы это имеете в виду, мсье Пуаро?

Пуаро кивнул.

— Покойный мистер Шайтана имел репутацию безжалостного человека, к тому же обладающего весьма опасным чувством юмора, — сказал он. — Жертва думала, что Шайтана наслаждается вечеринкой, предвкушая момент, когда выдаст ее полиции — то есть вам, суперинтендант. Он (или она), очевидно, полагал, что Шайтана располагает определенными доказательствами.

— Так оно и было?

Пуаро развел руками:

— Этого мы уже никогда не узнаем.

— Доктор Робертс! — упрямо повторила миссис Оливер. — Он такой добродушный человек. Убийцы часто выглядят добродушными — это своего рода маскировка. На вашем месте, суперинтендант Бэттл, я бы немедленно его арестовала.

— Несомненно, мы так бы и поступили, будь женщина во главе Скотленд-Ярда, — отозвался Бэттл, и в его бесстрастных глазах мелькнули насмешливые искорки. — Но так как его возглавляют всего лишь мужчины, приходится соблюдать осторожность. Нам незачем торопиться.

— Ох уж эти мужчины! — вздохнула миссис Оливер и принялась обдумывать очередную газетную статью.

— Пожалуй, лучше впустить их, — сказал суперинтендант. — Не стоит заставлять их ждать слишком долго.

Полковник Рейс привстал со стула:

— Если вы хотите, чтобы мы ушли...

Суперинтендант Бэттл заколебался, поймав красноречивый взгляд миссис Оливер. Он был осведомлен об официальном статусе полковника Рейса, а Пуаро неоднократно сотрудничал с полицией. Однако присутствие миссис Оливер явно выглядело излишним. Но Бэттл был добрым человеком. К тому же он помнил, как миссис Оливер, проиграв в бридж три фунта и семь шиллингов, весело рассталась с деньгами.

— Вы все можете остаться, — разрешил Бэттл. — Но, пожалуйста, никакой самодеятельности, — он многозначительно посмотрел на миссис Оливер, — и никаких намеков на то, что мсье Пуаро только что сообщил нам. Пускай считают, что маленький секрет мистера Шайтаны умер вместе с ним. Понятно?

— Абсолютно, — отозвалась миссис Оливер.

Бэттл подошел к двери и окликнул констебля, дежурившего в холле.

— Идите в курительную. Там вы найдете Эндерсона с четырьмя гостями. Попросите доктора Робертса зайти сюда.

— Я бы отложила его на самый конец, — не удержалась миссис Оливер и поспешила виновато добавить: — Я имею в виду, в книге.

— Жизнь — другое дело, — возразил Бэттл.

— Знаю, — вздохнула миссис Оливер. — У нее никудышная драматургия.

Вошел доктор Робертс, чья подпрыгивающая походка уже не так бросалась в глаза.

— Что за чертовщина, Бэттл! — начал он. — Простите, миссис Оливер, но так оно и есть. Как профессионал, я просто не могу в это поверить! Заколоть человека, когда трое других людей находятся в нескольких ярдах! — Он недоуменно покачал головой. — Я бы так не поступил. — Уголки его рта слегка приподнялись в улыбке. — Как мне убедить вас, что я и вправду этого не делал?

— Важно наличие мотива, доктор Робертс.

Доктор энергично тряхнул головой:

— Тут все чисто. У меня нет и намека на мотив, чтобы разделаться с бедным Шайтаной. Я даже не был с ним близко знаком. Этот чудной парень забавлял меня — в нем было нечто восточное. Я не дурак и понимаю, что вы расследуете все мои связи с ним, но вы ничего не обнаружите. У меня не было причины убивать Шайтану, и я его не убивал.

Бэттл кивнул, не меняя деревянного выражения лица:

— Вы правы, доктор Робертс, — мне придется все расследовать. А теперь что вы можете мне сообщить о троих остальных?

— Боюсь, что очень немногое. Деспарда и мисс Мередит я впервые встретил этим вечером. Правда, я читал книги Деспарда о его путешествиях — они чертовски увлекательны.

— Вам известно, что он и мистер Шайтана были знакомы?

— Нет. Шайтана никогда не упоминал мне о нем. А вот миссис Лорример я немного знаю.

— И что вы о ней скажете?

Робертс пожал плечами:

— Она вдова. Умеренно состоятельная. Умная, хорошо воспитанная женщина, прекрасно играет в бридж. За игрой я с ней и познакомился.

— А мистер Шайтана никогда о ней не упоминал?

— Нет.

— Хм! Не слишком-то обнадеживающая информация. А теперь, доктор Робертс, пожалуйста, напрягите память и расскажите, сколько раз вы покидали свое место за столом для бриджа и все, что можете вспомнить о передвижениях остальных.

Доктор Робертс задумался.

— Это нелегко, — признался он. — Собственные перемещения я могу припомнить более или менее. Я вставал из-за стола трижды — когда был «болваном». В первый раз я подбросил поленьев в камин, во второй принес напитки двум леди, а в третий налил себе виски с содовой.

— А вы не можете вспомнить время?

— Только ориентировочно. По-моему, мы начали играть около половины десятого. Думаю, через час я подбросил топлива в камин, вскоре после этого (кажется, через одну сдачу) принес напитки и, возможно, в половине двенадцатого обслужил себя виски, но, повторяю, все это крайне приблизительно.

— Столик с напитками находился возле кресла мистера Шайтаны?

— Да. Таким образом я трижды проходил мимо него.

— И каждый раз вам казалось, что он спит?

— В первый раз — да. Во второй раз я даже не посмотрел на него, а в третий подумал: «До чего же этот парень крепко спит!» Но толком я к нему не приглядывался.

— Хорошо. А когда ваши компаньоны по игре покидали свои места?

Доктор Робертс нахмурился:

— Трудно сказать. Кажется, Деспард принес пустую пепельницу и отходил за выпивкой. Помню, что это было до меня, так как он спросил, налить ли мне тоже, а я ответил, что пока не нужно.

— А леди?

— Миссис Лоррмер один раз подходила к камину пошуровать кочергой. Возможно, она говорила с Шайтаной, но я не уверен. В то время я вел довольно замысловатую игру без козырей.

— А мисс Мередит?

— Она, безусловно, один раз вставала из-за стола. Обошла вокруг и заглянула мне в карты — в тот раз я был ее партнером. Потом посмотрела в карты остальным и побродила по комнате. Я не обратил внимания, что именно она делала.

— Когда вы сидели за игральным столиком, — задумчиво спросил суперинтендант Бэттл, — ничей стул не был повернут к камину?

— Нет, только боком. К тому же между нами находилась большая красивая горка — по-моему, китайская. Конечно, беднягу вполне могли заколоть. Когда играют в бридж, никто не замечает, что происходит вокруг. Разумеется, кроме «болвана». Так что в данном случае...

— В данном случае «болван», несомненно, и был убийцей, — закончил Бэттл.

— Тем не менее это требует завидного хладнокровия, — заметил доктор Робертс. — Ведь нельзя же быть уверенным, что кто-нибудь не посмотрит туда в критический момент.

— Да, риск был велик, — согласился Бэттл. — Значит, и мотив должен быть очень веским. Как жаль, что мы его не знаем, — солгал он не моргнув глазом.

— Ничего, узнаете, — подбодрил доктор Робертс. — Просмотрите его бумаги и найдете ключ.

— Будем надеяться, — мрачно произнес суперинтендант и внимательно посмотрел на собеседника. — Не будете ли вы так любезны, доктор Робертс, высказать мне свое личное мнение — как человек человеку?

— Разумеется.

— Кто из троих кажется вам наиболее вероятным?

Робертс пожал плечами:

— Это несложно. Конечно, Деспард. У него крепкие нервы, и он привык вести жизнь, полную опасностей, когда приходится действовать быстро. Риск его бы не остановил. Сомневаюсь, что это дело рук одной из женщин. Такое требует сил.

— Не так много, как вам кажется. Смотрите.

Словно фокусник, Бэттл внезапно извлек длинный тонкий кинжал с маленькой, украшенной драгоценными камнями рукояткой.

Взяв оружие, доктор Робертс обследовал его с профессиональной тщательностью. Коснувшись острия, он присвистнул.

— Вот это да! Такая штука словно предназначена для убийства! Войдет в тело как в масло! Полагаю, убийца принес его с собой?

Бэттл покачал головой:

— Нет. Кинжал принадлежал мистеру Шайтане. Он лежал на столике у двери вместе с другими безделушками.

— Выходит, преступнику повезло. Наткнуться на такое оружие — большая удача.

— Смотря с какой точки зрения, — медленно произнес Бэттл.

— Ну, конечно, это не было удачей для бедного Шайтаны.

— Я не то имел в виду, доктор Робертс. Мне пришло в голову, что именно вид этого оружия навел преступника на мысль об убийстве.

— Вы хотите сказать, что это решение созрело внезапно? Он замыслил убийство, уже находясь здесь? Что подало вам такую идею?

— Это всего лишь предположение, — спокойно сказал суперинтендант Бэттл.

— Конечно, могло быть и так, — согласился доктор Робертс.

Суперинтендант прочистил горло.

— Ну, доктор, не стану больше вас задерживать. Спасибо за помощь. Возможно, вы сообщите ваш адрес?

— Разумеется. Глостер-Террас, 200. Запад-2. Телефон — Бейсуотер 23896.

— Благодарю вас. Может быть, вскоре я к вам загляну.

— Рад вас видеть в любое время. Надеюсь, в газетах не будет особой шумихи. Не хочу расстраивать моих нервных пациентов.

Суперинтендант повернулся к Пуаро:

— Прошу прощения, мсье Пуаро. Если хотите задать какие-нибудь вопросы, уверен, доктор не будет возражать.

— Конечно нет. Я ваш большой поклонник, мсье Пуаро. Маленькие серые клеточки, порядок и метод —

я все про это знаю. Уверен, что вы спросите меня о чем-нибудь интригующем.

Эркюль Пуаро развел руками в чисто иностранной манере:

— Нет-нет. Я всего лишь хочу уточнить некоторые детали. Например, сколькоずробберов вы сыграли?

— Три, — сразу же ответил Робертс. — Мы начали четвертый и завершили бы игру, но тут вошли вы.

— А кто с кем играл?

— В первом роббере Деспард и я против двух леди. Они разбили нас наголову — к нам не шла карта. Во втором роббере мисс Мередит и я против Деспарда и миссис Лорример, а в третьем — миссис Лорример и я против мисс Мередит и Деспарда. Мы каждый раз определяли партнеров выниманием карт, но все шло по кругу. В четвертом роббере я снова был в паре с мисс Мередит.

— Кто выиграл и кто проиграл?

— Миссис Лорример выиграла в каждом роббере. Мисс Мередит выиграла в первом и проиграла в следующих двух. Мне везло, а мисс Мередит и Деспарду — не слишком.

— Наш славный суперинтендант, — улыбнулся Пуаро, — спросил, каково ваше мнение о ваших компаньонах как о возможных убийцах. Я же спрашиваю о них как об игроках в бридж.

— Миссис Лорример — первоклассный игрок, — быстро ответил Робертс. — Держу пари, у нее солидный годовой доход за счет бриджа. Деспард тоже хорошо играет — он парень толковый. Мисс Мередит предпочитает не рисковать. Она не делает ошибок, но играет без блеска.

— А вы сами, доктор?

Глаза Робертса блеснули.

— Говорят, будто я иногда переоцениваю свои карты. Но меня это сегодня не подвело — я в выигрыше.

Пуаро снова улыбнулся.

— Что-нибудь еще? — спросил доктор, вставая.

Пуаро отрицательно мотнул головой:

— Ну, тогда доброй ночи. Вам следует воспользоваться этой историей для очередной книги, миссис Оливер. Это получше, чем ваши не оставляющие следов яды.

Доктор Робертс вышел из комнаты. Его походка вновь стала пружинистой. Когда дверь закрылась за ним, миссис Оливер с горечью промолвила:

— Тоже мне! Как все-таки глупы люди! Я когда угодно могу придумать убийство куда интереснее любого настоящего! Сюжетов мне хватает. А тем, кто читает мои книги, нравятся яды, не оставляющие следов!

Глава 5
ВТОРОЙ УБИЙЦА?

Миссис Лорример вошла в столовую как истинная леди. Она выглядела слегка побледневшей, но сдержанной.

— Простите, что пришлось вас побеспокоить, — начал суперинтендант Бэттл.

— Вы должны исполнять свой долг, — спокойно сказала миссис Лорример. — Согласна, положение не из приятных, но от этого никуда не денешься. Я хорошо понимаю, что убийца — один из четверых, находившихся в гостиной. Естественно, я не ожидаю, будто вы поверите мне на слово, что это не я.

Она села напротив суперинтенданта, внимательно наблюдая за ним смышлеными серыми глазами.

— Вы хорошо знали мистера Шайтану? — спросил Бэттл.

— Не очень. Я знаю его несколько лет, но никогда не была с ним близко знакома.

— Когда вы впервые встретились с ним?

— В Египте — в отеле «Зимний дворец» в Луксоре.

— И что вы о нем думаете?

Миссис Лорример слегка пожала плечами:

— Он казался мне шарлатаном.

— Простите, а у вас не было повода желать ему смерти?

Вопрос, казалось, позабавил ее.

— Неужели вы думаете, суперинтендант Бэттл, что, будь у меня такой повод, я бы в этом призналась?

— Кто знает, — отозвался Бэттл. — Умный человек понимает, что рано или поздно это становится известным.

Миссис Лорример задумчиво склонила голову:

— Пожалуй, это верно. Нет, суперинтендант Бэттл, у меня не было повода желать смерти мистеру Шайтане. Мне абсолютно безразлично, жив он или мертв. Я считала его позером, склонным к мелодраме, — вот и все мое отношение к нему.

— Хорошо. Скажите, миссис Лорример, вы можете что-нибудь сообщить мне о ваших трех компаньонах?

— Боюсь, что нет. С майором Деспардом и мисс Мередит я впервые встретилась сегодня вечером. Оба кажутся очаровательными людьми. Доктора Робертса я немного знаю. По-моему, он довольно известный врач.

— Но он не ваш врач?

— Конечно нет.

— Теперь, миссис Лорример, не могли бы вы сказать, сколько раз вы вставали из-за стола, и описать передвижения троих остальных?

Миссис Лорример не стала раздумывать.

— Я ожидала, что вы меня об этом спросите, и постаралась вспомнить. Я вставала один раз, когда была «болваном», и подходила к камину. Тогда мистер Шайтана был жив. Я сказала ему, как приятно смотреть на настоящий камин.

— И он ответил?..

— Что ненавидит радиаторы.

— Кто-нибудь слышал ваш разговор?

— Едва ли. Я понизила голос, чтобы не мешать игрокам. — Она сухо добавила: — Фактически вы можете только верить мне на слово, что мистер Шайтана был жив и говорил со мной.

Суперинтендант Бэттл не стал протестовать. Он продолжал методичные расспросы:

— Когда вы подходили к камину?

— Думаю, мы уже играли чуть больше часа.

— А как насчет остальных?

— Доктор Робертс принес мне напиток. Себе он тоже налил, но позже. Майор Деспард также отходил за виски — по-моему, около четверти двенадцатого.

— Только один раз?

— Нет, кажется, дважды. Мужчины вообще довольно много расхаживали по комнате, но я не замечала, что они делали. Мисс Мередит, по-моему, только однажды покидала свое место. Она встала, чтобы заглянуть в карты партнера.

— Но не отходила от стола?

— Не знаю. Возможно, отходила.

— Все это крайне неопределенно, — вздохнул Бэттл.

— Сожалею.

Суперинтендант повторил трюк фокусника, продемонстрировав тонкий стилет.

— Взгляните на это, миссис Лорример.

Она посмотрела на оружие, не проявляя никаких эмоций.

— Вы когда-нибудь видели это раньше?

— Никогда.

— Но кинжал находился на столике в гостиной.

— Я его не заметила.

— Вы понимаете, миссис Лорример, что таким оружием женщина могла совершить убийство так же легко, как и мужчина?

— По-видимому, — спокойно отозвалась миссис Лорример.

Она вернула ему изящную вещицу.

— Но тем не менее, — продолжал Бэттл, — такая женщина должна быть доведена до отчаяния. Риск был очень велик.

Он подождал несколько секунд, но миссис Лорример хранила молчание.

— Вам что-нибудь известно об отношениях троих остальных с мистером Шайтаной?

Она покачала головой:

— Ровным счетом ничего.

— Вы не могли бы высказать мнение насчет того, кто из них, вероятнее всего, мог это сделать?

Миссис Лорример возмущенно выпрямилась:

— Не собираюсь делать ничего подобного. Я считаю этот вопрос в высшей степени неподобающим.

Суперинтендант выглядел как пристыженный мальчишка, получивший выговор от бабушки.

— Пожалуйста, назовите ваш адрес, — промямлил он, придвигая к себе записную книжку.

— Чейн-Лейн, 111, Челси.

— Номер телефона?

— Челси 45632.

Миссис Лорример поднялась.

— Вы хотите что-нибудь спросить, мсье Пуаро? — поспешно осведомился Бэттл.

Миссис Лорример ждала, слегка склонив голову набок.

— Будет ли подобающим вопросом, мадам, узнать ваше мнение о ваших компаньонах не как о возможных убийцах, а как об игроках в бридж?

— Я ничего не имею против, — холодно отозвалась миссис Лорример, — хотя не понимаю, какое это может иметь отношение к делу.

— Позвольте мне судить об этом, мадам.

— Майор Деспард — сильный игрок, — ответила она тоном взрослого человека, ублажающего слабоумного ребенка. — Доктор Робертс часто переоценивает свои карты, но играет блестяще. Мисс Мередит тоже недурно играет, хотя она слишком осторожна. Что-нибудь еще?

В свою очередь проделав трюк фокусника, Пуаро предъявил четыре измятых листка с записями счета.

— Которая из этих записей ваша, мадам?

Она обследовала листки.

— Вот эта — запись третьего роббера.

— А эта?

— Должно быть, майора Деспарда. Он вычеркивает цифры после каждого хода.

— А эта?

— Мисс Мередит — первый роббер.

— Значит, неоконченная запись принадлежит доктору Робертсу?

— Да.

— Благодарю вас, мадам. Думаю, это все.

Миссис Лорример повернулась к миссис Оливер:

— Доброй ночи, миссис Оливер. Доброй ночи, полковник Рейс.

Пожав руку всем четверым, она вышла.

Глава 6
ТРЕТИЙ УБИЙЦА?

— Из нее многого не вытянешь, — заметил Бэттл. — Здорово она поставила меня на место! Старомодная леди — вежливая, но высокомерная, как сам дьявол! Не думаю, что это ее рук дело, но кто знает. Решительности ей не занимать. Что за идея насчет записей счета, мсье Пуаро?

Пуаро разложил счета на столе.

— Они многое разъясняют, не так ли? Что для нас самое важное в этом деле? Ключ к характеру четырех персонажей. И скорее всего, мы найдем его в этих цифрах. Вот первый роббер — он был достаточно банальным и быстро закончился. Маленькие аккуратные цифирьки, тщательное сложение и вычитание — это счет мисс Мередит. Она играла в паре с миссис Лорример. Им шла карта, и они выиграли.

По следующей записи не так легко следить за игрой, так как ее вели методом вычеркивания. Но она говорит нам кое-что о майоре Деспарде — человеке, предпочитающем с первого взгляда определять, в каком он находится положении. Цифры мелкие, но свидетельствуют о твердом характере.

Следующий счет вела миссис Лорример — она и доктор Робертс играли против двоих остальных. Здесь поистине гомеровская битва — цифры по обеим сторонам буквально зашкаливают. Доктор переоценивает свои возможности, и они начинают проигрывать, но так как оба первоклассные игроки, то теряют не слишком много. Если переоценки доктора вызывают опрометчивые заявки другой стороны, то появляется воз-

мы	они
(М-с Лорример и мисс Мередит)	(Майор Деспард и доктор Робертс)
700	
300	
50	
50	
30	
очки	

	взятки	
120		
120		
1370		

1-й роббер
(счет вела мисс Мередит)

мы	они
(Майор Деспард и м-с Лорример)	(Д-р. Робертс и мисс Мередит)
⑪	
1060	
~~480~~	
~~410~~	
~~440~~	
~~540~~	
~~440~~	
~~560~~	
~~500~~	
~~50~~	
очки	

взятки	
~~60~~	~~120~~
~~100~~	
70	30
80	

2-й роббер
(счет вел майор Деспард)

мы	они	мы	они
(Д-р. Робертс и м-с Лоррімер)	(Майор Деспард и мисс Мередит)	(Д-р. Робертс и мисс Мередит)	(Майор Деспард и м-с Лоррімер)
500			
1500	200		
100	100	50	
100	200	100	
300	100	100	
500	100	50	100
200	50	200	50
200	50	50	100
30	50	50	50
очки		очки	
взятки		взятки	
	30		
	120	80	70
100			
280			
3810	1000		
	(28)		

3-й роббер
(счет вела м-с Лоррімер)

4-й роббер
(неоконченный)
(счет вел д-р Робертс)

можность дублей. Смотрите, вот эти цифры обозначают потерянные удвоенные взятки. Характерный почерк — изящный, но твердый и четкий.

А вот последняя запись — неоконченный роббер. Этот счет вел доктор Робертс. Таким образом, у нас имеются образцы почерка всех четверых. Цифры внушительные, хотя и не такие крупные, как в предыдущем роббере, — вероятно, потому, что доктор играл в паре с мисс Мередит, а она довольно робкий игрок. Его дерзость только усиливала ее неуверенность.

Возможно, мои вопросы показались вам глупыми. Но это не так. Мне нужны характеры четырех игроков, а когда я спрашиваю только о бридже, каждый из них отвечает охотно и более раскованно.

— Я вовсе не считаю ваши вопросы глупыми, мсье Пуаро, — сказал суперинтендант Бэттл. — Я слишком хорошо знаком с вашей работой. У каждого свой метод. Я это знаю, поэтому предоставляю моим инспекторам свободу действий — пускай каждый сам определяет, какой метод ему лучше подходит. Но не будем обсуждать это теперь. Давайте побеседуем с девушкой.

Энн Мередит остановилась в дверях. Она дышала неровно и выглядела чрезвычайно расстроенной.

Манеры суперинтенданта тут же стали заботливо-отеческими. Он поднялся и придвинул ей стул.

— Пожалуйста, садитесь, мисс Мередит. Не волнуйтесь. Я знаю, что это выглядит ужасно, но в действительности все не так уж плохо.

— Не думаю, что бывает хуже, — тихо отозвалась девушка. — Так страшно думать, что один из нас...

— Думать позвольте мне, — добродушно возразил Бэттл. — Давайте, мисс Мередит, для начала запишем ваш адрес.

— Коттедж «Уэндон», Уоллингфорд.

— А городского адреса у вас нет?

— Нет. Я остановилась на день-два в моем клубе.

— И что это за клуб?

— Армейский и флотский клуб для леди.

— Отлично. Ну, мисс Мередит, насколько близко вы были знакомы с мистером Шайтаной?

— Ни насколько. Он всегда меня пугал.

— Почему?

— Эта его жуткая улыбка! И то, как он склонялся к собеседнику, словно хотел его укусить!

— Давно вы его знали?

— Около девяти месяцев. Я познакомилась с ним в Швейцарии, когда участвовала там в зимних состязаниях.

— Никогда бы не подумал, что он увлекался зимним спортом, — удивленно промолвил Бэттл.

— Он только катался на коньках, но замечательно. Проделывал множество фигур и трюков.

— Да, это больше похоже на него. И вы часто видели его после этого?

— Ну... достаточно часто. Он приглашал меня на вечеринки — они были довольно забавными.

— Но сам мистер Шайтана вам не нравился?

— Нет. Меня от него в дрожь бросало.

— У вас была какая-нибудь определенная причина его бояться? — мягко осведомился Бэттл.

Энн Мередит посмотрела на него своими большими прозрачными глазами:

— Определенная причина? Конечно нет.

— Тогда все в порядке. Теперь что касается сегодняшнего вечера. Вы покидали ваше место во время игры?

— Не думаю... Хотя да, один раз. Я обошла вокруг стола посмотреть карты остальных.

— Но вы все время оставались возле стола?

— Да.

— Вы абсолютно уверены, мисс Мередит?

Щеки девушки внезапно зарделись.

— Н-нет. Думаю, я прошлась по комнате.

— Простите, мисс Мередит, но прошу вас — постарайтесь говорить правду. Я знаю, что вы нервничаете, а когда человек нервничает, он способен... ну, выдавать желаемое за действительное. А это не идет ему на пользу. Значит, вы прошлись по комнате. Вы ходили в сторону мистера Шайтаны?

Несколько секунд девушка молчала.

— Честное слово, не помню, — сказала она наконец.

— Ладно, будем считать, что вы могли к нему подойти. Что вам известно о троих остальных?

Энн Мередит покачала головой:

— До этого вечера я никогда не видела никого из них.

— А что вы о них думаете? Может кто-то из них оказаться убийцей?

— Я просто не могу в это поверить! Это никак не может быть майор Деспард. И я не верю, что это доктор Робертс. Врач может убить любого куда более легким способом — например, дать ему смертельную дозу лекарства...

— Тогда остается миссис Лорример?

— Да нет же! Уверена, что это не она. Миссис Лорример — очаровательная женщина и прекрасный партнер в бридж. Сама она великолепно играет, но не заставляет партнера нервничать и не указывает ему на ошибки.

— Однако вы оставили ее напоследок, — заметил Бэттл.

— Только потому, что заколоть человека... ну, это больше свойственно женщине.

Бэттл в очередной раз показал свой фокус. Энн Мередит отпрянула:

— Какой ужас! Я должна взять это в руки?

— Если не возражаете.

Он наблюдал, как она с гримасой отвращения взяла стилет.

— И этой штукой...

— Входит, как в масло, — со смаком повторил Бэттл. — Ребенок мог бы это проделать.

— Вы имеете в виду... — расширенные от ужаса глаза остановились на лице суперинтенданта, — что это могла быть я? Но я этого не делала! Зачем это мне?

— Этот вопрос мы и хотим выяснить, — ответил Бэттл. — Какой мотив? Почему кому-то понадобилось убивать Шайтану? Он колоритная личность, согласен, но, насколько я понимаю, не был опасен.

Показалось ли ему, или девушка в самом деле вздохнула с облегчением?

— Не шантажист и не кто-нибудь в таком роде, — продолжал Бэттл. — К тому же, мисс Мередит, вы не походите на человека, у которого могут иметься преступные тайны.

Она впервые улыбнулась, ободренная его добродушием:

— Конечно нет. У меня вообще нет никаких секретов.

— Тогда не беспокойтесь, мисс Мередит. Нам придется по ходу расследования еще раз с вами повидаться и уточнить некоторые вопросы, но это всего лишь рутинная процедура. — Он поднялся: — Сейчас вы можете идти. Мой констебль найдет вам такси, а дома примите пару таблеток аспирина и постарайтесь выспаться.

Суперинтендант проводил девушку к двери.

Когда он вернулся, полковник Рейс с усмешкой заметил:

— Какой же вы законченный лгун, Бэттл! Ваш отеческий тон был просто непревзойденным.

— Нет смысла на нее давить, полковник Рейс. Либо бедная малышка смертельно напугана — в таком случае это было бы жестоко, а я никогда не был жестоким человеком, — либо она превосходная актриса, и мы больше ничего от нее сегодня не добьемся, даже если продержим ее здесь до утра.

Миссис Оливер вздохнула и нервно запустила пальцы в челку, которая в результате встала торчком, как у какого-нибудь разухабистого пьяницы.

— Знаете, — заговорила она, — теперь мне кажется, что убийца — эта девушка! Хорошо, что это не книга. Читателям не нравится, когда молодая хорошенькая барышня оказывается злодейкой. А вы как думаете, мсье Пуаро?

— Я только что сделал открытие.

— Опять в этих счетах?

— Да. Мисс Энн Мередит перевернула бумагу, расчертила оборотную сторону и использовала ее.

— Ну и что это означает?

— То, что она привыкла к бедности или же обладает природной склонностью к экономии.

— Одета она дорого, — заметила миссис Оливер.

— Пришлите майора Деспарда, — распорядился суперинтендант Бэттл.

Глава 7

ЧЕТВЕРТЫЙ УБИЙЦА?

Деспард вошел в комнату быстрым, упругим шагом, напомнившим Пуаро что-то или кого-то.

— Простите, что пришлось задержать вас дольше остальных, — извинился Бэттл. — Но я хотел отпустить леди как можно скорее.

— Не извиняйтесь. Я все понимаю.

Он сел и вопросительно посмотрел на суперинтенданта.

— Насколько хорошо вы знали мистера Шайтану?

— Я встречал его дважды, — кратко ответил Деспард.

— Только дважды?

— Да.

— При каких обстоятельствах?

— Около месяца назад мы обедали в одном доме. Разговорились, и он пригласил меня на вечеринку с коктейлями, которая должна была состояться неделю спустя.

— Эта вечеринка была здесь?

— Да.

— Где она происходила — в этой комнате или в гостиной?

— Во всех комнатах.

— Вам тогда не попалась на глаза эта вещица? — Бэттл снова извлек стилет.

Майор Деспард слегка скривил губы.

— Нет. Я не приметил ее для использования в будущем, — ответил он с легкой иронией.

— Не стоит забегать вперед, майор Деспард.

— Прошу прощения. Намек был слишком ясен.

После небольшой паузы Бэттл возобновил вопросы:

— У вас была причина не любить мистера Шайтану?

— И весьма веская.

— Что-что? — Суперинтендант казался удивленным.

— Не любить, но — не убивать, — уточнил Деспард. — Я отнюдь не хотел убивать его, но с наслаждением пнул бы при случае как следует. Жаль. Теперь уже слишком поздно.

— И почему же вам так хотелось его... э-э... пнуть, майор Деспард?

— Потому что он был из тех, которые в этом нуждаются. При виде его у меня начинался зуд в ноге.

— Вы хотите сказать, что знали о нем нечто неблаговидное?

— Он слишком хорошо одевался, носил слишком длинные волосы, и от него пахло духами.

— Однако вы приняли приглашение на этот обед, — заметил Бэттл.

— Если бы я обедал только в тех домах, хозяева которых мне по душе, то, боюсь, мне нечасто приходилось бы бывать на званых обедах, суперинтендант, — сухо парировал Деспард.

— Вам нравится бывать в обществе, даже если вы его не одобряете? — уточнил Бэттл.

— Нравится на очень короткое время. Я получаю удовольствие, возвращаясь из джунглей к освещенным комнатам, красиво одетым женщинам, танцам, смеху и хорошей пище, но потом начинаю уставать от фальши, которой все это пронизано, и снова хочу уехать подальше от цивилизации.

— Должно быть, вы ведете опасную жизнь, майор Деспард, путешествуя по разным диким местам.

Деспард пожал плечами и улыбнулся краями губ:

— Мистер Шайтана не вел опасную жизнь, но он мертв, а я жив.

— Возможно, он вел более опасную жизнь, чем вы думаете, — многозначительно произнес Бэттл.

— Что вы имеете в виду?

— Покойный мистер Шайтана был чересчур любопытен, — объяснил Бэттл.

Майор склонился вперед:

— Вы хотите сказать, что он совал нос в чужие дела и узнавал...

— Да, он действительно совал нос в дела... э-э... ну, в дела женщин.

Майор Деспард откинулся на спинку стула и рассмеялся:

— Не думаю, чтобы женщины принимали всерьез подобного фигляра.

— Как по-вашему, майор Деспард, кто убил его?

— Во всяком случае, не я. И не маленькая мисс Мередит. Не могу представить себе в этой роли миссис Лорример — она напоминает мне одну из моих богобоязненных тетушек. Остается медик.

— Вы можете описать ваши передвижения и остальных во время игры в бридж?

— Я отходил от стола дважды — один раз пошуровать в камине и принести пепельницу, а другой — за выпивкой.

— В котором часу?

— Точно сказать не могу. Должно быть, первый раз около половины одиннадцатого, а второй — около одиннадцати, но это только предположение. Миссис Лорример один раз подходила к камину и что-то сказала Шайтане. Я не слышал, чтобы он ответил, так как не обращал на это особого внимания, но не могу поклясться, что он этого не сделал. Мисс Мередит немного прошлась по комнате и вроде бы не подходила к камину. Робертс прыгал туда-сюда минимум три или четыре раза.

— Я задам вам вопрос мистера Пуаро, — улыбнулся Бэттл. — Что вы думаете о них как об игроках в бридж?

— Мисс Мередит играет вполне прилично. Робертс безбожно переоценивает свои возможности. Он заслуживает того, чтобы проиграться в пух и прах. Миссис Лорример играет чертовски хорошо.

Бэттл повернулся к Пуаро:

— Что-нибудь еще, мсье Пуаро?

Пуаро отрицательно покачал головой.

Деспард назвал свой адрес в «Олбени»[1], пожелал им доброй ночи и вышел из комнаты.

Когда дверь за ним закрылась, Пуаро слегка вздрогнул.

— Что с вами? — осведомился Бэттл.

— Ничего, — ответил Пуаро. — Просто мне пришло в голову, что он двигается как тигр — легко и гибко.

— Хм! — произнес Бэттл и поочередно посмотрел на трех компаньонов. — Так кто же из них это сделал?

Глава 8
КОТОРЫЙ ИЗ НИХ?

Бэттл переводил взгляд с одного лица на другое. Но на его вопрос ответила только миссис Оливер, никогда не упускавшая случая высказать свое мнение.

— Девушка или доктор, — заявила она.

Бэттл вопрошающе посмотрел на двоих остальных. Но оба мужчины предпочли промолчать. Рейс пожал плечами, а Пуаро продолжал тщательно разглаживать счета.

— Это сделал один из них, — задумчиво продолжал Бэттл, — значит, один из них лжет. Но кто именно? — Помолчав, он добавил: — Если опираться на их слова, то доктор думает, что это сделал Деспард, Деспард — что доктор, девушка — что миссис Лорример, а миссис Лорример вовсе не пожелала ни на кого указывать! Так что от этого нам мало толку.

— Возможно, не так уж мало, — заметил Пуаро.

Бэттл бросил на него быстрый взгляд:

— О чем вы?

Пуаро махнул рукой:

— Всего лишь нюанс. Ничего определенного.

— Вы, джентльмены, не желаете говорить о своих подозрениях, — пожаловался Бэттл.

— Нет улик, — кратко отозвался Рейс.

— Ох уж эти мужчины! — вздохнула миссис Оливер, презирающая подобную сдержанность.

---

[1] «О л б е н и» — многоквартирный дом в центре Лондона.

— Давайте попробуем хотя бы приблизительно оценить возможность каждого из подозреваемых. — Бэттл немного подумал. — Я бы начал с доктора по чисто профессиональному признаку — он должен знать, куда воткнуть кинжал. Но это все. Далее возьмем Деспарда. Человек с крепкими нервами, привыкший рисковать и принимать быстрые решения. Миссис Лорример тоже не может пожаловаться на нервы — к тому же у такой женщины могут быть тайны. Судя по ее виду, ей приходилось сталкиваться с неприятностями. С другой стороны, она, что называется, высокопринципиальная женщина — ее можно легко представить директрисой школы для девочек, но не вонзающей в кого-то нож. Не думаю, что это ее рук дело. Мисс Мередит выглядит обычной хорошенькой, довольно робкой девушкой. Но о ней нам практически ничего не известно.

— Мы знаем, что Шайтана думал, будто она совершила убийство, — заметил Пуаро.

— Демон под маской ангела, — пробормотала миссис Оливер.

— Это к чему-нибудь нас приведет, Бэттл? — осведомился полковник Рейс.

— Вы считаете это праздными размышлениями, сэр? Ну, в таком деле без размышлений не обойтись.

— Не лучше ли разузнать что-нибудь об этих людях? Бэттл улыбнулся:

— Мы этим займемся, не беспокойтесь. Думаю, тут вы в состоянии нам помочь.

— С удовольствием, но как?

— В том, что касается майора Деспарда. Он часто бывал за границей — в Южной Америке, в Восточной и Южной Африке. У вас есть возможности навести справки по этой части и собрать о нем информацию.

— Будет сделано, — кивнул Рейс. — Я добуду все доступные сведения.

— У меня есть план! — воскликнула миссис Оливер. — Нас четверо — так сказать, четверо сыщиков, — и их тоже. Пусть каждый из нас выберет одного из них по своему вкусу. Полковник Рейс займется майором Деспардом, суперинтендант Бэттл — доктором Робертсом, я — Энн Мередит, а мсье Пуаро — миссис Лорример. Каждый будет вести свое расследование!

Суперинтендант Бэттл решительно возразил:

— Это не пойдет, миссис Оливер. Официально расследование веду я, поэтому я должен заниматься всеми подозреваемыми. Кроме того, легко сказать — выберет по своему вкусу. Двое из нас могут поставить на одну лошадь. Полковник Рейс не говорил, что подозревает майора Деспарда. А мсье Пуаро может не захотеть делать ставку на миссис Лорример.

— Жаль, — вздохнула миссис Оливер. — Это был такой хороший план. — Внезапно она встрепенулась: — Но вы не возражаете, если я проведу маленькое собственное расследование?

— Не возражаю, — медленно ответил суперинтендант. — Фактически, запретить вам это не в моей власти. Будучи участницей сегодняшнего обеда, вы, естественно, вправе делать то, что подсказывает вам интерес или любопытство. Но я хочу предупредить, миссис Оливер, что вам следует соблюдать осторожность.

— Я буду сама скромность, — пообещала миссис Оливер. — Не пророню ни слова о... ни о чем, — довольно неуверенно закончила она.

— Не думаю, что суперинтендант Бэттл имел в виду это, — сказал Эркюль Пуаро. — Он подразумевал, что вы будете иметь дело с человеком, который, судя по нашим сведениям, уже совершил два убийства. Такой не остановится перед тем, чтобы убить в третий раз, если сочтет это необходимым.

Миссис Оливер задумчиво посмотрела на него. Потом она улыбнулась приятной улыбкой озорного ребенка.

— «Вы предупреждены», — процитировала она. — Благодарю вас, мсье Пуаро. Я буду осмотрительна. Но я не собираюсь держаться в стороне.

Пуаро грациозно поклонился:

— У вас азарт истинного спортсмена, мадам.

— Полагаю, — продолжала миссис Оливер деловым тоном, словно на собрании комитета, — что вся добытая нами информация будет, так сказать, складываться в общий котел. Но наши собственные выводы и впечатления мы можем держать до поры до времени при себе.

— Это не детективный роман, миссис Оливер, — вздохнул суперинтендант Бэттл.

— Естественно, вся информация должна передаваться полиции, — сказал полковник Рейс и добавил менее серьезным тоном: — Уверен, что вы будете играть честно, миссис Оливер, и все улики — перчатку с пятнами крови, стакан с отпечатками пальцев, фрагмент сожженного письма — сразу же вручите Бэттлу.

— Можете смеяться, — заявила миссис Оливер, — но женская интуиция... — Она решительно тряхнула своей смешной челкой.

Рейс поднялся:

— Я наведу справки о Деспарде. Это может занять некоторое время. Могу я сделать что-нибудь еще?

— Едва ли, сэр, благодарю вас. Разве только дать мне какой-нибудь ценный совет.

— Хм! Ну, на вашем месте я бы разузнал о каких-нибудь сомнительных происшествиях в прошлом подозреваемых — отравлениях, несчастных случаях с оружием и тому подобном, но думаю, вы и без меня имеете это в виду.

— Разумеется, я займусь этим, сэр.

— Вот и отлично. Мне незачем учить вас вашему ремеслу, Бэттл. Доброй ночи, миссис Оливер. Доброй ночи, мсье Пуаро.

И, кивнув на прощанье Бэттлу, полковник Рейс вышел из комнаты.

— Кто он такой? — спросила миссис Оливер.

— У него прекрасный армейский послужной список, — ответил Бэттл. — Он много путешествовал. В мире есть немного уголков, которые были бы ему неизвестны.

— Полагаю, секретная служба, — сказала миссис Оливер. — Знаю, вы не можете об этом рассказывать, но в противном случае его бы не пригласили на этот обед. Четверо убийц и четыре сыщика — из Скотленд-Ярда, из секретной службы, частный и литературный. Изобретательная идея!

Пуаро скептически улыбнулся:

— Вы заблуждаетесь, мадам. Это была очень глупая идея. Тигра потревожили — и он прыгнул.

— Тигра? При чем тут тигр?

— Под тигром я подразумеваю убийцу, — объяснил Пуаро.

— Какую линию расследования предлагаете вы, мсье Пуаро? — напрямик спросил Бэттл. — Кроме того, я хотел бы знать ваше мнение о психологии этих четверых. Вы ведь увлекаетесь такими вещами.

— Вы правы — психология очень важна, — отозвался Пуаро, все еще разглаживая счета от бриджа. — Мы знаем тип и способ убийства. Если кто-нибудь из четверых подозреваемых с психологической точки зрения не мог совершить убийство такого рода, мы можем не принимать его в расчет. Мы знаем кое-что об этих людях. У нас сложилось о них определенное впечатление, нам известно, какую линию поведения избрал каждый из них, а также кое-что об их характере и складе мышления благодаря сведениям о них как о карточных игроках, изучению их почерка и этих счетов. Но, увы, сделать конкретные выводы не так-то легко. Это убийство требовало дерзости, хладнокровия и готовности рисковать. Ну, у нас есть доктор Робертс — в игре он блефует и безбожно зарывается. Такой человек не сомневался бы в своей способности осуществить рискованное предприятие. Его психология отлично согласуется с этим преступлением. Мисс Мередит, казалось бы, можно автоматически вычеркнуть. Она робкая, благоразумная, бережливая, неуверенная в себе и в игре придерживается осторожной тактики. Эта девушка никак не выглядит способной на дерзкую и рискованную авантюру. Но робкий человек может убить из страха. Напуганная нервная особа может прийти в отчаяние, если ее загнать в угол, как крысу. Если мисс Мередит совершила преступление в прошлом и если она считала, что мистеру Шайтане известны обстоятельства этого преступления и он намеревается выдать ее правосудию, она могла обезуметь от страха и решиться на что угодно, спасая себя. Результат получился бы тот же самый, хотя и благодаря другой реакции —

не хладнокровию и дерзости, а отчаянию и панике. Теперь возьмем майора Деспарда — сдержанный, находчивый человек способен на многое, если считает это необходимым. Он мог взвесить все за и против и решить, что у него есть шанс. Человек такого типа предпочитает действие бездействию и не станет избегать риска, если будет считать, что имеет реальный шанс на удачу. И наконец, миссис Лорример — женщина пожилая, но явно не утратившая умственных способностей. Хладнокровная особа с математическим складом ума — возможно, ее мозг функционирует лучше, чем у троих остальных. Признаю, что от миссис Лорример я скорее ожидал бы заранее обдуманного преступления. Могу хорошо представить себе ее планирующей убийство медленно и обстоятельно, тщательно выверяющей, нет ли в схеме какой-либо погрешности. По этой причине она кажется мне чуть менее вероятным кандидатом, чем трое других. С другой стороны, если такая женщина за что-нибудь возьмется, то осуществит это безукоризненно. — Он сделал паузу. — Как видите, все это нам не слишком помогло. Нет, есть лишь один способ раскрыть это преступление — мы должны вернуться в прошлое.

— Без этого не обойтись, — вздохнул Бэттл.

— По мнению мистера Шайтаны, каждый из этих четверых совершил убийство. Имел ли он доказательства, или же это была всего лишь догадка? Мы не знаем. Думаю, маловероятно, что у него были реальные доказательства во всех четырех случаях...

— Согласен, — кивнул Бэттл. — Это было бы слишком большим совпадением.

— Предполагаю, что это могло происходить следующим образом. Было упомянуто какое-то убийство, и мистера Шайтану удивило чье-то выражение лица. Он был очень чувствителен к таким вещам. Его забавляло экспериментировать — осторожно зондировать собеседника в процессе как будто невинного разговора, чутко подмечая малейшее вздрагивание или желание переменить тему. Это не составляло особого труда. Если вы подозреваете определенный секрет, то нет ничего легче, чем проверить свои подозрения. Каждый раз, когда ваше слово попадает в цель, вы замечаете это, если внимательно следите за собеседником.

— Такая игра должна была забавлять нашего покойного друга, — согласился Бэттл.

— Следовательно, мы можем предположить, что подобная процедура имела место в одном или нескольких случаях. Не исключено, что мистер Шайтана наткнулся на подлинное доказательство и ухватился за него. Но я сомневаюсь, чтобы он располагал достаточной информацией, чтобы обратиться в полицию.

— Мы часто подозреваем нечестную игру, но так и не можем это доказать, — промолвил Бэттл. — Как бы то ни было, курс ясен. Нам нужно покопаться в прошлом этих людей и выяснить, не связаны ли с ними какие-нибудь случаи смерти, которые могут оказаться сомнительными. Думаю, вы, как и полковник, обратили внимание на то, что говорил Шайтана за обедом.

— Черный ангел, — пробормотала миссис Оливер.

— Он вскользь упомянул яд, несчастный случай дома и на охоте с ружьем, возможности врача. Меня бы удивило, если, произнося эти слова, он не подписал бы себе смертный приговор.

— Да, потом последовала жутковатая пауза, — напомнила миссис Оливер.

— По крайней мере один раз его слова попали в цель, — снова заговорил Пуаро. — Очевидно, убийца подумал, что Шайтана знает куда больше, чем было на самом деле, и решил, что это прелюдия к концу — Шайтана-де устроил вечеринку в качестве спектакля, кульминацией которого должен был стать арест преступника. Да, как вы правильно заметили, Шайтана, безусловно, подписал свой смертный приговор, поддразнивая таким образом гостей.

Несколько секунд все молчали.

— Работа предстоит долгая, — со вздохом сказал Бэттл. — Мы не можем сразу получить нужную информацию, к тому же необходимо соблюдать осторожность. Эти четверо не должны подозревать, чем мы занимаемся. Все наши разговоры с ними внешне должны касаться только этого убийства. Им не следует догадываться, что у нас возникла идея относительно мотива преступления. А хуже всего то, что нам придется разыскивать не одно, а четыре возможных убийства, совершенных в прошлом.

— Наш друг мистер Шайтана не был непогрешим, — возразил Пуаро. — Он мог и ошибиться.

— Во всех четырех случаях?

— Нет, он был не настолько глуп.

— Значит, в половине?

— Тоже вряд ли. Я бы сказал, в одном из четырех.

— Один невиновный и трое виновных? Немногим легче. Самое скверное, что, если мы даже докопаемся до правды, это, по-видимому, не очень-то нам поможет. Даже если кто-то из них столкнул свою двоюродную бабушку с лестницы в 1912 году, это мало что дает нам в 1937-м.

— Вы не хуже меня знаете, что это не так, — подбодрил его Пуаро.

Бэттл медленно кивнул:

— Я понимаю, что вы имеете в виду, — те же отличительные признаки.

— Вы хотите сказать, — оживилась миссис Оливер, — что предыдущая жертва тоже окажется заколотой кинжалом?

— Ну, не совсем уж так примитивно, миссис Оливер, — отозвался Бэттл. — Но я не сомневаюсь, что это окажется преступлением такого же типа. Детали могут быть различными, но сущность будет той же самой. Странно, насколько часто преступник выдает себя таким образом.

— Человек не слишком оригинальное животное, — заметил Эркюль Пуаро.

— Женщины, — заявила миссис Оливер, — способны на бесконечное множество вариантов. Я бы никогда дважды не совершила преступление одного и того же типа.

— Разве вы никогда не использовали одинаковый сюжет в ваших книгах? — спросил Бэттл.

— «Убийство с помощью лотоса», — подсказал Пуаро, — и «Улика — воск от свечи».

Миссис Оливер обернулась к нему, одобрительно сверкнув глазами:

— Ловко вы это подметили. В этих книгах действительно сюжет практически одинаков, но никто до сих пор об этом не догадывался. Ведь в одной говорится о краже документов во время неофициального воскресного приема у министра, а в другой — об убийстве в бунгало каучукового плантатора на Борнео.

— Но узловой пункт сюжета одинаков, — сказал Пуаро, — один из ваших излюбленных трюков. Каучуковый плантатор организует собственное убийство, а министр — кражу собственных документов. В последнюю минуту вмешивается третье лицо и раскрывает обман.

— Я наслаждался вашей последней книгой, миссис Оливер, — великодушно промолвил суперинтендант Бэттл. — Той, где нескольких главных констеблей застрелили одновременно. Вы только допустили пару ошибок в чисто профессиональных деталях, касающихся работы полиции. Я знаю, как вы заботитесь о точности, поэтому удивился...

— Вообще-то говоря, мне наплевать на точность, — прервала его миссис Оливер. — Кто точен в наши дни? Никто! Если репортер пишет, что красивая девушка двадцати двух лет покончила с собой, открыв газ, после того как посмотрела в окно на море и поцеловала на прощанье своего любимого лабрадора Боба, никто не станет поднимать шум из-за того, что на самом деле девушке было двадцать шесть лет, окно выходило в противоположную сторону от моря, а собака была силихем-терьером по кличке Бонни. Если журналист может так поступать, то я не понимаю, какое имеет значение, если я перепутаю полицейские чины, назову пистолет револьвером, диктофон фонографом и использую яд, от которого умирают, успевая произнести лишь одну фразу. Что действительно важно, так это количество трупов! Если книга становится скучноватой, лишняя порция крови может ее оживить. Кто-то собирается о чем-то рассказать — и его тут же убивают. Это отлично срабатывает во всех моих книгах — хотя каждый раз, конечно, подается по-новому. Читателям нравятся не оставляющие следов яды, глупые полицейские инспекторы, девушки, связанные в погребе, куда проникает вода или углекислый газ (какой хлопотный способ убийства!) и герой, способный в одиночку справиться с семью злодеями. Я написала уже тридцать две книги, хотя они, по мнению мсье Пуаро, все однаковы (правда, кроме него, никто этого не заметил), — и сожалею лишь о том, что сделала моего детектива финном. Я ведь не знаю ничего о финнах и теперь постоянно получаю из Финляндии письма с указаниями на те несуразности, которые он говорит или делает. Очевидно, в Финляндии все читают детективные истории. Наверное, в этом повинны долгие полярные ночи. Вот в Болгарии и Румынии, кажется, вообще ничего не читают. Лучше бы я сделала своего героя болгарином... — Она внезапно остановилась. — Простите, я болтаю о своем, а тут настоящее убийство... — Ее лицо прояснилось. — Вот было бы здорово, если бы оказалось, что никто из них его не убивал, — он пригласил нас всех, а потом покончил с собой просто забавы ради!

Пуаро одобрительно хмыкнул:

— Превосходная развязка. Изящная и ироничная. Но, увы, мистер Шайтана не был человеком такого сорта. Он очень любил жизнь.

— Не думаю, что он был приятным человеком, — медленно произнесла миссис Оливер.

— Безусловно, вы правы, — сказал Пуаро. — Но он был живым и сейчас мертв, а у меня, как я недавно говорил ему, буржуазное отношение к убийству. Я его не одобряю. — Помолчав, он добавил: — И поэтому я готов войти в клетку к тигру...

Глава 9

ДОКТОР РОБЕРТС

— Доброе утро, суперинтендант Бэттл.

Доктор Робертс поднялся со стула и протянул большую розовую руку, пахнущую хорошим мылом и карболкой.

— Как идут дела? — осведомился он.

Прежде чем ответить, суперинтендант Бэттл окинул взглядом комфортабельный врачебный кабинет.

— Строго говоря, доктор Робертс, они никак не идут, а все еще стоят на месте.

— Я с радостью отметил, что в газетах не было никаких подробностей.

— «Внезапная смерть пользовавшегося широкой известностью мистера Шайтаны на вечернем приеме в его доме». Пока этого достаточно. Мы произвели вскрытие, и я захватил с собой заключение — подумал, что оно может вас заинтересовать...

— Очень любезно с вашей стороны. Хм... Да, весьма любопытно. — Он вернул документ Бэттлу.

— Мы также побеседовали с адвокатом мистера Шайтаны и теперь знаем условия его завещания. Там нет ничего интересного. Кажется, у него есть родственники в Сирии. Разумеется, мы просмотрели все его личные бумаги.

Почудилось ли ему, или широкое, гладко выбритое лицо на момент застыло в напряжении?

— И?.. — спросил доктор Робертс.

— Ничего, — ответил Бэттл, внимательно наблюдая за ним.

Вздоха облегчения не последовало. Но фигура доктора слегка расслабилась на стуле.

— Поэтому вы пришли ко мне?

— Поэтому, как вы говорите, я пришел к вам.

Брови доктора немного приподнялись, а проницательные глаза встретились с глазами Бэттла.

— Хотите взглянуть и на мои личные бумаги, а?

— Не возражал бы.

— У вас имеется ордер на обыск?

— Нет.

— Полагаю, вы легко могли бы его получить. Но я не собираюсь чинить препятствий. Не очень приятно быть подозреваемым в убийстве, но не могу порицать вас за исполнение ваших обязанностей.

— Благодарю вас, сэр, — с искренней признательностью сказал Бэттл. — Я очень ценю ваше отношение. Надеюсь, что другие будут так же благоразумны.

— Что нельзя исцелить, следует терпеть, — добродушно отозвался доктор. — Я уже закончил прием пациентов и отправляюсь в обход. Оставлю вам мои ключи, предупрежу секретаршу, и можете рыться сколько вашей душе угодно.

— Вы очень любезны, — снова поблагодарил Бэттл. — Но прежде чем вы уйдете, я хотел бы задать вам несколько вопросов.

— О вчерашнем вечере? Право, я сообщил вам все, что знаю.

— Нет, не о вчерашнем вечере. О вас.

— Ну, спрашивайте все, что хотите.

— Мне просто нужна ваша краткая биография, доктор Робертс. Рождение, брак и тому подобное.

— Что ж, это послужит мне репетицией для подготовки сведений в справочник «Кто есть кто», — сухо сказал доктор. — Моя биография предельно проста. Я из Шропшира, родился в Ладлоу. Мой отец там практиковал. Он умер, когда мне было пятнадцать лет. Я учился в Шрусбери и занялся медициной, как и отец. Окончил колледж Сент-Кристофер — впрочем, полагаю, вы уже располагаете всеми данными о моей карьере.

— Да, сэр, я навел справки. Вы единственный ребенок или у вас есть братья и сестры?

— Единственный. Родители умерли, и я не женат. Здесь я начинал партнером доктора Эмери. Он ушел на пенсию пятнадцать лет назад и живет в Ирландии. Если хотите, дам вам его адрес. Со мной в этом доме проживают кухарка, горничная и уборщица. Секретарша приходит каждый день. У меня солидный доход, и я убиваю своих пациентов в разумных пределах. Вы удовлетворены?

Бэттл усмехнулся:

— Информация исчерпывающая, доктор Робертс. Рад, что у вас есть чувство юмора. А теперь я спрошу вас еще кое о чем.

— Я человек строгой морали, суперинтендант.

— Нет, я не об этом. Я хотел попросить у вас имена четверых ваших друзей — людей, которые близко знали вас много лет. Так сказать, для рекомендации, если вы понимаете, что я имею в виду.

— Думаю, что понимаю. Дайте подумать... Вы предпочитаете тех, кто сейчас в Лондоне?

— Это облегчило бы задачу, но особого значения не имеет.

Подумав пару минут, доктор написал авторучкой четыре фамилии и адреса на листе бумаги и протянул его через стол Бэттлу.

— Эти подойдут? Лучшие, кого я смог припомнить.

Бэттл внимательно прочитал, удовлетворенно кивнул и спрятал бумагу во внутренний карман.

— Это всего лишь вопрос исключения, — объяснил он. — Чем скорее я исключу одного подозреваемого и перейду к следующему, тем будет лучше для всех. Я должен твердо удостовериться, что вы не были в плохих отношениях с мистером Шайтаной, не имели с ним личных или деловых связей, что он не причинял вам вреда, а вы не таили на него зла. Я могу поверить вам, когда вы утверждаете, что едва его знали, но ведь дело не во мне лично. Моя обязанность — проверить и доложить, что я в этом убедился.

— О, понимаю. Вы должны считать каждого лжецом, пока не будет доказано, что он говорит правду. Вот мои ключи, суперинтендант. Эти от ящиков стола, эти от бюро, а этот маленький от шкафа с ядами. Только не забудьте запереть его снова. Лучше я предупрежу секретаршу.

Он нажал кнопку на письменном столе.

Почти тотчас же дверь открылась и вошла молодая женщина деловитой внешности.

— Вы звонили, доктор?

— Это мисс Берджесс, мой секретарь, — представил доктор Робертс. — Суперинтендант Бэттл из Скотленд-Ярда.

Мисс Берджесс устремила на Бэттла холодный взгляд, который словно вопрошал: «Боже мой, это что еще за зверь?»

— Я был бы рад, мисс Берджесс, если бы вы ответили на все вопросы суперинтенданта и оказали ему любую помощь, какая потребуется.

— Разумеется, если вы этого желаете, доктор.

— Ну, я пошел, — сказал Робертс, вставая. — Вы положили морфий в мой чемоданчик? Мне он понадобится для миссис Локарт.

Он вышел, продолжая говорить. Мисс Берджесс последовала за ним.

— Пожалуйста, нажмите эту кнопку, суперинтендант Бэттл, когда я вам понадоблюсь.

Бэттл поблагодарил ее и принялся за работу.

Его поиски были тщательными и методичными, хотя он не рассчитывал найти что-либо важное. Охотное согласие доктора исключало всякую надежду на это. Робертс был далеко не глуп. Он, безусловно, предвидел неизбежный обыск и мог заранее к нему подготовиться. Однако существовал слабый шанс наткнуться на обрывок информации, за которой охотился Бэттл, так как Робертс не знал подлинной цели его поисков.

Суперинтендант открывал и закрывал ящики, обшаривал отделения для бумаг, просмотрел чековую книжку, подсчитал сумму неоплаченных счетов, отметив, за что именно присланы данные счета, внимательно изучил банковскую книжку Робертса, проглядел истории болезней — словом, не оставил без внимания ни одного документа. Результат был крайне скудным. Бэттл перешел к шкафу с ядами, записал фирмы, с которыми имел дело доктор, проверил наличие по описи, запер шкаф и занялся бюро. Содержимое последнего было более личного свойства, но Бэттл и там не обнаружил ничего, что отвечало бы задаче его поисков. Пожав плечами, он сел на стул доктора и нажал кнопку на столе.

Мисс Берджесс появилась с похвальной быстротой.

Суперинтендант Бэттл вежливо пригласил секретаршу сесть и некоторое время молча разглядывал ее, решая, как лучше к ней подступиться. Он сразу же почувствовал ее враждебность и раздумывал, стоит ли спровоцировать ее на откровенность, усилив эту враждебность, или же попробовать более мягкий метод подхода.

— Полагаю, вы знаете, что произошло, мисс Берджесс? — спросил он наконец.

— Доктор Робертс рассказал мне, — кратко ответила она.

— Ситуация весьма деликатная, — продолжал Бэттл. — Под подозрением находятся четверо, и один из них, несомненно, убийца. Я хотел бы знать, видели ли вы когда-нибудь этого мистера Шайтану?

— Никогда.

— И не слышали, чтобы доктор Робертс говорил о нем?

— Не слышала. Хотя нет, я ошиблась. Примерно неделю назад доктор Робертс попросил меня записать в его книге визитов приглашение на обед к мистеру Шайтане восемнадцатого числа в восемь пятнадцать.

— И тогда вы впервые услышали о мистере Шайтане?

— Да.

— Вы никогда не встречали его имя в газетах? Оно часто упоминалось в светской хронике.

— У меня есть более важные дела, чем читать светские новости.

— Не сомневаюсь, — согласился суперинтендант. — Так вот, эти четверо утверждают, что едва знали мистера Шайтану. Но один из них знал его достаточно хорошо, чтобы убить. Моя задача — выяснить, кто этот человек.

Последовала не слишком обнадеживающая пауза. Мисс Берджесс не казалась сколько-нибудь заинтересованной в заботах суперинтенданта Бэттла. Ее обязанностью было выполнять распоряжения шефа — в данный момент слушать суперинтенданта и отвечать на его вопросы.

— Мне кажется, мисс Берджесс, — настаивал Бэттл, понимавший, что его цель едва ли достижима, но не желавший сдаваться, — что вы недооцениваете всю трудность нашей работы. Мы можем не верить тому, что говорят люди, но обязаны принимать это во внимание. Это особенно важно в подобных случаях. Не хочу дурно отзываться о прекрасной половине рода человеческого, но женщина, когда она нервничает, часто дает волю языку. Она делает туманные намеки, необоснованные обвинения, вспоминает давние скандалы, возможно не имеющие никакого отношения к делу.

— Вы намекаете на то, — насторожилась мисс Берджесс, — что один из этих людей в чем-то обвинил доктора?

— Не то чтобы обвинил, — осторожно ответил Бэттл, — но я вынужден на все обращать внимание. Речь идет, в частности, о подозрительных обстоятельствах смерти пациента. Возможно, все это чепуха. Мне неловко беспокоить доктора по такому поводу.

— Полагаю, кто-то докопался до истории с миссис Грейвс, — сердито сказала мисс Берджесс. — Просто позор, что люди берутся рассуждать о том, чего они не знают. Многим старым леди кажется, будто их отравляют родственники, слуги и даже врачи. До доктора Робертса миссис Грейвс лечилась у трех других врачей, а когда у нее появились фантазии на его счет, он охотно уступил ее доктору Ли. По его словам, это единственный выход в подобных случаях. После доктора Ли бедняжка лечилась у доктора Стила и доктора Фармера, пока не умерла.

— Вы бы удивились, узнав, как часто люди делают из мухи слона, — промолвил Бэттл. — Если врач получает какое-нибудь наследство после смерти пациента, кто-нибудь обезательно начинает сочинять гадости. Хотя почему бы благодарному пациенту не оставить своему врачу маленькую или даже крупную сумму?

— Это все родственники, — вздохнула миссис Берджесс. — Я всегда считала, что смерть ярче всего демонстрирует низость человеческой натуры. Покойник еще не остыл, а люди уже пререкаются из-за наследства. К счастью, у доктора Робертса никогда не было неприятностей такого рода. Он всегда выражает надежду, что пациенты ничего ему не оставят. Кажется, он однажды получил в наследство пятьдесят фунтов, две трости и золотые часы, но ничего больше.

— У врача нелегкая жизнь, — сочувственно произнес Бэттл. — Он всегда доступен для шантажа. Самые невинные обстоятельства иногда выглядят скандально. Врачу приходится следить за каждым своим шагом.

— Вы правы, — согласилась мисс Берджесс. — Врачам особенно приходится трудно с истеричными особами.

— Вот-вот. Я так и подумал, что все дело в той женщине.

— Очевидно, вы имеете в виду эту ужасную миссис Крэддок?

Бэттл сделал вид, что задумался.

— Дайте вспомнить... Это было три года назад? Нет, еще раньше.

— Думаю, четыре или пять. Миссис Крэддок была крайне неуравновешенной особой. Я была очень рада, когда она наконец уехала за границу, и доктор Робертс — тоже. Она рассказывала своему мужу чудовищные небылицы, и бедняга был сам не свой. Вскоре он заболел и умер от сибирской язвы — заразился кисточкой для бритья.

— Да-да, совсем забыл об этом, — солгал Бэттл.

— После смерти мужа миссис Крэддок уехала за границу и тоже умерла. Мне она всегда казалась ужасной женщиной — из тех, которые помешаны на мужчинах.

— Я знаю этот тип, — отозвался Бэттл. — Они очень опасны. Врачам лучше держаться от них подальше. Кстати, где она умерла? Никак не могу вспомнить.

— Кажется, в Египте. У нее было заражение крови — какая-то местная инфекция.

— Еще одна трудная ситуация для врача, — сменил тему Бэттл, — это когда он подозревает, что его пациент отравлен одним из родственников. Как ему поступить в таком случае? Он должен либо твердо в этом убедиться, либо держать язык за зубами. Если он выберет последнее, то может оказаться в неловком положении, если впоследствии пойдут разговоры, будто тут что-то нечисто. Интересно, приходилось ли когда-нибудь доктору Робертсу сталкиваться с такими случаями?

— Едва ли, — подумав, ответила мисс Берджесс. — Никогда не слышала ни о чем подобном.

— С точки зрения статистики было бы интересно знать, сколько смертных случаев происходит за год среди пациентов врачей. К примеру, вы уже несколько лет работаете у доктора Робертса...

— Семь лет.

— Семь. Ну и сколько смертных случаев было в его практике за этот период — разумеется, приблизительно?

— Право, трудно сказать. — Мисс Берджесс погрузилась в подсчеты. Она полностью оттаяла — всю ее подозрительность как рукой сняло. — Семь, восемь... точно не припоминаю. Не более тридцати за все время.

— Очевидно, доктор Робертс — лучший врач, чем большинство его коллег, — добродушно заметил Бэттл. — Полагаю, многие его пациенты принадлежат к высшему обществу. Эти люди могут себе позволить хорошо платить за свое здоровье.

— Он очень популярный врач и прекрасный диагност.

Бэттл со вздохом поднялся:

— Боюсь, я отвлекся от своей задачи — найти связь между доктором и мистером Шайтаной. Вы уверены, что он не лечился у доктора Робертса?

— Абсолютно уверена.

— Возможно, под другим именем? — Бэттл протянул ей фотографию. — Вы его узнаете?

— Какая у него нарочито манерная внешность! Нет, я никогда не видела этого человека.

— Ну, ничего не поделаешь. — Бэттл снова вздохнул. — Премного обязан доктору за его любезность. Пожалуйста, передайте ему мою благодарность и скажите, что я перехожу к номеру два. До свидания, мисс Берджесс, спасибо за помощь.

Пожав ей руку, Бэттл удалился. Идя по улице, он вытащил из кармана маленькую книжечку и сделал несколько записей под буквой «Р».

«Миссис Грейвс? Маловероятно.

Миссис Крэддок?

Никакого наследства.

Не женат (жаль).

Расследовать смерти пациентов. Трудно».

Суперинтендант закрыл книжечку и вошел в филиал Лондонско-Уэссекского банка возле Ланкастер-Гейт.

Служебное удостоверение сразу же обеспечило ему приватную беседу с управляющим.

— Доброе утро, сэр. Насколько я понимаю, доктор Робертс — один из ваших клиентов?

— Совершенно верно, суперинтендант.

— Мне нужна кое-какая информация о счете этого джентльмена за несколько лет.

— Посмотрю, что я могу для вас сделать.

Прошли напряженные полчаса. Наконец Бэттл со вздохом спрятал исписанный цифрами лист бумаги.

— Нашли, что хотели? — с любопытством спросил управляющий.

— Нет. Ничего многообещающего. Тем не менее благодарю вас.

В это же самое время доктор Робертс, мывший руки у себя в кабинете, спросил, обернувшись к мисс Берджесс:

— Как там наш флегматичный сыщик? Вывернул все наизнанку, и вас в том числе?

— Из меня он много не вытянул, уверяю вас, — поджав губы, ответила мисс Берджесс.

— Дорогая моя, вам незачем было превращаться в устрицу. Я же велел вам сообщить ему все, что он захочет узнать. Кстати, что он хотел?

— Все время допытывался насчет вашего знакомства с этим Шайтаной — даже предполагал, что он мог лечиться у вас под другим именем. Показал мне его фотографию. На редкость театральная личность!

— Шайтана? Да, корчил из себя современного Мефистофеля. В целом это у него получалось. О чем еще спрашивал вас Бэттл?

— Право, почти ни о чем. Разве только... да, кто-то рассказал ему какую-то чепуху о миссис Грейвс — знаете, о том, что она себе воображала.

— Грейвс? Ах да, старая миссис Грейвс. Забавно! — И, весело рассмеявшись, доктор отправился в столовую, где его ожидал ленч.

Глава 10

ДОКТОР РОБЕРТС (ПРОДОЛЖЕНИЕ)

Суперинтендант Бэттл обедал в компании мсье Эркюля Пуаро.

Первый выглядел удрученным, последний — полным сочувствия.

— Значит, ваше утро было не слишком успешным, — задумчиво промолвил Пуаро.

Бэттл хмуро кивнул:

— Работа обещает быть нелегкой, мсье Пуаро.

— Что вы о нем думаете?

— О докторе? Ну, откровенно говоря, я думаю, что Шайтана в своих подозрениях был прав. Он убийца. Чем-то напоминает мне Уэстауэя и того адвоката из Норфолка. Те же добродушные, самоуверенные манеры, такая же популярность. Оба были умными дьяволами — и Робертс далеко не глуп. Тем не менее это не означает, что он убил Шайтану, — по крайней мере, мне не кажется, что это его рук дело. Он должен был понимать — куда лучше любителя — весь риск того, что Шайтана может проснуться и вскрикнуть. Нет, я думаю, что Робертс убил его.

— И тем не менее вы предполагаете, что он убил кого-то другого?

— Возможно, даже нескольких — как Уэстауэй. Но раскопать это вряд ли возможно. Я просмотрел его банковский счет и не обнаружил ничего подозрительного — никаких внезапных поступлений крупных сумм. В любом случае, за последние семь лет Робертс не получал никакого наследства от пациентов. Это исключает убийство из непосредственно корыстных целей. Он никогда не был женат. Жаль — для врача так просто убить свою жену. Робертс хорошо обеспечен, у него процветающая практика среди состоятельных людей.

— Фактически, он выглядит ведущим безупречную жизнь — и, возможно, это соответствует действительности.

— Возможно. Но я предпочитаю верить худшему. — Помолчав, Бэттл заговорил снова: — Был намек на скан-

70

дал с одной из его пациенток, по фамилии Крэддок. По-моему, в этом стоит разобраться. Женщина умерла в Египте от какой-то местной болезни — едва ли там что-то нечисто, но это может пролить свет на его личные качества и моральный облик.

— У этой женщины был муж?

— Да. Он умер от сибирской язвы.

— От сибирской язвы?

— Да, тогда в продаже появилось множество дешевых кисточек для бритья — некоторые из них оказались зараженными. История вызвала крупный скандал.

— Весьма удобное обстоятельство, — заметил Пуаро.

— Я тоже так подумал. Если муж угрожал поднять шум... Но все это только догадки. Нам не на что опереться.

— Бодритесь, друг мой. Я знаю ваше терпение. В конце концов, у вас будет сколько угодно точек опоры.

— И, выбирая их, я в конечном итоге потеряю почву под ногами, — усмехнулся Бэттл. — А вы, мсье Пуаро, собираетесь принять в этом участие? — с любопытством спросил он.

— Возможно, я также загляну к доктору Робертсу.

— Двое в один день? Это может его насторожить.

— Я буду крайне осмотрителен и не стану интересоваться его прошлым.

— Хотел бы я знать, какой линии вы будете придерживаться, — сказал Бэттл, — но, если не хотите, можете ничего мне не рассказывать.

— Du tout[1]. Мне нечего от вас скрывать. Я немного поговорю о бридже — вот и все.

— Снова бридж! Вы просто зациклились на этом, мсье Пуаро.

— Я нахожу эту тему весьма полезной.

— Ну, у каждого свой вкус. Я не люблю извилистые пути — они не в моем стиле.

— А каков ваш стиль, суперинтендант?

При виде насмешливых искорок в глазах Пуаро во взгляде суперинтенданта тоже мелькнул огонек.

---

[1] Вовсе нет (*фр.*).

— Прямой, честный офицер, усердно исполняющий свой долг, — вот мой стиль. Никаких ужимок и причуд. Мой фирменный облик — флегматичный, немного туповатый служака.

Пуаро поднял бокал:

— За наши методы — и пусть успех увенчает наши объединенные усилия!

— Надеюсь, полковник Рейс сможет выяснить что-нибудь полезное о Деспарде, — сказал Бэттл. — У него много надежных источников информации.

— А миссис Оливер?

— Тут я не уверен. Вообще-то мне нравится эта женщина. Болтает много чепухи, но у нее настоящий бойцовский характер. Кроме того, женщине удается разузнать о других женщинах куда больше, чем мужчине. Так что и она может наткнуться на что-нибудь ценное.

Они расстались. Бэттл вернулся в Скотленд-Ярд дать инструкции относительно дальнейших стадий расследования, а Пуаро направился на Глостер-Террас, 200.

При виде гостя брови доктора Робертса комично приподнялись.

— Два сыщика в один день, — сказал он. — Полагаю, к вечеру я уже буду в наручниках.

Пуаро улыбнулся:

— Могу заверить вас, доктор Робертс, что мое внимание в равной степени разделено между вами четверыми.

— За это стоит быть благодарным. Закуривайте.

— Простите, но я предпочитаю собственные.

Пуаро зажег одну из своих миниатюрных русских сигарет.

— Ну, что я могу для вас сделать? — осведомился доктор Робертс.

Некоторое время Пуаро молча попыхивал сигаретой.

— Вы знаток человеческой натуры, доктор? — спросил он наконец.

— Не знаю. Полагаю, что да. Врач должен им быть.

— Именно так я и рассуждал. Я сказал себе: доктор всегда должен изучать своих пациентов — их особен-

ности, цвет лица, частоту их дыхания, любые признаки беспокойства, — он отмечает это почти автоматически! Доктор Робертс — тот человек, который в состоянии мне помочь.

— С удовольствием, если сумею. А в чем дело?

Пуаро вынул из бумажника три аккуратно сложен-
ных счета игры в бридж.

— Это первые три роббера, сыгранные в тот вечер, —
объяснил он. — Вот первый из них — запись вела мисс
Мередит. А теперь не могли бы вы с помощью этого счета освежить вашу память и описать мне, какие делались
заявки и кто как ходил?

Робертс изумленно уставился на него:

— Вы шутите, мсье Пуаро! Как я могу это вспомнить?

— Я был бы вам очень признателен, если бы вы по-
старались. Возьмите первый роббер. Игра, видимо, началась с черв или пик, либо какая-нибудь из сторон
должна была сбросить пятьдесят очков.

— Дайте подумать... Какой же был первый ход? Да,
кажется, с пик.

— А следующий?

— Полагаю, кто-то из нас сбросил пятьдесят, но не
могу вспомнить, кто именно. Право, мсье Пуаро, вы
едва ли можете ожидать от меня таких подробностей.

— А вы не можете припомнить какие-нибудь ходы
и заявки?

— Помню, что у меня был «большой шлем» и он
был удвоен. Помню также, как я с треском провалил-
ся, сыграв три без козырей. Но это случилось позже.

— Простите, а с кем вы тогда играли?

— С миссис Лорример. Она выглядела довольно
мрачной. Очевидно, ей не нравилось, что я переоцениваю свои карты.

— И больше вы не можете назвать никаких заявок
и ходов?

Робертс рассмеялся:

— Мой дорогой мсье Пуаро, неужели вы действительно ожидали, что я смогу это вспомнить? Во-первых, произошло убийство — этого достаточно, чтобы

стереть из памяти самые яркие ходы, а во-вторых, с тех пор я играл еще по меньшей мере дюжинуробберов.

Пуаро выглядел раздосадованным.

— Я очень сожалею, — добавил Робертс.

— Это не имеет большого значения, — медленно произнес Пуаро. — Я надеялся, что вы сможете вспомнить хотя бы пару ходов, которые смогли бы послужить ориентирами для припоминания других вещей.

— Каких?

— Например, вы могли заметить, что ваш партнер напутал в простой игре без козыря или что ваш противник подарил вам пару взяток, не сделав очевидного хода.

Доктор Робертс внезапно стал серьезным.

— Теперь я понимаю, куда вы клоните, — сказал он, склонившись вперед. — Прошу прощения. Сначала я подумал, что вы просто порете чушь. Вы имеете в виду, что убийство — успешное осуществление убийства — могло внести какие-то заметные изменения в игру виновного?

Пуаро кивнул:

— Вы верно поняли идею. Если бы вы четверо хорошо знали методику игры друг друга, то такому ключу не было бы цены. Внезапное отсутствие блеска, упущенная возможность, ошибка — все это сразу же привлекло бы внимание. К сожалению, вы были незнакомы друг с другом, поэтому изменения в игре не были для вас столь заметны. Но я умоляю вас, мсье доктор, подумайте как следует! Не припоминаете ли вы каких-нибудь несуразностей или нелепых ошибок в чьей-нибудь игре?

После двухминутной паузы доктор Робертс сожалеюще развел руками.

— Бесполезно — я не в силах вам помочь, — откровенно признался он. — Я просто не помню. Могу сказать вам лишь то, что говорил раньше. Миссис Лорример — первоклассный игрок: я не заметил у нее ни единой ошибки. Она играла блестяще с начала до конца. Игра Деспарда тоже была хорошей, хотя и вполне традиционной — он ни разу не отступал от правил и предпочитал не рисковать. Мисс Мередит... — Он заколебался.

— Да? Мисс Мередит? — подбодрил его Пуаро.

— К концу вечера она пару раз допустила оплошность, но, возможно, просто потому, что устала. Игрок она явно не слишком опытный — у нее даже рука дрожала...

— Когда?

— Когда у нее дрожала рука? Не припоминаю. Очевидно, она просто нервничала. Мсье Пуаро, вы заставляете меня воображать несуществующее.

— Прошу прощения. Есть еще один момент, где мне нужна ваша помощь.

— Да?

— Это трудно сформулировать. Понимаете, я не хочу задавать вам наводящие вопросы. Если я спрошу, заметили ли вы то или это, то... ну, вложу идею вам в голову. Ваши ответы не будут представлять особой ценности. Попробую подойти к делу с другой стороны. Не будете ли вы любезны, доктор Робертс, описать мне содержимое комнаты, в которой вы играли?

Робертс выглядел ошарашенным.

— Содержимое комнаты?

— Да, если вы не возражаете.

— Дорогой мой, я просто не знаю, с чего начать.

— Начните с чего хотите.

— Ну, там было много мебели...

— Non, non[1], более конкретно, умоляю.

Доктор вздохнул и начал бодро перечислять на манер аукциониста:

— Один большой диван, обитый парчой цвета слоновой кости, другой такой же, обитый зеленой парчой, четыре или пять больших стульев. Восемь или девять персидских ковров. Гарнитур из двенадцати маленьких стульев в стиле ампир. Бюро в стиле Вильгельма и Марии...[2] Я чувствую себя клерком на распродаже!.. Очень красивая китайская горка. Большой рояль. Была еще

---

[1] Нет-нет (*фр.*).
[2] То есть в стиле периода царствования короля Вильгельма III Оранского (1650—1702) и его супруги Марии II Стюарт (1662—1694), занимавших английский престол с 1689 г.

какая-то мебель, но, боюсь, я не обратил на нее внимания. Шесть первоклассных японских гравюр. Две китайские картины на зеркале. Пять или шесть изящных табакерок. Несколько японских фигурок нецке из слоновой кости на столе. Старинное серебро — кажется, вазы эпохи Карла I[1].

Одно-два изделия из бэттерсийской эмали...

— Браво, браво! — зааплодировал Пуаро.

— Пара старых английских глиняных птиц, покрытых глазурью, и, кажется, статуэтка Ралфа Вуда. Потом несколько причудливых восточных вещиц из серебра. Какие-то ювелирные изделия — я в них не слишком разбираюсь. Несколько птиц из фарфора Челси. Да, и миниатюры в рамках — по-моему, довольно приличные. Конечно, это далеко не все, но сейчас я больше ничего не могу припомнить.

— Великолепно! — одобрил Пуаро. — У вас глаз отличного наблюдателя.

— Я упомянул о предмете, который вы подразумевали? — с любопытством спросил доктор.

— Это самое интересное, — ответил Пуаро. — Если бы вы его включили в свой перечень, меня бы это очень удивило. Но, как я и ожидал, вы его не назвали.

— Почему?

Пуаро весело подмигнул:

— Возможно, потому, что его там не было.

Робертс уставился на него:

— Кажется, это мне что-то напоминает.

— Это напоминает вам Шерлока Холмса, не так ли? Странный инцидент с собакой ночью. Странность заключалась в том, что собака не лаяла[2]. Как видите, я не брезгую заимствовать чужие трюки.

— Знаете, мсье Пуаро, я совершенно не понимаю, к чему все это.

— Вот и отлично. Говоря по секрету, именно так я и добиваюсь моих маленьких эффектов.

---

[1] К а р л I С т ю а р т (1600—1649) — король Англии с 1625 г., казненный во время революции середины XVII в.
[2] Речь идет об эпизоде из рассказа А. Конан Дойла «Серебряный».

Пуаро поднялся и, видя, что доктор Робертс все еще выглядит озадаченным, добавил с улыбкой:

— По крайней мере, можете не сомневаться, что сказанное вами будет для меня весьма полезным при беседе с остальными.

Доктор тоже встал.

— Не понимаю, каким образом, но верю вам на слово, — отозвался он.

Они обменялись рукопожатиями.

Спустившись со ступенек дома доктора, Пуаро остановил проезжавшее такси.

— Челси, Чейн-Лейн, 111, — сказал он водителю.

Глава 11

МИССИС ЛОРРИМЕР

Чейн-Лейн, 111, оказался маленьким аккуратным домом, стоящим на тихой улице. Дверь была выкрашена в черный цвет, ступеньки тщательно побелены, а дверная ручка и молоток сверкали на солнце.

Дверь открыла пожилая горничная в безукоризненно белом чепчике и фартуке. На вопрос Пуаро она ответила, что хозяйка дома.

Горничная поднялась впереди него по узкой лестнице.

— О ком мне доложить, сэр?

— О мсье Эркюле Пуаро.

Его проводили в гостиную, имеющую обычную форму буквы «L». Пуаро огляделся вокруг, подмечая детали. Старинная, хорошо отполированная мебель. Яркий ситец на стульях и диванах. Несколько фотографий в старомодных серебряных рамках. Красивые хризантемы в высокой вазе. Много света и свободного пространства...

Миссис Лорример двинулась навстречу посетителю.

Она пожала ему руку, не проявляя особого удивления, указала на стул, села сама и благоприятно отозвалась о погоде.

После этого наступила пауза.

— Надеюсь, мадам, — заговорил Эркюль Пуаро, — вы простите мне этот визит.

— А он профессиональный? — без обиняков осведомилась миссис Лорример.

— Должен это признать.

— Полагаю, вы понимаете, мсье Пуаро, что, хотя я, естественно, предоставлю суперинтенданту Бэттлу и полиции любую информацию и помощь, которая им потребуется, я ни в коей мере не обязана делать то же самое в отношении ведущего неофициальное расследование?

— Я вполне осведомлен об этом, мадам. Если вы укажете мне на дверь, я беспрекословно вам повинуюсь.

Миссис Лорример улыбнулась:

— Я еще не готова к подобным крайностям, мсье Пуаро. Могу уделить вам десять минут. После этого я должна уходить на партию в бридж.

— Десяти минут достаточно для моей цели. Я хотел бы, мадам, чтобы вы описали мне комнату, где играли в бридж в тот вечер и где был убит мистер Шайтана.

Брови миссис Лорример слегка приподнялись.

— Что за странная просьба! Не вижу в ней смысла.

— Мадам, если бы во время игры в бридж кто-нибудь стал спрашивать у вас, почему вы пошли тузом такой-то масти или валетом, которого побила дама, а не королем, который принес бы вам взятку, ваши ответы были бы длинными и утомительными, не так ли?

Миссис Лорример снова улыбнулась:

— Вы имеете в виду, что в своей игре вы эксперт, а я новичок? Ну хорошо. — Она немного подумала. — Это была большая комната, и в ней находилось много вещей.

— Не могли бы вы описать некоторые из этих вещей?

— Несколько искусственных цветов — вполне современных и довольно красивых... По-моему, китайские или японские картины. И ваза с алыми тюльпанами — хотя сейчас для них еще очень рано.

— Что-нибудь еще?

— Боюсь, что я не обратила внимания на детали.

— А мебель? Вы помните цвет обивки?

— Помню только, что она была шелковой.

— Вы не заметили какие-нибудь мелкие предметы?

— Боюсь, что нет. Их было так много. Помещение показалось мне комнатой коллекционера. — После паузы миссис Лорример добавила с улыбкой: — Как видите, пользы от меня немного.

— Есть еще кое-что. — Пуаро вытащил счета игры в бридж. — Здесь первые три роббера. Не могли бы вы, глядя на эти счета, помочь мне реконструировать игру?

— Посмотрим. — Миссис Лорример выглядела заинтересованной. Она склонилась над счетами. — В первом роббере мисс Мередит и я играли против двоих мужчин. Сначала шли четыре пики. Нам удалось получить лишнюю взятку. В следующий раз остались две бубны, и доктор Робертс упустил одну взятку. Во время третьего круга было много заявок. Мисс Мередит объявила пас, майор Деспард пошел с червы, я тоже пасовала, а доктор Робертс вдруг объявил три трефы. Тогда мисс Мередит пошла с трех пик, майор Деспард объявил четыре бубны, я удвоила, а доктор Робертс получил взятку четырьмя червами. Но они остались без одной взятки.

— Épatant![1] — воскликнул Пуаро. — Ну и память!

Миссис Лорример продолжала, не обращая на него внимания:

— В следующем круге майор Деспард пасовал, а я играла без козыря. Доктор Робертс объявил три черви. Моя партнерша ничего не сказала. Деспард поддержал партнера, назвав четыре черви. Я удвоила, оставив их без двух взяток. Потом я сдавала, и мы разыграли объявленные четыре пики.

Она взяла следующий счет.

— Это будет потруднее, — заметил Пуаро. — Майор Деспард пользовался системой вычеркивания.

— По-моему, обе стороны вначале сбросили пятьдесят очков, потом доктор Робертс пошел с пяти бубен, мы удвоили и скостили ему три взятки. Затем мы пошли с трех треф, но противники тут же начали игру в

---

[1] Великолепно! (фр.)

пиках. Следующую игру мы провели с пятью трефами, потом сбросили сотню. Противники пошли с одной черви, мы сыграли два без козырей и, в конце концов выиграли роббер, заявив четыре трефы.

Миссис Лорример подобрала третий счет.

— Этот роббер обернулся настоящей битвой. Правда, начался он неинтересно. Майор Деспард и мисс Мередит назвали одну черву. Потом мы сбросили пару по пятьдесят, попробовав четыре черви и четыре пики. Тогда противники начали игру в пиках — остановить их не стоило и пытаться. Следующие три круга мы упустили, но без удвоений, а потом выиграли без козырей. И тут началось королевское сражение. Каждая сторона проигрывала по очереди. Доктор Робертс явно зарывался, но, несмотря на одну-две неудачи, ему везло, так как он запугивал мисс Мередит и она пасовала. Потом доктор заявил две пики, я — три бубны, он — четыре без козырей, я — пять пик, а он взнезапно подпрыгнул до семи бубен. Мы, конечно, удвоили. У доктора Робертса не было возможностей для такой заявки, но каким-то чудом мы справились. Если бы противники разыграли черви, мы бы лишились трех взяток. Но они пошли с короля треф, и это нас спасло. Игра была захватывающей!

— Je crois bien[1] — удвоенный «большой шлем» в рискованной ситуации! Такое по-настоящему захватывает. Должен признаться, у меня недостаточно крепкие нервы для «шлемов» — я довольствуюсь обычной игрой.

— Ну и зря, — энергично возразила миссис Лорример. — Нужно играть как следует.

— Вы имеете в виду — рисковать?

— Нет никакого риска, если заявки правильны. Необходим математический расчет. К несчастью, на это способны немногие — обычно начинают хорошо, а потом теряют голову. Не видят разницы между выигрышными и проигрышными картами... но мне незачем читать вам лекцию о бридже, мсье Пуаро.

— Уверен, мадам, что это улучшило бы мою игру.

---

[1] Я думаю (фр.).

Миссис Лорример возобновила изучение счета.

— После такого напряжения следующие круги выглядели довольно пресно. У вас есть четвертый счет? Ах да. Малоинтересная игра — ни одна сторона не могла одержать верх.

— Когда играешь весь вечер, такое неизбежно случается.

— Да, часто роббер начинается скучно, а потом раскручивается.

Пуаро собрал счета и отвесил поклон.

— Поздравляю вас, мадам. У вас изумительная память на карты. Можно сказать, вы помните каждый ход.

— Думаю, что да.

— Память — чудесный дар. Благодаря ему прошлое никогда не становится таковым. Полагаю, мадам, что оно само по себе разворачивается перед вашим мысленным взором и каждый инцидент для вас так ясен, словно он произошел вчера. Это верно?

Миссис Лорример бросила на него быстрый взгляд. Лицо ее помрачнело.

Это длилось всего лишь мгновение — к ней тотчас же вернулись манеры светской дамы, но Эркюль Пуаро не сомневался, что выстрел попал в цель.

Миссис Лорример поднялась:

— Боюсь, что мне пора уходить. Простите, но я не люблю опаздывать.

— Ну разумеется. Сожалею, что отнял у вас время.

— Это я сожалею, что не сумела вам помочь.

— Но вы мне помогли, — возразил Пуаро.

— Каким образом?

— Вы сообщили мне то, что я хотел узнать.

Она не стала допытываться, о чем именно идет речь.

Пуаро протянул руку:

— Благодарю вас, мадам, за ваше терпение.

— Вы необычный человек, мсье Пуаро, — заметила миссис Лорример, пожимая ему руку.

— Я таков, каким меня создал Бог, мадам.

— Полагаю, мы все таковы.

— Не все, мадам. Некоторые из нас пытаются улучшить Его творение. Например, мистер Шайтана.

— В каком смысле?

— У него был весьма недурной вкус в objets de vertu[1] и bric-à-brac[2] — ему следовало довольствоваться этим. Но он решил собирать и другие вещи.

— Какие?

— Ну... скажем, сенсации.

— А вам не кажется, что это было dans son caractère?[3]

Пуаро серьезно покачал головой:

— Мистер Шайтана играл роль дьявола слишком успешно. Но дьяволом он не был. Au fond[4], он был глупым человеком. И теперь он мертв.

— Потому что был глупым?

— Это грех, который никогда не прощается и всегда наказывается, мадам.

Последовала пауза.

— Позвольте откланяться, мадам, — снова заговорил Пуаро. — Тысяча благодарностей за вашу любезность. Больше я вас не побеспокою, если вы сами не пошлете за мной.

Миссис Лорример подняла брови:

— Боже мой, мсье Пуаро, почему я должна посылать за вами?

— Всего лишь предположение. Но если вы так поступите, я приду. Помните это.

Пуаро снова поклонился и вышел из комнаты.

«Я уверен, что прав, — подумал он, очутившись на улице. — Это должно быть так!»

Глава 12

ЭНН МЕРЕДИТ

Миссис Оливер с трудом оторвалась от сиденья своей маленькой двухместной машины. Во-первых, создатели современных автомобилей почему-то считают, будто под рулевым колесом должны помещаться только изящ-

---

[1] Предметы искусства (*фр.*).
[2] Безделушки (*фр.*).
[3] В его характере (*фр.*).
[4] В сущности (*фр.*).

ные девичьи коленки. К тому же стало модным сидеть низко. В результате женщине средних лет и солидных пропорций требуются сверхчеловеческие усилия, чтобы выбраться из-под руля. Во-вторых, на другом сиденье находились несколько карт, сумочка, три романа и большая сумка с яблоками. Миссис Оливер обожала яблоки и однажды съела подряд целых пять фунтов, обдумывая запутанный сюжет «Смерти в канализационной трубе» и придя в чувство от боли в животе за час десять минут до того, как должна была появиться на завтраке, даваемом в ее честь.

Наконец, решительно приподнявшись и толкнув коленом непокорную дверь, миссис Оливер очутилась на тротуаре у калитки коттеджа «Уэндон», рассыпав вокруг себя несколько яблочных огрызков.

Тяжело вздохнув, она сдвинула на затылок немодную сельскую шляпу, с одобрением посмотрела на твидовую юбку, которую не забыла надеть, и нахмурилась, увидев, что по рассеянности оставила на ногах лакированные туфли на высоком каблуке. Открыв калитку, миссис Оливер направилась по выложенной каменными плитками дорожке к парадному входу, нажала кнопку звонка и весело постучала дверным молотком — причудливым изделием в форме лягушачьей головы.

Не получив ответа, она повторила свои действия.

Подождав минуты полторы, миссис Оливер направилась вокруг дома, чтобы изучить обстановку.

За коттеджем находился маленький старомодный садик с астрами и хризантемами, за ним — поле, а за полем — река. Для октября солнце грело более чем достаточно.

Две девушки шли по полю в сторону дома. Когда они вошли в сад через калитку, идущая впереди застыла как вкопанная.

Миссис Оливер шагнула вперед:

— Здравствуйте, мисс Мередит. Вы помните меня, не так ли?

— О... да, конечно... — Энн Мередит протянула руку. Ее глаза расширились от испуга, но ей удалось взять себя в руки. — Это моя подруга, мисс Доз, которая проживает со мной. Рода, это миссис Оливер.

Вторая девушка, высокая и темноволосая, выглядела более энергичной.

— Вы та самая миссис Оливер? — воскликнула она. — Ариадна Оливер?

— Собственной персоной, -- ответила миссис Оливер и повернулась к Энн. — Давайте где-нибудь присядем, дорогая, потому что мне нужно многое вам сказать.

— Конечно. Заодно выпьем чаю...

— Чай может подождать, — прервала миссис Оливер.

Энн направилась к стоявшим в саду довольно ветхим шезлонгам и плетеным креслам. Миссис Оливер, имевшая печальный опыт с хрупкой летней мебелью, постаралась выбрать самый крепкий из них.

— Не будем ходить вокруг да около, дорогая, — начала она. — Я пришла поговорить об этом убийстве. Мы должны что-нибудь предпринять.

— Предпринять? — переспросила Энн.

— Естественно, — отозвалась миссис Оливер. — Не знаю, как по-вашему, но у меня нет ни малейших сомнений, чьих рук это дело. Убийца — доктор... как бишь его?.. Робертс. Это валлийская фамилия, а я никогда не доверяла валлийцам. У меня была няня-валлийка; однажды она повезла меня в Хэррогейт и отправилась домой, напрочь обо мне позабыв. Какая небрежность! Но Бог с ней. Короче говоря, это сделал Робертс, и нам с вами надо подумать, как это доказать.

Рода Доз внезапно рассмеялась и тут же покраснела.

— Прошу прощения. Но вы... вы совсем не похожи на ту, которую я себе представляла!

— Полагаю, вы разочарованы, — безмятежно миссис Оливер. — Я к этому привыкла. Но это не важно. Повторяю, нам нужно доказать, что убийца — Робертс.

— Как мы можем это сделать? — спросила Энн.

— Не будь капитулянткой, Энн! — воскликнула Рода Доз. — По-моему, миссис Оливер абсолютно права. Конечно, она все знает о таких вещах. Она справится с этим не хуже, чем Свен Хьерсон.

Слегка покраснев при упоминании имени ее знаменитого сыщика-финна, миссис Оливер продолжала:

— Я объясню вам, дорогая, почему это необходимо. Вы ведь не хотите, чтобы люди считали убийцей вас?

— А почему они должны так думать? — осведомилась Энн, покраснев куда сильнее собеседницы.

— Вы ведь знаете людей! — усмехнулась миссис Оливер. — Трое невиновных будут под таким же подозрением, как и тот, кто это сделал.

— Я не совсем понимаю, почему вы обратились именно ко мне, миссис Оливер, — медленно произнесла Энн Мередит.

— Потому что двое других, по-моему, не имеют значения! Миссис Лоример одна из тех помешанных, которые целыми днями играют в бридж в клубах. Такие женщины закованы в броню — они отлично могут о себе позаботиться. К тому же она уже стара, и для нее не важно, если о ней станут судачить. Другое дело — девушка. У нее вся жизнь впереди.

— А майор Деспард? — спросила Энн.

— Ба! — воскликнула миссис Оливер. — Он мужчина, а за мужчин я никогда не беспокоюсь. Уж они-то умеют позаботиться о себе и, на мой взгляд, делают это превосходно. Кроме того, майор Деспард наслаждается жизнью, полной опасностей. Так пускай получает любимую забаву дома, вместо Иравади...[1] или нет, Лимпопо. Вы знаете, что я имею в виду, — желтую африканскую реку, которая так нравится мужчинам. Нет, об этих двоих я не тревожусь.

— Вы очень добры... — начала Энн.

— Эта ужасная история совсем подкосила Энн, — перебила Рода. — Она такая чувствительная! По-моему, вы абсолютно правы. Куда лучше что-нибудь делать, чем просто сидеть и мучиться неизвестностью.

— Конечно лучше! — подхватила миссис Оливер. — По правде говоря, я еще ни разу не сталкивалась с настоящим убийством. И опять же, если говорить откровенно, я думаю, что настоящее убийство не по моей ча-

---

[1] И р а в а д и — река в Бирме.

сти. Я ведь привыкла играть нечестно, если вы понимаете, что я имею в виду. Но я не намерена держаться в стороне и оставить всю забаву этим троим мужчинам! Я всегда говорила, что если бы во главе Скотленд-Ярда была женщина...

— Ну? — склонившись вперед, зашлась от любопытства Рода. — Что бы вы сделали, если бы возглавили Скотленд-Ярд?

— Во-первых, я бы сразу же арестовала доктора Робертса...

— А потом?

— Ну, в любом случае, я пока не руковожу Скотленд-Ярдом, — сказала миссис Оливер, отступая с зыбкой почвы. — Я частное лицо...

— Вовсе нет, — смущенно запротестовала Рода.

— Мы все трое — частные лица и к тому же женщины. Давайте подумаем, как нам действовать.

Энн Мередит медленно кивнула.

— А почему вы так уверены, что это сделал доктор Робертс? — спросила она.

— Он как раз человек такого сорта, — без колебаний ответила миссис Оливер.

— А вам не кажется... — Энн колебалась. — Разве врачу не было бы куда проще воспользоваться ядом?

— Вовсе нет. Яд или смертельная доза лекарства сразу бы указали на доктора. Вспомните, врачи по всему Лондону забывают в автомобилях опасные лекарства, которые потом крадут. Нет, именно потому, что он врач, он никогда бы не стал пользоваться чем-либо связанным с медициной.

— Понятно, — с сомнением сказала Энн. — А у вас есть какая-нибудь идея, зачем ему понадобилось убивать мистера Шайтану?

— Идея? У меня их сколько угодно. В этом моя основная трудность. Я не могу обдумывать только один сюжет — у меня в голове всегда по меньшей мере пять, и перескакивать с одного на другой — сущее мучение. Я могу придумать шесть превосходных мотивов этого убийства, но беда в том, что я не в состоянии определить, какой из них правильный. Возможно, Шайтана промышлял ростовщичеством — у него был такой елейный вид. Робертс оказался у него в тисках и убил его, потому что не мог выплатить ссуду. А может быть, Шайтана погубил его дочь или сестру. Или же Робертс был двоеженцем, а Шайтана это разнюхал. Или Робертс женился на троюродной сестре Шайтаны и теперь через нее унаследует все его деньги. Или... Сколько я уже насчитала?

— Четыре, — сказала Рода.

— Или... Вот действительно хороший мотив! Предположим, Шайтана знал какой-то секрет из прошлого Робертса. Возможно, вы не обратили внимания, дорогая, но Шайтана за обедом сказал кое-что любопытное — как раз перед той странной паузой.

Энн нагнулась, чтобы подобрать гусеницу.

— Не помню, — отозвалась она.

— Что же он сказал? — спросила Рода.

— Что-то насчет несчастного случая и яда. Неужели не помните?

Левая рука Энн стиснула подлокотник плетеного кресла.

— Кажется, припоминаю, — неуверенно произнесла она.

— Пойди в дом и надень кофту, дорогая, — посоветовала Рода. — Сейчас уже не лето.

Энн отмахнулась:

— Мне не холодно.

Но она заметно дрожала.

— Понимаете мою версию? — продолжала миссис Оливер. — Очевидно, один из пациентов Робертса якобы случайно отравился, но в действительности это было делом рук самого доктора. Наверняка он убил немало людей таким способом.

Щеки Энн снова покраснели.

— Зачем врачам убивать своих пациентов? — спросила она. — Разве это не отразилось бы пагубно на их практике?

— Конечно, должна быть какая-то веская причина, — признала миссис Оливер.

— По-моему, эта идея абсурдна и мелодраматична, — резко заявила Энн Мередит.

— О, Энн! — воскликнула Рода, виновато глядя на миссис Оливер. Ее глаза, похожие на глаза смышленого спаниеля, словно говорили: «Постарайся и пойми!» — Мне эта идея кажется превосходной. Ведь доктор мог раздобыть какой-нибудь яд, не оставляющий следов, не так ли, миссис Оливер?

— О! — воскликнула Энн.

Обе женщины посмотрели на нее.

— Я вспомнила кое-что еще, — объяснила она. — Мистер Шайтана что-то сказал о возможностях врача в лаборатории. Должно быть, он неспроста об этом упомянул.

Миссис Оливер энергично возразила:

— Это сказал не мистер Шайтана, а майор Деспард. — Шаги на садовой дорожке заставили ее обернуться. — Ну и ну! — воскликнула она. — Упомяни о черте...

Из-за угла дома, к их изумлению, появился майор Деспард.

Глава 13
ВТОРОЙ ПОСЕТИТЕЛЬ

При виде миссис Оливер майор Деспард пришел в явное замешательство. Его загорелое лицо стало кирпично-красным.

— Прошу прощения, мисс Мередит, — обратился он к Энн. — На мой звонок никто не отозвался. Я случайно проезжал мимо и решил вас повидать.

— Это я должна извиниться, — сказала Энн. — У нас нет постоянной прислуги — только женщина, которая приходит убирать по утрам.

Она представила его Роде.

— Давайте выпьем чаю, — предложила Рода. — Становится холодно — лучше войти в дом.

Они так и поступили. Рода сразу же скрылась в кухне.

— Удивительное совпадение, что мы с вами встретились здесь, — заметила миссис Оливер.

— Да, — кратко ответил Деспард, устремив на нее задумчивый, оценивающий взгляд.

— Я как раз говорила мисс Мередит, — продолжала миссис Оливер, явно наслаждаясь происходящим, — что мы должны выработать план кампании. Я имею в виду убийство. Разумеется, это сделал доктор. Вы со мной согласны?

— Не знаю. Слишком мало фактов.

Лицо миссис Оливер недвусмысленно выражало: «Чего еще ожидать от мужчины?»

В комнате возникла напряженная атмосфера. Миссис Оливер быстро ее ощутила. Когда Рода принесла чай, она поднялась и сказала, что должна возвращаться в город. Это очень любезно с их стороны, но она не будет пить чай.

— Я оставлю вам свою карточку, — добавила миссис Оливер. — Вот она — с адресом. Когда будете в городе, загляните ко мне — мы с вами все обсудим и постараемся придумать, как нам докопаться до сути дела.

— Я провожу вас до калитки, — сказала Рода.

Когда они шли по дорожке, Энн Мередит выбежала из дома и догнала их. Ее бледное лицо приняло несвойственное девушке решительное выражение.

— Спасибо вам за хлопоты, миссис Оливер, — заговорила она, — но я подумала и решила ничего не предпринимать. Все это слишком ужасно. Я просто хочу забыть об этом.

— Вопрос в том, дитя мое, позволят ли вам это сделать.

— О, я понимаю, что полиция не прекратит расследование. Возможно, они явятся сюда и снова начнут задавать мне вопросы. Я к этому готова. Но я не хочу ни думать об этой истории, ни чтобы мне о ней напоминали. Конечно, я трусиха, но ничего не поделаешь.

— О, Энн! — вскричала Рода.

— Я понимаю ваши чувства, но не уверена, что вы поступаете благоразумно, — сказала миссис Оливер. — Полиция, предоставленная самой себе, возможно, никогда не докопается до истины.

Энн Мередит пожала плечами:

— Разве это имеет значение?

— Конечно имеет! — воскликнула Рода. — Не так ли, миссис Оливер?

— По-моему, безусловно, — сухо ответила писательница.

— Я не согласна, — упрямо заявила Энн. — Никто из знающих меня никогда не подумает, что я сделала это. Не вижу никаких причин, чтобы вмешиваться. Добираться до правды — дело полиции.

— Ты мямля, Энн! — сердито сказала Рода.

— Какая уж есть, — отозвалась Энн. Она протянула руку гостье. — Еще раз спасибо, миссис Оливер. Вы были очень любезны.

— Ну, если вы так решили, говорить больше не о чем, — вздохнула миссис Оливер. — Как бы то ни было, я не собираюсь сидеть без дела. До свидания, дорогая. Навестите меня в Лондоне, если передумаете.

Она забралась в машину, весело махнула рукой и включила мотор. Автомобиль тронулся с места, но Рода внезапно подбежала и вскочила на подножку.

— Когда вы пригласили навестить вас в Лондоне, — запыхавшись, спросила она, — вы имели в виду только Энн или и меня тоже?

Миссис Оливер нажала на тормоз.

— Конечно, я имела в виду вас обеих.

— Благодарю вас... Возможно, я как-нибудь загляну к вам. Есть кое-что... Нет, не останавливайтесь — я могу спрыгнуть.

Она так и сделала и, помахав рукой, побежала назад к калитке, где стояла ее подруга.

— Почему... — начала Энн.

— Ну разве она не лапочка? — с энтузиазмом перебила ее Рода. — Я от нее просто без ума! Ты заметила, что на ней непарные чулки? Я уверена, что миссис Оливер ужасно умная. Еще бы — она написала столько книг. Будет забавно, если она выяснит правду, когда полиция и все остальные окажутся в тупике.

— Почему она сюда приехала? — спросила Энн.

Рода широко открыла глаза:

— Дорогая, она же объяснила тебе...

Энн сделала нетерпеливый жест:

— Нужно вернуться в дом. Совсем забыла — я ведь оставила его одного.

— Майора Деспарда? Он очень красивый, правда?

— Пожалуй.

Они вместе двинулись по дорожке.

Майор Деспард стоял у камина с чашкой чаю в руке. Он сразу оборвал извинения Энн:

— Мисс Мередит, я хочу объяснить свое вторжение. Я сказал, что проезжал мимо, но это не совсем так. Я приехал сюда специально.

— Как вы узнали мой адрес? — удивленно спросила Энн.

— У суперинтенданта Бэттла. — Деспард увидел, как она вздрогнула при упоминании этого имени, и быстро продолжал: — Бэттл сейчас на пути сюда. Я случайно увидел его на вокзале Паддингтон, сразу сел в свою машину и поехал к вам, зная, что легко смогу опередить поезд.

— Но почему?

Несколько секунд Деспард колебался.

— Возможно, вы сочтете меня дерзким... но у меня сложилось впечатление, что вы, как говорится, «одна в целом мире».

— У нее есть я, — заявила Рода.

Деспард бросил одобрительный взгляд на мальчишескую фигурку девушки, так смело отреагировавшей на его слова. Эти двое были привлекательной парой.

— Уверен, что у мисс Мередит не могло быть более преданного друга, чем вы, мисс Доз, — вежливо сказал он, — но мне пришло в голову, что при сложившихся обстоятельствах совет человека, обладающего немалым жизненным опытом, окажется нелишним. Говоря откровенно, мисс Мередит подозревается в убийстве. То же самое относится ко мне и к двоим другим людям, находившимся в той комнате вчера вечером. Ситуация не из приятных — причем она чревата осложнениями и опасностями, которые такая молодая и неопытная девушка, как вы, мисс Мередит, может не распознать. По-моему, вам следует поручить себя заботам хорошего адвоката. Возможно, вы уже это сделали?

Энн Мередит растерянно глянула на него:

— Я никогда об этом не думала.

— Как я и подозревал. У вас есть подходящий человек в Лондоне?

— Нет. До сих пор я не нуждалась в адвокате.

— Есть мистер Бери, — сказала Рода, — но ему уже за сто лет, и у него маразм.

— Если позволите дать вам совет, мисс Мередит, я рекомендовал бы вам обратиться к моему адвокату мистеру Майхерну из фирмы «Джейкобс, Пил и Джейкобс». Они очень толковые люди и знают все ходы и выходы.

Энн слегка побледнела и опустилась на стул.

— Это в самом деле необходимо? — тихо спросила она.

— По-моему, да. Существует множество юридических ловушек.

— А эти люди... берут очень дорого?

— Это не имеет значения, — заявила Рода. — Вы абсолютно правы, майор Деспард. Энн должна быть защищена.

— Полагаю, их гонорары в пределах разумного, — сказал Деспард. — Мне кажется, вам нужно прибегнуть к их помощи.

— Хорошо, — медленно произнесла Энн. — Раз вы так считаете, я это сделаю.

— Отлично.

— Это очень любезно с вашей стороны, майор Деспард, — горячо сказала Рода.

— Спасибо, — поблагодарила Энн. Поколебавшись, она спросила: — Вы говорили, суперинтендант Бэттл едет сюда?

— Да. Вы не должны из-за этого тревожиться. Его визит был неизбежен.

— Знаю. Фактически я этого ожидала.

— Бедняжка! — воскликнула Рода. — Эта история ее убивает. Какая несправедливость! Просто стыд!

— Согласен, — кивнул Деспард. — Втягивать в такое молодую девушку — настоящее свинство. Если кому-то приспичило пырнуть ножом этого Шайтану, он должен был выбрать другое время и место.

— А кто, по-вашему, это сделал? — спросила Рода. — Доктор Робертс или миссис Лорример?

Легкая улыбка шевельнула усы Деспарда.

— Насколько вам известно, кинжал мог воткнуть и я.

— Ну нет! — воскликнула Рода. — Энн и я знаем, что вы этого не делали.

Деспард добродушно посмотрел на них.

Славные девчушки. Такие трогательные и доверчивые. Эта Мередит — робкая, неопытная малышка. Ничего, Майхерн о ней позаботится. А другая — настоящий борец. Наверняка она бы не стала раскисать, оказавшись на месте подруги. Да, приятные девушки. Надо бы разузнать о них побольше.

Все это пронеслось у него в голове. Вслух же он сказал:

— Никогда не принимайте ничего на веру, мисс Доз. Я не так ценю человеческую жизнь, как большинство людей. Возьмем, к примеру, всю эту истерику из-за смертей на дорогах. Человеку всегда грозит опасность — от транспорта, от микробов, от сотни причин. Нет особой разницы, от какой из них умирать. По-моему, с того момента, когда начинаешь заботиться о себе, принимая девиз: «Безопасность — прежде всего», уже можно считать себя мертвым.

— Я с вами согласна! — поддержала его Рода. — По-моему, всегда нужно рисковать, если предоставляется шанс. Но жизнь в целом ужасно скучная.

— Не всегда.

— Для вас — возможно. Вы странствуете по разным диким местам, где на вас нападают тигры и жалят тропические насекомые. Все это неприятно, но жутко увлекательно.

— Ну, в таком случае мисс Мередит тоже повезло. Не часто оказываешься в комнате, где происходит убийство.

— Не надо! — вскрикнула Энн.

— Простите, — поспешил извиниться Деспард.

— Конечно, это ужасно, — вздохнула Рода, — но по-своему возбуждающе. Впрочем, Энн едва ли в состоянии оценить положительную сторону случившегося. Знаете, а миссис Оливер просто в восторге из-за того, что оказалась там в тот вечер.

— Миссис... Ах да, ваша толстая приятельница, которая пишет книги о финне с непроизносимым именем. Она пытается применить свои детективные таланты в реальной жизни?

— Хочет попробовать.

— Ну, пожелаем ей удачи. Было бы забавно, если бы она обошла Бэттла и компанию.

— Что собой представляет суперинтендант Бэттл? — с любопытством спросила Рода.

— Он очень способный и проницательный человек, — серьезно ответил майор Деспард.

— Вот как? А Энн говорила, что он выглядит туповатым.

— Думаю, это часть из арсенала его средств. Но не стоит заблуждаться — Бэттл далеко не глуп. — Он поднялся. — Ну, мне пора. Я хотел сказать еще кое-что... — Деспард сделал паузу, тщательно подбирая слова. Взяв Энн за руку, он посмотрел в ее большие серые глаза. — Не обижайтесь на меня, но, возможно, существуют какие-то детали вашего знакомства с Шайтаной, которые вы бы не хотели разглашать. Если так... только, пожалуйста, не сердитесь, — добавил он, почувствовав, как напряглась ее рука, — то вы вправе отказаться отвечать на любые вопросы Бэттла в отсутствие вашего адвоката.

Энн вырвала руку резким движением. Ее глаза потемнели от гнева.

— Какие еще детали? Я едва знала этого отвратительного субъекта!

— Виноват, — сказал майор Деспард, — но мне казалось, я должен был об этом упомянуть.

— Это неправда, — вмешалась Рода. — Энн действительно едва его знала. Мистер Шайтана ей не нравился, но он устраивал такие забавные вечеринки...

— Очевидно, — мрачно заметил Деспард, — только это и оправдывало существование покойного мистера Шайтаны.

— Суперинтендант Бэттл может спрашивать меня о чем угодно, — холодно произнесла Энн. — Мне нечего скрывать.

— Еще раз прошу меня простить.

Смягчившись, Энн улыбнулась.

— Ничего, — сказала она. — Я знаю, что вы хотели как лучше.

Она снова протянула ему руку.

— Мы с вами в одной лодке, — напомнил ей Деспард, — и должны быть друзьями.

Энн проводила его к калитке. Рода смотрела в окно и что-то насвистывала. Когда Энн вернулась, она посмотрела на нее:

— Он ужасно привлекательный, правда?

— Да, симпатичный.

— Более чем симпатичный... Я просто без ума от него! И почему я не оказалась на этом чертовом обеде вместо тебя? Это так возбуждает — сеть, как петля, затягивается все туже, уже маячит тень виселицы...

— Не болтай чепуху, Рода, — гневно прервала Энн. Потом ее голос смягчился. — С его стороны было великодушно приехать сюда ради девушки, которую он встречал только однажды.

— Он явно в тебя влюбился! Мужчины так не поступают просто из доброты. Стал бы он сюда тащиться, будь ты косоглазой и прыщавой!

— Неужели?

— Конечно, глупышка! Миссис Оливер куда менее заинтересованное лицо.

— Мне она не нравится, — угрюмо сказала Энн. — У меня к ней какая-то инстинктивная неприязнь... Интересно, какова настоящая причина ее приезда?

— Обычная подозрительность к собственному полу. Если на то пошло, то майор Деспард тоже преследовал личные цели.

— Уверена, что нет! — горячо воскликнула Энн и тут же покраснела, услышав смех подруги.

Глава 14
ТРЕТИЙ ПОСЕТИТЕЛЬ

Суперинтендант Бэттл прибыл в Уоллингфорд около шести. Он намеревался перед беседой с мисс Мередит разузнать о ней как можно больше от местных жителей.

Собрать подобную информацию не составляло труда. Никому не представляясь, суперинтендант без особых уловок создал у собеседников определенное мнение о своей профессии и миссии.

Одни уверенно заявили бы, что он лондонский архитектор, приехавший договариваться о пристройке нового крыла к коттеджу; другие утверждали бы, что он прибыл снять коттедж на уик-энд; третьи с такой же уверенностью доказывали бы, что он представитель фирмы по сооружению теннисных кортов.

Полученные суперинтендантом сведения были исключительно благоприятными.

— Коттедж «Уэндон»? Да, на Марлбери-роуд. Его нельзя не заметить. Да, там живут две молодые леди, мисс Доз и мисс Мередит. Очень приятные, скромные девушки. Нет, они здесь не так давно — чуть больше двух лет. Купили коттедж у мистера Пикерсгилла. После смерти жены он им почти не пользовался.

Информатор суперинтенданта не слышал, чтобы молодые леди прибыли из Нортамберленда. Он думал, что они из Лондона. Соседям девушки нравятся, хотя некоторые, слишком старомодные, считают, что две юные леди не должны жить одни. Обе они спокойные и добропорядочные — никаких вечеринок с коктейлями на уик-энды. Мисс Мередит совсем робкая, а мисс Доз вроде бы побойчее. Да, счета оплачивает мисс Доз — все деньги у нее.

Расспросы суперинтенданта в конце концов привели его к миссис Эстуэлл, которая работала в коттедже «Уэндон» приходящей прислугой.

Миссис Эстуэлл оказалась весьма болтливой особой.

— Нет, сэр, не думаю, чтобы они согласились продать коттедж. Они ведь всего два года как въехали туда. Да, сэр, я с самого начала на них работала — по утрам, с восьми до двенадцати. Очень приятные молодые леди — совсем не задаются, всегда готовы пошутить... Не могу сказать, сэр, та ли это мисс Доз, которую вы знали, — я имею в виду, из той же ли она семьи. По-моему, она родом из Девоншира. Я так думаю, потому что ей все время присылают сливки, — она говорит, что они напоминают ей о доме... Печально, сэр, что в наши дни многим благородным девушкам приходится зарабатывать себе на хлеб. Они обе хоть и не из богатых, но ведут приятную жизнь. Деньги есть у мисс Доз — коттедж принадлежит ей, а мисс Энн при ней вроде компаньонки... Нет, я не знаю, откуда прибыла мисс Энн. Я слышала, как она упоминала остров Уайт, что ей не нравится север Англии и что она и мисс Рода жили в Девоншире, — они часто говорили, какие там красивые холмы, бухты и пляжи...

Суперинтендант Бэттл мысленно отмечал интересующие детали и записал несколько загадочных слов в своей маленькой книжечке.

В половине девятого вечера он шел по дорожке к коттеджу «Уэндон».

Ему открыла высокая темноволосая девушка в оранжевом кретоновом платье.

— Здесь живет мисс Мередит? — осведомился Бэттл. Лицо его было бесстрастным и неподвижным; осанка — прямой, как у солдата.

— Да.

— Я суперинтендант Бэттл. Пожалуйста, сообщите мисс Мередит, что я хотел бы с ней побеседовать.

Рода Доз устремила на него пронизывающий взгляд.

— Входите, — сказала она, шагнув в сторону.

Энн Мередит сидела в кресле у камина, потягивая кофе. На ней была крепдешиновая пижама, расшитая узорами.

— Это суперинтендант Бэттл, — сообщила Рода, впуская гостя.

Энн встала и протянула руку.

— Поздновато для визита, — сказал Бэттл, — но сегодня такой чудесный день, и я боялся не застать вас дома.

Энн улыбнулась:

— Хотите кофе, суперинтендант? Рода, принеси еще одну чашку.

— Очень любезно с вашей стороны, мисс Мередит.

— Нам кажется, что мы готовим недурной кофе, — сказала Энн.

Бэттл опустился на предложенный ему стул. Рода принесла чашку, и Энн налила ему кофе. Потрескивавший в камине огонь и цветы в вазах производили на суперинтенданта приятное впечатление.

Атмосфера была уютной и домашней. Энн держалась непринужденно, а другая девушка разглядывала гостя с нескрываемым интересом.

— Мы вас ожидали, — заговорила Энн.

Ее голос звучал почти укоризненно. Казалось, она спрашивает: «Почему вы мною пренебрегали?»

— Простите, мисс Мередит. У меня было много рутинной работы.

— Результаты удовлетворительные?

— Не особенно. Но все должно быть сделано как надо. Я, как говорится, вывернул наизнанку доктора Робертса и миссис Лорример. А теперь пришел проделать то же самое с вами, мисс Мередит.

Энн улыбнулась:

— Я готова.

— А как насчет майора Деспарда? — осведомилась Рода.

— Его мы не упустим — обещаю вам это, — ответил Бэттл.

Он поставил чашку и посмотрел на Энн.

Она выпрямилась на стуле:

— Я готова, суперинтендант. Что вы хотите знать?

— Ну, в общем, все о вас, мисс Мередит.

— Я вполне респектабельная особа, — улыбаясь, промолвила Энн.

— Она ведет безупречную жизнь, — добавила Рода. Могу в этом поручиться.

— Превосходно! — весело произнес суперинтендант. — Значит, вы давно знаете мисс Мередит?

— Мы вместе учились в школе, — объяснила Рода. — Кажется, это было сто лет назад, верно, Энн?

— Так давно, что, полагаю, вы едва ли это помните, — усмехнулся Бэттл. — А теперь, мисс Мередит, боюсь, что мои вопросы будут походить на анкету для паспорта.

— Я родилась... — начала Энн.

— В бедной, но честной семье, — вставила Рода.

Суперинтендант протестующе поднял руку.

— Ну-ну, молодая леди, — сказал он.

— Рода, дорогая, это серьезное дело, — упрекнула подругу Энн.

— Простите, — извинилась Рода.

— Итак, мисс Мередит, где вы родились?

— В Кветте — в Индии.

— Ах да. Ваш отец был военным?

— Да, майор Джон Мередит. Моя мать умерла, когда мне было одиннадцать лет. Отец ушел в отставку, когда мне исполнилось пятнадцать, и поселился в Челтенхеме. Он умер, когда мне было восемнадцать, не оставив практически ни гроша.

Бэттл сочувственно кивнул:

— Наверное, это явилось для вас ударом.

— Да. Я всегда знала, что мы небогаты, но остаться вообще без ничего — совсем другое дело.

— И как же вы поступили, мисс Мередит?

— Мне пришлось устроиться на работу. Я была не особенно умна и не слишком образованна, к тому же не умела ни стенографировать, ни печатать на машинке. Приятельница в Челтенхеме нашла мне работу у ее друзей — помогать по дому и присматривать за двумя мальчиками, когда они приезжали на каникулы.

— Как их фамилия?

— Хозяйку звали миссис Элдон. Они жили в Вентноре — их дом назывался «Лиственницы». Я пробыла там два года, а когда Элдоны уехали за границу, перешла к миссис Диринг.

— Моей тете, — вставила Рода.

— Да, Рода подыскала мне работу. Я была так счастлива. Рода иногда приезжала погостить, и нам было очень весело.

— Вы числились там компаньонкой?

— Ну... вроде того.

— Скорее помощницей садовника, — сказала Рода. — Моя тетя Эмили помешана на садоводстве. Энн проводила большую часть времени занимаясь прополкой или сажая разные луковицы.

— И вы ушли от миссис Диринг?

— Ее здоровье ухудшилось, и ей пришлось нанять постоянную сиделку.

— У тети рак, — объяснила Рода. — Бедняжка живет на морфии.

— Она была очень добра ко мне, — продолжала Энн. — Мне так не хотелось уходить.

— Я подыскивала коттедж, — сказала Рода, — и хотела разделить его с кем-нибудь. Папа снова женился, и мы с мачехой не поладили. Я пригласила Энн сюда, и с тех пор она живет здесь.

— Ну, это и в самом деле безупречная жизнь, — заметил Бэттл. — Давайте уточним даты. Вы говорите, что пробыли у миссис Элдон два года. Кстати, какой ее теперешний адрес?

— Она сейчас в Палестине. Ее муж выполняет там какую-то правительственную миссию — точно не знаю.

— Хорошо, я могу это выяснить. И после этого вы перешли к миссис Диринг?

— У нее я пробыла три года, — быстро сказала Энн. — Ее адрес — Марш-Дин, Литл-Хембери, Девон.

— Понятно, — промолвил Бэттл. — Значит, сейчас вам двадцать пять лет, мисс Мередит. Вы можете сообщить имена и адреса двух-трех человек в Челтенхеме, которые знали вас и вашего отца?

Энн предоставила ему эти сведения.

— Теперь о поездке в Швейцарию, где вы познакомились с мистером Шайтаной. Вы ездили туда одна или с мисс Доз?

— Мы ездили вдвоем. Присоединились к группе из восьми человек.

— Расскажите о встрече с мистером Шайтаной.

Энн наморщила лоб:

— Рассказывать особенно нечего. Просто он тоже был там. В отелях часто знакомишься с разными людьми. Мистер Шайтана получил первый приз на балу-маскараде — он нарядился Мефистофелем.

— Да, это была его любимая роль, — вздохнул Бэттл.

— Он был просто чудесен, — добавила Рода. — Ему почти не пришлось гримироваться.

Суперинтендант переводил взгляд с одной девушки на другую.

— Которая из вас, молодые леди, знала его лучше?

Энн колебалась.

— Вначале обе одинаково — то есть очень мало, — ответила Рода. — Понимаете, наша компания проводила все дни катаясь на лыжах, а вечерами мы танцевали. Но потом Шайтана как будто положил глаз на Энн — делал ей комплименты и тому подобное. Мы ее из-за этого поддразнивали.

— Думаю, он делал это мне назло, — сказала Энн. — Он видел, что не нравится мне, и его забавляло меня смущать.

Рода засмеялась:

— Мы шутили, говорили Энн, что это был бы для нее выгодный брак, а она выходила из себя.

— Может быть, вы назовете имена других участников вашей группы? — мягко спросил Бэттл.

— Вас не назовешь доверчивым, — усмехнулась Рода. — По-вашему, каждое наше слово — отъявленная ложь?

Суперинтендант подмигнул ей:

— Я намерен убедиться, что это не так.

— Ох и подозрительный же вы! — вздохнула Рода.

Она нацарапала несколько имен на листке бумаги и протянула его суперинтенданту.

Бэттл поднялся.

— Благодарю вас, мисс Мередит, — сказал он. — Как говорит мисс Доз, вы, похоже, и впрямь вели абсолютно безупречную жизнь. Думаю, вам не о чем беспокоиться. Любопытно, почему мистер Шайтана изменил отношение к вам. Извините за нескромный вопрос, но он не предлагал вам выйти за него замуж или... э-э... не досаждал вам вниманием иного сорта?

— Он не пытался ее соблазнить, если вы это имеете в виду, — отозвалась Рода.

Энн покраснела.

— Нет, ничего такого не было, — ответила она. — Мистер Шайтана всегда держался вежливо — даже несколько церемонно. Но от его изысканных манер мне было не по себе.

— И от того, что он говорил или на что намекал?

— Да... то есть нет. Он никогда ни на что не намекал.

— Жаль. Волокиты иногда это делают. Ну, доброй ночи, мисс Мередит. Еще раз благодарю вас. Отличный кофе. Доброй ночи, мисс Доз.

— Ну вот и все, — сказала Рода, когда Энн вернулась в комнату, закрыв дверь за Бэттлом. — Ничего страшного. Он держался по-отечески и явно ни в чем тебя не подозревает. Все оказалось куда лучше, чем я ожидала.

Энн со вздохом опустилась в кресло.

— Действительно, с моей стороны было глупо так волноваться, — согласилась она. — Я думала, он будет запугивать меня — как прокурор в пьесе.

— Он выглядит вполне разумным, — заметила Рода, — и прекрасно видит, что ты не похожа на убийцу. — Поколебавшись, подруга добавила: — Почему ты не упомянула о твоем пребывании в Крофтуэйзе, Энн? Ты забыла об этом?

— Я не думала, что это имеет значение, — неуверенно отозвалась Энн. — Ведь я пробыла там всего пару месяцев. К тому же там обо мне некого расспрашивать. Я могу написать ему об этом, если ты считаешь нужным, но, по-моему, это ни к чему.

— Хорошо, если ты так считаешь.

Рода встала и включила радио.

В приемнике послышался хриплый голос: «Вы только что слушали в исполнении «Черных нубийцев» радиопьесу «Почему ты лжешь мне, беби?»

Глава 15

МАЙОР ДЕСПАРД

Выйдя на Олбени, майор Деспард быстро свернул на Риджент-стрит и вскочил в автобус на ходу.

Час пик еще не наступил, поэтому наверху автобуса почти все места были свободны. Деспард прошел через салон и сел на переднее сиденье.

Автобус подошел к остановке, подобрал пассажиров и снова двинулся по Риджент-стрит.

Еще один пассажир поднялся наверх, прошел вперед и опустился на переднее сиденье по другую сторону прохода.

Деспард не обратил на него внимания, но через несколько минут услышал негромкий голос:

— Из верхнего салона автобуса открывается хороший вид на Лондон, не так ли?

Деспард обернулся. Сначала он выглядел озадаченным, затем его лицо прояснилось.

— Прошу прощения, мсье Пуаро, я не заметил вас. Да, вид действительно недурной. Хотя раньше, когда не было этих стеклянных клеток, он был еще лучше.

Пуаро вздохнул:

— Tout de même[1] в дождливую погоду, при битком набитом нижнем салоне, это было не так уж приятно.

— Дождь еще никому не причинял вреда.

— Вы заблуждаетесь, — возразил Пуаро. — Он часто приводит к fluxion de poitrine[2].

Деспард улыбнулся:

— Вижу, мсье Пуаро, вы из тех, которые предпочитают кутаться.

Пуаро и в самом деле был полностью экипирован на случай капризов осеннего дня. На нем были пальто и шарф.

— Довольно странно встретиться таким образом, — сказал Деспард.

---

[1] Однако (*фр.*).
[2] Воспаление легких (*фр.*).

Он не видел улыбку собеседника, скрытую шарфом. В их встрече не было ничего странного. Узнав, когда Деспард обычно выходит из дому, Пуаро подождал его. Он благоразумно не стал прыгать в автобус на ходу, а пошел следом за ним до ближайшей остановки и сел там.

— В самом деле, — отозвался Пуаро, — мы не виделись с того злосчастного вечера у мистера Шайтаны.

— Вы ведь участвуете в расследовании? — спросил Деспард.

Пуаро скромно почесал ухо.

— Я думаю, — ответил он. — Я размышляю. Бегать туда-сюда не подходит для моего возраста, моего темперамента и моей фигуры.

— Размышляете? — усмехнулся Деспард. — Ну что ж, это не самое худшее. В наши дни слишком много бегают. Если бы люди сидели и думали, прежде чем что-либо делать, на свете было бы куда меньше путаницы.

— Вы придерживаетесь такого образа жизни?

— Как правило, — ответил майор. — Соберите пожитки, обдумайте маршрут, взвесьте все за и против, принимайте решение — и придерживайтесь его.

Он плотно сжал губы.

— Никогда не сворачивая с дороги? — вкрадчиво осведомился Пуаро.

— Я этого не говорил. Незачем быть упрямым. Если вы совершили ошибку, признайте ее.

— Думаю, вы не часто совершаете ошибки, майор Деспард.

— Мы все ошибаемся, мсье Пуаро.

— Некоторые из нас меньше прочих, — заметил Пуаро с холодком в голосе, возможно обязанным местоимению, использованному собеседником.

Деспард посмотрел на него и улыбнулся:

— Неужели вы никогда не терпели неудач, мсье Пуаро?

— Последний раз это случилось двадцать восемь лет назад, — с достоинством признался Пуаро. — И даже тогда были некоторые обстоятельства... Но это не важно.

— Недурной послужной список, — заметил Деспард. — А как же убийство Шайтаны? Полагаю, оно не в счет, так как не является вашим официальным делом.

— Действительно, не является. Но в то же время оно оскорбляет мое amour proprе[1]. Понимаете, я считаю дерзостью, когда убийство совершает под самым моим носом некто, смеющийся над моими способностями раскрыть его!

— Не только под вашим носом, — сухо указал Деспард, — но и под носом отдела уголовного розыска.

— Со стороны преступника это тоже было ошибкой, — серьезно сказал Пуаро. — У нашего славного суперинтенданта Бэттла, несмотря на деревянную внешность, в голове отнюдь не дерево.

— Согласен, — кивнул Деспард. — Его туповатый вид — всего лишь маска. Он очень толковый и способный офицер.

— И, думаю, проявляет немалую активность в этом деле.

— Вполне достаточную. Видите того симпатичного парня с военной выправкой на заднем сиденье?

Пуаро бросил взгляд через плечо:

— В салоне никого нет, кроме нас.

— Значит, он внизу. Он никогда не теряет меня из виду. Весьма бойкий парень. Время от времени меняет внешность, причем не без артистизма.

— А вас, похоже, не проведешь. У вас быстрый и зоркий глаз.

— Я никогда не забываю лица — даже чернокожих, а это немногим удается.

— Вы именно тот человек, который мне нужен, — сказал Пуаро. — Какая удача, что мы встретились! Я как раз нуждался в человеке с хорошим зрением и хорошей памятью. Malheureusement[2], это редкое сочетание. Я задавал этот вопрос доктору Робертсу и мис-

---

[1] Самолюбие (*фр.*).
[2] К сожалению (*фр.*).

сис Лорример, но безрезультатно. Теперь попытаю счастья с вами. Пожалуйста, представьте себе комнату, где вы играли в карты у мистера Шайтаны, и скажите, что вы о ней помните.

Деспард удивился:

— Я не вполне вас понимаю.

— Дайте мне описание комнаты — мебели, предметов и так далее.

— Не знаю, подхожу ли я для этой цели, — медленно произнес Деспард. — Комната мне не понравилась — совсем не походила на мужскую. Сплошные шелк и парча. Именно такая комната могла быть у субъекта вроде Шайтаны.

— А подробнее?

Деспард покачал головой:

— Боюсь, что я не обратил внимания... Там было несколько хороших ковров — два бухарских и три-четыре персидских, в том числе хамаданский и тебризский. Голова антилопы канны... нет, она была в холле. Полагаю, приобрел у Роуленда Уорда.

— Значит, вы не думаете, что покойный мистер Шайтана участвовал в охоте на диких животных?

— Уверен, что он увлекался только сидячими играми. Что же еще там было?.. Не хочется вас подводить, но я почти ничего не помню. Столы были захламлены разными безделушками. Я запомнил одного забавного идола из полированного дерева — очевидно, с острова Пасхи. Были также малайские вещицы... Нет, боюсь, я не в состоянии вам помочь.

— Не важно, — сказал Пуаро, выглядевший слегка удрученным. — Знаете, — продолжал он, — у миссис Лорример поразительная память на карты! Она назвала мне почти все заявки и ходы.

Деспард пожал плечами:

— У некоторых женщин такое бывает. Очевидно, потому, что они играют целыми днями.

— А вы бы так не могли?

Майор покачал головой:

— Я помню только пару эпизодов. Первый — когда я вел игру на бубнах, а Робертс сблефовал и все мне испортил. Сбросил очки, а мы не стали удваивать. Помню также игру без козырей. Путаное дело — все карты неподходящие. Мы потеряли пару взяток — хорошо, что не больше.

— Вы часто играете в бридж, майор Деспард?

— Нет, весьма нерегулярно. Хотя это хорошая игра.

— Вы предпочитаете его покеру?

— Пожалуй. Покер чересчур азартный.

— Не думаю, чтобы мистер Шайтана вообще играл в карты, — задумчиво промолвил Пуаро.

— Есть только одна игра, в которую Шайтана играл постоянно, — мрачно сказал Деспард.

— Какая же?

— Нечестная.

Помолчав, Пуаро осведомился:

— Вы знаете это? Или просто предполагаете?

Деспард густо покраснел.

— Вы имеете в виду, что такие вещи не следует говорить, не зная о них наверняка? Полагаю, вы правы. Но я об этом знаю. Правда, не могу назвать вам источник — информация носила личный характер.

— Очевидно, тут замешана женщина?

— Да. Этот грязный пес Шайтана предпочитал иметь дело с женщинами.

— Думаете, он был шантажистом? Любопытно!

Деспард живо возразил:

— Нет-нет, вы неверно меня поняли. В какой-то мере Шайтана был шантажистом, но не в обычном смысле слова. Он не гнался за деньгами. Его шантаж был духовного порядка, если так можно сказать.

— И что он с этого имел?

— Приятное возбуждение — только так я могу это объяснить. Шайтана получал удовольствие, видя людей, дрожащих от страха. Полагаю, это помогало ему ощущать себя в меньшей степени вошью и в большей — человеком. На женщин подобный прием действовал безотказно. Достаточно было намекнуть, будто он что-то знает, как они торопились, оправдываясь, выкладывать ему то, о чем он, возможно, понятия не имел. Это удовлетворяло его чувство юмора. Он мог расхаживать с мефистофельским выражением лица, которое говорило: «Я все знаю! Я великий Шайтана!» А в действительности он был просто обезьяной!

— Итак, вы думаете, что таким образом он напугал мисс Мередит, — вопросительно произнес Пуаро.

— Мисс Мередит? — Деспард уставился на него. — Я не думал о ней. Она не из тех, которые должны опасаться типов вроде Шайтаны.

— Pardon[1]. Значит, вы имели в виду миссис Лорример.

— Да нет же! Вы не так меня поняли. Я говорил в общем. Напугать миссис Лорример было бы нелегко. К тому же она не похожа на женщину, у которой могут быть позорные тайны. Нет, я не думал ни о ком конкретно.

— Речь шла об общем методе?

— Вот именно.

— Несомненно, — задумчиво сказал Пуаро, — такой человек, как Шайтана, должен был хорошо разбираться в женщинах. Он умел находить к ним подход и выпытывать у них секреты...

— Вздор! — нетерпеливо прервал Деспард. — Этот тип был обычным шарлатаном — он не представлял никакой опасности. И тем не менее женщины его боялись. Какая нелепость! — Внезапно он поднялся. — Черт возьми, проехал свою остановку! Слишком увлекся нашей беседой. До свидания, мсье Пуаро. Посмотрите вниз, и увидите, как моя преданная тень выйдет из автобуса следом за мной.

Поспешно пройдя через салон, Деспард сбежал по ступенькам. Кондуктор позвонил дважды, прежде чем автобус остановился.

Глядя на улицу, Пуаро заметил Деспарда, идущего по тротуару в обратном направлении. Он не стал высматривать следующую за ним фигуру. Его интересовало другое.

— Ни о ком конкретно... — пробормотал он себе под нос. — Любопытно!

---

[1] Простите (*фр.*).

Глава 16

ПОКАЗАНИЯ ЭЛСИ БЭТТ

Коллеги по Скотленд-Ярду ехидно прозвали сержанта О'Коннора Мечтой Служанок.

Сержант, несомненно, был очень красивым мужчиной — высоким, стройным, широкоплечим, с правильными чертами лица. Впрочем, неотразимым для прекрасного пола делало его не столько это, сколько озорной, бесшабашный блеск глаз. Естественно, при общении со служанками он быстро добивался результатов.

Сержант О'Коннор был настолько расторопен, что спустя всего четыре дня после убийства мистера Шайтаны уже занимал место стоимостью в три шиллинга шесть пенсов в «Уилли-Нилли ревью» рядом с мисс Элси Бэтт, последней горничной миссис Крэддок с Норт-Одли-стрит, 117.

Тщательно спланировав линию наступления, сержант только что приступил к решающей атаке.

— Это напоминает мне, — говорил он, — одного из моих прежних хозяев, по фамилии Крэддок. Паршивый был тип.

— Крэддок... — повторила Элси. — Я как-то служила у Крэддоков.

— Забавно! Неужто у тех же самых?

— Они жили на Норт-Одли-стрит, — сказала Элси.

— Мои как раз переезжали в Лондон, когда я уволился, — быстро сориентировался О'Коннор. — По-моему, именно на Норт-Одли-стрит. Миссис Крэддок была та еще штучка.

Элси тряхнула головой:

— У меня на нее просто терпения не хватало. Все время ворчала и придиралась. То не так, это не так...

— Мужу от нее тоже доставалось, верно?

— Миссис Крэддок вечно ныла, что он ее не понимает, и жаловалась на плохое самочувствие — охала, стонала. Хотя, по-моему, она была вполне здорова.

— Вспомнил! — О'Коннор хлопнул себя по колену. — Кажется, что-то болтали о ней и каком-то докторе.

— Вы имеете в виду доктора Робертса? Приятный был джентльмен.

— Вы, девушки, все одинаковы, — ухмыльнулся сержант. — Как только появляется какой-нибудь никудышний тип, тут же к нему липнете. Я знаю эту породу!

— Нет, вы не правы. Он совсем не из таких. Разве его вина, что миссис Крэддок постоянно за ним посылала? Что ему оставалось делать? Если спросите меня, то он думал о ней только как о пациентке. Это все ее капризы. Никак не оставляла его в покое.

— Может, и так, Элси... Не возражаете, если я буду вас так называть? Я чувствую, как будто знал вас всю жизнь.

— Ну уж нет! Элси, вот еще! — Она вскинула голову.

— Ну хорошо, пусть будет мисс Бэтт. О чем я говорил?.. Ах да! Насколько я понимаю, мужу это не нравилось, верно?

— Однажды он вышел из себя, — признала Элси. — Но я думаю, что мистер Крэддок уже тогда был болен. Вскоре он умер.

— Да, припоминаю. От какой-то странной болезни.

— Да, от чего-то японского. Заразился через кисточку для бритья. Ужасно, правда? С тех пор я от всего японского шарахаюсь.

— Мой девиз: «Покупайте только английское», — нравоучительно произнес сержант. — Говорите, они с доктором поскандалили?

Элси кивнула, с явным удовольствием припоминая ту сцену.

— Жутко! — ответила она. — Вернее, скандалил хозяин. Доктор Робертс был, как всегда, спокоен. Только отвечал: «Чепуха» или «Что вы вбили себе в голову?»

— Это произошло дома?

— Да. Хозяйка послала за доктором Робертсом, а потом поругалась с хозяином. Тут как раз пришел доктор, и хозяин напустился на него.

— И что он говорил?

— Конечно, они не знали, что я подслушиваю. Все происходило в спальне хозяйки. Я поняла, что там что-то творится, поэтому взяла совок и стала подметать лестницу. Я не собиралась такое пропускать!

Сержант О'Коннор искренне с ней согласился, думая о том, как ему повезло, что он избрал неофициальный подход. Если бы Элси допрашивал полицейский сержант, она бы с добродетельным видом заявляла, что никогда в жизни ничего не подслушивала.

— Как я говорила, — продолжала Элси, — доктор Робертс держался спокойно — орал только хозяин.

— Что же он орал? — спросил О'Коннор, вторично подбираясь к этому важному пункту.

— Ругал его на все корки, — радостно отозвалась Элси.

— Как ругал?

Неужели эта девушка никогда не приведет ни одной фразы?

— Ну, я многого не поняла, — призналась Элси. — Хозяин говорил разные длинные слова — «непрофессиональное поведение», «воспользовались преимуществом» и так далее, а потом обещал добиться, чтобы доктора Робертса дис... дисква...

— Дисквалифицировали, — догадался сержант. — Он грозил пожаловаться в Медицинский совет?

— Что-то в этом роде. Хозяйка закатила истерику и стала кричать: «Ты никогда меня не любил! Ты мною пренебрегал! Все время оставлял меня одну!» Потом она сказала, что доктор Робертс был к ней добр, словно ангел. Ну а потом доктор вышел с хозяином в туалетную комнату, закрыл дверь спальни и сказал: «Дружище, неужели вы не понимаете, что ваша жена — истеричка? Она сама не понимает, что говорит. Если хотите знать, лечить ее так утомительно, что я бы давно отказался от нее, если бы не считал, что это не соо... опять какое-то длинное слово!.. не соответствует моему долгу». Потом он что-то добавил о том, что никогда не переступает границ между врачом и пациентом, а когда хозяин немного успокоился, сказал ему: «Лучше отправляйтесь в свой офис, а то опоздаете. Подумайте как следует — тогда вы поймете, что вся эта история не стоит выеденного яйца. Я вымою руки и пойду к следующему пациенту. Могу вас заверить, что все это плод больного воображения вашей супруги». А хозяин ответил: «Не знаю, что и думать». Он вышел, а я сделала вид, будто подметаю, хотя он все равно не обратил на меня внимания. Потом я подумала, что хозяин уже тогда выглядел больным. Доктор весело насвистывал и мыл руки в туалетной комнате. Вскоре он вышел со своим саквояжем, как всегда пошутил со мной и спустился вниз. Я уверена, что он ничего дурного не делал. Это все хозяйка.

— И потом Крэддок заболел сибирской язвой?

— Да, но, по-моему, он уже тогда был болен. Хозяйка преданно ухаживала за ним, но он умер. На похоронах были такие красивые венки!

— А после этого доктор Робертс приходил в дом?

— Какой вы любопытный! Нет, не приходил. Похоже, у вас зуб на него. Я же говорила вам, что ничего дурного там не было. Иначе доктор женился бы на ней после смерти хозяина, верно? Но он этого не сделал — не такой он дурак! Доктор знал ей цену. Хозяйка звонила ему, но его никогда не оказывалось на месте. Потом она продала дом, уволила прислугу и уехала в Египет.

— И с тех пор вы не видели доктора Робертса?

— Нет. Но хозяйка видела, потому что ходила к нему делать прививку от... как его... брюшного тифа. Когда она вернулась, у нее так болела рука. Если спросите меня, он наверняка дал ей тогда понять, что ей не на что рассчитывать. Больше хозяйка ему не звонила — уехала такая веселая, с ворохом новых платьев; все светлые, хотя была середина зимы, но она сказала, что в Египте всегда жарко.

— Это верно, — согласился сержант. — Я слышал, иногда даже слишком жарко. Она умерла там. Полагаю, вы это знали?

— Конечно, не знала! Подумать только! Выходит, бедняжка в самом деле была больна. — Элси вздохнула. — Интересно, что стало с теми красивыми платьями? Там ведь все черные, так что они не могут их носить.

— Представляю, как бы вы в них выглядели, — ухмыльнулся О'Коннор.

— Какой нахал! — рассердилась Элси.

— Ну, вам недолго терпеть мое нахальство, — пообещал сержант. — Я уезжаю по делам моей фирмы.

— Далеко?

— Может быть, даже за границу.

Лицо Элси вытянулось.

Хотя она и не знала знаменитого стихотворения лорда Байрона «Я не любил газели милой», ею владели примерно такие же чувства. «Забавно, — подумала она, — едва лишь познакомишься с по-настоящему привлекательным парнем — и нате вам — из этого никогда ничего путного не выходит. Ладно, придется обойтись Фредом».

Таким образом, внезапное вторжение сержанта О'Коннора в жизнь Элси не оставило в ней особого следа. В итоге Фред, скорее всего, даже оказался в выигрыше!

Глава 17

ПОКАЗАНИЯ РОДЫ ДОЗ

Выйдя из магазина «Дебенхемс», Рода Доз задумчиво остановилась на тротуаре. На ее выразительном лице отражались даже самые мимолетные эмоции. Сейчас на нем была написана нерешительность.

Лицо Роды словно говорило: «Идти мне туда или нет? Я бы хотела пойти... Но может быть, лучше этого не делать?..»

— Такси, мисс? — с надеждой осведомился швейцар.

Рода покачала головой.

Нагруженная пакетами толстая женщина, очевидно заранее делающая покупки к Рождеству, сильно толкнула ее, но Рода стояла как вкопанная, пытаясь принять решение.

В голове у нее мелькали хаотичные обрывки мыслей: «В конце концов, почему бы и нет? Она ведь приглашала меня — хотя, возможно, она каждому говорит то же самое просто из вежливости... С другой стороны, сейчас я не нужна Энн — она ясно дала понять, что хочет пойти к адвокату вдвоем с майором Деспардом... Вообще-то она права — трое уже толпа, к тому же это не мое дело... Не так уж мне хотелось повидать майора Деспарда... Хотя он очень симпатичный... Должно быть, майор влюбился в Энн. Мужчины не беспокоятся о незнакомых девушках просто из доброты...»

Мальчик-посыльный налетел на Роду и произнес с явным упреком:

— Прошу прощения, мисс.

«Боже мой! — подумала Рода. — Не могу же я торчать здесь весь день только потому, что не в состоянии ничего решить... Думаю, эти жакет и юбка мне бы хорошо подошли. А может, коричневый цвет практичнее зеленого? Нет, вряд ли... Короче говоря, идти мне туда или нет? Сейчас половина четвертого — время подходящее; не будет казаться, словно я рассчитываю бесплатно пообедать. Ведь я могла просто случайно проходить мимо и заглянуть...»

Рода перебежала улицу, свернула направо, потом налево, прошла по Харли-стрит[1] и, наконец, остановилась возле многоквартирного дома, который миссис Оливер неоднократно описывала как дом, «состоящий из частных лечебниц».

«Не съест же она меня», — подумала Рода, отважно ныряя в подъезд.

Квартира миссис Оливер находилась на верхнем этаже. Портье в униформе поднял ее в лифте и высадил прямо на новенькую циновку перед ярко-зеленой дверью.

«Ужасно! — думала Рода. — Хуже, чем поход к дантисту. Но теперь придется через это пройти».

Краснея от смущения, она нажала кнопку звонка.

Дверь открыла пожилая служанка.

— Э-э... могу ли я... миссис Оливер дома? — запинаясь спросила Рода.

Служанка шагнула в сторону, пропуская Роду, и проводила ее в весьма неопрятную гостиную.

— О ком мне доложить? — спросила она.

— О... э-э... мисс Доз... мисс Рода Доз.

Служанка удалилась. Она вернулась менее чем через две минуты, но Роде показалось, будто миновал целый век.

---

[1] Харли-стрит — улица в Лондоне, где находятся приемные известных врачей.

— Пожалуйста, пройдите сюда, мисс.

Покраснев еще сильнее, Рода последовала за ней по коридору. Когда она шагнула в открытую дверь справа, ей в первый момент показалось, будто она очутилась в африканских джунглях!

Обои были густо разрисованы попугаями и другими птицами, в том числе неизвестными орнитологии, порхающими в первобытном лесу. Среди этого буйства птичьей и растительной жизни Рода разглядела ветхий кухонный стол с пишущей машинкой, валяющиеся на полу листы с отпечатанным текстом и миссис Оливер с растрепанными волосами, поднимающуюся с шаткого на вид стула.

— Как я рада вас видеть, дорогая! — воскликнула миссис Оливер, протягивая ей перепачканную копиркой правую руку и тщетно пытаясь пригладить волосы левой.

Локтем она столкнула со стола бумажный пакет, и яблоки покатились по полу.

— Не беспокойтесь, дорогая, кто-нибудь потом их подберет.

Слегка запыхавшись, Рода выпрямилась с пятью яблоками в руках.

— Простите, если я вам помешала... — начала она.

— Ну, и да и нет, — отозвалась миссис Оливер. — Как видите, я работаю. Но мой ужасный финн угодил в жуткую неразбериху. Он сделал страшно ловкое умозаключение насчет блюда с фасолью, а только что обнаружил смертельный яд в начинке из шалфея с луком для гуся к Михайлову дню, но я вспомнила, что на Михайлов день фасоль уже не достать.

— Она могла быть консервированной, — заметила Рода, возбужденная случайным проникновением в творческую лабораторию создания очередного детективного шедевра.

— Верно, — с сомнением произнесла миссис Оливер. — Но это погубило бы весь эффект. Я вечно путаюсь в садоводстве, огородничестве и тому подобных вещах. Люди пишут мне, что нельзя сажать вместе разные цветы. Как будто это имеет значение — в лондонских магазинах они отлично соседствуют друг с другом!

— Конечно, это не важно, — великодушно согласилась Рода. — О, миссис Оливер, как, наверное, чудесно писать книги.

Миссис Оливер почесала лоб испачканным копиркой пальцем и осведомилась:

— Почему?

— Ну... — Рода была слегка сбита с толку. — Потому что так и должно быть. Разве не чудесно сесть и написать целый роман?

— Все происходит не совсем так, — вздохнула миссис Оливер. — Приходится постоянно думать, а это скучное занятие. Нужно заранее спланировать сюжет, но и тогда все равно постоянно застреваешь, и кажется, что уже никогда не выберешься из очередной путаницы, — но каким-то образом все-таки выбираешься! Писательский труд не такое уж удовольствие. Это тяжелая работа, как и всякая другая.

— А мне это вовсе не кажется работой, — призналась Рода.

— Вам не кажется, потому что вы этим не занимаетесь, — отозвалась миссис Оливер. — Зато мне кажется, и даже очень! Бывают дни, когда я в состоянии продержаться, только повторяя себе сумму, которую получу за следующую публикацию. Это пришпоривает — как и вид банковской книжки с превышенным кредитом.

— Я никогда не думала, что вы сами печатаете ваши тексты, — заметила Рода. — Мне казалось, у вас есть секретарь.

— Раньше у меня была секретарша — я пыталась ей диктовать, но она была настолько компетентной, что это меня подавляло. Я чувствовала, что она разбирается в английской грамматике и синтаксисе куда лучше, чем я, и это создавало у меня комплекс неполноценности. Тогда я попробовала нанять совсем малоопытную секретаршу, но, конечно, получилось еще хуже.

— Как здорово, когда умеешь придумывать такие интересные сюжеты, — сказала Рода.

— Придумывать-то я умею, — ответила миссис Оливер. — Куда труднее все это записывать. Думаешь, что работа закончена, а после подсчета оказывается, что там всего тридцать тысяч слов вместо нужных шестидесяти тысяч. Приходится добавлять еще одно убийство и снова похищать героиню. Все это страшно утомительно.

Рода молча смотрела на миссис Оливер с почтением, которое молодость испытывает к славе, и в то же время с некоторым разочарованием.

— Вам нравятся обои? — Миссис Оливер небрежно махнула рукой. — Я обожаю птиц. А при виде тропической растительности даже зимой чувствуешь себя как в жаркий день. Я могу работать только в тепле. А вот Свен Хьерсон каждое утро купается в проруби.

— Мне все у вас нравится, — ответила Рода. — И так мило, что вы не сердитесь на меня за мое вторжение!

— Сейчас мы выпьем кофе с тостами, — сказала миссис Оливер. — Очень крепкий кофе с очень горячими тостами. Я могу закусывать в любое время.

Подойдя к двери, миссис Оливер распахнула ее и крикнула служанке.

— Что привело вас в город? — спросила она, вернувшись. — Покупки?

— Да, — ответила Рода. — Я ходила по магазинам.

— А мисс Мередит тоже приехала?

— Да, она пошла к адвокату с майором Деспардом.

— К адвокату? — Брови миссис Оливер вопросительно приподнялись.

— Да. Понимаете, майор Деспард сказал, что она должна обратиться к адвокату. Он был очень любезен.

— Я тоже была любезна, — вздохнула миссис Оливер, — но это, кажется, ни к чему не привело. По-моему, вашу подругу рассердил мой визит.

— Что вы! — Рода смущенно заерзала на стуле. — Это одна из причин, по которой я пришла к вам, — чтобы объяснить... Я видела, что вы все неправильно поняли. Энн казалась неприветливой, но дело было не в вашем приходе, а в том, что вы сказали.

— В том, что я сказала?

— Да. Конечно, вы не знали... Это получилось случайно...

— Что именно?

— Вряд ли вы помните. Вы упомянули о яде и несчастном случае...

— Разве?

— Я знала, что вы об этом забыли. Понимаете, Энн однажды перенесла ужасное потрясение. Она была в доме, где женщина отравилась краской для шляп — перепутала ее с чем-то — и умерла. Конечно, для Энн это явилось страшным шоком. Она не может ни думать, ни говорить об этом. Ваши слова все ей напомнили — естественно, она сразу напряглась. Я видела, что вы это заметили, но не могла ничего объяснить при ней. Но я не хотела, чтобы вы считали ее неблагодарной...

Миссис Оливер посмотрела на раскрасневшееся лицо Роды.

— Понимаю, — медленно произнесла она.

— Энн очень чувствительная, — продолжала Рода. — И она не любит... ну, смотреть фактам в лицо. Если что-нибудь ее огорчает, она предпочитает вовсе не говорить об этом, хотя мне кажется, это неправильно. Ведь от молчания ничего не изменится. Я бы не стала делать вид, будто ничего не произошло, как бы это ни было мучительно.

— У вас стойкий характер, дорогая моя, — промолвила миссис Оливер, — а у вашей Энн — нет.

Рода снова покраснела.

— Энн очень славная.

Миссис Оливер улыбнулась:

— Я этого не отрицаю. Просто ей не хватает вашей смелости. — Сделав паузу, она внезапно спросила: — Вы верите в ценность правды?

Рода уставилась на нее:

— Конечно верю.

— Возможно, вы говорите не подумав. Правда иногда ранит и разрушает иллюзии.

— Все равно я предпочитаю не убегать от нее.

— Я тоже. Но это не значит, что мы поступаем разумно.

— Пожалуйста, не говорите Энн о том, что я вам рассказала, — попросила Рода. — Ей бы это не понравилось.

— У меня такого и в мыслях не было. Когда это случилось?

— Года четыре назад. Странно, не так ли, как одно и то же происходит с людьми несколько раз. У меня была тетя, которая постоянно попадала в кораблекрушения. А Энн уже дважды оказалась рядом с внезапной смертью — хотя второй случай гораздо хуже. Убийство — это особенно страшно; не так ли?

— Конечно.

В этот момент принесли черный кофе и горячие тосты. Рода пила и закусывала с детским удовольствием. Разделять запросто еду со знаменитостью — это же необычайно приятно.

Когда с трапезой было покончено, она поднялась и сказала:

— Надеюсь, я не очень вам помешала. Вы не будете возражать, если я как-нибудь пришлю вам одну из ваших книг, чтобы вы подписали ее для меня?

Миссис Оливер рассмеялась:

— Мы сделаем лучше. — Она открыла шкаф в дальнем конце комнаты. — Какая вам больше нравится? Я бы выбрала «Происшествие со второй золотой рыбкой». Все-таки это не такое барахло, как остальные.

Слегка шокированная подобной самохарактеристикой своих творений, польщенная Рода обрадовалась подарку. Миссис Оливер раскрыла книгу, написала на ней свое имя с цветистым росчерком и вручила ее гостье.

— Вот!

— Огромное вам спасибо! Я была очень рада вас повидать. Вы правда не сердитесь на меня?

— Я ведь сама вас пригласила, — ответила миссис Оливер. Помолчав, она добавила: — Вы славная девочка. Пожалуйста, берегите себя.

«Почему я это сказала?» — подумала миссис Оливер, когда дверь за девушкой закрылась.

Она тряхнула головой, взъерошила волосы и вернулась к проницательным выводам Свена Хьерсона относительно начинки из шалфея с луком.

Глава 18

ЧАЙНАЯ ИНТЕРЛЮДИЯ

Миссис Лорример вышла из дома на Харли-стрит.

Постояв несколько секунд у двери, она начала неторопливо спускаться по ступенькам.

На ее лице застыло странное выражение — смесь мрачной решимости и неуверенности. Миссис Лорример слегка сдвинула брови, словно стараясь сосредоточиться на какой-то всепоглощающей проблеме.

В этот момент она увидела на противоположном тротуаре Энн Мередит, которая стояла, глядя на большой многоквартирный дом на углу.

Поколебавшись, миссис Лорример перешла улицу.

— Здравствуйте, мисс Мередит.

Энн смутилась:

— О, здравствуйте...

— Вы все еще в Лондоне? — осведомилась миссис Лорример.

— Нет. Приехала на день по юридическим делам.

Она не сводила взгляд с дома на углу.

— Что-нибудь случилось? — спросила миссис Лорример.

Энн смутилась:

— Случилось? Нет, что могло случиться?

— Вы выглядели так, словно вас что-то беспокоило.

— Нет... Хотя вообще-то да, но это пустяки. Ничего серьезного. Просто мне показалось, будто я увидела свою подругу — девушку, с которой я живу, — входящую в тот дом, и я подумала, не пошла ли она повидать миссис Оливер.

— Значит, миссис Оливер здесь живет? А я и не знала.

— Да. Она недавно приезжала к нам, оставила свой адрес и приглашала навестить ее. Вот меня и заинтересовало, видела я Роду или нет.

— Хотите подняться и проверить?

— Пожалуй, нет.

— Тогда давайте выпьем где-нибудь чаю, — предложила миссис Лорример. — Тут неподалеку есть кафе.

— Это очень любезно с вашей стороны, — неуверенно отозвалась Энн.

Они свернули в переулок. В небольшом кафе-кондитерской им подали чай с булочками.

Обе почти не разговаривали. Казалось, молчание компаньонки действовало на каждую из них успокаивающе.

— Миссис Оливер приходила к вам? — внезапно спросила Энн.

Миссис Лорример отрицательно качнула головой:

— Никто ко мне не приходил, кроме мсье Пуаро.

— Я не имела в виду... — начала Энн.

— Вот как? А по-моему, как раз имели, — усмехнулась миссис Лорример.

Девушка бросила на нее быстрый, испуганный взгляд. То, что она увидела на лице собеседницы, казалось, успокоило ее.

— А у меня он не был, — медленно сказала она.

Последовала пауза.

— Разве суперинтендант Бэттл к вам не приходил? — снова заговорила Энн.

— Да, разумеется, — кивнула миссис Лорример.

— И о чем он вас расспрашивал? — неуверенно продолжала Энн.

Миссис Лорример устало вздохнула:

— Ни о чем особенном. Задавал рутинные вопросы. Держался он очень любезно.

— Очевидно, он беседовал с каждым.

— Думаю, да.

Снова наступило молчание.

— Как вы думаете, миссис Лорример, — спросила Энн, — они когда-нибудь узнают, кто это сделал?

Ее взгляд был прикован к блюдцу, поэтому она не видела странного выражения, появившегося в глазах пожилой женщины.

— Не знаю, — спокойно ответила миссис Лорример.

— Все это... не слишком приятно, не так ли?

— Сколько вам лет, мисс Мередит? — спросила миссис Лорример, не сводя с девушки оценивающего и в то же время сочувствующего взгляда.

— Мне? Двадцать пять.

— А мне шестьдесят три, — вздохнула миссис Лорример. — У вас впереди еще большая часть жизни...

Энн поежилась:

— Меня может переехать автобус по дороге домой.

— Да, верно. А меня — нет.

Она произнесла это очень странным тоном. Энн удивленно на нее посмотрела.

— Жизнь — трудная штука, — продолжала миссис Лорример. — Вы поймете это, дожив до моих лет. Она требует бесконечной смелости и терпения. А под конец задаешь себе вопрос: «Стоило ли это таких трудов?»

— Не надо! — вскрикнула Энн.

Миссис Лорример рассмеялась — она снова стала самой собой.

— Действительно, не следует так мрачно рассуждать о жизни.

Она подозвала официантку и уплатила по счету.

Когда они вышли, миссис Лорример остановила такси.

— Подвезти вас? — предложила она. — Я еду на юг от парка.

Лицо Энн прояснилось.

— Нет, благодарю вас. Вон моя подруга — как раз поворачивает за угол. Большое вам спасибо, миссис Лорример. До свидания.

— До свидания. Желаю удачи, — ответила пожилая женщина.

Такси отъехало от обочины, а Энн поспешила вперед по тротуару.

Обрадованное выражение лица Роды при виде подруги быстро сменилось виноватым.

— Ты ходила к миссис Оливер, Рода? — осведомилась Энн.

— Ну, в общем, да...

— А я тебя поймала!

122

— Не знаю, что ты подразумеваешь под словом «поймала». Давай сядем в автобус. Ты так быстро улизнула со своим другом — надеюсь, он по крайней мере угостил тебя чаем.

С минуту Энн молчала — в ее ушах звенел голос майора Деспарда: «Может быть, мы подхватим где-нибудь вашу подругу и вместе выпьем чаю?» И ее собственный ответ — поспешный и необдуманный: «Спасибо, но мы договорились пить чай с другими людьми».

Ложь — и притом нелепая. Глупо говорить первое, что приходит в голову, не дав себе труда подумать несколько секунд. Куда проще было бы ответить: «Спасибо, но моя подруга договорилась пить чай где-то еще». Если ей уж так не хотелось, чтобы Рода шла с ними.

Странно, но ей действительно этого не хотелось. Она явно желала оставить Деспарда для себя и ревновала к подруге. Рода такая восторженная, энергичная, так полна жизни. В тот вечер она вроде бы приглянулась майору. Но ведь он пришел повидать ее — Энн Мередит! С Родой всегда так. Она, сама того не желая, невольно отодвигает ее на задний план. Нет, она никак не хотела присутствия Роды.

Но если бы она так опрометчиво не поторопилась, то могла бы сейчас пить чай с майором Деспардом в его клубе или еще где-нибудь.

Энн чувствовала досаду на Роду, которая словно путалась у нее под ногами. И чего ради она ходила к миссис Оливер?

— Зачем ты ходила к миссис Оливер? — озвучила Энн свои мысли.

— Ну, она ведь приглашала нас.

— Не думаю, что всерьез. Очевидно, она всегда так говорит.

— Ты не права. Миссис Оливер была очень любезна и даже подарила мне одну из своих книг. Смотри.

Рода продемонстрировала подарок.

— О чем вы говорили? Обо мне? — с подозрением спросила Энн.

— Посмотрите-ка на эту самонадеянную особу!

— Так о чем? Об... об убийстве?

— Мы говорили о ее убийствах. Миссис Оливер пишет книгу, где яд оказался в шалфее с луком. Она держалась совсем просто — рассказывала, какой тяжелый труд у писателя и как она путается в сюжете. Мы даже пили черный кофе с горячими тостами! — с триумфом закончила Рода и тут же спохватилась: — Ой, Энн, ты, наверно, хочешь чаю.

— Нет. Я уже пила чай с миссис Лорример.

— С миссис Лорример? С той, которая... была там? Энн кивнула.

— Где ты ее встретила? Ты ходила ее навестить?

— Нет. Я столкнулась с ней на Харли-стрит.

— Ну и как она тебе показалась?

— Не знаю, — медленно ответила Энн. — Она была... довольно странная. Совсем не такая, как в тот вечер.

— Ты все еще думаешь, что она это сделала? — спросила Рода.

С минуту Энн молчала.

— Не знаю, — сказала она наконец. — Хватит, Рода! Ты ведь знаешь, как я ненавижу об этом говорить.

— Хорошо, дорогая. Как выглядел адвокат? Сухой законник?

— Нет, весьма проворный еврей.

— Звучит обнадеживающе. — Сделав паузу, Рода спросила: — А как вел себя майор Деспард?

— Был очень любезен.

— Он влюблен в тебя, Энн. Я в этом уверена.

— Не болтай чепуху, Рода.

— Ну, сама увидишь.

Рода начала что-то напевать себе под нос. «Конечно, он влюблен в нее, — думала она. — Энн ужасно хорошенькая, хотя немного рохля. Она никогда не отправилась бы в рискованное путешествие, а при виде змеи подняла бы визг... Мужчины всегда влюбляются не в тех женщин, что им подходят».

— Этот автобус довезет нас до Паддингтона, — сказала Рода вслух. — Мы успеем на поезд в четыре сорок восемь.

Глава 19

СОВЕЩАНИЕ

В комнате Пуаро зазвонил телефон, и голос в трубке с почтением произнес:

— Это сержант О'Коннор. Суперинтендант Бэттл передает вам привет и спрашивает, не мог бы мистер Эркюль Пуаро прибыть в Скотленд-Ярд к половине двенадцатого?

Пуаро ответил утвердительно, и сержант положил трубку.

Ровно в половине двенадцатого Пуаро вышел из такси у дверей Нового Скотленд-Ярда и тут же был пойман миссис Оливер.

— Какая удача, мсье Пуаро! Вы появились, чтобы спасти меня.

— Enchanté[1], мадам. Что я могу для вас сделать?

— Заплатить за мое такси. Не знаю, как это произошло, но я схватила сумку с деньгами для заграничных поездок, а водитель не желает брать франки, лиры или марки!

Пуаро галантно извлек из кармана мелочь и вместе с миссис Оливер вошел в здание.

Их проводили в кабинет Бэттла. Суперинтендант сидел за столом и выглядел еще более деревянным, чем обычно.

— Словно образчик современной скульптуры! — шепнула миссис Оливер Пуаро.

Бэттл поднялся, пожал им руки, и они сели.

— Я подумал, что пришло время для небольшого совещания, — заговорил суперинтендант. — Вы бы хотели услышать, чего добился я, а мне интересно узнать, что вам удалось разведать. Мы только дождемся полковника Рейса, и тогда...

Но в этот момент дверь открылась, и вошел полковник.

— Простите за опоздание, Бэттл. Здравствуйте, миссис Оливер. Приветствую вас, мсье Пуаро. Сожалею,

---

[1] Я в восторге (фр.).

если заставил вас ждать. Но я завтра уезжаю, и у меня еще полно дел.

— Куда вы едете? — осведомилась миссис Оливер.

— В Белуджистан — немного поохотиться.

— Кажется, в этих краях неспокойно? — с иронической улыбкой заметил Пуаро. — Вам следует соблюдать осторожность.

— Постараюсь, — серьезно ответил Рейс, но в глазах его блеснули насмешливые искорки.

— У вас есть что-нибудь для нас, сэр? — спросил Бэттл.

— Я раздобыл вам информацию о Деспарде. Вот она. — Он протянул ему пачку бумаг. — Здесь множество указаний дат и мест. Думаю, большинство из них к делу не относятся. О нем вообще нет никаких порочащих сведений. Солидный парень с безупречной биографией. Пользуется уважением у туземцев. Африканцы его прозвали «человек, который держит рот закрытым и судит справедливо» — там любят громоздкие клички, а белые единодушно считают, что он пукка сахиб[1]. Отлично стреляет, хладнокровен, надежен и проницателен.

— С ним связаны какие-нибудь случаи внезапной смерти? — осведомился Бэттл, не тронутый этим панегириком.

— Я специально наводил об этом справки. Однажды он спас жизнь другу, на которого напал лев.

Бэттл вздохнул:

— Я имел в виду не спасения.

— Упрямый же вы парень, Бэттл! Я смог раскопать только один случай, который, возможно, вам подойдет. Деспард сопровождал экспедицию в глубь Южной Америки знаменитого ботаника профессора Лаксмора и его жену. Профессор умер от лихорадки и был похоронен где-то на Амазонке.

— Говорите, от лихорадки?

— Да. Но буду с вами честен. Один из туземных носильщиков (кстати, уволенный за кражу) болтал, что профессор умер не от лихорадки, а был застрелен. Но эту сплетню никогда не принимали всерьез.

---

[1] П у к к а   с а х и б — настоящий джентльмен (*англо-инд.*).

— В то время — возможно.

Рейс пожал плечами:

— Я изложил вам факты. Вы их просили и получили, но я готов держать пари на что угодно, что Деспард не совершал убийства в тот вечер. Он порядочный человек, Бэттл.

— Вы имеете в виду, что он не способен на убийство?

Полковник заколебался:

— Не способен на то, что я называю убийством, — ответил он.

— Но способен убить человека, если причина покажется ему достаточно веской?

— В таком случае она должна быть очень веской!

Бэттл покачал головой:

— Человек не может брать на себя роль судьи и исполнять приговор собственными руками.

— Иногда такое случается, Бэттл.

— По-моему, такого не должно случаться. Что скажете, мсье Пуаро?

— Согласен с вами, Бэттл. Я всегда не одобрял убийство.

— Вы так забавно об этом рассуждаете, — заметила миссис Оливер. — Как будто речь идет об охоте на лисицу или о том, чтобы подстрелить ястреба для шляпных перьев. Вам не кажется, что некоторых людей следовало бы убить?

— Вполне возможно.

— Тогда почему...

— Вы не понимаете. В данном случае меня беспокоит не столько жертва, сколько влияние, производимое убийством на характер того, кто ее уничтожает.

— А как же война?

— На войне вы не осуществляете личное правосудие. Вот что самое опасное. Когда человеком овладевает мысль, будто он знает, кому следует жить, а кому нет, он на полпути к тому, чтобы стать самым опасным преступником, убивающим не ради корысти, а ради идеи. Он узурпирует функции le bon Dieu[1].

---

[1] Господь Бог (фр.).

Полковник Рейс поднялся:

— Сожалею, но не могу больше оставаться с вами. У меня слишком много дел перед отъездом. Хотел бы я видеть конец этой истории, но могу предположить, что конца у нее так и не окажется. Даже если вы узнаете, кто это сделал, не исключено, что это будет невозможно доказать. Я передал вам сведения, которые вы просили, но, по-моему, Деспард не тот, кого вы ищете. Я не верю, что он когда-либо совершил убийство. Шайтана мог услышать приукрашенную сплетню о смерти профессора Лаксмора, но я уверен, что это не более чем сплетня. Вот мое мнение, а я неплохо разбираюсь в людях.

— Что собой представляет миссис Лаксмор? — спросил Бэттл.

— Она живет в Лондоне, так что можете сами на нее посмотреть. Адрес найдете в этих бумагах — где-то в Южном Кенсингтоне. Но повторяю: Деспард не тот, кто вам нужен.

И полковник Рейс вышел из комнаты упругой, бесшумной походкой охотника.

Когда дверь за ним закрылась, Бэттл задумчиво произнес:

— Возможно, он прав. Полковник Рейс, безусловно, разбирается в людях. Но мы не можем ничего считать само собой разумеющимся.

Суперинтендант принялся просматривать документы, которые Рейс положил на стол, иногда делая заметки карандашом в лежащем перед ним блокноте.

— Ну, суперинтендант Бэттл? — не выдержала миссис Оливер. — Вы не собираетесь сообщить нам, чем вы занимаетесь?

Деревянное лицо Бэттла расплылось в улыбке.

— Надеюсь, вы понимаете, миссис Оливер, что все это абсолютно не по правилам?

— Чепуха, — отрезала миссис Оливер. — Уверена, что вы не сообщите нам ничего лишнего.

Бэттл улыбнулся.

— Вы правы, — решительно заявил он. — «Карты на стол» — вот мой девиз в этом деле. Я намерен играть честно.

Миссис Оливер придвинула свой стул поближе.

— Ну, говорите! — взмолилась она.

— Что касается убийства мистера Шайтаны, — медленно начал Бэттл, — то в этих бумагах нет ни ключа, ни даже намека на него. Что до остальных подозреваемых, то мы, естественно, держали их под наблюдением, но без ощутимых результатов. Этого и следовало ожидать. Как сказал мсье Пуаро, единственная надежда — прошлое. Если мы узнаем, какие преступления совершили в прошлом эти люди (если преступления действительно имели место — в конце концов, Шайтана мог просто хвастаться, чтобы произвести впечатление на мсье Пуаро), то это может подсказать нам, кто из них совершил данное преступление.

— Ну так вы узнали что-нибудь?

— У меня есть ниточка к одному из них.

— К кому именно?

— К доктору Робертсу.

Миссис Оливер смотрела на него с напряженным ожиданием.

— Как известно, мсье Пуаро, я проверял все возможные версии. Прежде всего, я установил, что ни в одной из семей, которые пользовались услугами доктора, никто не умер внезапно и подозрительно. Я исследовал другие факты, и в итоге все свелось к одной возможности. Несколько лет назад поговаривали, что Робертс был якобы повинен в нескромном поведении с одной из своих пациенток. Впрочем, не исключено, что ничего подобного не было. Леди была истеричной и любила устраивать сцены. Короче говоря, либо муж о чем-то догадался, либо его жена способствовала возникновению слухов. Как бы то ни было, доктор оказался в неприятной ситуации. Рассвирепевший супруг угрожал пожаловаться в Генеральный медицинский совет, что, возможно, погубило бы профессиональную карьеру Робертса.

— И что же произошло? — с нетерпением осведомилась миссис Оливер.

— Очевидно, доктору удалось временно успокоить разгневанного джентльмена, а вскоре он умер от сибирской язвы.

— От сибирской язвы? Но это болезнь коров!

— Совершенно верно, миссис Оливер, — подтвердил Бэттл. — Это отнюдь не яд для стрел южноамериканских индейцев, не оставляющий следов. Возможно, вы помните, что примерно в то время поднялась паника из-за зараженных дешевых кисточек для бритья. Кисточка Крэддока тоже оказалась источником инфекции.

— Доктор Робертс лечил его?

— Нет, он слишком хитер для этого. Думаю, и Крэддок ни за что не захотел бы у него лечиться. Единственная улика, которой я располагаю, — причем очень шаткая — тот факт, что среди тогдашних пациентов доктора был случай сибирской язвы.

— Вы имеете в виду, что доктор сам заразил кисточку?

— Это только предположение, но больше зацепиться не за что.

— А он потом не женился на миссис Крэддок?

— Конечно нет. Полагаю, привязанность существовала только со стороны леди. Как я слышал, она пыталась устроить скандал, но внезапно уехала на зиму в Египет и вскоре умерла там. Какое-то загадочное заражение крови с длинным названием, которое едва ли что-нибудь вам скажет. Редкое в Англии, но распространенное среди местных жителей в Египте.

— Значит, доктор не мог ее отравить?

— Не знаю, — медленно ответил Бэттл. — Я беседовал с моим другом-бактериологом — от этой публики ужасно трудно добиться прямого ответа. Они никогда не скажут «да» или «нет», а только «это возможно при определенных обстоятельствах», «зависит от патологического состояния реципиента», «все дело в индивидуальной идиосинкразии» и тому подобное. Но мне удалось вытянуть из моего друга, что микроб или микробы могли быть введены в кровь перед отъездом из Англии. Симптомы должны были проявиться только через некоторое время.

— Не делала ли миссис Крэддок прививку от тифа перед отъездом в Египет? — спросил Пуаро. — Я слышал, многие так поступают.

— Вы правы, мсье Пуаро.

— И прививку ей сделал доктор Робертс?

— Вы снова правы. Но мы опять-таки не можем ничего доказать. Ей сделали две прививки — возможно, одна из них или обе от тифа. Этого мы не знаем и уже никогда не узнаем. Все основано на сплошных предположениях. Мы в состоянии только говорить — «это могло произойти».

Пуаро задумчиво кивнул:

— Это согласуется с определенными замечаниями мистера Шайтаны. В разговоре со мной он восторгался удачливыми убийцами, которых никогда не могли обвинить в совершенном ими преступлении.

— Как же мистер Шайтана узнал о них? — спросила миссис Оливер.

Пуаро пожал плечами:

— Мы можем только догадываться. Он бывал в Египте — мы знаем это, так как там он познакомился с миссис Лорример. Возможно, Шайтана слышал комментарии местного врача по поводу странных особенностей болезни миссис Крэддок или источника заражения. В другое время он мог слышать сплетни о Робертсе и миссис Крэддок. Должно быть, его забавляло делать загадочные замечания в разговоре с доктором и видеть испуг в его глазах. Некоторые обладают сверхъестественным даром проникновения в чужие тайны — мистер Шайтана был одним из них. Мы знаем лишь одно — он догадывался. Был ли он прав в своих догадках?

— Думаю, да, — отозвался Бэттл. — Чувствую, что наш добродушный и веселый доктор не отличается особой щепетильностью. Я знал пару-другую похожих на него — удивительно, как определенные типы напоминают друг друга! По-моему, Робертс убил Крэддока и мог заразить его жену, если та угрожала скандалом. Но заколол ли он мистера Шайтану? Вот в чем вопрос. И, сравнивая преступления, я в этом сомневаюсь. В случае с Крэддоками Робертс — если я прав — оба раза использовал медицинские методы. Смерть приписывалась естественным причинам. Мне кажется, что если бы он решил прикончить Шайтану, то также прибег бы к медицинскому способу — воспользовался бы микробом, а не ножом.

— Я ни одной минуты всерьез не думала, что это Робертс, — заявила миссис Оливер. — Это было бы слишком очевидно.

— Робертс уходит со сцены, — пробормотал Пуаро. — А другие?

Бэттл раздраженно махнул рукой:

— Можно считать, я вытянул пустой номер. Миссис Лорример уже двадцать лет вдова. Большую часть времени она жила в Лондоне, иногда выезжая за границу зимой. В цивилизованные места — Ривьера, Египет и тому подобные. Никаких таинственных смертей, связанных с ней, обнаружить не удалось. Вроде бы она ведет нормальную, респектабельную жизнь светской женщины. Все как будто ее уважают и высоко отзываются о ее качествах. Худшее, что могут о ней сказать, — что она не выносит дураков. Должен признаться, что и здесь я потерпел полное поражение. И все же там должно что-то быть, раз ее подозревал Шайтана.

Он тяжко вздохнул:

— Далее мисс Мередит. Я тщательно изучил ее биографию — в ней нет ничего необычного. Дочь армейского офицера, осталась почти без средств и была вынуждена зарабатывать на жизнь. Толком не была подготовлена ни к какой работе. Я навел о ней справки в Челтенхеме — там все чисто. Все жалеют бедную малютку. Сначала она устроилась в какую-то семью на острове Уайт — кем-то вроде няни-гувернантки. Хозяйка потом уехала в Палестину, но я говорил с ее сестрой, и она утверждает, что миссис Элдон очень любила Энн Мередит. Разумеется, там не было никаких загадочных смертей.

Когда миссис Элдон уехала за границу, мисс Мередит перебралась в Девоншир, где стала компаньонкой тети своей школьной подруги. Эта подруга — Рода Доз — сейчас живет с ней. Мисс Мередит пробыла с ее тетей более двух лет, пока та не разболелась окончательно и не стала нуждаться в постоянной опытной сиделке. Насколько я понял, у нее рак. Тетя мисс Доз еще жива, но

132

у нее помутившееся сознание — очевидно, ее держат на морфии. Я беседовал с ней — она не забыла Энн и говорит, что та была славной девочкой. Я также разговаривал с ее соседкой, которая лучше помнит происходившее в последние годы. В приходе не было никаких смертей, если не считать двух престарелых деревенских жителей, с которыми, насколько я смог выяснить, Энн Мередит никогда не контактировала. Потом была Швейцария. Я рассчитывал, что наткнусь на какой-то роковой инцидент, но не нашел ничего ни там, ни в Уоллингфорде.

— Итак, Энн Мередит оправдана? — осведомился Пуаро.

Бэттл колебался:

— Я бы так не сказал. Что-то, похоже, она скрывает... Ее испуганный вид, по-моему, нельзя объяснить только страхом из-за истории с Шайтаной. И держится слишком настороженно, хотя как будто ведет абсолютно безупречную жизнь.

— Тем не менее, — с торжеством вставила миссис Оливер, — Энн Мередит была в доме, где женщина случайно приняла яд и умерла.

Она никак не могла пожаловаться на эффект, произведенный этими словами.

Суперинтендант Бэттл повернулся на стуле и изумленно уставился на нее:

— Это правда, миссис Оливер? Как вы об этом узнали?

— Я тоже вела расследование, — ответила миссис Оливер. — Поехала к этим девушкам и наплела им, будто подозреваю доктора Робертса. Рода Доз держалась дружелюбно и к тому же была под впечатлением встречи со знаменитостью, каковой меня считала. А вот малютку Мередит мой визит рассердил, да она и не слишком это скрывала.

Энн смотрела на меня с явным подозрением. Почему, если за ней ничего нет? Я пригласила обеих навестить меня в Лондоне. Рода пришла ко мне и в разговоре простодушно все выложила. Оказывается, Энн была груба со мной, так как мои слова вызвали у нее мучительные воспоминания об инциденте, который Рода мне описала.

— Она сказала, когда и где это произошло?

— Три года назад в Девоншире[1].

Суперинтендант что-то пробормотал себе под нос и сделал пометку в блокноте. Его непробиваемое спокойствие наконец-то было поколеблено.

Миссис Оливер наслаждалась триумфом. Это был один из величайших моментов в ее жизни.

— Снимаю перед вами шляпу, миссис Оливер, — сказал Бэттл. — На сей раз вы всех нас обставили. Это только показывает, как легко можно упустить очень ценную информацию. — Он слегка нахмурился. — Она не могла пробыть там очень долго — самое большее пару месяцев. Очевидно, это было между островом Уайт и переездом к тетке мисс Доз. Естественно, миссис Элдон знает, что Энн Мередит отправилась в Девоншир, но не помнит, куда или к кому.

— Скажите, — спросил Пуаро, — эта миссис Элдон была неаккуратной женщиной?

Бэттл с любопытством посмотрел на него:

— Странно, что вы это сказали, мсье Пуаро. Понятия не имею, как вы могли об этом узнать. Сестра ее казалась очень аккуратной, но помню, что в разговоре она упомянула: «Моя сестра была ужасно неряшливой и рассеянной». Но как вы об этом догадались?

— Потому что она нуждалась в помощнице, — предположила миссис Оливер.

Пуаро покачал головой:

— Нет-нет, дело не в том. Сейчас это не важно. Просто мне стало любопытно... Продолжайте, суперинтендант.

— Я тоже счел само собой разумеющимся, — снова заговорил Бэттл, — что Энн Мередит отправилась к мисс Доз прямо с острова Уайт. Хитрая девчонка обвела меня вокруг пальца. Она все время лгала.

— Ложь не всегда признак виновности, — заметил Пуаро.

---

[1] Небрежность автора. В главе 17 Рода говорит миссис Оливер, что инцидент произошел около четырех лет назад, и не упоминает Девоншир.

134

— Знаю, мсье Пуаро. Бывают прирожденные лгуны. По-моему, она как раз из таких. Всегда говорит то, что хорошо звучит. Но утаивать подобные факты — серьезный риск.

— Она ведь не могла знать, что вас интересуют преступления, совершенные в прошлом, — сказала миссис Оливер.

— Тем более у нее не было причин утаивать эту информацию. Ведь этот инцидент, очевидно, сочли несчастным случаем, так что ей нечего опасаться — если только она и в самом деле не виновна.

— Если она не была виновна в девонширской смерти, — уточнил Пуаро.

Бэттл повернулся к нему:

— Да-да, знаю. Даже если выяснится, что это не был несчастный случай, это не означает, что Энн Мередит убила Шайтану. Но и другие убийства остаются убийствами, и я хочу, чтобы виновные ответили за них.

— Согласно мистеру Шайтане, это невозможно, — заметил Пуаро.

— В случае Робертса — да. Но нужно проверить, относится ли это и к случаю мисс Мередит. Завтра я еду в Девон.

— А вы знаете, куда ехать? — спросила миссис Оливер. — Мне не хотелось выпытывать у Роды подробности.

— Вы поступили разумно. Но для меня это не составит труда. Ведь наверняка было дознание, и я смогу найти сведения о нем в архиве коронера. Это рутинная полицейская работа. К завтрашнему утру все будет выяснено.

— Как насчет майора Деспарда? — поинтересовалась миссис Оливер. — Вы узнали что-нибудь о нем?

— Я дожидался доклада полковника Рейса. Разумеется, майора тоже держали под наблюдением. Есть одна интересная деталь — он ездил в Уоллингфорд повидать мисс Мередит. Вы ведь помните — он говорил, что до того вечера ни разу с ней не встречался.

— Но она очень хорошенькая девушка, — промолвил Пуаро.

Бэттл рассмеялся:

— Да, думаю, все дело в этом. Между прочим, Деспард уже консультировался с адвокатом. Похоже, он ожидает неприятностей.

— Майор — человек предусмотрительный, — заметил Пуаро. — Он заранее готовится к любой неожиданности.

— И следовательно, едва ли в спешке пырнет ножом другого человека, — со вздохом добавил Бэттл.

— Да, если только это не окажется единственным выходом, — отозвался Пуаро. — Не забывайте, он умеет действовать быстро.

Бэттл бросил на него внимательный взгляд:

— Как насчет ваших карт, мсье Пуаро? Мы еще не видели их на столе.

Пуаро улыбнулся:

— Там особенно не на что смотреть. Вы думаете, что я скрываю от вас факты? Уверяю вас, это не так. Просто я разузнал не так уж много. Я говорил с доктором Робертсом, с миссис Лорример, с майором Деспардом (разговор с мисс Мередит еще предстоит), и что же я выяснил? Что доктор Робертс очень наблюдателен, что миссис Лорример обладает замечательным даром сосредоточиваться на чем-то, но в результате почти слепа ко всему остальному. Зато она любит цветы. Деспард замечает только то, что его интересует, — ковры, охотничьи трофеи. Он не обладает ни тем, что я называю внешним зрением, — способностью подмечать окружающие детали, что, собственно говоря, и является наблюдательностью, ни внутренним зрением — способностью сконцентрировать внимание на одном объекте. Его зрение сознательно ограничено. Он видит лишь то, что отвечает складу его ума.

— И это вы называете фактами? — не скрывая иронии, осведомился Бэттл.

— Это, безусловно, факты, хотя, возможно, не слишком «жареные».

— А как насчет мисс Мередит?

— Я оставил ее напоследок. Но я спрошу и ее, что она запомнила в той комнате.

136

— Странный метод, — задумчиво промолвил Бэттл. — Чисто психологический, не так ли? А если он заведет вас не туда?

Пуаро с улыбкой возразил:

— Это невозможно. Независимо от того, хотят эти люди помочь или воспрепятствовать расследованию, они обязательно обнаружат свой тип мышления.

— В этом что-то есть, — признал Бэттл. — Хотя я бы не мог действовать подобным методом.

— Я чувствую, что сделал очень мало по сравнению с вами, с миссис Оливер и с полковником Рейсом, — все еще улыбаясь, скромно заметил Пуаро. — Карты, которые я выложил на стол, слишком мелки.

Бэттл подмигнул ему:

— Что касается этого, мсье Пуаро, то козырная двойка — очень мелкая карта, но может побить каждого из тузов трех других мастей. Тем не менее я намерен попросить вас выполнить кое-какую практическую работу.

— А именно?

— Я хочу, чтобы вы побеседовали с вдовой профессора Лаксмора.

— А почему вы не сделаете это сами?

— Потому что, как я только что сказал, я уезжаю в Девоншир.

— И все же — почему вы не сделаете это сами? — повторил Пуаро.

— Вас не собьешь с толку, верно? Ну, откровенно говоря, мне кажется, что вы сможете вытянуть из нее больше, чем я.

— Мои подходы менее прямолинейны?

— Можете называть это как хотите, — усмехнулся Бэттл. — Я слышал, как инспектор Джепп говорил, что у вас извилистый ум.

— Как у покойного мистера Шайтаны?

— По-вашему, он мог бы вытянуть информацию из вдовы профессора?

— По-моему, — уверенно ответил Пуаро, — он именно это и сделал.

— Почему вы так думаете? — насторожился Бэттл.

— Благодаря случайному замечанию майора Деспарда.

— Значит, он выдал себя? Это на него не похоже.

— Друг мой, не выдают себя только те, которые вообще не открывают рта! Речь — самый смертоносный разоблачитель.

— Даже если люди лгут? — спросила миссис Оливер.

— Да, мадам, так как сразу заметно, что это ложь определенного сорта.

— От вас мне становится не по себе, — сказала миссис Оливер, вставая.

Суперинтендант Бэттл проводил ее до порога и тепло пожал ей руку.

— Вы молодчина, миссис Оливер, — сказал он. — Вы куда лучший детектив, чем этот ваш долговязый лапландец.

— Финн, — поправила миссис Оливер. — Конечно, он идиот, но читатели его любят. До свидания.

— Я тоже должен удалиться, — сказал Пуаро.

Бэттл написал адрес на листке и протянул его Пуаро.

— Вот. Отправляйтесь туда и поговорите с ней.

Пуаро улыбнулся:

— Что вы хотите, чтобы я узнал?

— Правду о смерти профессора Лаксмора.

— Mon cher[1] Бэттл! Разве кто-нибудь о чем-нибудь знает правду?

— Я собираюсь выяснить это в Девоншире, — решительно заявил суперинтендант.

— Интересно... — пробормотал Пуаро.

Глава 20

ПОКАЗАНИЯ МИССИС ЛАКСМОР

Служанка, открывшая дверь дома миссис Лаксмор в Южном Кенсингтоне, смотрела на Эркюля Пуаро с явным неодобрением и не проявляла желания впускать его.

Ничуть не обескураженный, Пуаро протянул ей карточку:

---

[1] Мой дорогой (*фр.*).

— Передайте это вашей хозяйке. Думаю, она меня примет.

Это была одна из его самых представительных карточек с отпечатанными в углу словами: «Частный детектив». Пуаро специально заказал себе целый комплект, дабы обеспечить интервью с так называемым «прекрасным полом». Почти каждая женщина, независимо от того, чиста у нее совесть или нет, хотела посмотреть на частного детектива и узнать, что ему нужно.

Бесцеремонно оставленный на циновке, Пуаро с отвращением разглядывал плохо отполированный дверной молоток.

— Сюда бы немного чистящего порошка и тряпку, — пробормотал он.

Вернулась запыхавшаяся горничная и пригласила Пуаро войти.

Его проводили в довольно темную комнату на втором этаже, пахнущую несвежими цветами и невытряхнутыми пепельницами. Многочисленные шелковые подушки экзотической расцветки нуждались в чистке. Стены были изумрудно-зелеными, а потолок выкрашен под медь.

Высокая, довольно красивая женщина стояла у камина. При виде визитера она шагнула вперед и спросила глубоким, хрипловатым голосом:

— Мсье Эркюль Пуаро?

Ответом послужил церемонный поклон. Манеры Пуаро резко изменились — они стали подчеркнуто иностранными, а жесты — весьма причудливыми, отдаленно напоминающими покойного мистера Шайтану.

— Почему вы хотели меня видеть?

Пуаро снова поклонился:

— Не мог бы я сесть? Разговор займет некоторое время...

Женщина с нетерпением махнула рукой в сторону стула и присела на край софы.

— Ну?

— Я провожу расследование, мадам, — как вы понимаете, частное расследование...

Чем неторопливее Пуаро подходил к сути дела, тем сильнее становилось ее нетерпение.

— Да?

— Я расследую обстоятельства смерти покойного профессора Лаксмора.

Женщина затаила дыхание. Ее испуг был очевиден.

— Но зачем? Что вы имеете в виду? Какое вам до этого дело?

Пуаро внимательно наблюдал за ней.

— Понимаете, сейчас идет работа над биографией вашего знаменитого супруга. Естественно, автору книги необходимы точные факты, в том числе и относительно смерти профессора...

Она прервала его:

— Мой муж умер от лихорадки на Амазонке.

Пуаро откинулся на спинку стула и стал медленно, с доводящей до безумия монотонностью покачивать головой.

— Мадам... — протестующе начал он.

— Но я знаю! Я была там тогда.

— Разумеется, были. Об этом свидетельствует имеющаяся у меня информация.

— Какая еще информация? — воскликнула миссис Лаксмор.

Не сводя с нее глаз, Пуаро ответил:

— Информация, предоставленная мне покойным мистером Шайтаной.

При упоминании этого имени женщина отшатнулась, словно ее ударили хлыстом.

— Шайтаной? — пробормотала она.

— Поистине замечательным человеком, обладавшим обширными знаниями и владевшим множеством тайн.

— Еще бы! — Женщина облизнула пересохшие губы.

Пуаро склонился вперед и слегка похлопал ее по колену.

— В частности, он знал, что ваш муж умер не от лихорадки.

Она уставилась на него. В ее глазах застыли страх и отчаяние.

Пуаро снова откинулся назад, наблюдая за произведенным эффектом.

Миссис Лаксмор с трудом взяла себя в руки.

— Я... я не понимаю, о чем вы говорите.

Фраза прозвучала крайне неубедительно.

— Я буду играть в открытую, мадам. — Пуаро улыбнулся. — Так сказать, выложу карты на стол. Ваш муж не умер от лихорадки — он погиб от пули!

Женщина закрыла лицо руками и стала раскачиваться из стороны в сторону, являя собой предельное смятение чувств. Но Пуаро не сомневался, что в глубине души она наслаждается собственными переживаниями.

— Следовательно, — продолжал Пуаро все тем же обыденным тоном, — вы можете обо всем мне рассказать.

Миссис Лаксмор убрала ладони от лица.

— Это совсем не то, что вы думаете!

Пуаро вторично похлопал ее по колену.

— Вы неправильно меня поняли, — сказал он. — Я отлично знаю, что его застрелили не вы, а майор Деспард. Но вы были причиной.

— Не знаю. Может, и была. Все это так ужасно! Меня преследует рок!

— Увы, я часто с этим сталкивался, — удрученно произнес Пуаро. — Некоторых женщин постоянно сопровождают трагедии. Это не их вина — такое происходит независимо от них.

Миссис Лаксмор испустила тяжкий вздох:

— Вижу, что вы все понимаете. Это произошло так естественно...

— Вы вместе путешествовали в глубь материка, не так ли?

— Да. Мой муж писал книгу о редких растениях. Майора Деспарда представили нам как человека, знавшего местные условия и способного организовать экспедицию. Мужу он пришелся по душе. Мы отправились в путь...

Последовала пауза. Пуаро позволил ей длиться минуты полторы, а затем пробормотал как бы про себя:

— Да, это можно себе представить. Извилистая река, тропическая ночь, жужжание насекомых, сильный мужчина с военной выправкой, красивая женщина...

Миссис Лаксмор снова вздохнула:

— Конечно, мой муж был гораздо старше меня. Я вышла за него еще девчонкой, не сознавая, что делаю...

Пуаро печально кивнул:

— Понимаю. Такое бывает часто.

— Никто из нас не признавался друг другу в своих чувствах, — продолжала миссис Лаксмор. — Джон Деспард не произнес ни слова. Он был человеком чести.

— Но женщина всегда знает, — вставил Пуаро.

— Вы правы — женщина знает... Но я никогда не показывала ему этого. Мы до самого конца оставались друг для друга майором Деспардом и миссис Лаксмор и были полны решимости продолжать эту игру.

Она умолкла, преисполнившись восхищением этой благородной позицией.

— Действительно, — промолвил Пуаро. — Играть следует честно. Как прекрасно сказал один из ваших поэтов, «не мог бы я любить тебя так сильно, если бы больше не любил я крикет»[1].

— Честь, — поправила миссис Лаксмор, слегка нахмурившись.

— Да-да, конечно — «если бы больше не любил я честь».

— Эти строки как будто написаны про нас, — вздохнула миссис Лаксмор. — Мы решили не произносить роковых слов, чего бы это нам ни стоило. А потом...

— А потом? — спросил Пуаро.

— Та страшная ночь... — Миссис Лаксмор вздрогнула.

— Да?

— Очевидно, они поссорились — я имею в виду Джона и Тимоти. Я вышла из моей палатки...

— Продолжайте.

Глаза миссис Лаксмор потемнели и расширились. Казалось, она вновь видит перед собой описываемую сцену.

— Я вышла из палатки. Джон и Тимоти... О! — Миссис Лаксмор вновь содрогнулась. — Я точно не помню

---

[1] Непереводимая игра слов. Английское выражение «it is not cricket» (буквально: «это не крикет») означает «нечестно». Пуаро, усиленно играя роль иностранца, плохо владеющего английским языком, делает вид, будто путает слова «крикет» и «честь».

всего. Я бросилась между ними, крича: «Нет! Это неправда!» Но Тимоти не слушал. Он угрожал Джону. Джон был вынужден стрелять — в целях самозащиты. Ах! — Она закрыла лицо руками. — Тимоти умер моментально — пуля попала в сердце...

— Ужасный момент для вас, мадам.

— Я никогда этого не забуду. Джон был так благороден. Он хотел отдать себя в руки властей, но я не желала и слышать об этом. Мы спорили всю ночь. «Ради меня!» — умоляла я. В конце концов Джон понял. Разумеется, он не мог позволить мне так страдать. Только подумайте об огласке, о жутких газетных заголовках: «Двое мужчин и женщина в джунглях», «Первобытные страсти». Я объяснила все это Джону, и он уступил. Слуги ничего не видели и не слышали. У Тимоти была лихорадка, и мы сказали им, что он умер от приступа. Мы похоронили его на берегу Амазонки. — Глубокий, мучительный вздох вновь сотряс ее тело. — А затем — назад к цивилизации, чтобы расстаться навсегда.

— Было ли это необходимо, мадам?

— Разумеется! Мертвый Тимоти стоял между нами так же, как и живой. Мы простились навек. Правда, я иногда встречаю Джона Деспарда, когда выхожу в свет. Мы улыбаемся, вежливо разговариваем — и никто не догадывается о том, что произошло между нами. Но я вижу в его глазах — а он в моих, — что мы никогда этого не забудем...

Наступила долгая пауза. Пуаро воздавал должное услышанному, не прерывая молчания.

Миссис Лаксмор достала косметичку и припудрила нос — чары были разрушены.

— Какая трагедия, — произнес Пуаро отнюдь не трагическим тоном.

— Теперь вы понимаете, мсье Пуаро, — снова заговорила миссис Лаксмор, — что эту правду нельзя обнародовать.

— Да, это грустно и больно.

— Невероятно! Уверена, что этот ваш писатель не может хотеть отравить существование ни в чем не повинной женщине.

— А тем более отправить на виселицу ни в чем не повинного мужчину, — добавил Пуаро.

— Я рада, что вы это понимаете. Джон действительно не виновен. Преступление на почве страсти не является настоящим преступлением. И в любом случае это была самозащита. Ему пришлось стрелять. Теперь вам ясно, мсье Пуаро, что мир должен продолжать думать, будто Тимоти умер от лихорадки?

— Писатели иногда бывают до странности бессердечными, — пробормотал Пуаро.

— Ваш друг — женоненавистник? Он хочет заставить нас страдать? Но вы не должны этого допустить! Я этого не позволю! Если надо, я возьму всю вину на себя — скажу, что это я застрелила Тимоти!

Она поднялась, гордо вскинув голову. Пуаро тоже встал.

— Мадам, — сказал он, взяв ее за руку, — в подобном самопожертвовании нет надобности. Я сделаю все от меня зависящее, чтобы подлинные факты никогда не стали известны.

На лице миссис Лаксмор мелькнула удовлетворенная улыбка. Она слегка приподняла руку, так что Пуаро, хотел он того или нет, был вынужден ее поцеловать.

— Несчастная женщина благодарна вам, мсье Пуаро.

Это были последние слова преследуемой королевы своему придворному фавориту — явно заключительная реплика. Поэтому Пуаро удалился со сцены.

Выйдя на улицу, он с наслаждением вдохнул свежий воздух.

Глава 21

СНОВА МАЙОР ДЕСПАРД

— Quelle femme[1], — бормотал себе под нос Эркюль Пуаро. — Ce pauvre Despard! Ce qu'il a dû souffrir! Quel voyage épouvantable![2]

---

[1] Что за женщина (фр.).
[2] Бедняга Деспард! Как же ему пришлось страдать! Какое кошмарное путешествие! (фр.)

Внезапно он рассмеялся.

Выйдя на Бромптон-роуд, Пуаро остановился, вынул из кармана часы и быстро произвел в уме расчет.

— Да, время у меня есть. В любом случае ему не повредит подождать. Сейчас я могу заняться другим маленьким дельцем. Как любил напевать мой друг из английской полиции... сколько лет назад это было — сорок?.. «кусочек сахара для птички».

Мурлыча давно забытую мелодию, Эркюль Пуаро вошел в фешенебельный на вид магазин, торгующий женской одеждой и украшениями, и направился к прилавку с чулками.

Высмотрев симпатичную и не слишком высокомерную продавщицу, он обратился к ней со своей просьбой.

— Шелковые чулки? Да, у нас есть очень хорошие. Чистый шелк.

Пуаро отказался от предложенного товара, вновь став красноречивым:

— Французские? Знаете, учитывая пошлину, они слишком дороги.

Ему были представлены другие образцы.

— Неплохие, мадемуазель, но я бы хотел потоньше.

— Это сотая толщина. Конечно, у нас есть еще более тонкие, но, боюсь, они стоят около тридцати пяти шиллингов за пару. И разумеется, совсем непрочные — как паутинка.

— C'est ça. C'est ça, exactement[1].

На сей раз молодая леди отсутствовала довольно долго.

— Боюсь, пара обойдется вам в тридцать семь шиллингов шесть пенсов, — сообщила она, вернувшись. — Но они очень красивые.

Продавщица осторожно извлекла тончайшие чулки из прозрачного конверта.

— Enfin[2] — именно то, что нужно.

— Сколько пар, сэр?

— Я хочу... дайте подумать... девятнадцать пар.

---

[1] Вот именно (*фр.*).
[2] Наконец-то (*фр.*).

Юная леди едва не свалилась за прилавок, но длительная тренировка в пренебрежительном отношении к причудам покупателей позволила ей удержаться на ногах.

— За две дюжины полагается скидка, — рискнула предложить она.

— Нет, мне нужно девятнадцать пар. Пожалуйста, слегка различных оттенков.

Девушка покорно отобрала чулки, упаковала их и выписала чек.

Когда Пуаро удалился с покупкой, соседняя продавщица заметила:

— Интересно, кому это так повезло? Должно быть, скверный старикашка. Но та счастливица, похоже, выдоит из него все, что можно. Девятнадцать пар чулок по тридцать семь шиллингов шесть пенсов!

Не ведая о низком мнении, которое составили о нем молодые леди из магазина господ «Харви и Робинсон», Пуаро направился домой.

Примерно через полчаса после возвращения он услышал звонок в дверь, а еще через несколько минут в комнату вошел майор Деспард.

Он явно с трудом сдерживал гнев.

— За каким чертом вы ходили к миссис Лаксмор? — спросил майор.

Пуаро улыбнулся:

— За правдивой историей смерти профессора Лаксмора.

— Правдивой историей? По-вашему, эта женщина способна говорить правду о чем бы то ни было? — свирепо осведомился Деспард.

— Eh bien[1], я в этом сомневаюсь, — признал Пуаро.

— Еще бы! Эта особа не в своем уме.

— Вовсе нет, — возразил Пуаро. — Она романтична — вот и все.

— Черта с два романтична! Миссис Лаксмор прожженная лгунья. Иногда мне кажется, что она сама верит собственной лжи.

— Вполне возможно.

---

[1] Ну (фр.).

— Она ужасная женщина! Время, проведенное с ней, было для меня сущим адом!

— В это я тоже готов поверить.

Деспард опустился на стул.

— Послушайте, мсье Пуаро, я намерен рассказать всю правду.

— Вы имеете в виду — сообщить вашу версию происшедшего?

— Моя версия будет правдивой.

Пуаро не ответил.

— Я хорошо понимаю, — сухо продолжал Деспард, — что не могу претендовать на похвалу, являясь с этой историей спустя годы. Я собираюсь все сообщить только потому, что сейчас это единственный выход. Верить мне или нет — решать вам. У меня нет никаких доказательств правдивости моих слов.

Помолчав, он начал рассказывать.

— Я организовал эту экспедицию для Лаксморов. Он был славным стариканом, помешанным на растениях, мхах и тому подобном, а его жена... Ну, вы, несомненно, уже поняли, что она собой представляла. Путешествие обернулось кошмаром. Эта женщина меня нисколько не интересовала — более того, я испытывал к ней сильную неприязнь. Она принадлежала к тем экзальтированным особам, с которыми я всегда чувствовал себя не в своей тарелке. Первые две недели все шло относительно сносно, а потом у нас начался приступ лихорадки. У меня и миссис Лаксмор она протекала в легкой форме, но старик Лаксмор был совсем плох. Однажды ночью — слушайте внимательно! — я сидел у своей палатки и вдруг на солидном расстоянии увидел Лаксмора, с трудом пробирающегося через кустарник к реке. Он явно был в бреду и не соображал, что делает. В следующую минуту он оказался бы в реке, и тогда ему бы пришел конец — шансов на спасение не было никаких. Бежать за ним не было времени. Оставалось только одно. Мое ружье, как обычно, лежало рядом. Я схватил его. Стреляю я метко и не сомневался, что попаду старику в ногу. И как раз когда я прицелился, эта идиотка набросилась на меня с воплями:

«Не стреляйте! Ради Бога, не стреляйте!» Она схватила меня за руку и так ее рванула, что ружье выстрелило, пуля попала ему в спину и убила наповал!

Должен признаться, момент был жуткий. А эта проклятая дура все еще не понимала, что натворила. Вместо того чтобы осознать свою вину в гибели мужа, она уверовала, что я пытался хладнокровно застрелить старика из-за любви к ней! Произошла ужасная сцена — она настаивала, что мы должны говорить, будто он умер от лихорадки. Мне стало жаль ее — она не понимала, что наделала, но ей пришлось бы это понять, если бы правда вышла наружу! А ее абсолютная уверенность, что я влюблен в нее без памяти, повергала меня в ужас. Представляете, что было бы, если бы она принялась трезвонить об этом повсюду? В итоге я согласился с ее требованиями — признаюсь, отчасти ради собственного покоя. В конце концов, какая разница — лихорадка или несчастный случай? Я не хотел втягивать женщину в кучу неприятностей, даже если она была безмозглой дурой. На следующий день я сообщил, что профессор умер от лихорадки, и мы похоронили его. Конечно, носильщики знали правду, но они были преданы мне и в случае надобности подтвердили бы мои слова под присягой. Похоронив бедного Лаксмора, мы вернулись к цивилизации. С тех пор я потратил немало сил, избегая этой женщины. — Глянув в глаза собеседнику, он добавил: — Вот моя история, мсье Пуаро.

— И вы подумали, — медленно спросил Пуаро, — что в тот вечер за обедом мистер Шайтана имел в виду этот инцидент?

Деспард кивнул:

— Должно быть, он услышал о нем от миссис Лаксмор. Вытянуть это из нее не составляло труда. Такие вещи, очевидно, его забавляли.

— В руках такого человека, как Шайтана, эта история могла бы стать опасной для вас.

Деспард пожал плечами:

— Я не боялся Шайтану.

Пуаро не ответил.

— Вам снова придется поверить мне на слово, — спокойно сказал Деспард. — Как видите, у меня был мотив для убийства Шайтаны. Ну а теперь вы знаете правду. Можете делать с ней что хотите.

Пуаро протянул руку.

— Я верю вам, майор Деспард. Не сомневаюсь, что все произошло именно так, как вы говорите.

Лицо Деспарда прояснилось.

— Спасибо, — кратко произнес он и стиснул руку Пуаро.

Глава 22
УЛИКИ ИЗ КУМЭЙКРА

Суперинтендант Бэттл сидел в полицейском участке Кумэйкра[1].

Инспектор Харпер, покраснев от смущения, говорил медленным и приятным, чисто девонширским говором:

— Все казалось ясным как день, сэр. Доктор был удовлетворен, и все остальные — тоже. Почему бы и нет?

— Просто сообщите мне факты об этих двух бутылках. Я хочу все ясно себе представить.

— На той бутылке была наклейка — сироп из инжира, миссис Бенсон вроде бы принимала его регулярно. А краской она подновляла садовую шляпу — вернее, молодая леди делала это для нее. Бутылка с краской треснула, и миссис Бенсон сказала: «Перелейте краску в старую бутылку из-под инжирного сиропа». Слуги это слышали. Молодая леди — мисс Мередит, и служанка, и горничная — все это подтвердили. Краску перелили в бутылку из-под сиропа и поставили на верхнюю полку в ванной среди других вещей.

— Со старой наклейкой?

— Да. Конечно, это небрежность — коронер указал на это.

— Продолжайте.

---

[1] Ошибка писательницы. В главе 14 Рода называет это место Крофтуэйз.

— В тот вечер покойная пошла в ванную, взяла бутылку с сиропом, налила себе солидную порцию и выпила. Естественно, она поняла, что наделала, и сразу же послала за врачом. Он был на вызове, и прошло некоторое время, прежде чем до него удалось добраться. Они делали все возможное, но миссис Бенсон умерла.

— Она сама верила, что это несчастный случай?

— Конечно. Все так думали. Казалось очевидным, что бутылки каким-то образом переставили. Предполагали, что это сделала служанка, вытирая пыль, но она это отрицала.

Суперинтендант Бэттл молчал, погрузившись в раздумья. Разумеется, ничего не стоило снять бутылку с верхней полки и поставить ее на место бутылки с сиропом. Найти виновного практически невозможно. Не исключено, что он был в перчатках, — к тому же последние отпечатки пальцев на бутылке наверняка принадлежали самой миссис Бенсон. Да, все легко и просто, но тем не менее это убийство — практически безупречное преступление.

Но мотив? Это все еще озадачивало суперинтенданта.

— А молодая компаньонка, мисс Мередит, не унаследовала деньги после смерти миссис Бенсон? — спросил он.

— Нет, — ответил инспектор Харпер. — Она пробыла там всего около шести недель. Очевидно, обслуживать миссис Бенсон было нелегко. Обычно молодые леди подолгу у нее не задерживались.

Бэттл по-прежнему был в затруднении. Если Энн Мередит было трудно с миссис Бенсон, она могла уйти от нее, как ее предшественницы. Незачем убивать — разве только из глупой мстительности?.. Он покачал головой. Предположение не казалось убедительным.

— Кто унаследовал деньги миссис Бенсон?

— Точно не знаю, сэр, — кажется, племянники и племянницы. Но когда их разделили, там мало что осталось. Я слышал, большую часть ее дохода составляла ежегодная рента.

Снова ничего. Однако миссис Бенсон умерла, а Энн Мередит не рассказала ему о своем пребывании в Кумэйкре.

Все выглядело крайне неудовлетворительно.

Разумеется, он провел тщательное расследование. Доктор не выражал никаких сомнений, что произошел несчастный случай. Мисс... он не помнил ее имени; приятная девушка, хотя довольно беспомощная... была очень расстроена. Викарий тоже припоминал последнюю компаньонку миссис Бенсон — симпатичную, скромную девушку. Всегда ходила в церковь со старой леди. Миссис Бенсон была не то что трудной, но довольно суровой с молодыми людьми. Она принадлежала к ревностным христианкам.

Бэттл побеседовал еще с несколькими людьми, но не узнал ничего полезного. Энн Мередит едва помнили — она прожила здесь слишком мало и не обладала достаточно яркой индивидуальностью, чтобы произвести заметное впечатление. «Славная малышка» — таковым было общепринятое ее описание.

Миссис Бенсон вырисовывалась более четко. Самоуверенная женщина-гренадер, эксплуатировавшая компаньонок и часто менявшая прислугу. Неприятная особа — но не более того.

Тем не менее суперинтендант Бэттл покидал Девоншир с твердой уверенностью, что по какой-то неизвестной причине Энн Мередит намеренно убила свою работодательницу.

Глава 23
СВИДЕТЕЛЬСТВО ПАРЫ ШЕЛКОВЫХ ЧУЛОК

Покуда поезд мчал суперинтенданта Бэттла на восток через Англию, Энн Мередит и Рода Доз сидели в гостиной Эркюля Пуаро.

Энн не хотела принимать приглашение, пришедшее с утренней почтой, но советы Роды подействовали на нее.

— Ты трусиха, Энн. Что хорошего прятать голову в песок, как страус? Произошло убийство, и ты одна

151

из подозреваемых — хотя, возможно, наименее вероятная...

— Это еще хуже, — попыталась сострить Энн. — Наименее вероятные всегда оказываются убийцами.

— Как бы то ни было, ты одна из них, — продолжала Рода, игнорируя это замечание. — Так что бесполезно морщить нос, как будто убийство — это дурной запах, не имеющий к тебе никакого отношения.

— Но оно действительно не имеет ко мне отношения, — настаивала Энн. — Я охотно отвечу на любые вопросы полиции, но почему Эркюль Пуаро — совершенно посторонний человек?

— А что он подумает, если ты будешь увиливать? Что тебя переполняет чувство вины.

— Оно, безусловно, меня не переполняет, — холодно возразила Энн.

— Знаю, дорогая. Ты не могла бы никого убить, даже если бы очень старалась. Но ужасно подозрительным иностранцам откуда это знать? Думаю, мы должны пойти к нему. Иначе он сам явится сюда и попытается вытянуть сведения у прислуги.

— У нас нет никакой прислуги.

— У нас есть мамаша Эстуэлл. Она охотно станет болтать с кем угодно. Пойдем, Энн! Это будет даже забавно.

— Не понимаю, зачем он хочет меня видеть, — упорствовала Энн.

— Чтобы оставить в дураках полицию, — объяснила Рода. — Сыщики-любители всегда так делают. Они думают, что в Скотленд-Ярде сидят одни недоумки.

— А по-твоему, этот Пуаро очень умный?

— Он не выглядит Шерлоком Холмсом, — признала Рода, — но, думаю, в свое время был вполне на уровне. Конечно, сейчас он уже развалина — ему, должно быть, не меньше шестидесяти. Давай повидаем старика, Энн. Возможно, он расскажет нам ужасные вещи о троих остальных.

— Хорошо, — согласилась Энн и добавила: — По-моему, ты наслаждаешься всем этим, Рода.

— Наверное, потому, что это меня не касается, — отозвалась Рода. — Ты простофиля, Энн, что не по-

152

смотрела куда надо в нужный момент. Если бы ты это сделала, то могла бы до конца дней жить как герцогиня, шантажируя убийцу.

Таким образом, в три часа того же дня Рода Доз и Энн Мередит сидели в аккуратной гостиной Пуаро, потягивая из старомодных бокалов черносмородиновый сироп (который они терпеть не могли, но были слишком вежливы, чтобы отказаться).

— С вашей стороны было необычайно любезно принять мое приглашение, мадемуазель, — сказал Пуаро.

— Буду рада помочь всем, чем могу, — рассеянно ответила Энн.

— Речь идет о памяти.

— О памяти?

— Да, я уже задавал эти вопросы миссис Лорример, доктору Робертсу и майору Деспарду. Увы, никто из них не дал мне ответа, на который я рассчитывал.

Энн продолжала вопрошающе смотреть на него:

— Я хочу, мадемуазель, чтобы вы припомнили тот вечер в гостиной мистера Шайтаны.

По лицу Энн пробежала тень. Неужели она никогда не освободится от этого кошмара?

Выражение ее лица не осталось незамеченным Пуаро.

— C'est pénible, n'est-ce pas?[1] Вполне естественно. Вы, такая молодая, впервые вступили в контакт с убийством. Возможно, вам никогда не приходилось сталкиваться с насильственной смертью.

Нога Роды смущенно шаркнула по полу.

— Ну и что? — спросила Энн.

— Я хочу, чтобы вы рассказали мне о том, что вы помните о той комнате.

Энн с подозрением уставилась на него:

— Не понимаю.

— Стулья, столы, обои, орнаменты, портьеры, каминные приборы. Вы все это видели. Не могли бы вы их описать?

Энн нахмурилась:

---

[1] Это тягостно, не так ли? (фр.)

— Это трудно. Вряд ли я все запомнила. Не могу сказать, как выглядели обои. По-моему, стены были выкрашены в какой-то неброский цвет. На полу лежали ковры. В комнате стоял рояль. — Она виновато потупилась. — Право, больше ничего не припоминаю.

— Вы не стараетесь, мадемуазель. Неужели вы не помните никаких орнаментов, украшений, безделушек?

— Помню, что у окна стояла шкатулка с египетскими драгоценностями, — неуверенно произнесла Энн.

— Да-да, в противоположном конце комнаты от того столика, на котором лежал маленький кинжал.

Энн посмотрела на него:

— Я никогда не слышала, на каком столе он был.

«Pas si bête[1], — отметил про себя Пуаро. — Но не умнее Эркюля Пуаро! Если бы она знала меня лучше, то поняла бы, что я никогда не стал бы расставлять столь примитивную piège»[2].

— Да, некоторые из них были очень красивые, — с энтузиазмом ответила Энн. — Красные и голубые эмалевые вещицы. Пара превосходных колец. И скарабеи — но они мне не нравятся.

— Мистер Шайтана был великим коллекционером, — пробормотал Пуаро.

— Очевидно, — согласилась Энн. — В комнате было полно самых разнообразных предметов. Прямо не знаешь, куда смотреть.

— И тем не менее вы можете назвать еще что-нибудь — то, что особенно привлекло ваше внимание?

Энн улыбнулась:

— Разве что вазу с хризантемами, в которой срочно требовалось сменить воду.

— К сожалению, слуги не всегда внимательны к таким вещам.

Пуаро погрузился в молчание.

— Боюсь, я не увидела того... что вы хотели? — робко спросила Энн.

Пуаро ласково улыбнулся:

---

[1] Она не так глупа (фр.).
[2] Ловушка (фр.).

154

— Не имеет значения, mon enfant[1]. В конце концов, шанс был ничтожным. Скажите, вы видели недавно нашего славного майора Деспарда?

Он заметил, как порозовели щеки девушки.

— Майор обещал вскоре навестить нас снова, — ответила она.

— Он не виновен! — энергично вмешалась Рода. — Энн и я уверены в этом.

Пуаро подмигнул им:

— Ему повезло, если две очаровательные девушки готовы за него поручиться.

«О Боже! — подумала Рода. — Кажется, начинаются французские штучки! Это меня так смущает...»

Она поднялась и стала разглядывать гравюры на стенах.

— Какие они красивые!

— Недурные, — согласился Пуаро.

Он колебался, глядя на Энн.

— Мадемуазель, — заговорил он наконец, — не мог бы я попросить вас об огромной услуге... нет-нет, это не связано с убийством. Дело сугубо личное.

Энн выглядела удивленной.

— Как вам известно, близится Рождество, — смущенно продолжал Пуаро. — Я должен купить подарки многочисленным племянницам и внучатым племянницам. Мне нелегко угодить современным молодым леди. Увы, мои вкусы слишком старомодны. Как по-вашему, шелковые чулки — хороший подарок?

— Конечно, — улыбнулась Энн. — Всегда приятно получать чулки.

— Вы сняли камень с моей души. Вот о чем я вас хочу попросить. Я приобрел несколько пар различных оттенков — думаю, пятнадцать или шестнадцать. Не будете ли вы так любезны взглянуть на них и отобрать полдюжины, которые покажутся самыми привлекательными?

— Конечно, — ответила Энн, вставая.

Пуаро подвел девушку к столику в нише, содержимое которого удивило бы ее, знай она о пристрастии Эркю-

---

[1] Дитя мое (*фр.*).

ля Пуаро к методичности и порядку. На нем без всякой системы лежали чулки, отороченные мехом перчатки, календари и коробки конфет.

— Я отправляю подарки à l'avance[1], — объяснил Пуаро. — Вот чулки, мадемуазель. Умоляю, отберите для меня шесть пар. — Повернувшись, он перехватил Роду, следовавшую за ним. — Что до этой мадемуазель, то у меня имеется для нее развлечение, которое вряд ли окажется таковым для вас, мадемуазель Мередит.

— Какое? — с интересом спросила Рода.

Пуаро понизил голос:

— Нож, мадемуазель, который двенадцать человек поочередно вонзили в одного негодяя[2]. Его вручила мне в качестве сувенира Международная компания спальных вагонов.

— Какой ужас! — воскликнула Энн.

— О! Пожалуйста, покажите! — взмолилась Рода.

Пуаро повел ее в другую комнату, продолжая скороговоркой:

— Компания подарила мне его, потому что...

Они вышли из гостиной и вернулись минуты через три. Энн подошла к ним:

— По-моему, эти самые симпатичные, мсье Пуаро. Вот эти хороши для вечера, а эти, более светлые, при дневном свете и в летние вечера.

— Mille remerciments, мадемуазель.

Пуаро предложил девушкам еще сиропа, от которого они отказались, и наконец проводил их к двери, не переставая дружелюбно болтать.

Когда гостьи ушли, он вернулся в комнату и сразу направился к захламленному столу. Чулки все еще лежали неаккуратной кучей. Пуаро просмотрел шесть отложенных пар и стал считать остальные.

Он приобрел девятнадцать пар, но теперь на столе было только семнадцать.

Пуаро грустно улыбнулся.

---

[1] Заранее (*фр.*).
[2] См. роман «Убийство в Восточном экспрессе».

Глава 24

ТРОЕ — ВНЕ ПОДОЗРЕНИЙ?

По возвращении в Лондон суперинтендант Бэттл сразу отправился к Пуаро. Он прибыл к нему спустя час с небольшим после ухода Энн и Роды.

Без лишних предисловий Бэттл сообщил результаты своих поисков в Девоншире.

— Несомненно, мы напали на след, — закончил он. — Именно это Шайтана подразумевал под «несчастным случаем дома». Но меня ставит в тупик мотив. Зачем ей понадобилось убивать эту женщину?

— Думаю, в этом я могу вам помочь, друг мой.

— Буду очень рад, мсье Пуаро.

— Сегодня я провел маленький эксперимент. Я убедил мадемуазель и ее подругу прийти сюда и задал ей мой обычный вопрос о том, что находилось в тот вечер в гостиной мистера Шайтаны.

Бэттл с любопытством посмотрел на него:

— Вы просто прилипли к этому вопросу.

— Он очень многообещающ и о многом мне говорит. Мадемуазель Мередит держалась весьма настороженно — эта юная леди просто так ничего не принимает на веру. Поэтому старая ищейка Эркюль Пуаро проделал один из своих ловких трюков. Он расставил примитивную, любительскую ловушку. Мадемуазель упоминает шкатулку с драгоценностями. Я говорю, что она находилась в противоположном углу от столика с кинжалом. Но мадемуазель не попадает в западню — она ловко ее избегает. Теперь она довольна собой, и ее бдительность ослабевает. Выходит, цель этого визита — заставить ее признаться, что она знала, где был кинжал! Мадемуазель уверена, что нанесла мне поражение, ее настроение сразу улучшается, и она свободно говорит о драгоценностях, сообщив много деталей. Но больше ничего она не запомнила — кроме вазы с хризантемами, где нужно было переменить воду.

— Ну и что? — осведомился Бэттл.

— Это весьма многозначительно. Предположим, мы ничего не знаем об этой девушке. Ее слова дают нам ключ к ее характеру. Мадемуазель запомнила цветы. Значит, она любит их? Нет, так как она не упомянула большую вазу с ранними тюльпанами, которая сразу привлекла бы внимание истинного любителя цветов. Нет, это говорит платная компаньонка, чьей обязанностью было наливать в вазы свежую воду, а также девушка, которая любит драгоценности. Разве это не наводит на размышления?

— Начинаю понимать, куда вы клоните, — сказал Бэттл.

— Отлично. Как я уже говорил, я выкладываю карты на стол. Когда вы вчера рассказывали биографию мадемуазель и миссис Оливер сделала свое удивительное заявление, я сразу же задумался над мотивом. Убийство не могло быть совершено из корыстных побуждений, так как позже мисс Мередит все еще приходилось зарабатывать себе на жизнь. Тогда в чем же причина? Я задумался о личности и характере мисс Мередит. Довольно робкая молодая девушка, бедная, но хорошо одетая, любит красивые вещи... Это характер скорее воровки, чем убийцы, не так ли? Я сразу же спросил, была ли миссис Элдон неаккуратной женщиной. Вы ответили утвердительно, и у меня возникла гипотеза. Предположим, мисс Мередит из тех девушек, которые крадут мелочи в больших магазинах. Предположим, что она пару раз присвоила вещи своей работодательницы — брошь, нитку бус, одну-две полукроны. Неаккуратная миссис Элдон, естественно, приписала бы пропажи собственной небрежности и не заподозрила бы свою юную помощницу. Но представьте себе, что другая работодательница — не столь рассеянная — обвинила Энн Мередит в краже. Это могло стать мотивом для убийства. Как я говорил, мисс Мередит могла совершить убийство только из страха. Она знает, что хозяйка сможет доказать ее вину, значит, хозяйка должна умереть — только это спасет ее. Она меняет местами бутылки, и миссис Бенсон умирает, уверенная, что совершила роковую ошибку, и не подозревающая, что к этому приложила руку смертельно напуганная девушка.

— Конечно, это всего лишь гипотеза, — заметил Бэттл, — но вполне возможная.

— Не только возможная, но и весьма вероятная, друг мой. Ибо сегодня я, помимо мнимой ловушки, расставил подлинную. Если то, что я подозревал, правда, Энн Мередит не смогла бы устоять против очень дорогой пары чулок. Я прошу ее помочь мне выбрать несколько пар для подарков и тщательно подчеркиваю, что не помню, сколько всего я их приобрел. Потом я выхожу в другую комнату, оставив ее одну, и в результате теперь у меня семнадцать пар вместо девятнадцати. Две из них перекочевали в сумочку Энн Мередит.

Суперинтендант присвистнул от удивления.

— Она здорово рисковала!

— Pas du tout[1]. В чем, она думала, я ее подозреваю? В убийстве. Тогда какой же риск в том, чтобы украсть две пары шелковых чулок? Я ведь не ищу вора. А кроме того, вор или клептоман всегда одинаковы — уверены, что могут выйти сухими из воды.

— Это верно, — кивнул Бэттл. — Они невероятно глупы. Повадился кувшин по воду ходить... Ну, думаю, что мы уже близки к истине. Энн Мередит была поймана на краже и поменяла местами бутылки. Мы знаем, что это было убийство, но будь я проклят, если когда-нибудь сможем это доказать. Успешное преступление номер два. И Робертс, и Энн Мередит совершили убийство и остались безнаказанными. Но как быть с Шайтаной? Убила ли Энн Мередит и его? — Помолчав несколько секунд, он задумчиво продолжил: — Это не кажется убедительным. Она не из тех, которые не боятся риска. Поменять местами бутылки было практически безопасно — это мог сделать любой, и она знала, что ее не заподозрят. Конечно, это могло не сработать — миссис Бенсон могла заметить подмену, прежде чем выпить яд, или не умереть от отравления. Это было, так сказать, многообещающее преступление. Оно могло осуществиться или нет. Но

_____
[1] Вовсе нет (фр.).

смерть Шайтаны — совсем другое дело. Это было дерзкое, преднамеренное убийство.

Пуаро кивнул:

— Согласен с вами. Это два разных типа преступления.

Бэттл почесал нос.

— Как будто это снимает с нее подозрения в убийстве Шайтаны. Робертса и девушку можно вычеркнуть из нашего списка. Как насчет Деспарда? Вам повезло с этой миссис Лаксмор?

Пуаро поведал о вчерашних приключениях.

Бэттл усмехнулся:

— Я знаю этот тип. Невозможно отличить то, что они вспоминают, от того, что выдумывают.

Пуаро рассказал о визите Деспарда и его варианте той истории.

— Вы ему верите? — спросил Бэттл.

— Да, верю.

Бэттл вздохнул:

— Я тоже. Он не из тех, кто способен застрелить человека, если влюбился в его жену. В конце концов, всегда можно получить развод. У Деспарда нет определенной профессии, так что это не разрушило бы его карьеру. Нет, по-моему, на сей раз покойный мистер Шайтана дал маху. Убийца номер три таковым не является. — Он посмотрел на Пуаро. — Остается...

— Миссис Лорример, — закончил фразу Пуаро.

Зазвонил телефон. Пуаро поднялся, подошел к аппарату, произнес несколько слов, потом положил трубку и вернулся к Бэттлу.

Его лицо было озабоченным.

— Звонила миссис Лорример, — сообщил он. — Она хочет, чтобы я немедленно пришел к ней.

Пуаро и суперинтендант посмотрели друг на друга.

— Я ошибаюсь или вы ожидали чего-то в этом роде? — осведомился Бэттл.

— Только предполагал, — ответил Эркюль Пуаро.

— Лучше поторопитесь, — посоветовал Бэттл. — Возможно, вам удастся наконец докопаться до истины.

Глава 25

МИССИС ЛОРРИМЕР ГОВОРИТ

День был пасмурный, и комната миссис Лорример выглядела уже не такой светлой и веселой. Сама миссис Лорример тоже казалась постаревшей со времени предыдущего визита Пуаро.

Тем не менее она приветствовала его спокойной улыбкой:

— С вашей стороны было очень любезно прийти так быстро, мсье Пуаро. Я знаю, что вы занятой человек.

— К вашим услугам, мадам, — с поклоном отозвался Пуаро.

Миссис Лорример нажала кнопку возле камина.

— Сейчас подадут чай. Не знаю, как по-вашему, но я всегда считала неразумным начинать конфиденциальный разговор без должной подготовки.

— Значит, предстоит конфиденциальный разговор, мадам?

Миссис Лорример не ответила, так как в этот момент появилась служанка. Когда она получила указания и вышла, миссис Лорример сухо промолвила:

— Если помните, вы сказали, когда были здесь в прошлый раз, что придете, если я пошлю за вами. Думаю, у вас была идея относительно причины, которая могла заставить меня так поступить.

Принесли чай, и миссис Лорример разлила его, говоря на посторонние темы.

Воспользовавшись паузой, Пуаро заметил:

— Я слышал, что вы и юная мадемуазель Мередит на днях вместе пили чай.

— Да. Вы видели ее недавно?

— Как раз сегодня.

— Значит, она в Лондоне? Или вы ездили в Уоллингфорд?

— Нет. Она и ее подруга любезно нанесли мне визит.

— Подруга? Я с ней незнакома.

Пуаро улыбнулся:

— Это убийство, кажется, способствует rapproche-ment[1]. Вы и мадемуазель Мередит пьете вместе чай. Майор Деспард тоже вроде бы поддерживает знакомство с мисс Мередит. Возможно, только доктор Робертс остается в стороне.

— На днях я виделась с ним за бриджем, — сказала миссис Лорример. — Выглядел он бодрым, как обычно.

— И все так же увлечен игрой?

— Да, по-прежнему делает рискованные заявки и очень часто умудряется выигрывать. — Помолчав, она спросила: — Вы виделись в последнее время с суперинтендантом Бэттлом?

— Не далее как сегодня. Он был у меня, когда вы позвонили.

Миссис Лорример прикрыла ладонью лицо от огня в камине.

— Как у него идут дела? — спросила она.

— Наш славный Бэттл не любит торопиться, — серьезно ответил Пуаро. — Он продвигается медленно, но в конце концов приходит к цели.

— Интересно. — Ее губы скривились в иронической улыбке. — Суперинтендант уделял мне много внимания, — продолжала она. — Думаю, он копался в моей биографии начиная с детских лет — расспрашивал моих друзей, болтал с прислугой, теперешней и бывшей. Что он рассчитывал узнать, понятия не имею, но он наверняка не обнаружил того, что искал. Ему следовало бы удовлетвориться моими показаниями, так как это чистая правда. Я встретила мистера Шайтану в Луксоре, и наше знакомство никогда не было особенно близким. От этих фактов суперинтенданту никуда не деться.

— Возможно, — согласился Пуаро.

— А вы, мсье Пуаро, тоже наводили справки?

— О вас, мадам?

— Да.

Маленький человечек удрученно пожал плечами:

— Это было бы бесполезно.

— Что вы имеете в виду, мсье Пуаро?

---

[1] Сближение (фр.).

— Буду с вами откровенен, мадам. Я с самого начала понял, что из четырех человек, находившихся в тот вечер в гостиной мистера Шайтаны, наиболее ясным и логичным умом обладали вы, мадам. Если бы я держал пари, кто из вас четверых мог спланировать и успешно совершить убийство, то поставил бы деньги на вас.

Миссис Лорример приподняла брови.

— Я должна чувствовать себя польщенной? — сухо осведомилась она.

Пуаро продолжал, игнорируя ее замечание:

— Чтобы преступление оказалось успешным, как правило, необходимо заранее продумать каждую деталь, принять в расчет все возможные обстоятельства, точно рассчитать время, скрупулезно выбрать подходящее место. Доктор Робертс мог бы все испортить спешкой и самоуверенностью; майор Деспард, возможно, слишком осторожен, чтобы совершить подобное преступление; мисс Мередит могла потерять голову и выдать себя. Но к вам, мадам, все это не относится. Вы обладаете ясной головой, хладнокровием и решительностью и могли быть настолько одержимы идеей, чтобы игнорировать осторожность, не теряя при этом головы.

Минуты две миссис Лорример молчала; на ее губах играла странная улыбка.

— Значит, вот как вы обо мне думаете, мсье Пуаро, — сказала она наконец. — Что я — женщина, способная совершить идеальное убийство.

— По крайней мере, вам хватает любезности не возмущаться этим предположением.

— Я нахожу его весьма интересным. По-вашему, я единственная из четверых могла успешно осуществить убийство Шайтаны?

— Тут есть одно препятствие, мадам, — медленно произнес Пуаро.

— В самом деле? Какое?

— Возможно, вы обратили внимание на мою фразу: «Чтобы преступление оказалось успешным, как правило, необходимо заранее продумать каждую деталь». Я хочу привлечь ваше внимание к словам «как правило». Ибо существует и другой тип успешного преступления. Если неожиданно предложить кому-то: «Брось камень, и посмотрим, сможешь ли ты попасть в дерево», а этот человек, не раздумывая, повинуется, то, как ни странно, он очень часто попадает в цель. Но при повторении броска это уже не так легко, поскольку он начинает думать: «Сильнее... слабее... правее... левее...» Первое действие было почти бессознательным — тело повиновалось мозгу, как у животного. Eh bien[1], мадам, существует такой тип преступлений — совершаемых экспромтом, под влиянием вдохновения, без времени на раздумье. Именно таким преступлением и было убийство мистера Шайтаны. Внезапная острая необходимость, вспышка вдохновения и быстрое исполнение. — Он покачал головой. — Увы, это совсем не ваш тип преступления, мадам. Если бы вы подняли руку на мистера Шайтану, то это было бы заранее подготовленное убийство.

— Понятно. — Она тут же подняла руку и помахала перед лицом, отгоняя жар пламени. — А так как это преступление, с вашей точки зрения, не было подготовлено заранее, то я не могла его совершить — не так ли, мсье Пуаро?

— Совершенно верно, мадам, — кивнул Пуаро.

— И тем не менее... — Миссис Лорример склонилась вперед; ее рука застыла в воздухе. — Я убила Шайтану, мсье Пуаро.

Глава 26
ПРАВДА

Последовала пауза — очень длинная пауза.

В комнате становилось темнее. На стенах мерцали отблески огня в камине.

Миссис Лорример и Эркюль Пуаро смотрели на огонь, а не друг на друга. Казалось, будто время застыло в ожидании.

Наконец Эркюль Пуаро вздохнул и пошевелился.

---

[1] Итак (фр.).

— Так вот оно что... Почему вы убили его, мадам?

— Думаю, вы знаете почему, мсье Пуаро.

— Потому что он раскопал что-то о вас — что-то, происшедшее давно?

— Да.

— И это была... еще одна смерть?

Она молча кивнула.

— Почему же вы сознались мне в этом? — мягко спросил Пуаро. — Что побудило вас послать за мной сегодня?

— Вы ведь сами сказали мне, что когда-нибудь я это сделаю.

— Да, я на это надеялся... Я знал, мадам, что узнать правду у вас можно лишь одним способом — если вы сообщите ее по собственной воле. Если бы вы решили молчать, то никогда бы себя не выдали. Но был шанс, что вы сами пожелаете заговорить.

Миссис Лорример снова кивнула:

— С вашей стороны было умно предвидеть все это — усталость, одиночество... — Ее голос замер.

Пуаро с любопытством посмотрел на нее:

— Значит, вот в чем причина? Да, это можно понять...

— Одна — совсем одна, — продолжала миссис Лорример. — Никто не знает, что это такое, если он только сам не жил с сознанием собственной вины.

— Не будет ли дерзостью с моей стороны, мадам, выразить вам сочувствие?

Она слегка склонила голову:

— Благодарю вас, мсье Пуаро.

Наступила очередная пауза, после которой Пуаро заговорил чуть более оживленно:

— Насколько я понимаю, мадам, вы восприняли слова мистера Шайтаны за обедом как прямую угрозу в ваш адрес?

— Да, — ответила миссис Лорример. — Я сразу осознала, что его слова предназначались для человека, способного их понять. Этим человеком была я. Упоминание о яде как о женском оружии предназначалось мне. Он знал. Я и раньше это подозревала. Шайтана заводил разговор о каком-нибудь громком судебном процессе, и я видела, как его глаза наблюдают за мной. В них ощущалось какая-то сверхъестественная осведомленность. Но, конечно, полностью уверенной я стала в тот вечер.

— И вы также были уверены в его намерениях на будущее?

— Едва ли присутствие суперинтенданта Бэттла и ваше было случайным, — холодно сказала миссис Лорример. — Я подумала, что Шайтана собирается продемонстрировать свою проницательность, показав вам обоим, что он открыл нечто, о чем никто не подозревал.

— А когда именно вы решили действовать, мадам?

Миссис Лорример немного поколебалась.

— Трудно точно вспомнить, когда именно идея пришла мне в голову, — ответила она. — Я заметила кинжал перед обедом. Когда мы вернулись в гостиную, я подобрала его и спрятала в рукав. Уверена, что никто этого не заметил.

— Не сомневаюсь, мадам, что это было сделано в высшей степени проворно.

— Тогда я уже приняла решение. Оставалось только его осуществить. Конечно, это было рискованно, но я подумала, что дело того стоит.

— Понимаю. В игру вступили ваше хладнокровие и умение взвешивать шансы,

— Мы начали играть в бридж, — продолжала миссис Лорример каким-то безжизненно-бесстрастным тоном. — Возможность представилась, когда я была «болваном». Я направилась к камину. Шайтана дремал. Я посмотрела на остальных — они были поглощены игрой. Тогда я наклонилась и... сделала это. — Ее голос дрогнул и тут же вновь стал холодным и отчужденным. — Я заговорила с ним — подумала, что это создаст мне нечто вроде алиби. Я сделала какое-то замечание о камине, немного помолчала, а потом добавила, притворяясь, будто он мне ответил: «Согласна с вами. Мне тоже не по душе радиаторы».

— И он даже не вскрикнул?

— Нет. Слегка захрипел — и все. На расстоянии это могли принять за слова.

— А потом?

— Потом я вернулась к игральному столу. Как раз разыгрывали последнюю взятку.

— И вы сели и продолжали играть?

— Да.

— Настолько сосредоточившись, что через два дня смогли назвать мне почти все заявки и ходы?

— Да, — просто ответила миссис Лорример.

— Épatant! — воскликнул Эркюль Пуаро.

Откинувшись на спинку стула, он несколько раз кивнул, но затем, словно передумав, покачал головой:

— И все же, мадам, я кое-чего не понимаю.

— Чего же?

— Мне кажется, что я упустил какой-то фактор. Вы женщина, которая тщательно взвешивает все за и против. По определенной причине вы решаете пойти на страшный риск и успешно осуществляете задуманное. Но спустя две недели вы вдруг признаетесь в содеянном. Откровенно говоря, мадам, это не выглядит убедительным.

Странная улыбка вновь мелькнула на ее губах.

— Вы абсолютно правы, мсье Пуаро, — один фактор вам неизвестен. Мисс Мередит говорила вам, где мы недавно с ней встретились?

— Кажется, возле дома миссис Оливер.

— Очевидно. Но я имею в виду название улицы. Энн Мередит встретила меня на Харли-стрит.

— Ага! — Пуаро внимательно посмотрел на нее. — Начинаю понимать.

— Так я и думала. Я была на консультации у специалиста. Он сообщил мне то, что я уже подозревала. — Ее улыбка стала шире — теперь в ней не было горечи. — Мне осталось недолго играть в бридж, мсье Пуаро. Разумеется, он прямо об этом не сказал — постарался завуалировать правду. При должном уходе я могу, возможно, протянуть несколько лет. Но мне не нужен «должный уход» — я не из тех женщин.

— Я об этом догадывался, — сказал Пуаро.

— Понимаете, это все меняет. Месяц, ну пускай два — не больше. Выйдя от врача, я увидела мисс Мередит и пригласила ее выпить со мной чаю. — Она помолчала. — В конце концов, я не окончательно испорченная женщина. Пока мы пили чай, я все время думала. В тот вечер я не только лишила жизни Шайтану (что сделано, то сделано), но и в той или иной степени навлекла подозрения на троих других людей. Доктор Робертс, майор Деспард и Энн Мередит, никто из которых никогда не сделал мне ничего дурного, подвергаются серьезному испытанию, а может быть, даже опасности. Это, по крайней мере, я в состоянии исправить. Не скажу, что меня особенно беспокоило положение доктора Робертса или майора Деспарда, хотя им, вероятно, остается жить куда больше, чем мне. Они мужчины и могут о себе позаботиться. Но когда я смотрела на Энн Мередит... — Поколебавшись, она заговорила снова: — Энн Мередит еще совсем юная девушка. У нее впереди вся жизнь, которую могла испортить эта история.

— Не слишком приятная мысль.

— Чем больше я об этом думала, мсье Пуаро, тем сильнее понимала, что то, на что вы намекали, правда. Я не смогу хранить молчание. И сегодня я позвонила вам...

Минута шла за минутой.

Склонившись вперед, Эркюль Пуаро пристально смотрел сквозь сгущающийся сумрак на миссис Лорример. Она встретила его взгляд с полным спокойствием.

— Вы уверены, миссис Лорример, — заговорил он наконец, — что убийство мистера Шайтаны не было спланированным заранее? Что вы не пришли на обед, уже приняв решение? Вы ведь скажете мне правду, не так ли?

Несколько секунд миссис Лорример молча смотрела на него, потом кивнула:

— Уверена.

— Тогда... тогда вы мне солгали!

— Право, мсье Пуаро, вы забываетесь, — ледяным тоном произнесла миссис Лорример.

Маленький человечек вскочил на ноги и стал взволнованно ходить взад-вперед, бормоча себе под нос.

— Позвольте, — внезапно сказал он и, подойдя к выключателю, зажег свет.

После этого Пуаро снова сел, положил руки на колени и посмотрел на хозяйку дома.

— Вопрос в том, — сказал он, — может ли Эркюль Пуаро быть не прав?

— Никто не может быть всегда прав, — холодно отозвалась миссис Лорример.

— Я могу, — возразил Пуаро. — Я всегда прав. Это настолько неизменно, что даже пугает меня. Но теперь все указывает на то, что я ошибаюсь, и это меня беспокоит. Предположим, вы говорите правду и это ваше убийство. В таком случае фантастично, что Эркюль Пуаро знает лучше вас, как вы могли его совершить.

— Фантастично и абсурдно, — все так же холодно сказала миссис Лорример.

— Следовательно, я безумен? Нет, sacré nom d'un petit bonhomme[1], я не безумен! Я прав — должен быть прав! Я готов поверить, что вы убили мистера Шайтану, но вы не могли убить его так, как вы говорите. Никто не может делать то, что не dans son caractère![2]

Он умолк. Миссис Лорример сердито закусила губу. Она собиралась заговорить, но Пуаро опередил ее:

— Либо вы спланировали убийство Шайтаны заранее, либо не убивали его вовсе!

— По-моему, вы в самом деле безумны, мсье Пуаро, — резко произнесла миссис Лорример. — Если я решила признаться в убийстве, то вряд ли стану лгать о том, как именно я его совершила. Какой в этом смысл?

Пуаро снова встал и прошелся по комнате. Когда он вернулся на свое место, его манеры изменились, став мягкими и вкрадчивыми.

— Теперь я вижу, что вы не убивали Шайтану, — сказал он. — Я вижу все — Харли-стрит, маленькую мисс Мередит, одиноко стоящую на тротуаре. Я вижу

---

[1] Черт возьми (фр.).
[2] Соответствует его характеру (фр.).

и другую девушку, которая много лет назад шла по жизни в полном одиночестве. Но я не вижу одного — почему вы так уверены, что это сделала Энн Мередит?

— Право же, мсье Пуаро...

— Протестовать и лгать мне бесполезно, мадам. Говорю вам, я знаю правду. Я знаю, какие эмоции обуревали вас в тот день на Харли-стрит. Вы бы не сделали этого ради доктора Робертса и non plus[1] ради майора Деспарда. Но Энн Мередит — другое дело. Вы сочувствуете ей, потому что она совершила то, что вы совершили когда-то. Думаю, вы не знаете, по какой причине она пошла на это преступление, но вы уверены, что это ее рук дело. Вы были уверены в этом в тот вечер, когда это произошло, — когда суперинтендант Бэттл попросил вас высказать свое мнение о случившемся. Как видите, я знаю все, и лгать мне бессмысленно. Вы понимаете это, не так ли?

Пуаро умолк, ожидая ответа, но не услышал его и удовлетворенно кивнул:

— Вы благоразумны — это хорошо. Вы совершили благородный поступок, мадам, взяв вину на себя и позволив спастись этой малышке.

— Вы забываете, — сухо сказала миссис Лорример, — что я не невинная женщина. Много лет назад, мсье Пуаро, я убила своего мужа.

На минуту воцарилось молчание.

— Понимаю, — заговорил Пуаро. — В конце концов, это справедливо. У вас логичный ум — вы готовы получить возмездие за совершенное вами преступление. Убийство есть убийство — кто бы ни являлся жертвой. У вас есть мужество и проницательность, мадам. Но я снова спрашиваю вас: почему вы в этом уверены? Откуда вы знаете, что именно Энн Мередит убила мистера Шайтану?

Миссис Лорример глубоко вздохнула. Остатки ее сопротивления были сломлены настойчивостью Пуаро. Она ответила на его вопрос просто, как ребенок:

— Потому что я видела, как она это сделала.

---

[1] Также (фр.).

Глава 27

ОЧЕВИДЕЦ

Неожиданно Пуаро рассмеялся. Он ничего не мог с собой поделать. Его веселый, чисто галльский смех наполнил комнату.

— Pardon, мадам, — извинился Пуаро. — Я не смог удержаться. Мы рассуждали, спорили, задавали вопросы, взывали к психологии — а рядом все время был очевидец преступления! Умоляю, расскажите, что вы видели.

— Это было уже в конце вечера. Энн Мередит была «болваном». Она встала, заглянула в карты партнера, потом прошлась по комнате. Игра была не слишком интересной — исход казался неизбежным. Мне было незачем сосредоточиваться на картах. Когда мы добрались до последних трех взяток, я посмотрела в сторону камина. Энн Мередит стояла склонившись над мистером Шайтаной — ее рука была буквально на его груди; этот жест меня удивил. Потом она выпрямилась и бросила на нас быстрый взгляд. На ее лице я увидела вину и страх. Конечно, тогда я не знала, что произошло. Меня просто заинтересовало, что девушка могла там делать. Потом я поняла...

Пуаро кивнул:

— Но она об этом не догадывалась. Она ведь не знала, что вы ее видели?

— Бедное дитя, — промолвила миссис Лорример. — Молодая, напуганная... Вас удивляет, что я... ну, держала язык за зубами?

— Нет-нет, нисколько.

— Тем более учитывая, что я сама... — Она пожала плечами. — Не мне выступать в роли обвинителя. Пусть этим займется полиция.

— Однако сегодня вы взяли вину на себя.

— Я никогда не была особенно мягкосердечной или сострадательной, — мрачно произнесла миссис Лорример, — но, полагаю, эти качества приходят с возрастом. Уверяю вас, я нечасто действую под влиянием жалости.

— Жалость не всегда надежный советчик, мадам. Мадемуазель Энн юная и хрупкая, выглядит робкой и испуганной — она кажется достойным объектом для сострадания. Но я с этим не согласен. Сказать вам, мадам, почему мисс Энн Мередит убила мистера Шайтану? Потому что он знал, что она повинна в смерти пожилой леди, у которой служила компаньонкой и которая поймала ее на мелкой краже.

Миссис Лорример казалась удивленной.

— Это правда, мсье Пуаро?

— Я в этом не сомневаюсь. Мадемуазель Энн выглядит нежной и мягкой, но она небезобидна. Если речь идет о ее безопасности и комфорте, она исподтишка нанесет смертельный удар. Этими двумя убийствами ее список преступлений не завершится. Они только придали ей уверенность.

— То, что вы говорите, ужасно, мсье Пуаро! — резко произнесла миссис Лорример.

Пуаро поднялся:

— Мадам, я вынужден откланяться. Подумайте о моих словах.

Миссис Лорример казалась слегка неуверенной в себе.

— Если понадобится, мсье Пуаро, — заявила она, пытаясь обрести прежний апломб, — то я буду отрицать весь наш разговор. Помните, что у вас нет свидетелей. Мой рассказ о том, что я видела в тот роковой вечер, должен остаться между нами.

— Ничего не будет сделано без вашего согласия, мадам, — серьезно заверил Пуаро. — Не беспокойтесь — у меня свои методы, и теперь, когда я знаю, в каком направлении двигаться...

Он взял ее руку и поднес к губам.

— Позвольте выразить вам мое уважение, мадам. Вы замечательная женщина — одна из тысячи. Вы даже не сделали того, от чего бы не смогли удержаться остальные девятьсот девяносто девять.

— Чего же?

— Не рассказали мне, почему вы убили вашего мужа и насколько оправдан был ваш поступок.

Миссис Лорример выпрямилась.

— Право, мсье Пуаро, — чопорно сказала она, — мои мотивы касаются только меня.

— Magnifique![1] — воскликнул Пуаро и, снова поцеловав ей руку, вышел из комнаты.

На улице было холодно, и он стал искать такси, но нигде не было видно ни одного.

Пуаро зашагал в сторону Кингс-роуд, продолжая напряженно думать. Иногда он кивал, а один раз приостановился и пожал плечами.

Оглянувшись, Пуаро увидел, что кто-то поднимается по ступенькам дома миссис Лорример. Фигура напоминала Энн Мередит. Он заколебался, размышляя, вернуться ему или нет, но в итоге двинулся дальше.

Дома Пуаро обнаружил, что Бэттл ушел, не оставив никакого сообщения.

Он тут же позвонил суперинтенданту.

— Алло, — послышался в трубке голос Бэттла. — Выяснили что-нибудь?

— Je crois bien[2]. Mon ami, мы должны срочно заняться мисс Мередит.

— Я и так ею занимаюсь. Но почему срочно?

— Потому что, друг мой, она может быть опасна.

Несколько секунд Бэттл молчал.

— Я знаю, что вы имеете в виду, — сказал он наконец. — Но никто... Ладно, лучше не рисковать. Вообще-то я уже отправил ей официальное сообщение, что прибуду к ней завтра. Я решил, что ее стоит немного припугнуть.

— Возможно. Могу я сопровождать вас?

— Естественно. Буду рад вашему обществу, мсье Пуаро.

С задумчивым видом Пуаро положил трубку.

На душе у него было не совсем спокойно. Он долго сидел у камина, хмуря брови, пока не отправился спать, отложив в сторону страхи и сомнения.

— Утро вечера мудренее, — пробормотал Пуаро.

Но он и представить себе не мог, что принесет утро.

---

[1] Великолепно! (фр.)
[2] Думаю, да (фр.).

Глава 28

САМОУБИЙСТВО

Телефон зазвонил, когда Пуаро сидел за утренним кофе с булочками.

Сняв трубку, он услышал голос Бэттла:

— Это мсье Пуаро?

— Да. Qu'est-ce qu'il y a?[1]

По тону суперинтенданта Пуаро понял, что что-то произошло. Вчерашние опасения сразу вернулись к нему.

— Рассказывайте скорее, друг мой.

— Это миссис Лорример...

— Ну?

— Что, черт возьми, вы ей сказали или она сказала вам вчера? Вы ничего еще не рассказывали — только намекнули, что мы охотимся за Энн Мередит.

— Что случилось? — настаивал Пуаро.

— Самоубийство.

— Миссис Лорример покончила с собой?

— Да. Вроде бы в последнее время она выглядела подавленной и непохожей на себя. Врач прописал ей снотворное. Вчера вечером она приняла смертельную дозу.

— А это не мог быть... несчастный случай?

— Исключено. Она написала всем троим.

— Каким троим?

— Троим остальным — Робертсу, Деспарду и мисс Мередит. Миссис Лорример откровенно признается, что это она убила Шайтану, и извиняется за причиненные им неприятности. Спокойное, деловое письмо — абсолютно типичное для нее. Она была хладнокровной особой.

Пуаро не ответил.

Итак, это были последние слова миссис Лорример. Она все-таки решила защитить Энн Мередит. Быстрая безболезненная смерть вместо долгой и мучительной. К тому же самоубийство было альтруистическим поступком — спасением девушки, которой она тайно симпатизировала. Все спланировано и осуществлено с

---

[1] В чем дело? (*фр.*)

174

беспощадной деловитостью — о самоубийстве сообщено всем трем заинтересованным лицам. Что за женщина! Он восхищался ее упорством и решительностью.

Пуаро думал, что убедил ее, но, очевидно, миссис Лорример предпочла действовать по-своему. У нее была железная воля.

Голос Бэттла пробудил его от размышлений.

— Что вы наговорили ей вчера? Должно быть, вы ее вспугнули — и вот к чему это привело! Но ведь вы намекали, что результатом вашей беседы стало убеждение в виновности Энн Мередит.

Пуаро снова промолчал. Он чувствовал, что мертвая миссис Лорример подчиняет его своей воле так, как не могла бы сделать это живой.

— Я ошибался... — наконец ответил он.

Эти слова были непривычны в его устах и очень не нравились ему.

— Ошибались, вот как? — переспросил Бэттл. — Тем не менее она, очевидно, подумала, что вы ее разоблачили. Скверная история — позволить ей вот таким образом выскользнуть из наших рук.

— У вас не было никаких улик против нее, — сказал Пуаро.

— Пожалуй, вы правы. Возможно, это к лучшему. А вы... э-э... не рассчитывали, что это случится, мсье Пуаро?

Отрицание Пуаро звучало негодующе.

— Расскажите подробно, как все произошло, — попросил он.

— Робертс вскрыл свое письмо незадолго до восьми утра. Не теряя времени, он помчался к миссис Лорример в своем автомобиле, велев горничной связаться с нами, что она и сделала. Узнав, что миссис Лорример еще не вставала, Робертс поспешил к ней в спальню, но было слишком поздно. Он пробовал искусственное дыхание — увы, безрезультатно. Вскоре прибыл полицейский врач и подтвердил, что Робертс действовал правильно.

— Что это было за снотворное?

— По-моему, веронал. Во всяком случае, из группы барбитуратов. Пузырек с таблетками стоял у ее кровати.

— А остальные двое не пытались с вами связаться?

— Деспарда нет в городе, так что он не получил утреннюю почту.

— А мисс Мередит?

— Я только что звонил ей.

— Eh bien?[1]

— Она вскрыла письмо за несколько минут до моего звонка. Почта запоздала.

— И какова была ее реакция?

— Вполне соответствующая. Колоссальное облегчение, должным образом завуалированное опечаленным видом.

После паузы Пуаро осведомился:

— Где вы сейчас находитесь, друг мой?

— На Чейн-Лейн.

— Bien[2]. Я выхожу немедленно.

В холле дома на Чейн-Лейн Пуаро обнаружил доктора Робертса, собиравшегося уходить. Обычная бодрость этим утром покинула доктора. Он выглядел бледным и потрясенным.

— Скверное дело, мсье Пуаро. Не могу отрицать, что испытываю облегчение — так сказать, с личной точки зрения, но, говоря откровенно, это страшный шок. Я и помыслить не мог, что Шайтану убила миссис Лоррример.

— Я тоже удивлен.

— Спокойная, хладнокровная, воспитанная женщина. Не представлял себе, что она способна на насильственные действия. Ее мотива мы, возможно, никогда не узнаем. Хотя признаюсь, что это вызывает у меня любопытство.

— Должно быть, такой исход снял камень у вас с души.

— О, несомненно. Было бы лицемерием это отрицать. Не слишком приятно, когда над тобой висит подозрение в убийстве. Что касается бедной женщины, то для нее это, безусловно, лучший выход.

---

[1] И что? (фр.)
[2] Хорошо (фр.)

— Она тоже так считала.

Робертс кивнул.

— Полагаю, ее замучила совесть, — промолвил он, выходя из дома.

Пуаро задумчиво покачал головой. Доктор неверно понимал ситуацию. Не угрызения совести заставили миссис Лорример лишить себя жизни.

По пути наверх он задержался, чтобы сказать несколько слов утешения пожилой горничной, которая тихо плакала.

— Это ужасно, сэр! Мы все так ее любили. Вы только вчера пили с ней чай, а теперь ее больше нет. До конца дней не забуду это утро. Джентльмен три раза звонил в дверь, прежде чем я добежала до нее. «Где ваша хозяйка?» — крикнул он. Я так испугалась, что толком не могла ответить. Понимаете, мы никогда не входили к хозяйке, пока она не звонила, — так она распорядилась. А доктор спросил: «Где ее спальня?» — и побежал вверх по лестнице. Я пошла следом и показала ему дверь — он ворвался в комнату, даже не постучав, посмотрел на нее, лежавшую на кровати, и сразу сказал: «Слишком поздно». Правда, он послал меня за бренди и горячей водой и отчаянно пытался привести ее в чувство, но его старания ни к чему не привели. Потом прибыла полиция и... Все это просто неприлично, сэр. Миссис Лорример такое бы не понравилось. При чем тут полиция? Это не их дело, даже если произошел несчастный случай и бедная хозяйка по ошибке приняла смертельную дозу.

Пуаро не стал комментировать это замечание.

— Вчера вечером ваша хозяйка вела себя как обычно? — спросил он. — Она не казалась встревоженной или огорченной?

— Не думаю, сэр. Она выглядела усталой, и, по-моему, у нее были боли. Она в последнее время плохо себя чувствовала, сэр.

— Да, знаю.

Сочувствие в его тоне побудило женщину продолжать.

— Хозяйка никогда не жаловалась, сэр, но и кухарка, и я уже некоторое время беспокоились за нее. Она все время уставала и почти ничем не занималась. Думаю, ее утомила молодая леди, которая пришла после вашего ухода.

Уже поставив ногу на следующую ступеньку, Пуаро обернулся:

— Молодая леди приходила сюда вчера вечером?

— Да, сэр, сразу после вас. Ее зовут мисс Мередит.

— И долго она здесь пробыла?

— Около часа, сэр.

Несколько секунд Пуаро молчал.

— А потом? — спросил он.

— Хозяйка поднялась к себе. Она сказала, что устала, и обедала в постели.

— Вы не знаете, — осведомился Пуаро после очередной паузы, — писала ли ваша хозяйка какие-нибудь письма вчера вечером?

— Вы имеете в виду, после того, как она легла? Не думаю, сэр.

— Но вы не уверены?

— На столе в холле лежало несколько писем, готовых к отправке, сэр. Мы всегда забирали их перед тем, как запереть дом. Но я думаю, их положили туда раньше.

— Сколько их было?

— Точно не помню, сэр. Два или три. По-моему, три.

— Вы или кухарка — кто бы их ни отправлял, — случайно, не заметили, кому они адресованы? Не обижайтесь на мой вопрос — это очень важно.

— Я сама отнесла их на почту, сэр. Верхнее было адресовано в магазин «Фортнам и Мейсон», а насчет других не знаю. — Голос женщины звучал серьезно и искренне.

— Вы уверены, что больше писем не было?

— Да, сэр, совершенно уверена.

Пуаро кивнул и снова начал подниматься по лестнице, но опять остановился.

— Насколько я понимаю, вы знали, что ваша хозяйка принимала снотворное? — спросил он.

— Да, сэр, ей прописал его доктор Лэнг.

— Где оно хранилось?

— В маленьком шкафчике в комнате хозяйки.

178

Пуаро, не задавая больше вопросов, медленно двинулся вверх. Его лицо было серьезным.

На верхней площадке его приветствовал суперинтендант Бэттл. Он выглядел обеспокоенным.

— Рад, что вы пришли, мсье Пуаро. Позвольте представить вам доктора Дэвидсона.

Полицейский врач — высокий мужчина с меланхоличным выражением лица — пожал Пуаро руку.

— Нам не повезло, — сказал он. — Часом или двумя раньше мы могли бы ее спасти.

— Хм, — произнес Бэттл. — Я не должен говорить такое официально, но я об этом не жалею. Она была настоящая леди. Не знаю, какие у нее были причины убить Шайтану, но у нее вполне могли иметься веские основания так поступить.

— В любом случае, — сказал Пуаро, — сомнительно, чтобы миссис Лорример дожила до суда. Она была очень больна.

— По-моему, вы правы, — кивнул полицейский врач. — Ну, возможно, все к лучшему.

Он начал спускаться. Бэттл двинулся следом.

— Я могу войти? — осведомился Пуаро, положив руку на дверь спальни.

Бэттл обернулся и кивнул:

— Да, мы уже закончили.

Пуаро вошел в комнату, закрыв за собой дверь.

Подойдя к кровати, он остановился и посмотрел на мертвое, неподвижное лицо.

Отправилась ли эта женщина на тот свет, стремясь спасти молодую девушку от смерти и бесчестья, или же тут было иное, более зловещее объяснение?

Имелись определенные факты...

Внезапно Пуаро наклонился, разглядывая темный синяк на руке покойной.

Он снова выпрямился с зеленым, кошачьим блеском в глазах, хорошо известным тем, кто близко его знал.

Выйдя из комнаты, Пуаро быстро спустился вниз. Бэттл и его подчиненный стояли у телефона.

Последний положил трубку и сообщил:

— Он не вернулся, сэр.

— Я пытался связаться с Деспардом, — объяснил Бэттл. — Ему пришло письмо со штемпелем Челси.

Пуаро задал вопрос, казалось не относящийся к делу:

— Доктор Робертс позавтракал перед приходом сюда?

Бэттл уставился на него:

— Нет. Помню, он упоминал, что не успел позавтракать.

— Тогда он сейчас дома, и мы можем ему позвонить.

— Зачем нам ему звонить?

Но Пуаро уже набирал номер.

— Доктор Робертс? — заговорил он. — Mais oui[1], это Эркюль Пуаро. Только один вопрос. Вы хорошо знакомы с почерком миссис Лорример?

— С почерком миссис Лорример? Нет, не думаю, что когда-либо видел его раньше.

— Je vous remercie[2].

Пуаро быстро положил трубку.

Бэттл удивленно смотрел на него.

— Что у вас за идея, мсье Пуаро? — спросил он.

Пуаро взял его за руку.

— Слушайте, друг мой. Вчера спустя несколько минут после того, как я вышел из этого дома, сюда прибыла Энн Мередит. Фактически я видел, как она поднималась по ступенькам, хотя тогда не был уверен, что это она. Сразу после ее ухода миссис Лорример пошла к себе в спальню. Насколько известно горничной, она с тех пор не писала писем. А по причинам, которые вы поймете, когда я перескажу вам нашу беседу, я не верю, что миссис Лорример занималась этими письмами до моего визита. Когда же она их написала?

— Когда слуги отправились спать, — предположил Бэттл. — Она встала и отправила их сама.

— Может быть. Но есть и другая возможность — что она вовсе их не писала.

Бэттл присвистнул.

— Боже мой, вы имеете в виду...

Зазвонил телефон. Полицейский взял трубку, выслушал сообщение и обернулся к Бэттлу:

— Сержант О'Коннор звонил из квартиры Деспарда, сэр. Есть причины полагать, что Деспард поехал в Уоллингфорд-на-Темзе.

Пуаро вновь схватил Бэттла за руку.

— Скорее, друг мой! Мы тоже должны ехать в Уоллингфорд. У меня неспокойно на душе. Возможно, это еще не конец. Повторяю вам, эта молодая леди очень опасна!

Глава 29

НЕСЧАСТНЫЙ СЛУЧАЙ

— Энн, — сказала Рода.

— М-м?..

— Не отвечай, когда половина твоего ума занята кроссвордом. Я хочу, чтобы ты внимательно меня выслушала.

— Я тебя слушаю.

Энн села прямо и отложила газету.

— Так-то лучше. Вот что, Энн... — Рода заколебалась. — Когда приедет этот человек...

— Суперинтендант Бэттл?

— Да. Энн, я хочу, чтобы ты рассказала ему о своем пребывании у Бенсонов.

— Чепуха! — В голосе Энн зазвучал холодок. — Почему я должна это делать?

— Потому что это может выглядеть... ну, как будто ты что-то утаиваешь. По-моему, лучше все рассказать.

Энн пожала плечами:

— Теперь это уже невозможно.

— Лучше бы ты сделала это сразу.

— Сейчас поздно об этом говорить.

— Да? — В голосе Роды слышалось сомнение.

— В любом случае я не понимаю, зачем мне это надо, — с раздражением сказала Энн. — Это не имеет никакого отношения к убийству.

— Конечно нет.

— Я пробыла там всего около двух месяцев. Он уточняет эти данные просто... ну... для справки. Два месяца не в счет.

— Я знаю, что говорю глупость, но меня это беспокоит. Я чувствую, что тебе следовало об этом упомянуть. Понимаешь, если они узнают из других источников, то могут подумать, что ты специально промолчала.

— Не вижу, как об этом может стать известно. Никто ничего не знает, кроме тебя.

— Д-да?

Энн уловила откровенную неуверенность в голосе Роды.

— Кто, по-твоему, может об этом знать?

— Ну, все в Кумэйкре, — после небольшой паузы ответила Рода.

Энн нахмурилась:

— Едва ли суперинтендант встретится с кем-нибудь оттуда. Это было бы удивительным совпадением.

— Но совпадения случаются.

— Рода, почему ты так суетишься из-за пустяка?

— Прости, дорогая. Но ты представь себе, что подумают в полиции, если им покажется, будто ты что-то утаиваешь.

— Кто может им рассказать? Никто об этом не знает, кроме тебя.

Уже второй раз Энн произнесла эти слова. Теперь ее голос слегка изменился — в нем слышалась какая-то странная задумчивость.

— Я бы хотела, дорогая, чтобы ты сама им рассказала, — вздохнула Рода, бросив виноватый взгляд на подругу.

Но Энн не смотрела на нее. Она сидела задумавшись, словно производила какие-то расчеты.

— Забавно, что майор Деспард тоже приезжает сегодня, — заметила Рода.

— Что? О да, конечно.

— Он такой привлекательный, Энн! Если он тебе не нужен, отдай его мне!

— Не говори глупостей, Рода. Я его совершенно не интересую.

— Тогда почему майор сюда ездит? Конечно, он в тебя влюбился. Ты из тех девушек, попавших в беду, которых он обожает спасать. Ты выглядишь такой очаровательно-беспомощной, Энн.

— Майор одинаково любезен с нами обеими.

— Это просто вежливость. Но если он тебе не нужен, я могу исполнить роль подруги-утешительницы, врачевать его разбитое сердце и так далее. Кто знает — может быть, в конце концов мне удастся его заполучить.

— Уверена, что ты ему отлично подойдешь, — засмеялась Энн.

— У него такой красивый затылок, — вздохнула Рода. — Кирпично-красный и мускулистый...

— До чего же ты сентиментальна!

— Он тебе нравится, Энн?

— Очень нравится.

— Может быть, мы держимся с ним слишком чопорно? Думаю, я тоже хоть немного ему нравлюсь — разумеется, не так, как ты...

— Конечно нравишься. — В голосе Энн вновь зазвучали необычные нотки, но Рода их не услышала.

— Когда приезжает наш сыщик? — спросила она.

— В двенадцать, — ответила Энн. Помолчав, она добавила: — Сейчас только половина одиннадцатого. Давай сходим к реке.

— Но... разве Деспард не сказал, что придет около одиннадцати?

— Почему мы должны его ждать? Мы предупредим миссис Эстуэлл, какой дорогой пойдем, и он сможет последовать за нами по бечевнику.

— Короче говоря, знай себе цену, дорогая, как всегда говорила мама, — засмеялась Рода. — Ладно, пошли.

Она вышла из дома через дверь в сад. Энн двинулась следом.

Майор Деспард прибыл в коттедж «Уэндон» минут через десять. Он знал, что появился раньше условленного времени, поэтому не слишком удивился, обнаружив, что девушки ушли.

Пройдя через сад и поле, он свернул направо и зашагал по бечевнику.

Миссис Эстуэлл минуты две смотрела ему вслед, вместо того, чтобы продолжать работу.

«Наверняка влюбился в одну из них, — подумала она. — Очевидно, в мисс Энн, хотя я не уверена. По его лицу многого не узнаешь, а обращается он с обеими одинаково. Не удивлюсь, что если они обе тоже в него влюбились. Если так, им не долго оставаться подругами. Хуже нет, чем когда джентльмен встает между двумя молодыми леди».

Приятно возбужденная перспективой содействовать начинающемуся роману, миссис Эстуэлл вернулась в дом, чтобы заняться мытьем посуды, когда в дверь снова позвонили.

«Черт бы побрал этот звонок! — выругалась про себя миссис Эстуэлл. — Сегодня все словно сговорились. Наверно, посылка или телеграмма».

Она медленно двинулась к парадной двери.

На пороге стояли два джентльмена: маленький — похожий на иностранца — и высокий, крупный — типичный англичанин. Миссис Эстуэлл припомнила, что последнего она уже видела.

— Мисс Мередит дома? — спросил высокий мужчина.

Миссис Эстуэлл покачала головой:

— Только что ушла.

— Куда? Мы ее не встретили.

Тайком изучавшая великолепные усы другого джентльмена и решившая, что они явно не похожи просто на друзей, миссис Эстуэлл решила сообщить дополнительную информацию.

— Она пошли к реке, — объяснила она.

— А другая леди — мисс Доз? — вмешался второй джентльмен.

— Они ушли вдвоем.

— Благодарю вас, — сказал Бэттл. — Как ближе добраться к реке?

— Сначала свернете влево на аллею, — быстро отозвалась миссис Эстуэлл, — а когда дойдете до бечевника, повернете направо. Они сказали, что пойдут этой дорогой, и ушли не больше четверти часа назад. Вы скоро их догоните.

«Интересно, — подумала она, глядя вслед их удаляющимся спинам, прежде чем закрыть парадную дверь, — кто эти двое? Ума не приложу, кем они могут быть!»

Миссис Эстуэлл вернулась к кухонной мойке, а Бэттл и Пуаро поспешно свернули на аллею, которая вскоре уперлась в бечевник.

Пуаро засеменил дальше.

— В чем дело, мсье Пуаро? — с любопытством спросил Бэттл. — Вы явно торопитесь.

— Это правда. Мне не по себе, друг мой.

— Какая-нибудь идея?

Пуаро покачал головой:

— Ничего определенного. Но кто знает? Всегда есть возможности...

— И все-таки, — настаивал Бэттл, — у вас что-то на уме. Вы потребовали, чтобы мы мчались сюда не теряя ни минуты, и заставили констебля Тернера гнать машину изо всех сил! Чего вы боитесь? Девушка свое уже сделала.

Пуаро хранил молчание.

— Чего вы боитесь? — повторил Бэттл.

— Чего всегда боятся в таких случаях?

— Вы правы, — кивнул Бэттл. — Интересно...

— Что вам интересно, друг мой?

— Интересно, — медленно произнес Бэттл, — знает ли мисс Мередит, что ее подруга сообщила миссис Оливер определенный факт?

Пуаро энергично закивал.

— Поторопитесь, друг мой, — сказал он.

Они быстро шли по берегу реки. На воде не было видно ни одного судна, но, когда они обогнули излучину, Пуаро застыл как вкопанный. Зоркие глаза Бэттла сразу заметили то, что увидел его спутник.

— Майор Деспард! — воскликнул он.

Деспард шагал по берегу, опережая их ярдов на двести.

Немного дальше виднелись две девушки в плоскодонном ялике. Рода отталкивалась шестом, а Энн лежала в лодке и смеялась. Никто из них не смотрел в сторону берега.

И затем это случилось! Рука Энн метнулась вперед, Рода пошатнулась и опрокинулась за борт, в отчаянии вцепившись в рукав Энн. Ялик закачался и перевернулся — девушки отчаянно забарахтались в воде.

— Видели? — крикнул Бэттл, пускаясь бегом. — Энн Мередит схватила подругу за лодыжку и столкнула в воду! Боже мой, это ее четвертое убийство!

Оба мчались изо всех сил. Но кое-кто их опередил. Было очевидно, что обе девушки не умеют плавать, но Деспард побежал по тропинке к ближайшему мысу, прыгнул в воду и поплыл к ним.

— Mon Dieu[1], это интересно! — воскликнул Пуаро. — К которой из них он направится раньше?

Девушек разделяло около двенадцати ярдов.

Деспард быстро плыл прямо к Роде.

Бэттл тоже подбежал к реке и вошел в воду. Деспард вытащил Роду, положил ее на берегу и, снова бросившись в реку, поплыл туда, где только что скрылась под водой Энн.

— Осторожно! — крикнул Бэттл. — Водоросли!

Оба доплыли до места одновременно, с трудом достали ушедшую вглубь Энн и потащили ее к берегу.

Пуаро хлопотал вокруг Роды. Она уже сидела, быстро и неровно дыша.

Деспард и Бэттл положили рядом Энн Мередит.

— Искусственное дыхание, — сказал Бэттл. — Это единственное, что нам остается. Но боюсь, уже поздно.

Он начал методично работать. Пуаро стоял рядом, готовый сменить его.

Деспард склонился над Родой.

— С вами все в порядке? — хрипло спросил он.

— Вы спасли меня... — медленно ответила Рода. Она протянула к нему руки и, когда он взял их, неожиданно разразилась слезами.

— Рода... — начал Деспард.

---

[1] Боже мой (*фр.*).

Их пальцы переплелись.

Внезапно ему представилось видение — африканская саванна и Рода, отважно и бодро шагающая рядом с ним...

Глава 30

УБИЙСТВО

— Вы хотите сказать, — недоверчиво спросила Рода, — что Энн нарочно столкнула меня в воду? Вообще-то она знала, что я не умею плавать. Но неужели она сделала это сознательно?

— Вполне сознательно, — ответил Пуаро.

Они ехали через окраины Лондона.

— Но... почему?

Пуаро не ответил. Он подумал, что знает один из мотивов Энн и что этот мотив в данный момент сидит рядом с Родой.

Суперинтендант Бэттл кашлянул:

— Вам следует приготовиться к потрясению, мисс Доз. Смерть миссис Бенсон, у которой проживала ваша подруга, была не совсем несчастным случаем — по крайней мере, у нас есть основания так думать.

— Что вы имеете в виду?

— Мы считаем, — заговорил Пуаро, — что Энн Мередит поменяла местами бутылки.

— Какой ужас! Не может быть! Зачем Энн было так поступать?

— У нее были свои причины, — ответил Бэттл. — Но все дело в том, мисс Доз, что мисс Мередит думала, будто только вы способны сообщить нам об этом инциденте. Очевидно, вы не упоминали ей, что уже рассказали о нем миссис Оливер?

— Нет, — осторожно произнесла Рода. — Я боялась, что она на меня рассердится.

— Несомненно, так оно и было бы, — мрачно сказал Бэттл. — Но она полагала, что единственная опасность исходит от вас, и поэтому решила вас... устранить.

— Устранить меня? Какая мерзость! Это не может быть правдой!

— Ну, теперь она мертва, — заметил суперинтендант, — так что мы можем не вникать в это, но факт остается фактом: мисс Мередит не была для вас хорошей подругой, мисс Доз.

Машина затормозила у подъезда.

— Зайдем к мсье Пуаро, — сказал суперинтендант, — и там все обсудим.

В гостиной Пуаро их приветствовала миссис Оливер, которая развлекала доктора Робертса. Они пили шерри. На миссис Оливер была новая ковбойская шляпа и бархатное платье с бантом на груди, где поместился большой огрызок яблока.

— Входите, — радушно пригласила она, словно это был ее дом, а не Пуаро. — После вашего звонка я сразу же позвонила доктору Робертсу, и мы отправились сюда. Даже если все пациенты доктора при смерти, это его не заботит. Впрочем, его отсутствие может пойти им на пользу. Нам не терпится услышать обо всем.

— Да, а то я в сплошном тумане, — подтвердил Робертс.

— Eh bien, — сказал Пуаро. — Дело закончено. Убийца мистера Шайтаны наконец найден.

— Миссис Оливер мне уже сообщила. Выходит, убийца — эта хорошенькая малышка, Энн Мередит. Едва могу в это поверить. Вот уж кто абсолютно не похож на убийцу!

— И тем не менее, — отозвался Бэттл, — она совершила три убийства, и не ее вина, что ей не удалось четвертое.

— Невероятно! — пробормотал Робертс.

— Вовсе нет, — возразила миссис Оливер. — В книгах всегда преступником оказывается наименее вероятный персонаж. Очевидно, в жизни происходит то же самое.

— Удивительный день, — заметил Робертс. — Сначала письмо миссис Лорример... Полагаю, это подделка?

— Совершенно верно, подделка в трех экземплярах.

— Она написала и себе самой?

— Естественно. Подделка была искусной. Конечно, она не обманула бы эксперта, но к нему вряд ли стали бы обращаться. Все указывало на то, что миссис Лорример покончила с собой.

— Простите мое любопытство, мсье Пуаро, но что заставило вас заподозрить, что это не так?

— Маленькая беседа со служанкой на Чейн-Лейн.

— Она сообщила вам о визите Энн Мередит накануне вечером?

— В том числе и об этом. К тому же я уже пришел к выводу относительно личности убийцы мистера Шайтаны и знал, что это не миссис Лорример.

— А почему вы стали подозревать Энн Мередит?

Пуаро поднял руку:

— Одну минуту. Позвольте мне подойти к этому вопросу по-своему — так сказать, методом исключения. Убийцей мистера Шайтаны не была миссис Лорример, не был майор Деспард и, как ни странно, не была Энн Мередит. — Он склонился вперед — его голос стал мягким и вкрадчивым, словно кошачье мурлыканье: — Видите ли, доктор Робертс, это вы убили мистера Шайтану, и вы также убили миссис Лорример.

Пауза длилась минимум три минуты. Потом Робертс засмеялся, и в его смехе слышалась угроза.

— Вы совсем спятили, мсье Пуаро? Я, безусловно, не убивал мистера Шайтану и просто не мог убить миссис Лорример. — Он обернулся к суперинтенданту: — Вы тоже придерживаетесь такого мнения, мой дорогой Бэттл?

— Думаю, вам лучше выслушать мсье Пуаро, — спокойно ответил суперинтендант.

— Хотя я уже некоторое время знал, что вы, и только вы могли столь дерзко заколоть мистера Шайтану, доказать это было нелегко, — продолжал Пуаро. — Но смерть миссис Лорример — совсем другое дело. — Он снова склонился вперед. — Вопрос не в том, что я знаю. Все гораздо проще — у нас имеется человек, который видел, как вы это сделали.

Глаза Робертса блеснули.

— Вы порете чушь! — резко сказал он.

— Вовсе нет. Все произошло рано утром. Вы обманом проникли в комнату миссис Лорример, где она все еще крепко спала под действием снотворного, принятого накануне. Вы притворились, будто с первого взгляда поняли, что она мертва, послали горничную, которая лишь мельком видела хозяйку, за бренди и горячей водой, и остались в спальне наедине со спящей миссис Лорример. Что же происходило потом? Возможно, вам неизвестно, доктор Робертс, что некоторые фирмы, занимающиеся мытьем окон, приспособились работать рано утром. Мойщик окон прибыл почти одновременно с вами. Он поставил стремянку у стены дома и приступил к работе, начав с окна спальни миссис Лорример. Увидев, что там делается, он быстро перешел к другому окну, но кое-что он успел заметить. Сейчас он нам об этом расскажет. — Подойдя к двери, Пуаро повернул ручку и позвал: — Входите, Стивенс.

В комнату вошел широкоплечий рыжеволосый мужчина, смущенно комкавший в руке фирменную шапку с надписью: «Ассоциация мойщиков окон в Челси».

— Вы узнаете кого-нибудь в этой комнате? — спросил Пуаро.

Оглядевшись, мужчина застенчиво кивнул в сторону доктора Робертса.

— Его, — сказал он.

— Расскажите нам, когда вы видели этого человека в последний раз и что он делал.

— Я видел его в то утро, когда выполнял заказ на восемь часов в доме леди на Чейн-Лейн. Я начал мыть окно и увидел, что леди лежит в кровати. Она выглядела больной и как раз приподняла голову с подушки. Я так понял, что этот джентльмен — доктор. Он закатал ей рукав и сделал укол вот сюда... — Стивенс указал место. — Леди снова уронила голову на подуш-

190

ку, а я решил перейти к другому окну. Надеюсь, я ничего не натворил?

— Вы действовали превосходно, друг мой, — заверил его Пуаро. Он повернулся к Робертсу: — Eh bien, доктор Робертс?

— Э-э... простое тонизирующее, — запинаясь произнес Робертс. — Последняя надежда привести ее в чувство. Это чудовищно...

— Простое тонизирующее? — прервал его Пуаро. — Натрий-метил-циклогексенил-малониловая кислота, короче именуемая эвипаном. Используется в качестве анестезии при кратких операциях. Введенная внутривенно в большой дозе, вызывает немедленный обморок. Опасно использовать после приема веронала или других барбитуратов. Я заметил на руке миссис Лорример синяк — явный след внутривенного вливания. Достаточно было намекнуть полицейскому врачу — и препарат был легко установлен ни кем иным, как сэром Чарлзом Имфри — лаборантом-химиком при министерстве внутренних дел.

— Это вас и погубило, — усмехнулся суперинтендант Бэттл. — Теперь незачем доказывать убийство мистера Шайтаны, хотя в случае необходимости мы можем предъявить вам дополнительное обвинение в убийстве мистера Чарлза Крэддока, а может быть, и его жены.

Упоминание этих двух имен доконало Робертса.

— Я пошел на риск, но ваши карты оказались крупнее, — сказал он, откинувшись на спинку стула. — Полагаю, этот хитрый дьявол Шайтана надоумил вас перед вашим приходом в тот вечер. А я-то думал, что вовремя заставил его замолчать.

— Вы должны благодарить не Шайтану, а мсье Пуаро, — отозвался Бэттл.

Он подошел к двери и впустил двоих мужчин, после чего официальным тоном произнес установленную законом при аресте формулу.

Когда убийцу увели, миссис Оливер радостно, хотя и не вполне справедливо, воскликнула:

— Я всегда говорила, что это сделал он!

Глава 31

КАРТЫ НА СТОЛ

Это был звездный момент Пуаро — все присутствующие смотрели на него; на их лицах застыло напряженное ожидание.

— Благодарю за любезность, — улыбнулся он. — Думаю, мне самому доставляют удовольствие мои маленькие лекции. Я ведь довольно скучный старик.

Это дело, на мой взгляд, было одним из самых интересных, с которыми мне когда-либо приходилось сталкиваться. Казалось, опереться тут абсолютно не на что. Преступление, несомненно, совершил один из четверых подозреваемых, но кто именно? Имелись ли какие-нибудь указания на это? В материальном смысле — нет. Не было никаких осязаемых намеков — ни отпечатков пальцев, ни компрометирующих документов, — только сами люди.

Впрочем, один осязаемый ключ существовал — счета бриджа.

Возможно, вы помните, что с самого начала я проявлял особый интерес к этим счетам. Они сообщили мне кое-что о людях, которые вели их, и более того — подали мне одну важную подсказку. Я сразу же обратил внимание в третьем роббере на число 1500 над чертой. Оно могло означать лишь одно — объявление «большого шлема». Если кто-то решил совершить преступление при столь необычных обстоятельствах — во время игры в бридж, — он шел на двойной риск. Во-первых, жертва могла вскрикнуть, а во-вторых, один из троих остальных мог в этот момент отвлечься, посмотреть в ту сторону и стать свидетелем убийства.

Что касается первого, тут ничего нельзя было сделать — оставалось только рассчитывать на удачу. Но второе — совсем другое дело. Естественно, что во время захватывающего момента в игре внимание игроков приковано к картам, а если игра идет вяло, они могут и оглядеться вокруг. Объявление «большого шлема» всегда возбуждает. Очень часто (как и в данном случае) его удваивают. Все трое играют с напряженным вниманием: объявивший — чтобы выполнить свой «контракт», а его противники — чтобы сбросить карту и помешать ему. Следовательно, существовала большая вероятность, что убийство было совершено именно во время этой сдачи, и я решил по возможности уточнить все заявки. Вскоре я обнаружил, что «болваном» тогда был доктор Робертс. Я отметил это в уме и подошел к делу с моей излюбленной точки зрения — психологической возможности. Из четверых подозреваемых миссис Лорример казалась мне наиболее способной спланировать и успешно осуществить убийство, но я не мог представить себе ее совершающей преступление экспромтом — под влиянием вспышки вдохновения. С другой стороны, ее поведение в тот первый вечер озадачивало меня. Оно наводило на мысль, что она либо сама совершила убийство, либо знала, кто это сделал. Мисс Мередит, майор Деспард и доктор Робертс тоже были психологически вероятными кандидатами, хотя, как я уже упоминал, каждый из них совершил бы преступление, так сказать, под различным углом.

После этого я произвел второй тест — попросил всех по очереди сообщить, что они запомнили в комнате. Из этого я извлек очень ценную информацию. Прежде всего, доктор Робертс вероятнее остальных мог обратить внимание на кинжал. Он подмечал все мелочи — то есть был по-настоящему наблюдательным человеком. Однако о бридже он не помнил практически ничего. Я и не ожидал, что он запомнит многое, но столь полная забывчивость выглядела так, будто он весь вечер был поглощен чем-то более важным, нежели игра. Как видите, это снова указывало на доктора Робертса.

У миссис Лорример я обнаружил потрясающую память на карты и легко себе представил, что при такой сосредоточенности на игре она могла не заметить убийства, совершенного у нее под носом. Она сообщила мне ценные сведения, что «большой шлем» объявил доктор Робертс (притом абсолютно неоправданно) — и объявил в ее масть, а не в свою, так что вести игру пришлось ей.

Третьим тестом, на который мы с суперинтендантом Бэттлом особенно рассчитывали, было открытие более ранних убийств и установление сходства методов. Ну, вся заслуга этих открытий принадлежит суперинтенданту, миссис Оливер и полковнику Рейсу. Когда я обсуждал дело с моим другом Бэттлом, он признался, что разочарован, так как не видит сходных моментов между любым из трех более ранних преступлений и убийством мистера Шайтаны. Однако это не соответствовало действительности. Два убийства, приписываемые доктору Робертсу, при внимательном рассмотрении с психологической, а не с материальной точки зрения выглядели почти аналогичными. Они также являлись «публичными» преступлениями. Дерзкое заражение кисточки для бритья в туалетной комнате, где доктор якобы мыл руки после визита. Убийство миссис Крэддок под прикрытием прививки от тифа. Все делалось абсолютно открыто — так сказать, на глазах у всего мира. И реакция Робертса абсолютно одинакова. Загнанный в угол, он хватается за шанс и действует моментально — с помощью дерзкого блефа, как и при игре в бридж. Как в бридже, так и в убийстве Шайтаны он рисковал и успешно разыгрывал свои карты. Удар был нанесен безупречно и в нужный момент.

Но как раз тогда, когда я твердо решил, что убийца — Робертс, миссис Лорример пригласила меня к себе и весьма убедительно обвинила себя в преступлении! Пару минут я почти верил ей — но затем мои маленькие серые клеточки вновь подтвердили свое мастерство. Этого не могло быть — значит, этого не было!

Но то, что миссис Лорример сообщила мне потом, казалось еще менее вероятным.

Она заверила меня, что видела, как Энн Мередит совершила преступление.

Только на следующее утро, стоя у постели покойной, я понял, что миссис Лорример говорила правду, но это не противоречило моей правоте.

Энн Мередит подошла к камину и увидела, что мистер Шайтана мертв! Она склонилась над ним — возможно, даже протянула руку к рукоятке кинжала, похожей на сверкающую драгоценными камнями запонку.

Девушка хочет крикнуть, но не делает этого. Она помнит, что Шайтана говорил за обедом. Возможно, он оставил какие-то записи. У нее, Энн Мередит, есть мотив для убийства, и все скажут, что его сделала она. Дрожа от страха и дурных предчувствий, она возвращается на свое место.

Таким образом, миссис Лорример была права — она думала, что видела, как было совершено преступление, но я тоже прав, ибо на самом деле ей это только показалось.

Если бы Робертс на этом остановился, сомневаюсь, что нам бы когда-нибудь удалось заставить его ответить за свои преступления. Конечно, мы могли бы этого добиться при помощи блефа и разных ухищрений. Я, во всяком случае, предпринял бы такую попытку.

Но Робертса подвели нервы, и снова он переоценил свои карты. На сей раз они легли неудачно, да и он сыграл неуклюже.

Несомненно, Робертс нервничал. Он знал, что Бэттл копается в прошлом, и предвидел вероятность, что тот каким-то чудом наткнется на следы его более ранних преступлений. Ему приходит в голову блестящая идея сделать миссис Лорример козлом отпущения. Его наметанный глаз сразу определил, что она тяжело больна и жить ей осталось недолго. Как было бы естественно в таких обстоятельствах избрать быстрый способ ухода и перед этим сознаться в преступлении! Робертс добывает образец ее почерка, подделывает три идентичных письма и утром спешно прибывает к ней домой с историей о только что полученном письме, до этого благоразумно велев горничной позвонить в полицию. Ему нужен только быстрый старт, и он его получает. Ко времени прибытия полицейского врача все кончено. У доктора Робертса наготове история о неудавшемся искусственном дыхании. Все выглядит изумительно правдоподобно.

При этом Робертс и не думает навести подозрения на Энн Мередит. Он даже не знает о ее визите накануне к миссис Лорример. Ему нужно лишь доказать самоубийство пожилой леди и обеспечить свою безопасность.

Для него явилось неприятным моментом, когда я спросил, знаком ли он с почерком миссис Лорример. Если подделка обнаружена, ему нужно спасаться, утверждая, что он никогда не видел ее почерка. Его ум работает быстро, но недостаточно быстро.

Из Уоллингфорда я позвонил миссис Оливер. Она сыграла свою роль, усыпив подозрения Робертса и приведя его сюда. А когда он уже поздравлял себя с тем, что все закончилось благополучно, хотя и не совсем по его плану, Эркюль Пуаро нанес удар! В результате игрок больше не получит ни одной взятки. Он бросил свои карты на стол. C'est fini[1].

Последовало молчание, которое со вздохом нарушила Рода.

— Какая удача, что мойщик окон случайно там оказался, — заметила она.

— Удача? Это не удача, мадемуазель, а опять-таки серые клеточки Эркюля Пуаро. И это напомнило мне... — Он подошел к двери. — Входите, друг мой. Вы сыграли свою роль à merveille[2].

Пуаро вернулся в сопровождении мойщика окон, который теперь держал парик — рыжие кудри в руке и выглядел совсем другим человеком.

— Мой друг, мистер Джералд Хеммингуэй, — многообещающий молодой актер.

— Значит, там не было мойщика окон? — воскликнула Рода. — И никто ничего не видел?

— Я видел, — ответил Пуаро. — Мысленным взором можно увидеть куда больше, нежели глазами. Нужно только закрыть их и сосредоточиться...

— Давай зарежем его, Рода, — весело предложил Деспард, — и посмотрим, сможет ли его дух вернуться назад и узнать, кто это сделал.

---

[1] Это конец (фр.).
[2] Чудесно (фр.).

Вечеринка в Хэллоуин

Роман

Hallowe'en Party

MWB 816

Глава 1

Миссис Ариадна Оливер отправилась вместе со своей подругой Джудит Батлер, у которой она гостила, помогать приготовлениям к детской вечеринке, которая должна была состояться в скором времени.

В данный момент дом являл собой сцену хаотической деятельности. Энергичные женщины входили и выходили, передвигая стулья, столики, цветочные вазы и принося огромное количество желтых тыкв, которые располагали в тщательно отобранных местах.

На вечеринку по случаю Хэллоуина[1] ожидались гости в возрасте от десяти до семнадцати лет.

Миссис Оливер, отделившись от толпы, прислонилась к свободному участку стены, устремив критический взгляд на большую тыкву, которую держала в руках.

— Последний раз я видела такое в Соединенных Штатах в прошлом году, — сказала она, откидывая седеющую прядь с высокого лба. — Весь дом был завален сотнями тыкв. В жизни не видала такого количества. Вообще-то, — задумчиво добавила миссис Оливер, — я никогда не понимала разницу между тыквой и кабачком. Вот это, например, что такое?

---

[1] Х э л л о у и н (Hallowe'en — сокр. от All Hallow Even — канун Дня всех святых) — веселый детский праздник в Англии и США, отмечаемый 31 октября, во время которого принято пугать друг друга разной чертовщиной. (*Здесь и далее примеч. перев.*)

— Прости, дорогая, — извинилась миссис Батлер, наступив подруге на ногу.

Миссис Оливер еще теснее прижалась к стене.

— Это моя вина, — отозвалась она. — Я только путаюсь под ногами. Все-таки любопытно, когда кругом столько тыкв или кабачков. Тогда в Штатах они были повсюду — в магазинах, в жилых домах, со свечами или лампочками внутри. Но, кажется, это был не Хэллоуин, а День благодарения[1]. А тыквы у меня всегда ассоциируются с Хэллоуином и концом октября. Ведь День благодарения гораздо позже, не так ли? Кажется, в третью неделю ноября? А Хэллоуин всегда отмечают тридцать первого октября, верно? Сначала Хэллоуин, а потом что? День всех святых? Это когда в Париже все ходят на кладбища и кладут цветы на могилы. Хотя и там этот день печальным не назовешь. Дети тоже веселятся, а взрослые ходят на рынки и покупают множество цветов. Нигде цветы не выглядят так красиво, как на парижских рынках.

Хлопочущие женщины — матери и пара-другая весьма компетентных старых дев — время от времени натыкались на миссис Оливер, но не слушали ее. Они были слишком заняты своим делом.

Присутствовали и подростки. Мальчики лет шестнадцати — семнадцати, стоя на стремянках или стульях, подвешивали тыквы, кабачки, раскрашенные шары и другие украшения; девочки от одиннадцати до пятнадцати лет собирались небольшими группами и громко хихикали.

— А после похода на кладбища, — продолжала миссис Оливер, опускаясь на подлокотник дивана, — отмечают праздник. Я права, не так ли?

Никто не ответил на этот вопрос. Миссис Дрейк — красивая женщина средних лет, которая устраивала вечеринку, — сделала объявление:

— Я не называю наше мероприятие вечеринкой в Хэллоуин, хотя, конечно, так оно и есть. Предпочитаю

---

[1] День благодарения — праздник в память первых колонистов Массачусетса, отмечаемый в США в последний четверг ноября.

называть его вечеринкой «одиннадцать-плюс»[1]. Это соответствует возрастной группе. Большинство гостей те, кто покидают «Вязы» и поступают в другие школы.

— Это не вполне точно, Ровена, — с неодобрением возразила мисс Уиттейкер, поправляя на носу пенсне. Она была местной школьной учительницей и никогда не забывала о пользе точности. — Мы ведь отменили «одиннадцать-плюс» некоторое время назад.

Миссис Оливер с виноватым видом поднялась с дивана.

— Боюсь, что от меня нет никакого толку. Я просто сижу здесь и болтаю глупости о тыквах и кабачках. — «И даю отдохнуть ногам», — подумала она, чувствуя укол совести, хотя и недостаточно сильный, чтобы произнести это вслух. — Чем я могу помочь? — осведомилась миссис Оливер и внезапно воскликнула: — Какие чудесные яблоки!

Кто-то только что принес в комнату большую корзину с яблоками, к которым миссис Оливер всегда была неравнодушна.

— На самом деле они не так уж хороши, — отозвалась Ровена Дрейк, — но выглядят красивыми и отборными. Это для игры в «Поймай яблоко». Они довольно мягкие, поэтому их легко ловить зубами. Отнеси их в библиотеку, Битрис. Во время этой игры всегда начинается сутолока и проливают воду, но ковер в библиотеке старый, так что это не имеет значения. О, спасибо, Джойс!

Джойс, крепкая на вид девочка лет тринадцати, взяла корзину. Два яблока упали на пол и покатились по нему, остановившись, словно по мановению волшебной палочки, у ног миссис Оливер.

— Вы любите яблоки, верно? — сказала Джойс. — Я об этом читала или слышала по телику. Это ведь вы пишете истории про убийства?

— Да, — призналась миссис Оливер.

---

[1] В Англии экзамены для детей в возрасте от одиннадцати до двенадцати лет, определяющие специфику их дальнейшего образования.

— Хорошо, если бы вы устроили на вечеринке игру в расследование убийства!

— Нет уж, благодарю покорно, — покачала головой миссис Оливер. — Больше никогда.

— Что значит «больше никогда»?

— Ну, я однажды проделала такое, и ничего хорошего из этого не вышло[1].

— Вы написали так много книг! — не унималась Джойс. — Должно быть, зарабатываете кучу денег.

— Как когда, — осторожно отозвалась миссис Оливер, думая о налогах.

— И вы сделали вашего сыщика финном?

Миссис Оливер признала и этот факт. Серьезный мальчуган, по мнению писательницы еще не достигший возраста, подходящего для «одиннадцать-плюс», строго осведомился:

— А почему именно финном?

— Я сама часто этому удивляюсь, — искренне ответила миссис Оливер.

Миссис Харгривс, супруга органиста, вошла в комнату, тяжело дыша и неся большое зеленое ведро из пластмассы.

— Это подойдет для «Поймай яблоко»? — спросила она. — Выглядит достаточно забавно.

— Пожалуй, оцинкованное ведро подойдет лучше, — заметила аптекарша мисс Ли. — Оно не так легко опрокидывается. Где вы собираетесь это устроить, миссис Дрейк?

— По-моему, «Поймай яблоко» лучше устроить в библиотеке. Во время него всегда проливают много воды, а там старый ковер.

— Ладно, отнесем яблоки туда. Ровена, вот еще одна корзина.

— Позвольте мне помочь, — предложила миссис Оливер.

Она подобрала два яблока, лежащие у ее ног, и, почти не сознавая, что делает, начала жевать одно из них. Миссис Дрейк решительно отобрала у нее второе яб-

---

[1] См. роман «Конец человеческой глупости».

202

локо и положила его в корзину. В комнате не умолкали разговоры.

— А где мы устроим игру в «Львиный зев»?

— Тоже в библиотеке — это самая темная комната.

— Нет, лучше в столовой.

— Тогда нужно чем-нибудь прикрыть обеденный стол.

— Положим на него скатерть из зеленого сукна, а сверху прикроем клеенкой.

— А как насчет зеркал? Неужели мы действительно увидим в них наших мужей?

Сбросив исподтишка туфли и продолжая грызть яблоко, миссис Оливер снова опустилась на диван и окинула взглядом комнату, полную людей. «Если бы я собралась писать о них книгу, — думала она, — то как бы я за нее взялась? В целом они вроде бы приятные люди, но кто знает...»

В некотором отношении ей казалось даже интересным ничего о них не знать. Они все живут в Вудли-Каммон, о некоторых из них она что-то смутно припоминала, благодаря рассказам Джудит. Мисс Джонсон имеет какое-то отношение к церкви — кажется, сестра викария... Нет, органиста. Ровена Дрейк как будто всем руководит в Вудли-Каммон. Пыхтящая женщина, которая принесла ужасающее пластмассовое ведро... Миссис Оливер никогда не любила изделия из пластмассы. Подростки, девочки и мальчики...

Пока что для миссис Оливер они были только именами. Нэн, Битрис, Кэти, Дайана, Джойс, которая все время хвастается и задает вопросы... «Джойс мне не слишком нравится», — подумала миссис Оливер. Энн — она выше и, вероятно, старше остальных... Два мальчика, которые, очевидно, попробовали новые прически с одинаково плачевным результатом...

Маленький мальчик вошел в комнату с робким видом.

— Мама прислала эти зеркала проверить, подойдут ли они, — слегка запыхавшись, сообщил он.

Миссис Дрейк взяла у него зеркала.

— Большое спасибо, Эдди, — поблагодарила она.

— Это обычные ручные зеркала, — заметила девочка по имени Энн. — Неужели мы увидим в них лица будущих мужей?

— Некоторые, может быть, увидят, а некоторые нет, — ответила Джудит Батлер.

— А вы когда-нибудь видели в зеркале лицо вашего мужа на такой вечеринке?

— Она не видела, — уверенно заявила Джойс.

— Кто знает? — возразила Битрис. — Это называют экстрасенсорным восприятием, — добавила она тоном человека, довольного тем, что шагает в ногу со временем.

— Я читала одну из ваших книг, — обратилась Энн к миссис Оливер. — «Умирающую золотую рыбку». Хорошая вещь.

— А мне она не очень понравилась, — сказала Джойс. — Крови маловато. Я люблю убийства, где много крови.

— Тебе они не кажутся чересчур грязными? — поинтересовалась миссис Оливер.

— Зато они возбуждающие.

— Не всегда.

— Я однажды видела убийство, — заявила Джойс.

— Не говори глупости, Джойс, — сказала мисс Уиттейкер.

— Видела! — упорствовала Джойс.

— В самом деле? — спросила Кэти, уставившись на Джойс широко открытыми глазами.

— Конечно нет, — вмешалась миссис Дрейк. — Не болтай глупости, Джойс.

— Я видела убийство! — упорствовала Джойс. — Видела! Видела! Видела!

Семнадцатилетний паренек, стоящий на стремянке, с интересом посмотрел вниз.

— Ну и что это было за убийство? — спросил он.

— Я этому не верю, — сказала Битрис.

— И правильно делаешь, — одобрила мать Кэти. Она просто выдумывает.

— А вот и нет! Я это видела!

— Тогда почему ты не пошла в полицию? — спросила Кэти.

— Потому что когда я видела это, то не знала, что это убийство. Только через месяц или два, когда кто-то что-то сказал, я подумала: «Конечно, я видела убийство!»

— Чепуха! — фыркнула Энн. — Все она врет.

— Когда это произошло? — спросила Битрис.

— Несколько лет назад, — ответила Джойс. — Когда я была еще маленькой.

— И кто же кого убил? — осведомилась Битрис.

— Не скажу, — отозвалась Джойс. — Нечего было надо мной смеяться.

Мисс Ли вернулась с другим ведро... Разговор перешел на то, какие ведра удобнее для игры в «Поймай яблоко» — пластмассовые или металлические. Большинство отправилось в библиотеку, чтобы проверить это на месте. Некоторым из самых младших участников не терпелось продемонстрировать свои достижения в игре. Разумеется, воду быстро расплескали и волосы у всех участников стали мокрыми, поэтому послали за полотенцами и тряпками. В итоге мишурному блеску пластмассового ведра предпочли надежность оцинкованного, которое не так легко опрокидывалось.

Миссис Оливер, поставив корзину с яблоками, которую она принесла с целью пополнить запасы на завтра, тут же принялась за одно из них.

— Я читала в газете, что вы любите есть яблоки, — послышался обвиняющий голос Энн или Сузан — миссис Оливер не была точно уверена.

— Это мой главный порок, — призналась она.

— Было бы забавнее, если бы яблоки заменили дынями, — заметил один из мальчиков. — Они такие сочные. Представляете, какая бы была от них грязь! — Он разглядывал ковер, с удовольствием воображая упомянутое зрелище.

Миссис Оливер, слегка пристыженная публичным обвинением в прожорливости, вышла из комнаты в поисках определенного помещения, чье местоположение обычно не составляет труда установить. Она поднялась по лестнице на полмарша и, свернув за угол, наткнулась на мальчика и девочку, которые обнимались, прислонившись к двери, ведущей, как не сомневалась миссис Оливер, как раз в то помещение, куда она стремилась попасть. Пара не обращала на нее никакого внимания, продолжая вздыхать и тискаться. Миссис Оливер интересовало, сколько им лет. Мальчику, возможно, было пятнадцать, а девочке — немногим больше двенадцати, хотя грудь у нее была достаточно развита для более зрелого возраста.

«Эппл-Триз» был домом солидных размеров. В нем наверняка имелось немало укромных уголков. «Как люди эгоистичны, — думала миссис Оливер. — Они совершенно не думают о других». Эту избитую фразу повторяли ей няня, гувернантка, бабушка, две двоюродные бабушки, мать и многие другие.

— Извините, — громко и отчетливо произнесла миссис Оливер.

Мальчик и девочка обнялись еще крепче, впившись друг другу в губы.

— Извините, — повторила миссис Оливер, — но вы не возражаете пропустить меня? Мне нужно пройти туда.

Пара неохотно разжала объятия, сердито глядя на неожиданную помеху. Миссис Оливер прошла через дверь, захлопнув ее и закрыв на задвижку.

Дверь прилегала неплотно, и снаружи до нее долетали слова.

— Что за люди! — произнес неокрепший тенор. — Неужели они не видят, что мы не хотим, чтобы нас беспокоили?

— Люди так эгоистичны, — пискнула девочка. — Они никогда не думают ни о ком, кроме себя.

— На других им наплевать, — подтвердил мальчик.

Глава 2

Приготовления к детской вечеринке обычно доставляют организаторам куда больше хлопот, чем подготовка развлечений для взрослых. Последним вполне достаточно хорошей пищи и соответствующего количества алкогольных напитков и лимонада. Возможно, это стоит дороже, но причиняет куда меньше беспокойств. К такому выводу пришли Ариадна Оливер и ее подруга Джудит Батлер.

— А как насчет вечеринок для детей постарше? — спросила Джудит.

— Я в них не разбираюсь, — ответила миссис Оливер.

— По-моему, — продолжала Джудит, — эти мероприятия подготовить легче всего. Парни и девушки просто выставляют нас, взрослых, из дому и говорят, что все сделают сами.

— И они действительно это делают?

— Ну, не в нашем смысле слова, — отозвалась Джудит. — Молодежь забывает обзавестись нужными вещами и заказывает много того, что никому не надо. Сначала они прогоняют нас, а потом жалуются, что мы не обеспечили их всем необходимым. На таких вечеринках всегда бьют посуду и обязательно появляются нежелательные личности — либо по приглашению, либо в качестве друзей кого-то из приглашенных. Кроме того, там редко обходится без наркотиков — марихуаны, ЛСД, или как их там. Я раньше думала, что ЛСД означает деньги, но, очевидно, была не права.

— Зато это наверняка стоит немало денег, — заметила Ариадна Оливер.

— Весьма неприятно — к тому же у конопли скверный запах.

— Что и говорить — приятного мало, — согласилась миссис Оливер.

— Но на этой вечеринке все будет в порядке. На Ровену Дрейк можно положиться. Она чудесный организатор — сама увидишь.

— У меня нет никакого желания туда идти, — вздохнула миссис Оливер.

— Сходи наверх и приляг на часок. Уверяю тебя, вечеринка тебе понравится. Жаль, что у Миранды поднялась температура, — бедняжка так расстроена, что не сможет прийти.

Вечеринка началась в половине восьмого. Ариадне Оливер пришлось признать, что ее подруга была права. Гости прибыли с безупречной пунктуальностью, и все шло великолепно. Сценарий был отлично продуман и воплощен с математической точностью. На лестнице висели красные и голубые фонарики вкупе с изобилием тыкв. Девочки и мальчики принесли с собой разукрашенные метелки для конкурса. После приветствий Ровена Дрейк объявила программу вечера:

— Сначала конкурс метелок — за него присуждается три приза. Потом разрезание куска муки. Это будет в малой оранжерее. Далее «Поймай яблоко», а затем танцы. Там на стене список партнеров — каждый раз, когда гаснет свет, вы будете их менять. После этого девочки идут в малый кабинет, где им выдадут зеркала. И наконец, ужин, «Львиный зев» и раздача призов.

Миниатюрные метелки выглядели восхитительно, хотя украшения были не на самом высоком уровне.

— Тем лучше, — заметила миссис Дрейк одной из своих приятельниц. — Всегда находится пара ребятишек, которые не получат ни одного приза за другие состязания, — вот им мы и выдадим призы за метелки.

— Это нечестно, Ровена.

— Почему? Я просто хочу, чтобы никто не был в обиде. Ведь каждый хочет выиграть хоть что-нибудь.

— А что это за игра с мукой? — спросила Ариадна Оливер.

— Ну конечно, вы ведь не были здесь, когда мы к ней готовились. Большой стакан наполняют мукой, утрамбовывают ее как следует, а потом склеившийся кусок выкладывают на поднос и сверху помещают шестипенсовик. Каждый аккуратно отрезает кусочек, чтобы не свалить монету. Тот, кто ее сбрасывает, выбывает из игры. Оставшийся последним получает шесть пенсов. Ну, давайте начинать.

Из библиотеки, где играли в «Поймай яблоко», доносились возбужденные вопли. Участники состязания возвращались оттуда залитые водой и с мокрыми волосами.

Один из самых популярных конкурсов, во всяком случае среди девочек, был связан с прибытием хэллоу-

208

инской ведьмы, чью роль исполняла местная уборщица миссис Гудбоди, обладавшей не только необходимым крючковатым носом, почти соприкасающимся с подбородком, но и воркующим голосом, расцвеченным зловещими полутонами, а также знавшей множество магических стихотворных заклинаний.

— Как тебя зовут? Битрис? Интересное имя. Хочешь знать, как выглядит твой будущий муж? Садись сюда, дорогая моя. Да, под эту лампу. Держи зеркальце, и, когда свет погаснет, ты его увидишь. Повторяй за мной: «Абракадабра, покажи, с кем до старости мне жить».

Внезапно с находящейся за ширмой стремянки луч света прыгнул как раз в тот участок комнаты, который отражался в зеркале, стиснутом в дрожащей от возбуждения руке Битрис.

— О! — воскликнула она. — Я видела его! Я видела его в моем зеркале!

Луч погас, лампы зажглись, и с потолка упала цветная фотография, наклеенная на картон. Битрис плясала от волнения.

— Это он! Я его видела! Какая у него красивая рыжая борода!

Она подбежала к стоящей рядом миссис Оливер:

— Смотрите! Правда, он чудесный? Похож на поппевца Эдди Пресуэйта, верно?

Мужчина на фотографии напомнил миссис Оливер одно из лиц, которые она ежедневно созерцала в утренней газете. Борода, по-видимому, была более поздним штрихом гения.

— Откуда берутся эти фотографии? — спросила она.

— Ровена поручает их изготовление Ники, которому помогает его друг Дезмонд. Они и пара их приятелей нацепляют парики, фальшивые бороды и бакенбарды и экспериментируют с фотоаппаратом, а девочки визжат от восторга.

— Не могу избавиться от мысли, — промолвила миссис Оливер, — что девочки в наши дни изрядно поглупели.

— А вам не кажется, что они всегда были такими? — спросила Ровена Дрейк.

Миссис Оливер задумалась.

— Пожалуй, вы правы, — согласилась она.

— А теперь, — громко объявила миссис Дрейк, — ужин!

Трапеза прошла на высшем уровне. Мальчики и девочки вовсю уплетали сыр, креветки, пряности, торты и мороженое.

— И наконец, — возвестила Ровена, — последний аттракцион вечера — «Львиный зев». Сюда — через буфетную и направо. Но сначала призы.

Когда призы были вручены, послышалось жуткое завывание. Дети устремились через холл назад в столовую.

Еду уже унесли. Стол был покрыт зеленым сукном, на котором стояло большое блюдо с горящими изюминками. Все начали хватать их с воплями: «Ой, я обжегся!» Постепенно «Львиный зев» начал мерцать и погас. Свет зажегся. Вечеринка подошла к концу.

— Все прошло отлично, — сказала Ровена.

— Так и должно быть, учитывая затраченные усилия.

— Просто великолепно! — одобрила Джудит. — А теперь нужно хоть немного убрать, — вздохнув, добавила она. — Не можем же мы оставить такой жуткий беспорядок этим бедным женщинам на завтрашнее утро.

Глава 3

В лондонской квартире зазвонил телефон. Хозяин квартиры, Эркюль Пуаро, зашевелился в кресле. Он ощутил разочарование, заранее зная, что означает этот звонок. Его друг Солли, с которым он намеревался провести вечер, возобновив их бесконечную дискуссию о настоящем виновном в убийстве в городских банях на Кэннинг-роуд, собирался сообщить, что не сможет прийти. Пуаро, успевший обзавестись рядом доказательств в пользу своей кажущейся притянутой за уши теории, был глубоко разочарован. Он не рассчитывал, что его друг Солли согласится с его предположениями, но не сомневался, что, когда Солли в свою очередь выдвинет собственные фантастические гипотезы, он,

Эркюль Пуаро, сможет с такой же легкостью их опровергнуть во имя разума, логики, порядка и метода. Если Солли не придет сегодня вечером, это будет весьма огорчительно. Но когда они встретились днем, Солли кашлял, явно пребывая в состоянии крайне заразного катара.

— Он сильно простужен, — вслух произнес Пуаро, — и, возможно, заразил бы меня, несмотря на имеющиеся под рукой целительные средства. Даже лучше, что Солли не придет. Tout de même[1], — добавил он со вздохом, — это означает, что мне предстоит скучный вечер.

Теперь многие вечера были скучными, думал Эркюль Пуаро. Его ум, по-прежнему блистательный (в этом факте он никогда не сомневался), требовал стимуляции из внешних источников. Пуаро никогда не обладал философским складом мышления. Временами он почти сожалел, что в молодости не изучал богословие, вместо того чтобы поступить на службу в полицию. Было бы интересно спорить с коллегами о том, сколько ангелов могут танцевать на кончике иглы.

Его слуга Джордж вошел в комнату.

— Звонил мистер Соломон Леви, сэр.

— Ну да, — кивнул Пуаро.

— Он очень сожалеет, что не сможет прийти к вам сегодня вечером, так как слег с тяжелым гриппом.

— У него нет никакого гриппа, — сказал Эркюль Пуаро. — Это всего лишь простуда. Все сразу думают, что у них грипп, — это звучит более впечатляюще и вызывает больше сочувствия, чем простуда.

— Все же, сэр, хорошо, что он не придет, — заметил Джордж. — Простуда очень заразна, а вам болеть ни к чему.

— Это было бы весьма обременительно, — согласился Пуаро.

Телефон зазвонил снова.

— А теперь кто простудился? — осведомился Эркюль Пуаро. — Больше я никого не приглашал.

---

[1] Тем не менее *(фр.)*.

Джордж направился к телефону.

— Я возьму трубку, — сказал Пуаро. — Не сомневаюсь, что тут нет ничего интересного, но... — он пожал плечами, — вероятно, это поможет скоротать время. Кто знает?

— Хорошо, сэр. — Джордж вышел.

Пуаро протянул руку и поднял трубку, заставив звонок умолкнуть.

— Эркюль Пуаро слушает, — произнес он напыщенным тоном, дабы произвести впечатление на собеседника.

— Это просто чудо, — послышался энергичный, слегка задыхающийся женский голос. — Я была уверена, что вас нет дома.

— Почему? — поинтересовался Пуаро.

— Потому что в наши дни постоянно испытываешь разочарование. Тебе срочно кто-то нужен, а приходится ждать. Сейчас мне срочно нужны вы.

— А кто вы? — осведомился Эркюль Пуаро.

В женском голосе послышалось удивление.

— Разве вы не знаете?

— Знаю, — ответил Пуаро. — Вы — мой друг Ариадна.

— И я в ужасном состоянии, — добавила Ариадна Оливер.

— Да-да, слышу. Вы совсем запыхались. Вам пришлось бежать?

— Ну, не совсем. Это чисто эмоциональное. Могу я прийти к вам сразу же?

Пуаро немного подумал, прежде чем ответить. Судя по голосу, его приятельница миссис Оливер пребывала в крайнем возбуждении. Что бы с ней ни произошло, она, несомненно, будет долго изливать свои горести и разочарования. Убедить ее вернуться домой, не проявляя при этом невежливости, может оказаться трудным. Поводы, возбуждавшие миссис Оливер, были настолько многочисленными и зачастую неожиданными, что приходилось соблюдать предельную осторожность, пускаясь в дискуссию о них.

— Что-то вас расстроило?

— Конечно расстроило! Я просто не знаю, что делать! Не знаю... О, я вообще ничего не знаю. Я только чувствую, что должна рассказать вам о происшедшем, так как вы единственный человек, который может дать мне совет. Можно я приду?

— Ну разумеется. Буду рад вас видеть.

На другом конце провода с треском положили трубку. Пуаро вызвал Джорджа, подумал пару минут и велел подать ячменный отвар, лимонад и рюмку бренди для него.

— Миссис Оливер придет минут через десять, — объяснил он.

Джордж удалился и вскоре вернулся с бренди для Пуаро и безалкогольными напитками, способными привлечь внимание миссис Оливер. Удовлетворенно кивнув, Пуаро пригубил бренди, дабы набраться сил перед грядущим испытанием.

— Какая жалость, что она так неорганизованна, — пробормотал он себе под нос. — И все же ее мышление весьма оригинально. Возможно, ее рассказ доставит мне удовольствие, хотя не исключено, что он займет почти весь вечер и окажется предельно глупым. Eh bien[1], в жизни приходится рисковать.

В дверь позвонили. Это было не единичное нажатие кнопки, а продолжительный, упорный звук.

— Да, она, безусловно, возбуждена, — заметил Пуаро.

Он слышал, как Джордж подошел к двери и открыл ее, однако, прежде чем ему удалось доложить о визитере, дверь в гостиную распахнулась, и вошла Ариадна Оливер, облаченная в нечто похожее на рыбачью зюйдвестку и непромокаемый костюм. Джордж следовал за ней.

— Что на вас надето? — осведомился Пуаро. — Позвольте Джорджу забрать это у вас. Оно совершенно мокрое.

— Конечно мокрое, — отозвалась миссис Оливер. — Раньше я никогда не думала о воде. Это ужасно!

Пуаро с интересом посмотрел на нее.

---

[1] Ну что ж *(фр.)*.

— Хотите лимонада или ячменного отвара? — предложил он. — А может быть, мне удастся убедить вас выпить рюмочку eau de vie?[1]

— Ненавижу воду! — заявила миссис Оливер.

Пуаро выглядел удивленным.

— Ненавижу! Никогда не думала о ней до сих пор. Ненавижу все, что с ней связано.

— Друг мой, — сказал Пуаро, покуда Джордж извлекал миссис Оливер из складок мокрой одежды. — Подойдите и садитесь. Только пусть Джордж сначала избавит вас от... Как это называется?

— Я раздобыла его в Корнуолле, — ответила миссис Оливер. — Это настоящий рыбачий непромокаемый костюм.

— Рыбакам он, безусловно, полезен, — промолвил Пуаро, — но вам едва ли. Слишком уж он тяжел. Но сядьте и расскажите мне...

— Не знаю, как это сделать, — прервала миссис Оливер, тяжело опускаясь на стул. — Иногда мне кажется, будто этого не было. Но это случилось на самом деле.

— Расскажите, — повторил Пуаро.

— Для этого я и пришла. Но теперь я не знаю, с чего начать.

— С начала, — предложил Пуаро. — Или для вас это чересчур традиционно?

— Я не знаю, где начало. Возможно, это началось давным-давно.

— Успокойтесь, — сказал Пуаро. — Соберите воедино все нити этой истории и расскажите мне все. Что вас так расстроило?

— Вас бы это тоже расстроило, — отозвалась миссис Оливер. — По крайней мере, так мне кажется. — На ее лице отразилось сомнение. — Хотя кто знает, что может вас расстроить. Вы многое воспринимаете с таким спокойствием...

— Зачастую это наилучший образ действий, — заметил Пуаро.

---

[1] Живая вода (фр.). Здесь имеется в виду бренди.

— Хорошо, — кивнула миссис Оливер. — Это началось с вечеринки.

— Ах да! — Пуаро ощутил облегчение при упоминании столь ординарного события. — Вы пошли на вечеринку, и там что-то произошло.

— Вы знаете, что такое вечеринка в Хэллоуин? — спросила миссис Оливер.

— Я знаю, что такое Хэллоуин, — ответил Пуаро. — Тридцать первое октября. — Подмигнув, он добавил: — Когда ведьмы ездят на метле.

— Метелки там были, — сказала миссис Оливер. — За них давали призы.

— Призы?

— Да, тем, кто принес самую красивую метлу.

Пуаро внимательно посмотрел на нее. Облегчение, испытанное им при упоминании о вечеринке, сменилось сомнением. Зная, что миссис Оливер не употребляет спиртных напитков, он отказался от предположения, которое сделал бы в любом другом случае.

— Детская вечеринка, — объяснила миссис Оливер. — Вернее, для «одиннадцать-плюс».

— Одиннадцать-плюс?

— Ну, так это называют в школах. На этих экзаменах проверяют, насколько дети хорошо соображают, и если они достаточно смышлены и выдерживают их, то поступают в среднюю школу или еще куда-нибудь, а если нет, то отправляются во вспомогательную школу без преподавания классических языков. «Одиннадцать-плюс» — дурацкое название. Оно ничего не означает.

— Признаюсь, я не понимаю, о чем вы говорите, — сказал Эркюль Пуаро. Казалось, они удалились от вечеринок и вступили в царство образования.

Миссис Оливер глубоко вздохнула и начала заново:

— Это началось с яблок.

— Ну разумеется! — воскликнул Пуаро. — С вами всегда такое случается, не так ли? — Он подумал о маленьком автомобиле на холме, вылезающей из него большой женщине и сумке с яблоками, которая порвалась, и яблоки покатились по склону[1].

— С игры в «Поймай яблоко», — продолжала миссис Оливер. — Это одно из развлечений на вечеринке в Хэллоуин.

— Да, я, кажется, об этом слышал.

— Чего там только не было! «Поймай яблоко», сбрасывание шестипенсовика с кучи муки, заглядывание в зеркало...

— Чтобы увидеть в нем лицо вашего возлюбленного? — со знанием дела предположил Пуаро.

— Наконец-то вы начинаете понимать!

— Всего лишь образчик старинного фольклора. И все это происходило на вашей вечеринке?

— Да, и с огромным успехом. Все закончилось «Львиным зевом». Знаете, горящие изюминки на большом блюде. Полагаю... — ее голос дрогнул, — тогда это и произошло.

— Что именно?

— Убийство. После «Львиного зева» все начали расходиться, — сказала миссис Оливер. — А ее никак не могли найти.

— Кого?

— Девочку. Девочку по имени Джойс. Все звали ее, всюду искали и спрашивали, не ушла ли она домой с кем-то еще, а ее мать расстроилась и сказала, что Джойс, должно быть, устала или заболела, поэтому ушла сама и что с ее стороны было неблагоразумно никого не предупредить. В общем, то, что всегда говорят матери, когда такое случается. Как бы то ни было, мы не могли найти Джойс.

— И она действительно ушла домой сама?

— Нет, — ответила миссис Оливер, — она не ушла домой... — Ее голос дрогнул снова. — В конце концов мы нашли ее в библиотеке. Там играли в «Поймай яблоко» и стояло большое оцинкованное ведро. Пластмассовое им не понравилось. Возможно, если бы они предпочли пластмассовое, этого бы не случилось. Оно было не тяжелым и могло опрокинуться...

---

[1] См. роман «Миссис Макгинти мертва».

— Что бы не случилось? — резко осведомился Пуаро.

— Кто-то сунул ее голову в ведро с водой и яблоками и держал там, пока она не захлебнулась. В металлическое ведро, почти полное воды. Она стояла на коленях, опустив голову, чтобы поймать зубами яблоко... Ненавижу яблоки! — воскликнула миссис Оливер. — Никогда больше не взгляну на них!

Посмотрев на нее, Пуаро протянул руку и наполнил рюмку коньяком.

— Выпейте, — сказал он. — Вам это пойдет на пользу.

Глава 4

Миссис Оливер поставила рюмку и вытерла губы.

— Вы правы, — сказала она. — Это помогло. А то у меня началась бы истерика.

— Теперь я понимаю, что вы перенесли сильный шок. Когда это произошло?

— Вчера вечером. Неужели только вчера? Да, конечно.

— И вы пришли ко мне. — Это был не столько вопрос, сколько требование дополнительной информации. — Вы пришли ко мне — почему?

— Я думала, вы сумеете помочь, — ответила миссис Оливер. — Понимаете, все это... не так просто.

— Может быть, да, а может быть, и нет, — промолвил Пуаро. — Это зависит от многого. Вы должны сообщить мне больше сведений. Полагаю, полиция уже ведет расследование. Несомненно, вызвали врача. Что он сказал?

— Будет дознание, — сообщила миссис Оливер.

— Естественно.

— Завтра или послезавтра.

— Эта девочка, Джойс, — сколько ей было лет?

— Точно не знаю. Думаю, двенадцать — тринадцать.

— Она выглядела младше своего возраста?

— Нет, нет. Скорее более зрелой. Все было при ней.

— Вы имеете в виду, что она была хорошо развита физически? Выглядела сексуально?

— Да, именно это. Но я не думаю, что это было преступление подобного рода, — в таком случае все было бы... ну, проще.

— О таких преступлениях каждый день читаешь в газетах, — заметил Пуаро. — Нападение на девочку в школе... Правда, на сей раз это случилось в частном доме, но, возможно, разница не так уж велика. Однако я по-прежнему не уверен, что вы рассказали мне все.

— Думаю, вы правы, — согласилась миссис Оливер. — Я не рассказала о причине, по которой пришла к вам.

— Вы хорошо знали эту Джойс?

— Совсем не знала. Пожалуй, лучше объяснить вам, как я там оказалась.

— Где «там»?

— В месте под названием Вудли-Каммон.

— Вудли-Каммон, — задумчиво повторил Пуаро. — Где же я недавно... — Он не договорил.

— Это не слишком далеко от Лондона. Думаю, милях в тридцати — сорока, вблизи Медчестера. Одно из тех мест, где хорошие старые дома соседствуют с новыми. Там есть неплохая школа и постоянное транспортное сообщение с Лондоном и Медчестером. В общем, обычный городишко, где живут люди с приличными доходами.

— Вудли-Каммон... — снова произнес Пуаро.

— Я гостила там у приятельницы, Джудит Батлер. Она вдова. Мы с ней подружились во время круиза в Грецию в этом году. У нее есть дочь Миранда — ей двенадцать или тринадцать лет. Джудит пригласила меня погостить и сказала, что ее подруги готовят детскую вечеринку на Хэллоуин и что у меня могут возникнуть на этот счет какие-нибудь интересные идеи.

— А она не предлагала вам устроить игру в расследование убийства? — осведомился Пуаро.

— Слава Богу, нет, — ответила миссис Оливер. — Неужели вы думаете, что я бы снова согласилась на такое?

— Мне это кажется маловероятным.

— Однако случилось то же, что и в тот раз. Возможно, потому, что там была я?

— Едва ли. По крайней мере... Кто-нибудь из присутствовавших на вечеринке знал, кто вы?

— Да, — кивнула миссис Оливер. — Кто-то из детей сказал, что я пишу книги и что ему нравятся убийства. Это и привело к... я имею в виду, к причине, побудившей меня прийти к вам.

— О которой вы все еще мне не рассказали.

— Ну, сначала я об этом не думала. Дети иногда совершают странные поступки. Некоторым из них место в сумасшедшем доме, но в наши дни их отправляют к родителям, чтобы они вели обычную жизнь. В результате такое и происходит...

— А там были подростки постарше?

— Было два мальчика, или юноши, как их именуют в полицейских рапортах, лет от шестнадцати до восемнадцати.

— Полагаю, один из них мог это сделать. Так думает полиция?

— Они не говорят, что думают, — сказала миссис Оливер, — но, судя по их виду, похоже на то.

— Эта Джойс была привлекательной девочкой?

— Едва ли. Вы имеете в виду, привлекательной для мальчиков?

— Нет, — покачал головой Пуаро. — Пожалуй, я имею в виду... ну, просто то, что означает это слово.

— Не думаю, что она была приятной девочкой, с которой вам бы хотелось поболтать, — промолвила миссис Оливер. — Она была из тех, которым нравится хвастаться и обращать на себя внимание. Это довольно утомительный возраст. Конечно, мои слова могут показаться жестокими, но...

— Когда речь идет об убийстве, говорить о том, что представляла собой жертва, не может считаться жестоким, — возразил Пуаро. — Это необходимо. Личность жертвы — причина многих убийств. Сколько людей было тогда в доме?

— На вечеринке? Ну, пять или шесть женщин — матери, школьная учительница, жена или сестра врача, — супружеская пара средних лет, двое юношей, которых я упоминала, девочка лет пятнадцати, две или три лет

219

одиннадцати — двенадцати и так далее. Всего человек двадцать пять — тридцать.

— А посторонние?

— Думаю, все друг друга знали. Кажется, все девочки были из одной школы. Пара женщин пришла помогать с ужином. Когда вечеринка окончилась, большинство матерей отправились по домам с детьми. Я осталась с Джудит и еще двумя женщинами помочь Ровене Дрейк, которая организовала вечеринку, прибрать немного, чтобы уборщицам на следующее утро было поменьше хлопот. Повсюду была рассыпана мука, валялись пакеты от крекера и тому подобное. Поэтому мы немного подмели и в последнюю очередь пошли в библиотеку. Там... там мы нашли ее. И тогда я вспомнила, что она сказала.

— Кто?

— Джойс.

— Ну и что же она сказала? Теперь мы добрались до причины вашего прихода, не так ли?

— Да. Я подумала, что это ничего не значило бы для врача, полицейских и остальных, но, возможно, будет значить кое-что для вас.

— Eh bien, — вздохнул Пуаро. — Рассказывайте. Джойс сказала это на вечеринке?

— Нет, раньше в тот же день — когда мы готовились. Когда они говорили о моих книгах об убийствах, Джойс заявила: «Я однажды видела убийство», а ее мать или кто-то еще сказал: «Не говори глупости, Джойс», и другая девочка добавила: «Ты все это выдумала». Джойс настаивала: «Говорю вам, я видела, как кто-то совершил убийство», но никто ей не поверил. Все только смеялись, а она очень рассердилась.

— Ну а вы ей поверили?

— Конечно нет.

— Понятно, — протянул Пуаро.

Какое-то время он молчал, барабаня пальцами по столу, потом спросил:

— Она не называла никаких имен или подробностей?

— Нет. Она только настаивала на своем и злилась, потому что другие дети потешались над ней, хотя матери и остальные взрослые, наверное, были недовольны. Но девочки и мальчики только подзуживали ее: «Продолжай, Джойс! Когда это было? Почему ты никогда нам об этом не рассказывала?» А Джойс ответила: «Я все забыла — это произошло так давно».

— Ага! И она сказала, насколько давно?

— Сказала, что несколько лет назад. «Почему же ты не пошла в полицию?» — спросила тогда одна из девочек, кажется Энн или Битрис. Она выглядела более взрослой.

— Ну и что же ответила Джойс?

— «Потому что тогда я не знала, что это убийство. Только потом я внезапно это поняла». -

— Весьма интересное замечание, — сказал Пуаро, выпрямляясь на стуле.

— По-моему, она слегка запуталась. Пыталась объяснить и злилась, потому что все ее поддразнивали.

— Значит, никто ей не поверил, и вы в том числе. Но когда вы обнаружили ее мертвой, то почувствовали, что она, возможно, говорила правду?

— Да, именно так. Я не знала, что мне делать, а потом подумала о вас.

Пуаро поклонился, выражая признательность.

— Я должен задать вам серьезный вопрос, — заговорил он после паузы, — так что хорошенько подумайте, прежде чем ответить. Вы считаете, что эта девочка действительно видела убийство или что она всего лишь верит, будто видела его?

— Считаю, что действительно видела, — ответила миссис Оливер. — Правда, сначала я думала, что она смутно припоминает то, что видела давно, и превратила это в важное и волнующее событие. Джойс горячо настаивала: «Говорю вам, я это видела!»

— И поэтому...

— И поэтому я пришла к вам, — сказала миссис Оливер. — Ведь ее гибель имеет смысл только в том случае, если она действительно оказалась свидетелем убийства.

— Это означает, что на вечеринке присутствовал тот, кто совершил это убийство, и что этот человек, очевидно, был там и раньше в тот же день и слышал, что говорила Джойс.

— Надеюсь, вы не думаете, что у меня просто разыгралось воображение? — осведомилась миссис Оливер.

— Девочка была убита, — отозвался Пуаро. — Убита тем, кому хватило сил держать ее голову в ведре с водой. Отвратительное преступление, которое совершили, так сказать, не теряя времени. Кто-то почувствовал угрозу и нанес удар так быстро, насколько было возможно.

— Джойс не могла знать, кто совершил убийство, которое она видела, — заметила миссис Оливер. — Она бы этого не сказала, если бы знала, что убийца находится в комнате.

— Пожалуй, вы правы, — согласился Пуаро. — Она видела убийство, но не лицо убийцы.

— Я не вполне понимаю, что вы имеете в виду.

— Возможно, там находился кто-то, знавший, кто совершил это преступление, и близко связанный с убийцей. Этот человек полагал, будто только ему известно, что совершила его жена, мать, дочь или сын. Либо если это была женщина, то что совершил ее муж, мать, дочь или сын. Но Джойс заговорила...

— И поэтому...

— И поэтому она должна была умереть.

— Ну и что вы намерены делать?

— Я только что вспомнил, — ответил Эркюль Пуаро, — почему мне знакомо название Вудли-Каммон.

Глава 5

Эркюль Пуаро смотрел на калитку, служившую входом в «Пайн-Крест». Это был симпатичный, вполне современный маленький дом. Пуаро слегка запыхался — аккуратный домик соответствовал своему названию[1]. Он находился на вершине холма, где росло несколько редких сосен. Высокий пожилой мужчина катил по до-

---

[1] Pine Crest — сосновая вершина (англ.).

рожке аккуратного садика большую оловянную поливалку на колесиках.

Волосы суперинтендента Спенса, ранее седеющие только на висках, теперь поседели целиком. С возрастом он не похудел. Остановившись, суперинтендент посмотрел на калитку, у которой неподвижно стоял Эркюль Пуаро.

— Господи! — воскликнул Спенс. — Невероятно, но факт. Эркюль Пуаро, чтоб я так жил!

— Я польщен, что вы меня узнали, — сказал Пуаро.

— Ваши усы невозможно не узнать, — отозвался Спенс.

Оставив в покое поливалку, он направился к калитке.

— Приходится возиться с проклятыми сорняками... Что привело вас сюда?

— То же, что приводило меня ранее в самые разные места, — ответил Эркюль Пуаро, — и однажды, много лет назад, привело вас ко мне[1]. Убийство.

— Я покончил с убийствами, — сказал Спенс, — если не считать уничтожения сорняков, чем я как раз занимаюсь, поливая их специальной жидкостью. Это не такое легкое дело, как вам может показаться, — что-то всегда мешает, обычно погода. Не должно быть слишком сыро, слишком сухо и так далее. Как вы узнали, где меня найти? — осведомился он, отпирая калитку и впуская Пуаро.

— Вы прислали мне открытку на Рождество. На ней был ваш новый адрес.

— Да, в самом деле. Я старомоден — всегда посылаю рождественские открытки старым друзьям.

— Ценю такую предупредительность.

— Теперь я уже старик, — продолжал Спенс.

— Это относится к нам обоим.

— Однако ваши волосы почти не поседели.

— Благодаря флакончику с краской, — объяснил Эркюль Пуаро. — Незачем появляться на людях седым, если только вы сами того не желаете.

---

[1] См. роман «Миссис Макгинти мертва».

— Не думаю, чтобы мне подошли черные как смоль волосы, — заметил Спенс.

— Согласен, — кивнул Пуаро. — Вы выглядите весьма импозантно с седыми волосами.

— Никогда не считал себя импозантным, — усмехнулся Спенс.

— И были не правы. Почему вы обосновались в Вудли-Каммон?

— Я поселился здесь с моей сестрой. Она потеряла мужа, а ее дети выросли и живут за границей — один в Австралии, другой в Южной Африке. Поэтому я перебрался сюда. Пенсии в наши дни небольшие, но нам с сестрой хватает. Проходите и садитесь.

Он направился к маленькой застекленной веранде, где стояли два стола и стулья. Осеннее солнце приятно освещало это убежище.

— Что я могу вам предложить? — размышлял вслух Спенс. — Боюсь, тут нет никакого экзотического питья. Ни сиропов из черной смородины и шиповника, ни других излюбленных вами напитков. Может быть, выпьете пива? Или я попрошу Элспет приготовить вам чашку чаю? А может, хотите шенди, кока-колы или какао? Элспет, моя сестра, обожает какао.

— Вы очень любезны. Пожалуй, я предпочту шенди. Кажется, это смесь простого пива с имбирным?

— Совершенно верно.

Спенс пошел в дом и вскоре вернулся с двумя большими стеклянными кружками.

— Я присоединюсь к вам. — Он придвинул стул к столу и сел, поставив кружки перед собой и Пуаро. — За что мы будем пить? Только не за преступления. Я с ними покончил, а если вы приехали по поводу того преступления, о котором я думаю, — это наверняка так, потому что других убийств тут в последнее время не было, — то мне оно не по душе.

— Вполне естественно.

— Мы говорим о девочке, чью голову сунули в ведро с водой?

— Да, — признал Пуаро.

— Не понимаю, почему вы обратились ко мне, — промолвил Спенс. — Я уже много лет никак не связан с полицией.

— Кто был полисменом однажды, — изрек Пуаро, — остается им всегда. Он всегда будет смотреть на все с точки зрения полисмена, а не обыкновенного человека. Мне это хорошо известно — я ведь тоже начал свою карьеру в полиции у себя на родине.

— Да, припоминаю, что вы об этом рассказывали. Полагаю, вы правы, но на мою точку зрения едва ли стоит особо рассчитывать — я уже давно отошел от дел.

— Но вы слышите сплетни, — возразил Пуаро. — У вас есть друзья-полицейские. Вы можете узнавать у них, что они думают, что знают и кого подозревают.

— Одна из бед наших дней — то, что все слишком много знают, — вздохнул Спенс. — Когда совершается преступление по знакомому образцу, полиции отлично известно, кто мог его совершить. Они ничего не скажут репортерам, но будут потихоньку вести расследование в нужном направлении. Однако дальнейшие меры связаны с определенными трудностями...

— Вы имеете в виду жен, подруг и так далее?

— Отчасти да. В конце концов преступника обычно арестовывают, но до этого иногда проходит год или два. Вы ведь знаете, Пуаро, что в наше время девушки куда чаще, чем раньше, выходят замуж за никудышных парней.

Эркюль Пуаро задумался, поглаживая усы.

— Пожалуй, да, — согласился он. — Подозреваю, что девушки всегда были неравнодушны к «никудышным парням», но в прошлом против этого принимали меры предосторожности.

— Верно. За ними присматривали матери, тети, старшие сестры. Младшие сестры и братья тоже знали, что происходит, а отцы без колебаний вышвыривали из дома неподходящих ухажеров. Конечно, иногда девушки убегали с кем-нибудь из них, но теперь им незачем это делать. Родители не знают, с кем гуляет их дочурка, а ее братья если и знают, то только посмеиваются. Если отец и мать не дают согласия на брак, пара спокойно женится без них, и молодой человек, про которого все знали, что он полное ничтожество, спокойно продолжает всем это доказывать, включая свою жену. Но любовь зла — девушка не желает знать, что ее Генри обладает скверными привычками или преступными наклонностями. Она будет лгать ради него, называть черное белым и тому подобное. Да, это чертовски трудно — я имею в виду для нас. Хотя что толку повторять, что раньше было лучше? Возможно, нам это только кажется. Как бы то ни было, Пуаро, каким образом вы оказались в это замешаны? Ведь это не ваш регион — я всегда думал, что вы живете в Лондоне. Во всяком случае, когда мы с вами познакомились.

— Я по-прежнему живу в Лондоне, а сюда приехал по просьбе моей приятельницы миссис Оливер. Помните ее?

Спенс закрыл глаза и задумался.

— Миссис Оливер? Вроде не припоминаю.

— Она пишет книги — детективные истории. Вы встречались с ней в тот период, когда убедили меня расследовать убийство миссис Макгинти. Надеюсь, миссис Макгинти вы не забыли?

— Боже мой, конечно нет! Но это было так давно. Вы тогда оказали мне большую услугу, Пуаро. Я обратился к вам за помощью, и вы мне не отказали.

— Я был польщен, что вы пришли проконсультироваться у меня, — сказал Пуаро. — Должен сознаться, что пару раз я приходил в отчаяние. Человеку, которого мы старались спасти, — так как это происходило достаточно давно, то речь, очевидно, шла о спасении его шеи, — было чрезвычайно трудно помогать. Он являл собой образец того, как все можно обращать себе во вред.

— Кажется, он женился на той девушке? Не той, с крашенными перекисью волосами, а другой, невзрачной. Интересно, как они уживаются вместе. Вы ничего о них не слыхали?

— Ничего, — ответил Пуаро. — Но думаю, у них все в порядке.

— Не понимаю, что она в нем нашла.

— Одно из величайших утешений, предоставляемых природой, состоит в том, что даже самый непривлекательный мужчина обычно оказывается привлекательным — даже безумно привлекательным — хотя бы для одной женщины. Надеюсь, они в самом деле поженились и живут счастливо.

— Не думаю, что они смогли бы жить счастливо вместе с ее мамашей.

— Или с отчимом, — добавил Пуаро.

— Мне всегда казалось, — усмехнулся Спенс, — что этому парню следовало содержать похоронное бюро. У него лицо и манеры как раз для этого. Возможно, он этим и занялся — у девушки ведь были какие-то деньги. Я хорошо представляю его одетым во все черное и отдающим распоряжения насчет погребальной процедуры. Возможно, он с энтузиазмом выбирает нужный сорт вяза, тика, или что там они используют для гробов. А вот в продаже страховок или недвижимости ему бы вряд ли удалось преуспеть. Ладно, все это уже в прошлом. — Помолчав, он внезапно воскликнул: — Миссис Ариадна Оливер — та, которая все время грызет яблоки! Вот, значит, как она оказалась замешанной в эту историю. Ведь убийца сунул голову бедной девочки в ведро с водой, в котором плавали яблоки, не так ли? Это и заинтересовало миссис Оливер?

— Не думаю, чтобы в данном случае ее особенно привлекали яблоки, — отозвался Пуаро, — но она присутствовала на вечеринке.

— Она жила здесь?

— Нет, гостила у подруги — миссис Батлер.

— Батлер? Да, я ее знаю. Живет недалеко от церкви. Вдова. Муж был летчиком. Имеет дочь, приятную на вид девочку. Да и сама миссис Батлер довольно привлекательная женщина — как вы считаете?

— Я видел ее очень мало, но думаю, вы правы.

— А каким образом это касается вас, Пуаро? Разве вы были здесь, когда это произошло?

— Нет. Миссис Оливер посетила меня в Лондоне. Она была очень расстроена и хотела, чтобы я что-нибудь предпринял.

На губах Спенса мелькнула улыбка.

— Понятно. Все та же старая история. Я тоже пришел к вам, так как хотел, чтобы вы что-нибудь предприняли.

— Как видите, я уже к этому приступил, — сказал Пуаро. — Я явился к вам.

— С той же просьбой, с какой обращались к вам я и миссис Оливер? Повторяю, я ничего не могу сделать.

— Можете. Вы можете рассказать мне о людях, которые живут здесь. О людях, которые пришли на ту вечеринку. Об отцах и матерях присутствовавших там детей. О школе, учителях, врачах, адвокатах. Кто-то во время вечеринки убедил девочку встать на колени и, возможно, сказал: «Я покажу тебе самый лучший способ, как достать яблоко зубами». А потом он — или она — прижал рукой голову бедняжки. Очевидно, не было ни шума, ни борьбы.

— Скверное дело, — промолвил Спенс. — Что именно вы хотите знать? Я живу здесь год, а моя сестра — два или три. Городок не слишком густо населен, к тому же люди приезжают и уезжают. Допустим, чей-то муж работает в Медчестере, Грейт-Кэннинг или еще где-нибудь и дети учатся там в школе. Потом муж меняет работу, и они перебираются куда-то еще. Правда, некоторые прожили здесь долго — например, доктор Фергюсон или мисс Эмлин, директриса школы. Но в целом общину оседлой не назовешь.

— Согласившись с вами, что это весьма скверное дело, — сказал Эркюль Пуаро, — я хотел бы надеяться, что вы знаете, кого из живущих здесь людей также можно охарактеризовать как скверных.

— В делах такого рода всегда прежде всего ищут скверных людей — в данном случае скверных подростков, — заметил Спенс. — Кому могло понадобиться задушить или утопить тринадцатилетнюю девочку? Вроде бы нет никаких признаков сексуального насилия или чего-нибудь в таком роде, о чем обычно думают в первую очередь. В наши дни такое часто происходит во всех небольших городках или деревнях. Опять-таки куда чаще, чем в дни моей молодости. Тогда тоже бывали душевные расстройства, или как это называлось, но меньше, чем теперь. Очевидно, сейчас слишком многих выпускают из мест, где им следовало бы находиться. Так как все психушки переполнены, доктора говорят: «Пускай он или она возвращается к своим родственникам и ведет нормальную жизнь». А потом у скверного парня — или бедного больного, смотря с какой стороны на него смотреть, — снова наступает ухудшение, и очередную девушку находят мертвой в каменоломне. Дети не возвращаются домой из школы, потому что принимают предложения незнакомых людей подвезти их на машине, хотя их предупреждали, чтобы они этого не делали. Да, в наше время такое случается сплошь и рядом.

— И это соответствует картине происшедшего здесь?

— Ну, такое сразу приходит на ум, — ответил Спенс. — Предположим, на вечеринке был некто, у кого началось ухудшение. Возможно, он проделывал это и раньше, а может, только испытывал желание. Я имею в виду, что поблизости и ранее могли происходить нападения на детей, хотя, насколько мне известно, в полицию никто не обращался по такому поводу. На вечеринке присутствовали двое из подходящей возрастной группы. Николас Рэнсом, симпатичный на вид парень лет семнадцати — восемнадцати, — кажется, он приехал с восточного побережья. Выглядит вполне нормальным, но кто знает? И Дезмонд Холленд, у которого были какие-то неприятности на почве психиатрии, хотя я бы не придавал этому особого значения. Да и вообще, убийца мог войти снаружи — дома обычно не запирают во время вечеринки. Возможно, какой-то полоумный проник туда черным ходом или через боковое окно. Хотя он здорово рисковал. Едва ли девочка согласилась бы играть в «Поймай яблоко» с незнакомцем. Но вы все еще не объяснили, Пуаро, почему вы этим занялись. Вы сказали, что вас попросила миссис Оливер. Какая-нибудь очередная нелепая идея?

— Ну, не совсем, — отозвался Пуаро. — Конечно, писатели склонны к нелепым идеям — точнее, к находящимся на самой границе возможного. Но в данном случае она просто слышала, что сказала девочка.

— Джойс?

— Да.

Спенс склонился вперед и вопрошающе посмотрел на Пуаро, который кратко изложил историю, поведанную ему миссис Оливер.

— Понятно, — произнес Спенс, задумчиво теребя усы. — Значит, девочка утверждала, будто видела убийство. Она не говорила, когда или каким образом?

— Нет, — покачал головой Пуаро.

— А что к этому привело?

— Думаю, какое-то замечание об убийствах в книгах миссис Оливер. Кто-то из детей вроде сказал ей, что в ее книгах мало крови или недостаточно трупов. Вот тут-то Джойс и заявила, что однажды видела убийство.

— Судя по вашим словам, она хвасталась этим?

— Такое впечатление сложилось у миссис Оливер.

— Дети часто делают такие причудливые заявления, чтобы привлечь к себе внимание или произвести впечатление на других. С другой стороны, возможно, это правда. Вы тоже так думаете?

— Не знаю, — ответил Пуаро. — Девочка хвастается, что видела убийство, а через несколько часов ее находят мертвой. Вы должны признать, что есть основания предполагать в этом возможность причины и следствия. Если так, то кто-то не терял времени даром.

— Безусловно, — кивнул Спенс. — Вам известно, сколько людей присутствовало, когда девочка сделала свое заявление насчет убийства?

— По словам миссис Оливер, человек четырнадцать — пятнадцать, а может, и больше. Пятеро или шестеро детей и примерно столько же взрослых, которые организовывали мероприятие. Но за точной информацией я вынужден обратиться к вам.

— Ну, это не составит особого труда, — сказал Спенс. — Не то чтобы я мог сообщить вам сразу, но это легко выяснить у местных. Что касается вечеринки, то я уже многое о ней знаю. Там преобладали женщины — отцы редко появляются на детских вечеринках, хотя иногда заглядывают или забирают детей домой. Там присутствовали доктор Фергюсон и викарий, а также матери, тети, дамы из общественных организаций, две школьные учительницы — могу дать вам список — и около четырнадцати детей. Самому младшему было лет десять.

— Полагаю, вам известен перечень возможных подозреваемых среди них? — осведомился Пуаро.

— Если то, что вы предполагаете, правда, составить такой перечень будет не так легко.

— Вы имеете в виду, что тогда придется искать не страдающего психическими отклонениями на сексуальной почве, а человека, совершившего убийство и вышедшего сухим из воды, который не ожидал разоблачения и испытал сильный шок?

— Будь я проклят, если знаю, кто бы это мог быть, — сказал Спенс. — Не думаю, что здесь имеются подходящие кандидаты в убийцы. Да и загадочных убийств тут вроде бы не происходило.

— Подходящие кандидаты в убийцы могут иметься где угодно, — возразил Пуаро, — вернее, мне следовало бы сказать — «неподходящие», так как их труднее заподозрить. Возможно, против нашего убийцы не было никаких улик, и для него или для нее явилось сильным шоком внезапно узнать о существовании свидетеля преступления.

— А почему Джойс не сообщила об этом сразу? По-вашему, ее кто-то подкупил, уговорив молчать? Это было бы слишком рискованно.

— Нет, — покачал головой Пуаро. — По словам миссис Оливер, Джойс только потом поняла, что видела убийство.

— Это невероятно, — заявил Спенс.

— Вовсе нет, — сказал Пуаро. — Тринадцатилетняя девочка говорила о том, что видела в прошлом. Мы не знаем, когда именно — возможно, три или четыре года тому назад. Она видела что-то, но не осознала его истинного значения. Это могло относиться к очень многим вещам, mon cher[1]. Быть может, кого-то сбил

_____

[1] Мой дорогой (фр.).

автомобиль — человек был ранен или погиб, но в то время девочка не поняла, что это было сделано намеренно. Однако через год или два чьи-то слова или какое-то событие могли пробудить ее память, и она подумала: «А что, если это было убийство, а не несчастный случай?» Есть и другие возможности. Признаю, что некоторые из них предложены моей приятельницей миссис Оливер, которая легко находит двенадцать решений любой проблемы, большинство из которых не слишком вероятны, но все в принципе возможны. Таблетки, брошенные в чью-то чашку чаю. Толчок в спину в опасном месте. Правда, у вас тут нет скал, что весьма прискорбно с точки зрения подобных теорий. А может быть, девочке напомнила о происшедшем прочитанная ею детективная история. Да, возможностей великое множество.

— И вы приехали сюда, чтобы расследовать их?

— Думаю, — произнес Пуаро, — это было бы в интересах общества, не так ли?

— Значит, нам с вами вновь предстоит послужить обществу?

— Вы, по крайней мере, можете снабдить меня информацией. Вы ведь знаете местных жителей.

— Сделаю все, что смогу, — пообещал Спенс. — Подключу к этому Элспет. Уж ей-то о местных жителях известно практически все.

Глава 6

Удовлетворенный достигнутым, Пуаро покинул своего друга.

Он не сомневался, что получит нужную информацию. Ему удалось заинтересовать Спенса, а Спенс не принадлежал к тем, кто, напав на след, способен бросить его. Репутация опытного отставного офицера отдела уголовного розыска должна была завоевать ему друзей в местной полиции.

Пуаро посмотрел на часы. Через десять минут у него назначена встреча с миссис Оливер возле дома под названием «Эппл-Триз», вызывавшим мрачные воспоминания о недавней трагедии[1].

«От яблок некуда деваться», — подумал Пуаро. Казалось, ничего не может быть приятнее сочных английских яблок. Но здесь они связаны с ведьмами, метлами, старинным фольклором и убитым ребенком.

Следуя указанному маршруту, Пуаро минута в минуту прибыл к красному кирпичному дому в георгианском стиле с приятным на вид садом и аккуратной буковой изгородью.

Протянув руку, он поднял крючок и прошел через стальную калитку с табличкой: «Эппл-Триз». Дорожка вела к парадному входу. Дверь открылась, и на крыльцо шагнула миссис Оливер, словно механическая фигурка из дверцы на циферблате швейцарских часов.

— Вы абсолютно точны, — слегка запыхавшись, сказала она. — Я увидела вас в окно.

Пуаро повернулся и тщательно закрыл за собой калитку. Практически при каждой его встрече с миссис Оливер — случайной или условленной — почти сразу же возникал мотив яблок. Она ела яблоко в данный момент или только что, о чем свидетельствовала кожура на комоде, либо несла сумку с яблоками. Но сегодня упомянутых фруктов нигде не было видно. «И правильно, — с одобрением подумал Пуаро. — Было бы проявлением дурного вкуса грызть яблоко на месте не просто преступления, а подлинной трагедии. Как иначе можно назвать внезапную гибель тринадцатилетнего ребенка?» Пуаро не нравилось об этом думать, но он решил, что будет делать это до тех пор, покуда во тьме не блеснет луч света и он не увидит то, ради чего прибыл сюда.

— Не могу понять, почему вы не могли остановиться у Джудит Батлер, а не в этой жуткой гостинице, — сказала миссис Оливер.

— Потому что мне лучше наблюдать за происходящим в какой-то мере со стороны, — ответил Пуаро.

---

[1] Apple trees — яблони *(англ.)*.

— Не понимаю, как это возможно, — заметила миссис Оливер. — Вам ведь придется со всеми встречаться и беседовать, не так ли?

— Безусловно, — согласился Пуаро.

— Кого вы уже успели повидать?

— Моего друга суперинтендента Спенса.

— Как он выглядит сейчас?

— Гораздо старше, чем прежде.

— Естественно, — кивнула миссис Оливер. — Чего еще вы могли ожидать? Он стал глуховат или подслеповат? Толще или худее?

Пуаро задумался.

— Немного худее. Он носит очки для чтения. Не думаю, что он глуховат, — по крайней мере, внешне это незаметно.

— И что он обо всем этом думает?

— Вы слишком торопитесь, — улыбнулся Пуаро.

— Тогда что вы и он собираетесь делать?

— Я заранее спланировал программу, — ответил Пуаро. — Сначала я повидал старого друга и посоветовался с ним. Я попросил его добыть для меня сведения, которые не так легко приобрести иным образом.

— Вы имеете в виду, что он получит информацию через своих дружков из местной полиции?

— Ну, я бы не ставил вопрос так прямо, но это один из способов, о которых я думал.

— А потом?

— Я пришел сюда встретиться с вами, мадам. Мне нужно видеть место преступления.

Миссис Оливер обернулась и посмотрела на дом.

— Не похоже на дом, где произошло убийство, верно?

«Все-таки ее инстинкт безошибочен!» — подумал Пуаро.

— Совсем не похоже, — согласился он. — После этого я пойду с вами повидать мать убитой девочки. Послушаю, что она может мне сообщить. Во второй половине дня мой друг Спенс устроит мне встречу с местным инспектором. Я также хочу поговорить с здешним врачом и, может быть, с директрисой школы. В шесть вечера я пью чай и ем сосиски в доме моего друга Спенса с ним и его сестрой, где мы все обсудим.

— Что еще, по-вашему, он сможет вам рассказать?

— Я хочу познакомиться с его сестрой. Она живет здесь дольше, чем он. Спенс переехал к ней после смерти ее мужа. Возможно, она хорошо знает местных жителей.

— Вы говорите как компьютер, — сказала миссис Оливер. — Программируете сами себя — кажется, это так называется? Я имею в виду, вы весь день запихиваете в себя полученные сведения, а потом хотите посмотреть, что выйдет наружу.

— В ваших словах есть смысл, — кивнул Пуаро. — Да, я, как компьютер, впитываю в себя информацию...

— А если вы выдадите неправильные ответы? — спросила миссис Оливер.

— Это невозможно, — заявил Эркюль Пуаро. — С компьютерами такого не бывает.

— Считается, что не бывает, — поправила миссис Оливер, — но чего только не случается в действительности. Например, мой последний счет за электричество. Существует поговорка «Человеку свойственно ошибаться», но человеческая ошибка — ничто в сравнении с тем, что может натворить компьютер. Входите и познакомьтесь с миссис Дрейк.

«Миссис Дрейк не назовешь заурядной женщиной», — подумал Пуаро. Ей было лет сорок с небольшим, она была высокой и красивой, с золотистыми волосами, чуть тронутыми сединой, и блестящими голубыми глазами. От миссис Дрейк словно исходила аура компетентности. Недаром все устраиваемые ею вечеринки оказывались успешными. В гостиной посетителей ждал поднос с утренним кофе и засахаренным печеньем.

Пуаро видел, что «Эппл-Триз» содержат на самом высоком уровне. Дом был прекрасно меблирован, на полу лежали ковры отличного качества, все было начищено и отполировано до блеска, и при этом ничего не бросалось в глаза. Расцветки занавесей и покрывал были приятными, но вполне традиционными. Дом можно было сдать в аренду в любой момент, не убирая никаких ценностей и не делая никаких изменений в меблировке.

Миссис Дрейк приветствовала визитеров, успешно скрывая, как догадывался Пуаро, чувство досады по поводу своего положения хозяйки дома, где произошло такое антисоциальное явление, как убийство. Будучи видным членом общины Вудли-Каммон, она, несомненно, испытывала неприятное ощущение оказавшейся в какой-то степени неадекватной. То, что случилось, не должно было случиться. В другом доме, с другими хозяевами — куда ни шло. Но на вечеринке для детей, организованной ею, не должно было произойти ничего подобного. Ей следовало об этом позаботиться. Пуаро также подозревал, что миссис Дрейк упорно ищет причину — не столько причину убийства, сколько какой-нибудь промах со стороны одной из ее помощниц, которой не хватило сообразительности понять, что такое может случиться.

— Мсье Пуаро, — заговорила миссис Дрейк четким, хорошо поставленным голосом, который, по мнению Пуаро, отлично прозвучал бы в маленьком лектории или деревенском зале собраний, — я очень рада вашему прибытию. Миссис Оливер говорила мне, насколько бесценной будет для нас ваша помощь в этом ужасном кризисе.

— Заверяю вас, мадам, что сделаю все от меня зависящее, но вы, несомненно, понимаете, благодаря вашему жизненному опыту, что это дело окажется весьма трудным.

— Трудным? — переспросила миссис Дрейк. — Ну разумеется. Кажется абсолютно невероятным, что такая ужасная вещь могла произойти. Полагаю, — добавила она, — полиции что-то известно? У инспектора Рэглена как будто хорошая репутация. Не знаю, должны ли они обратиться в Скотленд-Ярд. Вроде бы считают, что смерть этого бедного ребенка — событие местного значения. Мне незачем напоминать вам, мсье Пуаро, — в конце концов, вы читаете газеты, так же как и я, — что в сельской местности постоянно происходят трагические события с детьми. Они становятся все более частыми. Конечно, в этом повинен общий рост психической неуравновешенности, но должна заметить, что матери и семьи не присматривают за своими детьми как следует. Ребятишек отправляют в школу по утрам, когда еще не рассвело, и посылают домой вечерами, уже после наступления темноты. А дети, сколько их ни предупреждай, всегда соглашаются, когда их предлагают подвезти в красивой машине. Они слишком доверчивы. Очевидно, тут ничего не поделаешь.

— Но происшедшее здесь, мадам, было совсем иного свойства.

— Да, знаю. Потому я и использов. ла слово «невероятное». Я просто не могу в это поверить. Все было под контролем. Вечеринку тщательно подготовили, и она проходила согласно плану. Лично мне кажется, что здесь должен иметься, так сказать, сторонний фактор. Кто-то проник в дом, — при таких обстоятельствах это нетрудно, — кто-то, страдающий тяжким психическим расстройством. Таких людей выпускают из психиатрических больниц просто потому, что там не хватает мест. Ведь в наши дни постоянно требуются места для новых пациентов. Этот бедняга — если только к подобным людям можно испытывать жалость, что мне, честно говоря, трудновато, — увидел в окно, что здесь идет вечеринка для детей, каким-то образом привлек внимание девочки и убил ее. Конечно, такое трудно себе представить, но ведь это произошло.

— Возможно, вы покажете мне, где...

— Разумеется. Хотите еще кофе?

— Нет, благодарю вас.

Миссис Дрейк поднялась.

— Полиция, кажется, думает, что это случилось во время игры в «Львиный зев», которая происходила в столовой.

Она пересекла холл, открыла дверь и с видом человека, демонстрирующего старинный дом приехавшим на автобусе экскурсантам, указала на обеденный стол и тяжелые бархатные занавеси:

— Конечно, здесь было темно, если не считать горящих изюминок на блюде. А теперь...

Миссис Дрейк снова прошла через холл и распахнула дверь в маленькую комнату с креслами, охотничьими гравюрами и книжными полками.

— Библиотека, — сказала она, слегка поежившись. — Ведро стояло здесь — конечно, на пластиковой циновке...

Миссис Оливер не пошла с ними в библиотеку, оставшись в холле.

— Не могу идти туда, — пожаловалась она Пуаро. — Там все слишком напоминает...

— Теперь там не на что смотреть, — промолвила миссис Дрейк. — Я просто показываю вам, где это случилось, как вы меня просили.

— Полагаю, — заметил Пуаро, — здесь было много воды?

— Разумеется, в ведре была вода. — Миссис Дрейк смотрела на Пуаро так, словно думая, что у него не все дома.

— Но вода была и на циновке. Ведь если голову девочки затолкали в ведро, много воды должно было расплескаться вокруг.

— Да. Даже во время игры ведро пришлось наполнять один или два раза.

— Значит, тот, кто это сделал, тоже, очевидно, был мокрым?

— Да, вероятно.

— Но на это не обратили внимания?

— Нет, нет, инспектор спрашивал меня об этом. Понимаете, под конец вечеринки почти все были растрепанными, мокрыми или обсыпанными мукой. Так что тут едва ли можно было найти ключ к разгадке. Полиция, по-моему, на это не рассчитывала.

— Да, — кивнул Пуаро. — По-видимому, единственным ключом была сама девочка. Надеюсь, вы расскажете мне все, что знаете о ней?

— О Джойс?

Миссис Дрейк выглядела слегка ошеломленной. Казалось, Джойс уже вылетела у нее из головы, и она удивилась, когда ей напомнили о ней.

— Жертва всегда очень важна, — продолжал Пуаро. Она часто является причиной преступления.

— Думаю, я понимаю, что вы имеете в виду, — сказала миссис Дрейк, хотя явно этого не понимала. — Может быть, вернемся в гостиную?

— И там вы мне все расскажете о Джойс, — закончил Пуаро.

Они снова расположились в гостиной.

Миссис Дрейк казалась смущенной.

— Право, не знаю, что вы ожидаете от меня услышать, мсье Пуаро, — сказала она. — Уверена, что все сведения можно легко получить в полиции или у матери Джойс. Конечно, это будет мучительно для бедной женщины, но...

— Но мне нужно не мнение матери о покойной дочери, — прервал Пуаро, — а четкое, непредвзятое мнение человека, отлично знающего людскую натуру. Если не ошибаюсь, мадам, вы участвуете во многих здешних благотворительных и общественных мероприятиях. Уверен, что никто не мог бы лучше вас описать личность и характер знакомого человека.

— Ну, это не так легко... Дети в таком возрасте — по-моему, ей было лет двенадцать — тринадцать — похожи друг на друга.

— Вовсе нет, — возразил Пуаро. — Они очень сильно различаются по своим характерам и склонностям. Вам нравилась Джойс?

Вопрос, казалось, усилил смущение миссис Дрейк.

— Ну... конечно, нравилась, — ответила она. — Большинству людей нравятся все дети.

— Не могу с вами согласиться, — покачал головой Пуаро. — Некоторые дети кажутся мне крайне непривлекательными.

— Да, ведь в наше время их редко воспитывают как подобает. Их всех отправляют в школы и позволяют им вести весьма вольную жизнь — самим выбирать себе друзей и... О, право же, мсье Пуаро...

— Так Джойс была симпатичным ребенком или нет? — настаивал Пуаро.

Миссис Дрейк осуждающе посмотрела на него:

— Не забывайте, мсье Пуаро, что бедная девочка мертва.

— Мертва или жива, мой вопрос очень важен. Возможно, будь она приятным ребенком, никто бы не захотел убить ее, но в противном случае...

— Едва ли причина в этом.

— Кто знает? Как я понял, она утверждала, будто видела убийство.

— Ах это! — презрительно отмахнулась миссис Дрейк.

— Вы не приняли всерьез ее заявление?

— Конечно не приняла. Девочка просто болтала чушь.

— Каким образом она об этом заговорила?

— По-моему, детей возбудило присутствие миссис Оливер... Не забывайте, дорогая, что вы очень знамениты, — добавила миссис Дрейк, обращаясь к Ариадне Оливер. В слове «дорогая» не слышалось особого энтузиазма. — Не думаю, чтобы эта тема возникла при иных обстоятельствах, но дети были взбудоражены встречей с известной писательницей...

— Итак, Джойс сказала, что видела убийство, — задумчиво произнес Пуаро.

— Да, что-то в этом роде. Я толком не слышала.

— Но вы помните, что она это говорила?

— Да, но я ей не поверила. Ее сестра сразу велела ей замолчать, и правильно сделала.

— И Джойс из-за этого расстроилась?

— Она продолжала твердить, что это правда.

— Фактически, она этим хвасталась?

— Ну, в некотором роде...

— Полагаю, это могло быть правдой, — заметил Пуаро.

— Чепуха! Никогда этому не поверю, — заявила миссис Дрейк. — Обычная глупая болтовня Джойс.

— Она была глупой девочкой?

— Думаю, ей нравилось выставлять себя напоказ. Джойс хотела, чтобы другие девочки считали, будто она видела и знает больше их.

— Не слишком симпатичный ребенок, — промолвил Пуаро.

— Пожалуй, — согласилась миссис Дрейк. — Из тех детей, которым приходится постоянно затыкать рот.

— А что сказали об этом другие дети? На них это произвело впечатление?

— Они смеялись над ней, — ответила миссис Дрейк. — Конечно, это ее только подзадорило.

— Ну, — поднявшись, сказал Пуаро, — я рад, что выслушал ваше твердое мнение на этот счет. — Он вежливо склонился над ее рукой. — До свидания, мадам. Благодарю вас за то, что вы позволили мне увидеть место трагического события. Надеюсь, это не вызвало у вас слишком тяжких воспоминаний.

— Естественно, вспоминать такое нелегко, — отозвалась миссис Дрейк. — Я так надеялась, что вечеринка пройдет хорошо. Все было в порядке, и все были довольны, пока не случился этот кошмар. Единственное, что можно сделать, — постараться об этом забыть. Конечно, весьма неприятно, что Джойс сделала это нелепое заявление насчет убийства.

— В Вудли-Каммон когда-нибудь происходило убийство?

— Насколько я помню, нет, — уверенно ответила миссис Дрейк.

— В нынешний период роста преступности, — заметил Пуаро, — это может показаться необычным, не так ли?

— Ну, кажется, водитель грузовика убил своего приятеля и какую-то девочку нашли мертвой в каменоломне милях в пятнадцати отсюда, но это было много лет тому назад. Оба преступления были грязными и неинтересными. Думаю, причина заключалась в пьянстве.

— Короче говоря, это не те преступления, о которых могла вспомнить девочка двенадцати — тринадцати лет.

— Разумеется. Это было бы невероятно. Могу заверить вас, мсье Пуаро, что Джойс заявила это исключительно с целью произвести впечатление на друзей и, возможно, заинтересовать знаменитую гостью. — Она довольно холодно посмотрела на миссис Оливер.

— Полагаю, — промолвила Ариадна Оливер, — во всем виновато мое присутствие на вечеринке.

— Что вы, дорогая, я вовсе не это имела в виду!

Выйдя из дома вместе с миссис Оливер, Пуаро тяжко вздохнул.

— Весьма неподходящее место для убийства, — заметил он, когда они шли по дорожке к калитке. — Ни атмосферы, ни сверхъестественного ощущения трагедии, ни персонажа, достойного убийства, хотя не могу помешать мысли, что иногда у кого-нибудь может возникнуть желание убить миссис Дрейк.

— Понимаю, о чем вы. Временами она бывает очень раздражающей. Такая благодушная и довольная собой...

— А что собой представляет ее муж?

— О, миссис Дрейк вдова. Ее муж умер год или два назад. После полиомиелита он много лет был парализован. Кажется, мистер Дрейк раньше был банкиром, очень любил спорт и разные игры и мучительно переживал, что превратился в инвалида.

— Его можно понять. — Пуаро снова заговорил об убитой девочке: — Скажите, кто-нибудь из присутствующих воспринял всерьез заявление Джойс об убийстве?

— Не знаю. По-моему, едва ли.

— Например, другие дети?

— Вряд ли они ей поверили. Дети решили, что она все выдумала.

— И вы тоже так решили?

— Пожалуй. — После паузы миссис Оливер добавила: — Конечно, миссис Дрейк хотелось бы верить, что никакого убийства не было, но ведь она не сможет убедить себя в этом, не так ли?

— Разумеется, все это для нее весьма болезненно.

— Да, — согласилась миссис Оливер, — но полагаю, что теперь ей даже нравится говорить об этом. Не думаю, чтобы ей хотелось навсегда похоронить память о происшедшем.

— Вам она нравится? — допытывался Пуаро. — Вы считаете ее приятной женщиной?

— Вы задаете трудные вопросы, — пожаловалась миссис Оливер. — Вас как будто интересует только то, кто приятный, а кто нет. Ровена Дрейк принадлежит к властной категории — она любит управлять людьми и событиями. По-моему, в доме она всем руководит, но делает это весьма эффективно. Все зависит от того, нравятся ли вам властные женщины. Мне — не очень.

— А что вы скажете о матери Джойс, к которой мы направляемся?

— Славная женщина, хотя, по-моему, немного глуповата. Мне очень жаль ее. Ужасно, когда твою дочь убивают. К тому же все здесь считают, что это преступление на сексуальной почве, отчего ей еще тяжелее.

— Но ведь, насколько я понял, не было никаких признаков сексуального насилия?

— Да, но людям нравится, когда такие вещи случаются. Это их возбуждает. Вы ведь знаете людей.

— Думаю, что да, но иногда убеждаюсь в обратном.

— Может, будет лучше, если моя подруга Джудит Батлер сходит с вами к миссис Рейнолдс? Она хорошо ее знает, а я для нее посторонняя.

— Мы поступим так, как запланировали.

— Компьютерная программа в действии, — недовольно проворчала миссис Оливер.

Глава 7

Миссис Рейнолдс являла собой полную противоположность миссис Дрейк. Свойственная последней аура компетентности напрочь отсутствовала у бедной женщины, одетой в черное, сжимающей в руке мокрый носовой платок и готовой разрыдаться в любой момент.

— С вашей стороны было очень любезно позвать на помощь нам вашего друга, — обратилась она к миссис Оливер, потом протянула Пуаро мокрую руку и с сомнением на него посмотрела. — Я вам очень признательна, хотя не вижу, что тут можно сделать. Ничто не вернет назад мою девочку. Как только мог этот зверь намеренно убить ребенка? Если бы она хотя бы закричала... хотя он, наверное, сразу сунул ее голову в воду и уже не отпускал. О, я просто не в состоянии думать об этом!

— Поверьте, мадам, я не хочу вас расстраивать. Пожалуйста, не растравляйте себя этими мыслями. Я просто задам вам несколько вопросов, которые могли бы помочь найти убийцу вашей дочери. Полагаю, у вас нет никаких предположений, кто бы это мог быть?

— Откуда им взяться? Ни на кого из местных я бы никогда не подумала — они такие приятные люди. Очевидно, это был какой-то бродяга, возможно напичканный наркотиками. Он увидел, что в доме происходит вечеринка, и влез в окно.

— А вы вполне уверены, что убийца мужчина?

— Конечно уверена! — Миссис Рейнолдс казалась шокированной. — Это никак не могла быть женщина.

— Женщины бывают достаточно сильными.

— Понимаю — вы имеете в виду, что в наши дни женщины посильнее, чем прежде. Но они никогда бы не сделали такого. Ведь Джойс было всего тринадцать лет.

— Я не хочу огорчать вас, мадам, задерживаясь надолго или задавая трудные вопросы. Уверен, что полиция делает все необходимое, так что мне незачем задерживаться на мучительных подробностях. Меня интересует замечание, сделанное вашей дочерью на вечеринке. Полагаю, вы сами там не были?

— Нет, не была. Последнее время я неважно себя чувствовала, а детские вечеринки бывают очень утомительными. Я отвезла туда детей, а потом вернулась за ними. Они пошли втроем — Энн, старшая, ей шестнадцать, Леопольд, ему почти одиннадцать, и Джойс. А что такого сказала Джойс, что вас это интересует?

— Миссис Оливер, которая присутствовала там, может точно повторить вам слова вашей дочери. Кажется, она сказала, что однажды видела убийство.

— Джойс? Чего ради ей такое говорить? Где она могла видеть убийство?

— Все как будто считают это невероятным, — сказал Пуаро. — Меня просто интересовало, придерживаетесь ли вы такого же мнения. Ваша дочь никогда не рассказывала вам ничего подобного?

— Что она видела убийство?

— Не забывайте, — продолжал Пуаро, — что в возрасте Джойс термин «убийство» могут использовать весьма свободно. Возможно, речь шла о том, что кого-то сбила машина или один мальчишка во время драки столкнул другого с моста в реку. Короче говоря, о несчастном случае, повлекшем за собой трагический результат.

— Не могу припомнить, чтобы Джойс могла видеть такое. Во всяком случае, она никогда мне об этом не рассказывала. Должно быть, она пошутила.

— Джойс настаивала, что это правда, — возразила миссис Оливер.

— И кто-нибудь ей поверил? — спросила миссис Рейнолдс.

— Не знаю, — ответил Пуаро.

— Едва ли, — промолвила миссис Оливер. — Возможно, они не хотели... ну, поощрять ее, говоря, что поверили ей.

— Они смеялись и говорили, что она все выдумала, — сказал не столь мягкосердечный Пуаро.

— С их стороны это было не слишком любезно. — Миссис Рейнолдс покраснела от возмущения. — Как будто Джойс стала бы выдумывать подобные вещи!

— Знаю. Это кажется маловероятным, — кивнул Пуаро. — Скорее она просто ошиблась, увидев какой-то несчастный случай и решив, что его можно охарактеризовать как убийство.

— Джойс рассказала бы мне об этом! — запротестовала все еще возмущенная миссис Рейнолдс.

— Может быть, она так и сделала, — предположил Пуаро, — а вы об этом забыли. Особенно если в ее рассказе не было ничего по-настоящему важного.

— И когда, по-вашему, это могло произойти?

— Мы не знаем, — развел руками Пуаро. — Это одна из трудностей. Может, три недели назад, а может, и три года. Джойс сказала, что была тогда еще «маленькой». Что означает «маленькая» для тринадцатилетней девочки? Вы не припоминаете никаких сенсационных происшествий поблизости?

— Вроде не припоминаю. Конечно, в газетах часто читаешь о том, как напали на женщину или на девушку и ее молодого человека. Но я не помню ничего такого, что могло бы заинтересовать Джойс.

— Но если бы Джойс утверждала, что видела убийство, вы бы сочли это правдой?

— Она не говорила бы такое, если бы действительно так не думала, — ответила миссис Рейнолдс. — Наверное, она в самом деле что-то видела.

— Да, это кажется возможным. — Помолчав, Пуаро спросил: — Не мог бы я побеседовать с вашими двоими детьми, которые тоже были на вечеринке?

— Конечно, хотя не знаю, что вы ожидаете от них услышать. Энн наверху делает домашнее задание, а Леопольд в саду собирает модель самолета.

Леопольд был крепким толстощеким мальчуганом, казалось полностью поглощенным своей моделью. Прошло некоторое время, прежде чем он обратил внимание на задаваемые ему вопросы.

— Ты ведь был там, не так ли, Леопольд? Ты слышал, что говорила твоя сестра? Что она сказала?

— Насчет убийства? — скучающим тоном осведомился мальчик.

— Да, — кивнул Пуаро. — Джойс сказала, что однажды видела убийство. Это в самом деле так?

— Конечно нет, — ответил Леопольд. — Это похоже на нее.

— Что похоже?

— Пускать пыль в глаза, — отозвался Леопольд, скручивая кусок проволоки и сосредоточенно сопя носом. — Джойс была глупой девчонкой. Она могла сказать что угодно, лишь бы на нее обратили внимание.

— Так ты думаешь, что она все это выдумала?

Леопольд посмотрел на миссис Оливер.

— Я думаю, она хотела произвести впечатление на вас, — сказал он. — Вы ведь пишете детективные истории, верно? Вот ей и хотелось, чтобы вы обратили на нее внимание больше, чем на других.

— Это также было бы на нее похоже? — спросил Пуаро.

— Конечно. Готов спорить, что ей никто не поверил.

— Ей действительно не поверили? Ты это слышал?

— Я слышал, что сказала Джойс. Битрис и Кэти стали над ней смеяться. Они говорили, что это выдумка.

Больше из Леопольда не удалось ничего вытянуть. Они поднялись наверх, где Энн, выглядевшая старше своих шестнадцати лет, склонилась над столом, заваленным учебниками.

— Да, я была на вечеринке, — ответила она.

— Ты слышала, как твоя сестра говорила, что видела убийство?

— Да, слышала, но не обратила особого внимания.

— Тебе не показалось, что это правда?

— Конечно нет. Здесь давным-давно не было никаких убийств.

— Тогда почему, ты думаешь, Джойс могла такое заявить?

— О, ей нравится выставлять себя напоказ... я хотела сказать, нравилось. Однажды она придумала целую историю о путешествии в Индию. Мой дядя ездил туда, и она притворилась, будто сопровождала его. Многие девочки в школе ей поверили.

— Значит, ты не припоминаешь, чтобы здесь происходили какие-нибудь убийства в последние три или четыре года?

— Разве только самые обычные — те, о которых каждый день читаешь в газетах, — ответила Энн. — Да и то не в Вудли-Каммон, а в основном в Медчестере.

— Кто, по-твоему, убил твою сестру, Энн? Ты должна знать ее друзей и тех, которые ее не любили.

— Не могу представить, кому понадобилось ее убивать. Очевидно, какому-то чокнутому. Больше просто некому, верно?

— А был кто-нибудь, кто с ней поссорился или не ладил?

— Вы имеете в виду, был ли у нее враг? По-моему, это глупо. Никаких врагов не бывает — просто есть люди, которым вы не нравитесь.

Когда они уходили, Энн добавила:

— Мне не хочется плохо говорить о Джойс, когда она умерла, но она была ужасной лгуньей. Хотя Джойс моя сестра, но это чистая правда.

— Мы достигли прогресса? — осведомилась миссис Оливер, когда они вышли из дома.

— Никакого, — ответил Пуаро и задумчиво промолвил: — Это любопытно.

Миссис Оливер выглядела так, как будто была с ним не согласна.

Глава 8

Было шесть вечера. Сидя за столом в «Пайн-Крест», Эркюль Пуаро положил в рот кусок сосиски и запил его чаем. Чай был слишком крепкий, зато сосиски оказались приготовленными отменно. Пуаро с признательностью посмотрел на миссис Маккей, склонившуюся над большим коричневым чайником.

Элспет Маккей не походила на своего брата. Она была тонкой как щепка. Суперинтендента Спенса напоминали разве только чеканные линии подбородка и глаза на худощавом лице, взиравшие на мир проницательным, оценивающим взглядом. «На здравый смысл и суждения их обоих можно смело положиться, — думал Пуаро, — хотя они и будут выражать эти суждения по-разному: суперинтендент — медленно и тщательно, словно в результате долгих размышлений, а миссис Маккей — резко и быстро, как кошка бросается на мышь».

— Многое зависит от характера этой девочки, Джойс Рейнолдс, — сказал Пуаро. — Это озадачивает меня более всего. — Он вопрошающе взглянул на Спенса.

— В таких делах на меня не рассчитывайте, — отозвался суперинтендент. — Я живу здесь недостаточно долго. Лучше спросите у Элспет.

Пуаро, приподняв брови, посмотрел на женщину, сидящую напротив.

— По-моему, она была просто маленькой лгуньей, — быстро ответила миссис Маккей.

— Вы бы не стали полагаться на ее слова?

Элспет решительно покачала головой:

— Нет. У нее был хорошо подвешен язык, но я бы ей ни за что не поверила.

— Она любила выставлять себя напоказ?

— Вот именно. Вам ведь рассказывали про историю с Индией? Многие ей поверили. Во время каникул она с семьей ездила куда-то за границу. Не знаю, то ли ее родители, то ли дядя с тетей, но кто-то из них побывал в Индии, а Джойс, вернувшись с каникул, заявила, что была там вместе с ними. Болтала о магараджах, слонах, охоте на тигров, и все вокруг уши развесили. Сначала я думала, что она просто преувеличивает, но количество слонов и тигров возрастало с каждым разом, если вы понимаете, что я имею в виду. Я и раньше знала, что она любит присочинить.

— Всегда с целью привлечь к себе внимание?

— Да, вы правы. Ей только это и было нужно.

— Ты не можешь утверждать, что девочка постоянно лгала, потому что она один раз сочинила историю о путешествии, — заметил суперинтендент Спенс.

— Я и не утверждаю, — отозвалась Элспет, — но считаю это очень вероятным.

— Следовательно, если Джойс Рейнолдс заявила бы, что видела убийство, вы бы решили, что она это выдумала?

— Совершенно верно, — кивнула миссис Маккей.

— И могла бы ошибиться, — сказал ее брат.

— Каждый может ошибиться. Знаешь старую историю о мальчике, которому нравилось кричать: «Волк!» — он кричал это слишком часто, поэтому, когда волк появился в самом деле, никто ему не поверил, и волк его загрыз.

— Значит, вы считаете...

— Я по-прежнему считаю вероятным, что Джойс все выдумала. Но я человек справедливый и допускаю, что она могла что-то видеть — пускай не убийство, но что-то вроде него.

— И поэтому ее убили, — закончил суперинтендент Спенс. — Не забывай об этом, Элспет.

— Я и не забываю. Вот почему я говорю, что, возможно, неверно о ней судила. Сожалею, если так. Но спросите каждого, кто ее знал, и вам все скажут, что Джойс любила приврать. Естественно, что вечеринка ее возбудила и ей хотелось произвести впечатление на окружающих.

— Однако они ей не поверили, — заметил Пуаро.

Элспет Маккей с сомнением покачала головой.

— Какое убийство она могла видеть? — допытывался Пуаро.

— Никакого, — решительно ответила Элспет Маккей.

— Но ведь люди здесь умирали — скажем, за последние три года.

— Естественно, — кивнул Спенс. — Старики, инвалиды, возможно, автомобилист кого-то сбил и скрылся с места происшествия...

— И никаких необычных или неожиданных смертей?

— Ну... — Элспет заколебалась.

— Я тут записал несколько имен, — перебил ее брат. Он придвинул к Пуаро лист бумаги. — Это избавит вас от лишних расспросов.

— Здесь указаны предполагаемые жертвы?

— Пожалуй, это слишком сильно сказано, но если рассуждать о пределах возможностей...

Пуаро прочитал вслух:

— Миссис Ллуэллин-Смайт. Шарлотт Бенфилд. Дженет Уайт. Лесли Ферриер... — Он прервался, посмотрел на миссис Маккей и повторил первое имя: — Миссис Ллуэллин-Смайт.

— Возможно, тут что-то есть, — кивнула Элспет и добавила слово, похожее на «опера».

— Опера? — Пуаро был озадачен. — При чем тут опера?

— Однажды ночью она сбежала, — продолжала миссис Маккей, — и больше о ней никогда не слышали.

— Кто сбежала? Миссис Ллуэллин-Смайт?

— Нет, нет. Девушка-опера. Она легко могла добавить что-то в лекарство. Ведь она получала все деньги — или, по крайней мере, думала, что получит.

Пуаро недоуменно посмотрел на Спенса.

— Больше о ней никогда не слышали, — повторила миссис Маккей. — Эти иностранные девушки все одинаковы.

Значение слова «опера» наконец дошло до Пуаро.

— Ах, девушка au pair![1] — воскликнул он.

— Да. Она жила со старой леди и исчезла спустя неделю или две после ее смерти.

— Наверняка сбежала с каким-то мужчиной, — вставил Спенс.

— Если так, то о нем никто ничего не знал, — возразила Элспет, — а здесь обычно знают, кто с кем...

— Кто-нибудь подозревал, что со смертью миссис Ллуэллин-Смайт что-то не так? — спросил Пуаро.

— Нет. У нее было больное сердце. Доктор регулярно посещал ее.

— Однако вы именно с нее начали список возможных жертв, друг мой?

— Ну, она была очень богатой женщиной и умерла не то чтобы неожиданно, но внезапно. По-моему, доктор Фергюсон был слегка удивлен. Думаю, он ожидал, что она проживет дольше. Но докторам часто преподносят сюрпризы. Миссис Ллуэллин-Смайт не принадлежала к тем, кто выполняет врачебные предписания. Ей было велено не переутомляться, но она поступала как хотела. В частности, она была завзятым садоводом, а больному сердцу эти занятия не идут на пользу.

— Миссис Ллуэллин-Смайт поселилась здесь, когда заболела, — подхватила Элспет Маккей. — Раньше она жила за границей. Она приехала сюда, чтобы быть поближе к племяннику и племяннице, мистеру и миссис Дрейк, и купила «Куорри-Хаус» — большой викторианский дом с заброшенной каменоломней, которая ее и привлекла. Миссис Ллуэллин-Смайт истратила тысячи фунтов на переделку каменоломни в подземный сад, или как там это называется. Специально наняла садовника-декоратора из Уисли или еще откуда-то, чтобы его проектировать. Там есть на что посмотреть.

— Пожалуй, действительно стоит взглянуть, — сказал Пуаро. — Кто знает — это может подать мне идею.

— На вашем месте я бы непременно там побывала.

— Говорите, женщина была богата?

---

[1] Иностранка, помогающая по хозяйству за стол и квартиру, изучая при этом язык *(фр.)*.

— Вдова крупного судостроителя. У нее была куча денег.

— Ее смерть была внезапной, но никто не сомневался, что она произошла от естественных причин, — сказал Спенс. — Сердечная недостаточность — врачи используют более длинное название: коронарный что-то там.

— И не возникало вопроса о дознании?

Спенс покачал головой.

— Такое бывало и раньше, — заметил Пуаро. — Пожилую женщину предупреждают, чтобы она была осторожной, не бегала вверх-вниз по лестницам, не возилась подолгу в саду и так далее. Но энергичная женщина, всю жизнь поступавшая по-своему и к тому же бывшая садоводом-энтузиастом, не всегда относится к подобным рекомендациям с должным вниманием.

— Это верно. Миссис Ллуэллин-Смайт сделала просто чудо из этой каменоломни — вернее, не она, а садовник-декоратор. Они оба работали там три или четыре года. Кажется, она видела такой сад в Ирландии во время садоводческого тура, организованного Национальным кредитом, и переделала каменоломню по его образцу. Да, на это в самом деле стоит посмотреть.

— Следовательно, местный врач определил ее смерть как естественную, — сказал Пуаро. — Это тот самый врач, который практикует здесь до сих пор и которого я намерен вскоре повидать?

— Да, доктор Фергюсон. Ему около шестидесяти лет, он отличный профессионал, и его здесь любят.

— Но вы подозреваете, что смерть миссис Ллуэллин-Смайт могла быть убийством? По какой-то другой причине, помимо тех, которые вы мне уже изложили?

— Прежде всего, девушка-опера, — отозвалась Элспет.

— Почему?

— Должно быть, она подделала завещание. Кто еще мог это сделать?

— Вам следует рассказать об этом подробнее, — промолвил Пуаро. — Что за история с поддельным завещанием?

— Ну, во время официального утверждения завещания старой леди не обошлось без суеты.

— Это было новое завещание?

— Все дело в... как это называется — похоже на крокодила... в кодициле[1].

Элспет посмотрела на Пуаро, и тот кивнул.

— Она составляла завещания несколько раз, — сказал Спенс. — Они почти одинаковы. Часть денег отходила благотворительным организациям и старым слугам, но основное получали племянник и его жена, которые были ее ближайшими родственниками.

— А что это за кодицил?

— Согласно ему, все получает девушка-опера, — ответила Элспет, — «за ее доброту и преданную заботу» — что-то вроде того.

— Тогда расскажите мне побольше об этой девушке au pair.

— Она прибыла из какой-то страны в Центральной Европе с очень длинным названием.

— Как долго она пробыла у старой леди?

— Чуть больше года.

— Вы все время называете миссис Ллуэллин-Смайт старой леди. Сколько ей было лет?

— Ну, шестьдесят пять или шестьдесят шесть.

— Это не такая уж глубокая старость, — с чувством заметил Пуаро.

— Говорят, она составила несколько завещаний, — продолжала Элспет. — Как сказал Берт, все они почти одинаковые — возможно, отличаются только названиями благотворительных организаций и памятными сувенирами для слуг. Но основная часть денег всегда переходила племяннику, его жене и, кажется, какому-то отдаленному кузену, но, когда она умерла, того уже не было в живых. Старая леди завещала бунгало, которое она построила, садовнику-декоратору, чтобы он жил в нем сколько пожелает, вместе с каким-то доходом, чтобы он мог содержать сад в каменоломне в должном порядке и открытым для посещения.

---

[1] К о д и ц и л — дополнительное распоряжение к завещанию.

— Полагаю, родственники заявили, что она не пребывала в здравом уме и попала под дурное влияние?

— Возможно, могло дойти и до такого, — отозвался Спенс. — Но, как я говорил, адвокаты быстро обнаружили подделку, которая выглядела не слишком убедительно.

— Выяснилось, что девушка-опера могла легко это проделать, — сказала Элспет. — Понимаете, она писала очень много писем под диктовку миссис Ллуэллин-Смайт, которая не любила, когда ее письма к друзьям отпечатывают на машинке. Если это было не деловое письмо, она всегда просила: «Пишите от руки почерком, похожим на мой, и подпишите моим именем». Миссис Майнден, уборщица, слышала, как старая леди это говорила. Очевидно, девушка привыкла копировать ее почерк и внезапно сообразила, что может воспользоваться этим в своих целях. Но, как я сказала, адвокаты быстро это заметили.

— Адвокаты самой миссис Ллуэллин-Смайт?

— Да, Фуллертон, Харрисон и Ледбеттер. Очень респектабельная фирма в Медчестере. Они всегда вели ее дела. Адвокаты привлекли экспертов, девушке стали задавать вопросы, она почуяла неладное и в один прекрасный день сбежала, оставив половину своих вещей. Против нее готовили иск, но она не стала его дожидаться. Выбраться из Англии нетрудно, если сделать это вовремя. На один день можно съездить на континент без паспорта, а если заранее сговориться с кем-нибудь по ту сторону пролива, то можно все провернуть, прежде чем начнется преследование. Возможно, девушка вернулась на родину, либо изменила имя, или отправилась к друзьям.

— Но все думали, что миссис Ллуэллин-Смайт умерла естественной смертью? — осведомился Пуаро.

— Да, в этом едва ли кто-нибудь сомневался. Я допускаю иную возможность только потому, что известно немало случаев, когда такое происходило, а врач ничего не подозревал. Предположим, Джойс где-то услышала, что девушка-опера давала лекарство миссис Ллуэллин-

Смайт, а старая леди сказала, что у этого лекарства странный, горький привкус.

— Можно подумать, будто ты сама это слышала, Элспет, — заметил суперинтендент Спенс. — У тебя слишком богатое воображение.

— Когда она умерла? — спросил Пуаро. — Утром или вечером, дома или на улице?

— Дома. Миссис Ллуэллин-Смайт вернулась после работы в саду с сильной одышкой. Она сказала, что очень устала и хочет полежать. Больше она уже не встала. С медицинской точки зрения все как будто вполне естественно.

Пуаро извлек записную книжечку. Первая страница уже была озаглавлена: «Жертвы». Он написал под заголовком: «№ 1 (предположительно). Миссис Ллуэллин-Смайт», а на следующие страницы переписал другие имена из списка Спенса.

— Шарлотт Бенфилд? — продолжил он расспросы.

— Шестнадцатилетняя продавщица, — сразу же ответил Спенс. — Множественные травмы головы. Найдена на тропинке возле леса Куорри. Подозревали двух парней. Оба гуляли с ней время от времени. Но не было никаких улик.

— Они содействовали полиции в расследовании?

— Ну, содействием это не назовешь. Оба были смертельно напуганы, лгали, противоречили сами себе. Конечно, на убийц они не слишком походили, но кто знает...

— Что они собой представляли?

— Питер Гордон, возраст двадцать один год, безработный. Пару раз устраивался на работу, но не удерживался на месте — слишком ленив. Смазливая внешность. Однажды или дважды попадал под суд за мелкие кражи, но освобождался на поруки. Никаких преступлений, связанных с насилием, за ним не числится. Водился с довольно скверной компанией молодых уголовников, но обычно избегал серьезных неприятностей.

— А другой?

— Томас Хадд, возраст двадцать лет. Заикается, очень робок и вообще невротик. Хотел быть учителем, но не

255

смог получить степень. Мать вдова, души не чает в сыне. Не одобряла его подружек и старалась, чтобы он держался за ее юбку. Работал Хадд в канцелярском магазине. Ничего преступного за ним не числится, но психологическая вероятность остается. Девушка часто вызывала у него ревность — это возможный мотив, но снова никаких улик. Оба парня имели алиби. Мать Хадда утверждала, что он провел весь вечер с ней, но она готова клясться в этом до конца дней, и никто не знает, был ли он действительно дома или вблизи места преступления. Алиби Гордона подтвердил кто-то из его дружков, еще менее надежных, чем он сам. Стоит оно немногого, но ничего не поделаешь.

— Когда это произошло?

— Полтора года назад.

— И где?

— На тропинке в поле неподалеку от Вудли-Каммон.

— В трех четвертях мили, — добавила Элспет.

— Возле дома Джойс Рейнолдс?

— Нет, на другой стороне деревни.

— Едва ли это убийство, о котором говорила Джойс, — задумчиво произнес Пуаро. — Когда видишь, как молодой человек зверски бьет девушку по голове, то сразу думаешь об убийстве, а не ждешь целый год, чтобы это понять. — Пуаро прочитал следующее имя: — Лесли Ферриер?

— Клерк в адвокатской конторе, — снова заговорил Спенс, — двадцать восемь лет, работал у Фуллертона, Харрисона и Ледбеттера на Маркет-стрит в Медчестере.

— Кажется, вы говорили, что они были адвокатами миссис Ллуэллин-Смайт?

— Да, они самые.

— И что же произошло с Лесли Ферриером?

— Он был убит ножом в спину неподалеку от пивной «Зеленый лебедь». Говорили, что у него была связь с женой хозяина пивной, Харри Гриффина. Бабенка и сейчас недурна собой. Правда, она была старше Ферриера на пять-шесть лет, но ей нравились молодые.

— Оружие нашли?

— Нет. Ходили слухи, что Лесли бросил миссис Гриффин и завел себе другую девушку, но какую именно, так толком узнать и не удалось.

— А кого подозревали в убийстве? Хозяина пивной или его жену?

— Обоих, — ответил Спенс. — Жена казалась более вероятным кандидатом. Она была наполовину цыганка и темпераментная штучка. Но имелись и другие возможности. Наш Лесли вел отнюдь не безупречную жизнь. Ему едва исполнилось двадцать, когда у него уже были неприятности с подделкой счетов. Но у Лесли было трудное детство, и начальство за него поручилось. Он отделался кратким сроком и, выйдя из тюрьмы, поступил к Фуллертону, Харрисону и Ледбеттеру.

— И после этого он жил честно?

— Ну, не было никаких доказательств обратного. На службе у него вроде было все как надо, но Лесли участвовал в нескольких сомнительных сделках со своими друзьями. Он, конечно, был нечистоплотным типом, хотя достаточно осторожным.

— Так что за другие возможности?

— Его мог прикончить кто-то из дружков. Когда якшаешься с дрянной компанией, нетрудно схлопотать нож в спину, если подведешь кого-то из них.

— Что-нибудь еще?

— Ну, на счете в банке у него оказалось порядочно денег. Он вносил их наличными, и откуда они взялись, неизвестно. Это подозрительно само по себе.

— Возможно, крал понемногу у Фуллертона, Харрисона и Ледбеттера? — предположил Пуаро.

— Они все проверили и утверждают, что нет.

— А у полиции не было никаких идей насчет того, откуда могли взяться деньги?

— Нет.

— Думаю, — заметил Пуаро, — это снова не то убийство, которое видела Джойс. — Он прочитал последнее имя: — Дженет Уайт!

— Найдена задушенной на дорожке, ведущей от школы к ее дому. Она делила квартиру с другой учительницей, Норой Эмброуз. Согласно Норе, Дженет Уайт говорила, что нервничает из-за какого-то мужчины, с которым порвала год назад, но который часто то посылает ей угрожающие письма. Об этом мужчине ничего не удалось выяснить. Нора Эмброуз не знала ни его имени, ни где он живет.

— Ага, — заметил Пуаро. — Это мне больше нравится. — Он отметил черной галочкой имя Дженет Уайт.

— По какой причине? — осведомился Спенс.

— Это больше походит на убийство, свидетелем которого могла оказаться девочка в возрасте Джойс. Возможно, она узнала в жертве свою учительницу, хотя вряд ли узнала нападавшего. Джойс могла услышать ссору и увидеть борьбу знакомой ей женщины и незнакомого мужчины, но в тот момент не придать этому особого значения. Когда была убита Дженет Уайт?

— Два с половиной года тому назад.

— И время подходит, — кивнул Пуаро. — Тогда Джойс, возможно, не осознала, что человек, державший Дженет Уайт руками за шею, не обнимал, а убивал ее, но, повзрослев, все поняла. — Он посмотрел на Элспет: — Вы согласны с моими рассуждениями?

— Я понимаю, что вы имеете в виду, — ответила она. — Но мне кажется, вы движетесь не в том направлении. Ищете жертву давнего убийства, вместо того чтобы искать человека, который убил ребенка здесь, в Вудли-Каммон, не более трех дней назад.

— Мы движемся от прошлого к будущему, — отозвался Пуаро. — И поэтому должны подумать, кто в Вудли-Каммон среди людей, присутствовавших на вечеринке, мог быть связан с более давним преступлением.

— Мы можем немного сузить круг поисков, — сказал Спенс, — если согласиться с вашим предположением, будто Джойс погибла из-за своего заявления, что она видела убийство. Она произнесла это во время подготовки к вечеринке. Конечно, мы можем ошибаться, считая это мотивом, но я так не думаю. Поэтому будем считать, что кто-то слышал ее слова и действовал, не теряя времени.

— Кто присутствовал на подготовке? — спросил Пуаро. — Полагаю, это вам известно?

— Да. Я составил для вас список.

— Вы тщательно все проверили?

— Проверил несколько раз — работенка была не из легких. Здесь восемнадцать имен.

СПИСОК ПРИСУТСТВОВАВШИХ НА ПОДГОТОВКЕ К ВЕЧЕРИНКЕ В ХЭЛЛОУИН

Миссис Дрейк (хозяйка дома)
Миссис Батлер
Миссис Оливер
Мисс Уиттейкер (школьная учительница)
Преподобный Чарлз Коттрелл (викарий)
Саймон Лэмптон (его заместитель)
Мисс Ли (медсестра доктора Фергюсона)
Энн Рейнолдс
Джойс Рейнолдс
Леопольд Рейнолдс
Николас Рэнсом
Дезмонд Холленд
Битрис Ардли
Кэти Грант
Дайана Брент
Миссис Карлтон (домашняя прислуга)
Миссис Майнден (уборщица)
Миссис Гудбоди (приходящая уборщица)

— Вы уверены, что это все?

— Нет, — ответил Спенс, — не уверен. Никто не может быть уверенным. Разные люди приносили всякие вещи — цветные лампочки, зеркала, тарелки, пластмассовое ведро, — обменивались несколькими словами и уходили, не оставаясь участвовать в подготовке. Кого-то из них могли не заметить или не запомнить в числе присутствующих. Но даже если такой человек просто принес ведро в холл, он мог услышать, что Джойс говорила в гостиной. Она ведь громко доказывала свою правоту. Мы не можем ограничиваться этим списком, но пока у нас нет другого выхода. Взгляните сюда — я добавил к именам краткие описания.

— Благодарю вас. Еще один вопрос. Должно быть, вы расспрашивали некоторых из этих людей — например, тех, которые присутствовали и на самой вечеринке. Хоть кто-нибудь из них упоминал, что Джойс говорила, будто она видела убийство?

— Не думаю. В протоколах это не отмечено. Впервые я услышал об этом от вас.

— Интересно, — промолвил Пуаро. — Можно даже сказать, замечательно.

— Очевидно, никто не принял это всерьез, — предположил Спенс.

Пуаро задумчиво кивнул:

— А теперь я должен отправляться на встречу с доктором Фергюсоном в его приемной. — Он сложил вдвое список Спенса и сунул его в карман.

Глава 9

Доктор Фергюсон был шотландцем лет шестидесяти с грубоватыми манерами и парой проницательных глаз под щетинистыми бровями.

— Ну, в чем дело? — осведомился он, окинув Пуаро взглядом с головы до ног. — Садитесь. Только следите за ножкой стула — на ней разболталось колесико.

— Возможно, я должен объяснить... — начал Пуаро.

— Вам незачем объяснять, — прервал доктор Фергюсон. — В таком месте, как это, все знают обо всем. Эта писательница притащила вас сюда в качестве величайшего детектива всех времен, чтобы утереть нос полиции, верно?

— Отчасти, — согласился Пуаро. — Я приехал навестить старого друга, отставного суперинтендента Спенса, который живет здесь со своей сестрой.

— Спенс? Хм! Хороший, честный полицейский офицер старой школы. Ни взяток, ни насилия, но при этом умен и цепок, как бульдог.

— Абсолютно правильная оценка.

— Так что вы сказали ему и что он сказал вам?

— Он и инспектор Рэглен были со мной чрезвычайно любезны. Я надеюсь на такое же содействие и от вас.

— Тут не на что надеяться, — отрезал Фергюсон. — Я ничего не знаю о происшедшем. Во время вечеринки девочку окунули головой в ведро с водой, и она захлебнулась. Скверная история, но в наши дни убийство ребенка, к сожалению, не редкость. За последние десять лет меня слишком часто вызывали обследовать убитых детей. Из-за того что в лечебницах не хватает мест, слишком много людей, которым следует находиться под надзором психиатров, бродят на свободе. Они выглядят такими же, как все, нормально со всеми общаются, а тем временем подыскивают жертву и в итоге находят. Правда, обычно они не проделывают это на вечеринках — слишком рискованно, но новизна привлекает даже маньяка.

— У вас есть какое-нибудь предположение, кто мог ее убить?

— Вы в самом деле думаете, что я в состоянии ответить на этот вопрос? Сначала мне бы потребовались доказательства — я должен был бы во всем убедиться.

— Вы могли догадаться, — заметил Пуаро.

— Догадаться может каждый. Когда меня вызывают к больному ребенку, мне приходится догадываться, корь у него или аллергия на крабов, а может быть, на перья в подушке. Я должен выяснить, что он ел и пил, на чем спал, с какими детьми контактировал, ездил ли в автобусе с детьми миссис Смит или миссис Робинсон, которые заболели корью, и еще некоторые вещи. Тогда я выбираю один из различных вариантов, который и именуется диагнозом. В спешке это не делается — нужна уверенность.

— Вы знали эту девочку?

— Разумеется. Она была одним из моих пациентов. Врачей здесь двое — я и Уорролл. Рейнолдсов как раз лечу я. Джойс была здоровым ребенком. Конечно, у нее бывали обычные детские заболевания, но ничего из ряда вон выходящего. Она слишком много ела и говорила. Разговоры не причиняли ей особого вреда, а от переедания у нее случалось то, что в старину называли разлитием желчи. Джойс болела ветрянкой и свинкой — вот и все.

— Но возможно, один раз ей повредила и склонность слишком много говорить.

— Так вот вы о чем? Я слышал кое-какие сплетни. Типа «что видел дворецкий», только на сей раз трагедия вместо комедии.

— Это могло создать мотив — повод к преступлению.

— Еще бы! Но существуют и другие причины. В наши дни наиболее частая из них — психическое расстройство. Во всяком случае, судя по сообщениям из залов суда. Никто ничего не выиграл от смерти этой девочки, никто не питал к ней ненависти. Мне кажется, причина не в ней, а в извращенном уме ее убийцы. Я не психиатр. Мне бывает тошно слышать слова: «Взят под стражу для психиатрического обследования», когда парень вламывается куда-то, разбивает зеркала, крадет бутылку виски и столовое серебро и в довершение всего бьет старуху по голове.

— А кого вы предпочли бы в данном случае взять под стражу для психиатрического обследования?

— Вы имеете в виду из тех, кто был на той вечеринке?

— Да.

— Убийца должен был там присутствовать, верно? Иначе не было бы убийства. Он был среди гостей или прислуги, а может, влез в окно. Возможно, он побывал в доме заранее и изучил все замки и засовы. Этот тип просто хотел кого-нибудь убить. Тут нет ничего необычного. В Медчестере у нас был такой случай. Тринадцатилетний мальчишка, испытывая желание убивать, прикончил девятилетнюю девочку, угнал машину, отвез труп за семь или восемь миль в рощу, сжег его там, вернулся и вел безупречную жизнь до двадцати лет, когда его удалось разоблачить. Правда, насчет безупречной жизни пришлось поверить ему на слово. Возможно, он убил еще несколько человек, раз ему так нравилось это занятие. Едва ли он прикончил кучу людей, потому что в таком случае полиция заподозрила бы его гораздо раньше. Но ему часто хотелось убивать. Вердикт психиатра: совершил убийство в состоянии помрачения рассудка. Думаю, здесь произошло нечто похожее. Повторяю: я, слава Богу, не психиатр, но у меня есть друзья-психиатры. Некоторые из них вполне разумные парни, а некоторых, по-моему, тоже неплохо бы взять под стражу для обследования. Тот субъект, который убил Джойс, возможно, обладает располагающей внешностью, ординарными манерами и приятными родителями. Никто и помыслить не может, что с ним что-то не так. Вам приходилось есть красное сочное яблоко и натыкаться в самой сердцевине на мерзкого червяка? Многие человеческие существа походят на такое яблоко — особенно в наши дни.

— Значит, у вас нет конкретных подозрений?

— Я не могу называть кого-то убийцей, не имея доказательств.

— Все же вы признаете, что это должен быть кто-то из присутствовавших на вечеринке. Убийство не происходит без убийцы.

— В детективных романах бывает и не такое. Возможно, ваша любимая писательница тоже сочиняет нечто в этом роде. Но в данном случае я с вами согласен. Убийца должен был там присутствовать в качестве гостя или кого-то из прислуги, если только он не влез через окно, что не составляло труда. Возможно, ему казалось чертовски забавным совершить убийство на вечеринке в Хэллоуин. Так что вам следует начать с тех, кто там был. — Пара глаз весело блеснула из-под косматых бровей. — Я тоже побывал на вечеринке — правда, пришел под конец посмотреть, что там творится. — Доктор покачал головой. — Неплохая проблема, верно? Как объявление в светской хронике: «Среди присутствующих был убийца».

Глава 10

Пуаро с одобрением окинул взглядом здание школы «Вязы».

Секретарша впустила его и провела в кабинет директрисы. Мисс Эмлин поднялась из-за стола приветствовать посетителя.

— Рада познакомиться с вами, мистер Пуаро.

— Вы слишком любезны, — отозвался Пуаро.

— Я слышала о вас от моей старой приятельницы, бывшей директрисы «Мидоубанк». Возможно, вы помните мисс Вулстроу?[1]

— Такую яркую личность трудно забыть.

— Да, — кивнула мисс Эмлин. — Она сделала «Мидоубанк» первоклассной школой. — Директриса вздохнула. — Сейчас там многое изменилось. Другие цели, другие методы, но школа все еще славится своими традициями. Ну, довольно о прошлом. Несомненно, вы пришли по поводу смерти Джойс Рейнолдс. Не знаю, представляет ли для вас интерес это дело. По-моему, оно не по вашей линии. Может быть, вы лично знали девочку или ее семью?

— Нет, — ответил Пуаро. — Я приехал по просьбе моей старой приятельницы миссис Ариадны Оливер, которая гостила здесь и присутствовала на вечеринке.

— Она пишет чудесные книги, — сказала мисс Эмлин. — Я встречала ее однажды или дважды. Ну, это все облегчает. Раз личные чувства не затронуты, мы можем говорить прямо. Ужасная история — просто невероятная. Причем дети, замешанные в ней, недостаточно маленькие и недостаточно взрослые, чтобы отнести ее к какой-либо известной категории. Похоже, это дело рук психопата. Вы со мной согласны?

— Нет, — покачал головой Пуаро. — Я думаю, что это убийство, как и большинство других, имеет мотив, хотя, возможно, весьма грязный.

— Какой именно?

— Причиной послужило замечание Джойс — насколько я понял, не на самой вечеринке, а раньше, в тот же день, во время приготовлений к ней, которыми занимались несколько взрослых и детей постарше. Она заявила, что как-то раз видела убийство.

— И ей поверили?

— Думаю, в общем, нет.

---

[1] См. роман «Кошка среди голубей».

— Вполне возможно. Я говорю с вами откровенно, мсье Пуаро, потому что сантименты не должны влиять на характеристику умственных способностей. Джойс была весьма посредственным ребенком — не глупым, но и не блещущим умом. По правде говоря, она была заядлой лгуньей. Я не имею в виду, что девочка лгала с какой-то определенной целью. Она не пыталась избежать наказания или обвинения в каком-нибудь проступке. Джойс просто хвасталась — выдумывала разные истории, чтобы произвести впечатление на друзей. Разумеется, в результате они перестали ей верить.

— Вы считаете, она выдумала, будто видела убийство, чтобы кого-то заинтриговать?

— Да. И по-моему, этот «кто-то» — Ариадна Оливер.

— Значит, вы не думаете, что Джойс в самом деле это видела?

— Очень сомневаюсь.

— Выходит, вся эта история — сплошная выдумка?

— Ну, я бы так не сказала. Возможно, она видела, как кто-то серьезно пострадал в дорожном инциденте или от удара мячом на поле для гольфа, и приняла это за попытку убийства.

— Итак, единственное более-менее определенное предположение, которое мы можем сделать, — это что убийца присутствовал на вечеринке в Хэллоуин.

— Безусловно, — ответила мисс Эмлин, даже бровью не поведя. — Это логический вывод, не так ли?

— А у вас есть идея насчет того, кто может оказаться убийцей?

— Вполне разумный вопрос, — кивнула мисс Эмлин. — В конце концов, большинство детей на вечеринке принадлежали к возрастной группе от девяти до пятнадцати лет, и полагаю, почти все они учатся или учились в моей школе. Я должна что-то знать о них и об их семьях.

— Кажется, одна из ваших учительниц год или два назад была задушена неизвестным убийцей?

— Вы имеете в виду Дженет Уайт? Ей было около двадцати четырех лет. Насколько известно, она шла куда-то одна — возможно, на свидание с каким-то молодым человеком. Мисс Уайт была привлекательной девушкой, хотя и достаточно скромной. Убийцу так и не поймали. Полиция допрашивала несколько молодых людей, но не нашла никаких улик против кого-либо из них. С их точки зрения, это было неудовлетворительное дело. Должна сказать, и с моей тоже.

— У нас с вами одинаковые принципы. Мы не одобряем убийство.

Несколько секунд мисс Эмлин молча смотрела на него. Выражение ее лица не изменилось, но Пуаро почувствовал, что его внимательно изучают.

— Мне понравились ваши слова, — сказала она наконец. — Из того, что слышишь и читаешь в наши дни, складывается впечатление, будто убийство при определенных обстоятельствах становится приемлемым для значительной части общества.

Мисс Эмлин снова умолкла, и Пуаро не прерывал паузу. Ему казалось, что она обдумывает план действий.

Наконец директриса поднялась и нажала кнопку звонка.

— Думаю, — сказала она, — вам лучше поговорить с мисс Уиттейкер.

Через пять минут после того, как мисс Эмлин вышла из комнаты, дверь открылась, и вошла женщина лет сорока. У нее были коротко остриженные рыжеватые волосы и энергичная походка.

— Мсье Пуаро? — осведомилась она. — Мисс Эмлин, кажется, думает, что я в состоянии вам помочь.

— Если так думает мисс Эмлин, значит, это почти наверняка соответствует действительности.

— Вы ее знаете?

— Я познакомился с ней только сейчас.

— Однако уже составили о ней мнение.

— Надеюсь, вы скажете, что оно правильное.

Элизабет Уиттейкер коротко усмехнулась:

— Да, безусловно. Полагаю, все дело в смерти Джойс Рейнолдс. Не знаю, как вы стали в этом участвовать. К вам обратилась полиция?

— Нет, личный друг.

Женщина села, слегка отодвинув стул, чтобы смотреть в лицо собеседнику.

— Ну и что вы хотите знать?

— Не думаю, что есть смысл объяснять вам это и тратить время на несущественные вопросы. На той вечеринке произошло нечто, о чем мне следует знать, не так ли?

— Да.

— Вы сами были на вечеринке?

— Была. — Она немного подумала. — Вечеринку отлично подготовили. Присутствовало тридцать с лишним человек, считая прислугу. Дети, подростки, взрослые и несколько уборщиц.

— Вы принимали участие в приготовлениях, происходивших раньше в тот же день?

— Мне там нечего было делать. Миссис Дрейк достаточно компетентна, чтобы осуществить все приготовления с несколькими помощниками, которых оказалось больше чем нужно.

— Понятно. Значит, вы пришли на вечеринку в качестве одного из гостей?

— Совершенно верно.

— И что там произошло?

— Не сомневаюсь, вам уже известно, как проходила вечеринка. Вы хотите знать, не заметила ли я чего-нибудь, что могло бы оказаться важным? Я не хочу зря отнимать ваше время.

— Уверен, что вы не станете этого делать, мисс Уиттейкер. Просто расскажите мне то, что считаете нужным.

— Все шло по заранее разработанному плану. Последнее мероприятие ассоциируется скорее с Рождеством, чем с Хэллоуином. Это игра в «Львиный зев» — участники хватают с блюда горящие изюминки, политые бренди. При этом всегда много криков и смеха. В комнате из-за огня стало очень жарко, и я вышла в холл. Стоя там, я видела, как миссис Дрейк вышла из уборной на лестничной площадке второго этажа. Она несла большую вазу с цветами и осенними листьями. Подойдя к лестнице, миссис Дрейк задержалась на момент и посмотрела вниз — не в мою сторону, а в другой конец холла, где находилась дверь, ведущая в библиотеку. Она расположена напротив двери в столовую. Прежде чем спуститься, миссис Дрейк слегка передвинула вазу, так как она была слишком громоздкой, тяжелой и, очевидно, полной воды. Миссис Дрейк осторожно перемещала вазу одной рукой, а другой держалась за перила, глядя не на свою ношу, а на холл внизу. Внезапно она вздрогнула, как будто что-то ее удивило, и выпустила вазу, которая опрокинулась, облив ее водой, упала на пол холла и разбилась на мелкие кусочки.

— Понятно, — произнес Пуаро. Он сделал небольшую паузу, наблюдая за мисс Уиттейкер. Ему показалось, что ее проницательные глаза вопрошают, как он относится к услышанному. — Как вы думаете, что ее удивило?

— По зрелом размышлении я решила, что она что-то увидела.

— Вот как? Что же именно?

— Как я вам уже говорила, миссис Дрейк смотрела в направлении двери библиотеки. Возможно, она увидела, как дверь открылась или повернулась ручка, а может быть, и человека, который собирался выйти и которого она не ожидала увидеть.

— А вы сами смотрели на дверь?

— Нет. Я смотрела в противоположную сторону — вверх, на миссис Дрейк.

— И вы уверены, что она увидела нечто испугавшее ее?

— Да, очевидно, все дело в этом. Дверь открылась, и на пороге появился человек, который, по мнению миссис Дрейк, не мог там находиться. От изумления она уронила вазу с водой и цветами.

— А вы видели, как кто-нибудь вышел из этой двери?

— Нет. Я уже говорила, что не смотрела туда. Не думаю, чтобы кто-нибудь вышел в холл. Возможно, этот человек шагнул назад в комнату.

— И что миссис Дрейк сделала потом?

— Издала раздраженное восклицание, спустилась с лестницы и сказала мне: «Смотрите, что я натворила! Какой беспорядок!» Потом она оттолкнула ногой осколок вазы. Я помогла ей вымести осколки в угол. Но все убрать не удалось. Дети начали выходить из комнаты, где играли в «Львиный зев». Я нашла тряпку и кое-как вытерла воду, а вскоре вечеринка подошла к концу.

— Миссис Дрейк не упоминала о том, что ее так удивило?

— Нет.

— Но вы тем не менее уверены, что она была изумлена?

— Возможно, мсье Пуаро, вы думаете, что я поднимаю ненужную суету из-за пустяка?

— Нет, — ответил Пуаро, — я так не думаю. Я встречал миссис Дрейк лишь однажды, — задумчиво добавил он, — когда пришел к ней домой с моей приятельницей миссис Оливер, дабы посетить, если использовать мелодраматичные выражения, сцену трагедии. В течение краткого периода, когда я наблюдал за миссис Дрейк, мне не казалось, что эту женщину легко изумить. Вы согласны с моей точкой зрения?

— Безусловно. Поэтому я тоже удивилась.

— Но тогда вы не задавали ей никаких вопросов?

— У меня не было для этого причин. Если хозяйка дома уронила одну из лучших стеклянных ваз, разбив ее на кусочки, гостям едва ли следует спрашивать, почему она это сделала, тем самым обвиняя ее в неуклюжести, которая, уверяю вас, никак не свойственна миссис Дрейк.

— И после этого, как вы сказали, вечеринка подошла к концу. Дети и их матери и друзья стали расходиться, но Джойс никак не могли найти. Теперь мы знаем, что Джойс находилась в библиотеке и что она была мертва. Так кто же мог незадолго до того выглянуть из библиотеки, закрыть дверь снова, услышав голоса в холле, и выйти позже, когда люди суетились в холле, одеваясь и прощаясь? Полагаю, мисс Уиттейкер, у вас не было времени задуматься об увиденном до того, как обнаружили труп?

— Естественно. — Мисс Уиттейкер поднялась. — Боюсь, что мне больше нечего вам рассказать. Даже это может оказаться всего лишь пустячным маленьким происшествием.

— Но достаточно заметным, чтобы его запомнить. Кстати, я хотел бы задать вам еще один вопрос — точнее, два.

Элизабет Уиттейкер снова села.

— Спрашивайте что хотите, — сказала она.

— Не могли бы вы точно вспомнить, в каком порядке происходили события во время вечеринки?

— Пожалуй, могла бы. — Мисс Уиттейкер немного подумала. — Вечеринка началась с конкурса на лучшее украшенное помело. На нем присуждали три или четыре маленьких приза. Потом была игра с воздушными шарами, чтобы дети немного разогрелись. Затем игра с зеркалами — девочки пошли в маленькую комнату и смотрели в зеркало, где отражалось лицо мальчика или молодого человека.

— А как это было устроено?

— Очень просто. Из двери вынули поперечный брус, различные лица смотрели в дыру и отражались в зеркале, которые держали девочки.

— А девочки знали, кого они видят?

— Думаю, некоторые да, а некоторые нет. Мужская половина участников использовала маски, парики, фальшивые бороды и бакенбарды, немного грима. Разумеется, девочки знали большинство мальчиков, хотя, возможно, среди них были один-два незнакомых. Как бы то ни было, все девочки довольно хихикали. — В голосе мисс Уиттейкер ощущалось педагогическое презрение к подобным забавам. — После этого был бег с препятствиями, а потом большой стакан наполнили мукой, опрокинули его, положили на затвердевший ком шесть пенсов, и каждый срезал дольку. Когда мука осыпалась, игрок выходил из состязания, а остальные продолжали, и монета доставалась последнему. Затем последовали танцы, ужин и, наконец, «Львиный зев».

— Когда вы в последний раз видели Джойс?

— Понятия не имею, — ответила Элизабет Уиттейкер. — Я не слишком хорошо ее знала. Джойс была не из моего класса и вообще не очень интересная девочка, поэтому я к ней не присматривалась. Помню, как она срезала муку, но так как была неловкой, то почти сразу же уронила монету. Значит, тогда она была еще жива — но было еще рано.

— Вы не видели ее входящей с кем-нибудь в библиотеку?

— Конечно нет. Иначе я бы об этом упомянула. Уж это, по крайней мере, было бы важным и значительным.

— А теперь, — сказал Пуаро, — мой второй вопрос или серия вопросов. Сколько времени вы работаете в здешней школе?

— Следующим летом будет шесть лет.

— И вы преподаете...

— Математику и латынь.

— Вы помните девушку, которая преподавала здесь два года назад, — ее звали Дженет Уайт?

Элизабет Уиттейкер вся напряглась, приподнялась со стула и снова села.

— Но ведь она... никак не связана с этой историей, не так ли?

— Кто знает? — ответил Пуаро.

— Но каким образом...

«Научные круги менее информированы, чем местные сплетники», — подумал Пуаро.

— Джойс заявила при свидетелях, что несколько лет назад видела убийство. Как вы думаете, это не могло быть убийство Дженет Уайт? Как она погибла?

— Ее убили, когда она вечером возвращалась домой из школы.

— Одна?

— Возможно, нет.

— Но не с Норой Эмброуз?

— Что вы знаете о Норе Эмброуз?

— Пока ничего, — отозвался Пуаро, — но хотел бы узнать. Что собой представляли Дженет Уайт и Нора Эмброуз?

— Они были излишне сексуальны, каждая по-своему, — сказала Элизабет Уиттейкер. — Но как могла Джойс что-то видеть или знать об этом? Убийство произошло на дорожке возле леса Куорри. Тогда Джойс было не больше десяти — одиннадцати лет.

— У кого из девушек был ухажер? — спросил Пуаро. — У Норы или у Дженет?

— Все это уже в прошлом.

— «У старых грехов длинные тени», — процитировал Пуаро. — С возрастом мы постигаем справедливость этого изречения. Где сейчас Нора Эмброуз?

— Она ушла из школы и стала работать на севере Англии. Естественно, Нора была сильно расстроена. Они очень дружили с Дженет.

— Полиция так и не раскрыла дело?

Мисс Уиттейкер покачала головой, потом встала и посмотрела на часы.

— Я должна идти.

— Благодарю вас за то, что вы мне сообщили.

Глава 11

Эркюль Пуаро смотрел на фасад «Куорри-Хаус». Солидный, отлично построенный образец средневикторианской архитектуры. Он хорошо представлял себе его интерьер — тяжелый буфет красного дерева, прямоугольный стол из того же материала, бильярдная, большая кухня с примыкающей к ней буфетной, пол из каменных плиток, массивная угольная плита, теперь, несомненно, замененная газовой или электрической.

Пуаро отметил, что большая часть окон верхнего этажа все еще зашторена. Он позвонил в дверь. Ему открыла худощавая седовласая женщина, сообщившая, что полковник и миссис Уэстон уехали в Лондон и вернутся не ранее будущей недели.

Пуаро осведомился о парке и узнал, что он открыт для бесплатного посещения. Вход расположен в пятнадцати минутах ходьбы по дорожке. Железные ворота с табличкой видны издалека.

Быстро найдя дорогу, Пуаро прошел через ворота и зашагал по тропинке, вьющейся среди деревьев и кустарников.

Вскоре он остановился и задумался. Его мысли были заняты не только окружающим видом. Пуаро размышлял

272

о недавно услышанной паре фраз и недавно ставшей ему известной паре фактов. Поддельное завещание и девушка... Девушка, которая исчезла и в чью пользу было подделано завещание... Молодой декоратор, приехавший сюда с целью переделать заброшенную каменоломню в «Погруженный сад»... Пуаро снова огляделся и кивнул, одобряя название. «Сад в каменоломне» звучит довольно безобразно. Такое наименование вызывает в памяти звуки взрываемых скал, скрежет грузовиков, увозящих камень для строительства дорог, и прочие, сугубо индустриальные процессы. Другое дело — «Погруженный сад». Это ему о чем-то смутно напоминало. Миссис Ллуэллин-Смайт ездила в организованный Национальным кредитом тур по садам Ирландии. Он сам побывал в Ирландии пять или шесть лет назад — ездил туда расследовать кражу старинного фамильного серебра. Отдельные моменты этого дела вызвали у него любопытство, и Пуаро, успешно завершив свою миссию («Как обычно», — мысленно добавил он в скобках), провел несколько дней, путешествуя по стране и осматривая достопримечательности.

Пуаро не мог вспомнить, какой именно сад он тогда видел. Кажется, недалеко от Корка. Возле Килларни? Нет, рядом с заливом Бэнтри. Он припоминал это потому, что тот сад отличался от садов, пользовавшихся грандиозным успехом, — замковых садов Франции, чопорной красоты Версаля. В тот сад Пуаро отправился в лодке вместе с маленькой группой экскурсантов. Сесть в лодку ему удалось с трудом — два здоровяка гребца практически внесли его туда на руках. Они направились к не слишком интересному на вид островку, и Пуаро уже начал жалеть о своем участии в экскурсии. Ногам было сыро и холодно, а ветер дул сквозь все отверстия в макинтоше. Разве можно ожидать от каменистого островка красоты, гармонии и симметрии? Нет, он явно допустил ошибку.

Они остановились у маленького причала. Гребцы высадили Пуаро с тем же проворством, с каким недавно усадили в лодку. Остальные члены группы двинулись вперед, болтая и смеясь. Пуаро, поправив макинтош и снова завязав шнурки туфель, последовал за ними по дорожке, усаженной с обеих сторон кустами и редкими деревьями. «Весьма малоинтересный парк», — думал он.

Внезапно они вышли из зарослей к террасообразному спуску. То, что находилось внизу, показалось Пуаро чудом. Как будто духи стихий, о которых столько говорится в ирландской поэзии, вышли из своих убежищ среди холмов и создали здесь сад, причем не тяжким и усердным трудом, а одним взмахом волшебной палочки. Цветы, кусты, искусственный водоем с фонтаном, дорожка вокруг него — все выглядело чарующим, прекрасным и абсолютно неожиданным. Едва ли на этом месте ранее находилась каменоломня — сад был слишком симметричен. Он располагался в глубокой впадине посреди островка, но за ней виднелись воды залива и туманные вершины холмов на другом берегу. Пуаро подумал, что, возможно, именно этот сад пробудил в миссис Ллуэллин-Смайт желание обзавестить чем-то подобным, использовав для этого заброшенную каменоломню в ничем не примечательной сельской местности Англии.

В поисках хорошо оплачиваемого раба, способного воплотить в жизнь ее намерения, она остановила выбор на квалифицированном молодом человеке по имени Майкл Гарфилд, привезла его сюда, несомненно, уплатила ему солидный гонорар, а затем построила для него дом. «Майкл Гарфилд ее не подвел», — подумал Пуаро, осматриваясь вокруг.

Пуаро опустился на скамью, стараясь представить, как это место выглядит весной. Кругом росли молодые буки и березы, поблескивающие белой корой, кусты шиповника и белых роз, деревца можжевельника. Хотя сейчас была осень, она также радовала глаз обилием красных и золотых цветов, — к сожалению, Пуаро не знал их названий, ему были знакомы только розы и тюльпаны.

Казалось, все здесь росло абсолютно самостоятельно — без всякого принуждения. Но, разумеется, это не соответствовало действительности. Все было тщательно спланировано — от маленького цветочка до высокого кустарника с красно-золотистыми листьями. Спланировано и — более того — подчинено.

Пуаро интересовало, кому все это было подчинено — миссис Ллуэллин-Смайт или Майклу Гарфилду? Между ними, безусловно, имелась большая разница. Пуаро не сомневался в глубоких знаниях миссис Ллуэллин-Смайт. Она много лет занималась садоводством, безусловно, являлась членом Королевского садоводческого общества, посещала сады, справлялась в каталогах, ездила за границу, наверняка по причинам ботанического свойства. Миссис Ллуэллин-Смайт могла отдавать распоряжения садовникам и обеспечивать их выполнение. Но могла ли она видеть мысленным взором, как будет выглядеть воплощение ее требований не в первый и даже не во второй год после посадки, а спустя пять, шесть и даже семь лет? Если нет, то это мог Майкл Гарфилд — он знал, что ей нужно, знал, как превратить заброшенную каменоломню в цветущий сад. Майкл Гарфилд спланировал и осуществил все это, прекрасно понимая то удовольствие, которое испытывает художник, выполняя заказ богатого клиента. Здесь воплощалась в жизнь его концепция волшебной страны, возникшей чудесным образом среди унылого сельского пейзажа. Экзотические кустарники, за которые выписывались чеки на солидные суммы, редкие цветы, которые можно приобрести только благодаря любезности друзей, соседствовали со скромными растениями, не стоившими практически ничего. Так, весной на левом склоне будет цвести примула...

«В Англии, — думал Пуаро, — люди демонстрируют свои цветочные бордюры, розы и ирисы необычайной длины, выбирая для этого день, когда светит солнце, буковые деревья покрыты листвой, а под ними синеют колокольчики. Красивое зрелище, но мне показывали, пожалуй, его слишком часто. Я предпочел бы...» Ему представилась поездка по Девону, извилистая дорога с насыпями по обеим сторонам, покрытыми ковром примулы. Скромные бледно-желтые цветы, источающие весенний аромат. И при этом никаких экзотических кустарников. Примула, дикие цикламены, осенние крокусы...

Пуаро подумал о людях, ныне живущих в «Куорри-Хаус». Он знал имена пожилого полковника в отставке и его жены, но не сомневался, что Спенс мог бы рассказать ему о них более подробно. Пуаро чувствовал, что, кому бы ни принадлежало это место теперь, эти люди не могли любить его так, как любила покойная миссис Ллуэллин-Смайт. Он встал и зашагал дальше. Дорожка была необычайно ровной, словно специально предназначенной для прогулок пожилой леди; казалось бы обычные сельские скамейки позволяли расположить спину и ноги под в высшей степени удобным углом. «Хотел бы я повидать этого Майкла Гарфилда, — подумал Пуаро. — Он знает свое дело — составил превосходный план, нашел опытных людей для его осуществления и наверняка представил все так, чтобы его работодательнице казалось, будто все спланировано ею самой. Но полагаю, что это в основном его заслуга. Да, мне хотелось бы с ним повидаться. Если он все еще живет в коттедже или бунгало, которое для него построили...»

Мысли Пуаро внезапно оборвались. Он уставился на противоположную сторону лощины, которую огибала дорожка. Кустарник с красно-золотыми листьями обрамлял нечто, в первый момент показавшееся ему всего лишь причудливой игрой светотени.

«Что я вижу? — думал Пуаро. — Не результат ли это колдовства? В таком месте это вполне возможно. Передо мной человеческое существо или?..» Его мысли вернулись к давним приключениям, именуемым им «Подвигами Геракла». Место, где он находился, не было обычным английским парком. В нем ощущалась атмосфера магии, волшебства и своеобразной робкой красоты. Если поставить здесь пьесу, то в ней бы фигурировали нимфы, фавны, древнегреческие красавцы — и страх. Да, в «Погруженном саду» присутствовал страх. Что рассказывала сестра Спенса? Что-то об убийстве, происшедшем в каменоломне много лет назад? Кровь запятнала камни, но впоследствии об этом забыли. Майкл Гарфилд создал здесь чудесный сад, и пожилая женщина, которой оставалось не долго жить, заплатила за него кучу денег...

Теперь Пуаро видел, что на другой стороне оврага, в обрамлении красно-золотых листьев, стоит молодой человек необычайной красоты. В наши дни молодых людей не характеризуют подобным образом — о них говорят, что они сексуальны или безумно привлекательны, хотя при этом у них могут быть морщинистые физиономии и жирные волосы. Если молодого человека называют красивым, то это произносят извиняющимся тоном, словно подмечая качество, которое давно стало достоянием прошлого. Сексуальным девушкам не нужен Орфей с его кифарой — им подавай поп-певца с хриплым голосом, алчными глазами и копной нечесаных волос.

Пуаро встал и двинулся по дорожке. Когда он оказался на другой стороне впадины, молодой человек вышел из-за деревьев ему навстречу. Молодость казалась наиболее характерной его чертой, однако теперь Пуаро видел, что он далеко не юнец. Ему было хорошо за тридцать — возможно, почти сорок. На его губах играла едва заметная улыбка, выражавшая не столько радушие, сколько узнавание стоящего перед ним. Он был высок, строен и темноглаз, его безупречные черты выглядели созданными античным скульптором, а черные волосы походили на блестящий шлем. У Пуаро мелькнула мысль, не репетирует ли молодой человек какую-то живую картину. «Если так, — подумал он, глядя на свои галоши, — то мне следует сходить к костюмерше за более подобающим случаю нарядом».

— Возможно, я нарушил частное владение, — заговорил Пуаро. — В таком случае приношу извинения. Я чужой в этих местах — приехал только вчера.

— Не думаю, что это можно назвать нарушением. — Голос был спокойным и вежливым, но полностью лишенным интереса, словно мысли его обладателя витали где-то далеко. — Место не совсем открыто для посещения, но люди ходят здесь вполне свободно. Старый полковник Уэстон и его жена не возражают. Конечно, в случае нанесения ущерба они бы стали протестовать, но такое весьма маловероятно.

— Никаких признаков вандализма, — промолвил Пуаро, оглядываясь вокруг. — Нигде ни мусора, ни даже мусорной корзины. Место кажется абсолютно безлюдным — даже странно. Казалось бы, здесь райский уголок для влюбленных.

— Влюбленные сюда не ходят, — отозвался молодой человек. — По какой-то причине это место считается несчастливым.

— Полагаю, вы архитектор? Или я ошибаюсь?

— Меня зовут Майкл Гарфилд.

— Так я и думал! — воскликнул Пуаро. Он обвел рукой вокруг себя. — Вы создали это?

— Да, — ответил Майкл Гарфилд.

— Поразительно! — продолжал Пуаро. — Испытываешь необычное ощущение, когда такая красота возникает... ну, говоря откровенно, среди весьма унылого английского пейзажа. Должно быть, вы довольны своим творением.

— Разве кто-нибудь бывает полностью доволен?

— Очевидно, вы создали все это для покойной миссис Ллуэллин-Смайт? А теперь место принадлежит полковнику и миссис Уэстон?

— Да. Они приобрели его по дешевке. Миссис Ллуэллин-Смайт завещала мне дом, но его нелегко содержать — уж очень он большой и нескладный.

— И вы продали его?

— Я продал дом.

— Но не «Погруженный сад»?

— И сад тоже. Он ведь практически вмонтирован в дом.

— Но почему? — допытывался Пуаро. — Это интересно. Вы не возражаете против моего любопытства?

— Ваши вопросы не совсем обычны, — заметил Майкл Гарфилд.

— Меня интересуют не столько факты, сколько причины. Почему А поступил так-то, а Б — так-то? Почему В ведет себя не так, как А и Б?

— Вам следовало бы побеседовать с ученым, — сказал Майкл. — Теперь говорят, что все дело в генах или хромосомах.

— Вы только что сказали, что не вполне удовлетворены, так как никто не бывает удовлетворен полностью. А ваша работодательница, патронесса, или как вы ее называете, — она была довольна вашей работой?

— Абсолютно, — ответил Гарфилд. — Об этом я позаботился. Впрочем, ее было нетрудно удовлетворить.

— Странно, — заметил Эркюль Пуаро. — Кажется, ей было лет шестьдесят пять. В таком возрасте люди редко бывают довольны.

— Я заверил ее, что осуществил все ее идеи и указания.

— И это в самом деле так?

— Вы спрашиваете серьезно?

— По правде говоря, нет, — признался Пуаро.

— Чтобы добиться успеха в жизни, — продолжал Майкл Гарфилд, — нужно упорно следовать намеченной карьере, удовлетворять свои художественные склонности, но в то же время быть хорошим торговцем. Нужно уметь продавать свой товар, иначе приходится осуществлять чужие идеи таким образом, который не согласуется с вашими собственными. Я стараюсь воплощать свои идеи и продавать их клиентам в качестве непосредственного осуществления их планов и проектов. Этому не так трудно научиться — не сложнее, чем продавать детям коричневые яйца вместо белых. Нужно только убедить их, что они самые лучшие — что курицы предпочитают именно их. Вам ни за что их не продать, если вы будете говорить: «Какая разница — белые или коричневые? Яйца есть яйца — важно только, свежей они кладки или нет».

— Вы необычный молодой человек, — задумчиво произнес Пуаро. — Весьма самонадеянный.

— Возможно.

— Однако то, что вы здесь создали, по-настоящему прекрасно. Вы вдохнули жизнь и красоту в грубые камни, добываемые ради прозаических, промышленных целей; к тому же вам хватило воображения найти для этого средства. Примите поздравления старого человека, приближающегося к завершению своей деятельности.

— Однако в данный момент вы продолжаете ее.

— Значит, вам известно, кто я? — Пуаро был доволен — ему нравились люди, знающие, кто он такой. Он опасался, что в нынешнее время многие этого не знают.

— Здесь уже практически всем известно, что вы идете по кровавому следу. В маленьких городках новости распространяются быстро. Вас привела сюда другая знаменитость.

— А, вы имеете в виду миссис Оливер.

— Ариадну Оливер — автора бестселлеров. Все жаждут с ней побеседовать, узнать, что она думает о студенческих волнениях, социализме, платьях, которые носят девушки, внебрачном сексе и других вещах, не имеющих к ней никакого отношения.

— Да-да, это весьма плачевно, — кивнул Пуаро. — От миссис Оливер они могут узнать лишь то, что она любит яблоки. Об этом известно уже добрых двадцать лет, но она все еще повторяет это с любезной улыбкой. Хотя боюсь, что теперь яблоки ей разонравились.

— Вас привели сюда яблоки, не так ли?

— Яблоки на вечеринке в Хэллоуин, — ответил Пуаро. — Вы присутствовали на ней?

— Нет.

— Вам повезло.

— Повезло? — В голосе Майкла Гарфилда слышалось нечто похожее на удивление.

— Быть гостем на вечеринке, где произошло убийство, — не слишком приятный опыт. Очевидно, вы его не испытывали, но повторяю, вам повезло, потому что... — Пуаро перешел на французский, — il y a des ennui, vous comprenez?[1] Люди спрашивают вас о времени и датах, задают массу нескромных вопросов... Вы знали эту девочку?

— Да. Рейнолдсы здесь хорошо известны. Я знаю большинство местных жителей. В Вудли-Каммон все друг друга знают, хотя в различной степени. Некоторые находятся в дружеских или интимных отношениях, а некоторые просто знакомы.

---

[1] Это утомительно, понимаете? *(фр.)*

— Что собой представляла эта Джойс?

— Она была... как это лучше выразить... незначительной. У нее был неприятный, пронзительный голос. Вот, пожалуй, и все, что я о ней помню. Я не слишком люблю детей — обычно они меня утомляют. Джойс, к примеру, говорила только о себе.

— Она была неинтересной?

Майкл Гарфилд казался слегка удивленным.

— По-видимому, — ответил он. — А что в этом необычного?

— По-моему, неинтересных людей редко убивают. Убийства происходят из-за корысти, страха или любви. Каждый выбирает свое, но каждому нужна причина... — Он оборвал фразу и посмотрел на часы. — Мне нужно идти — у меня назначена встреча. Еще раз примите мои поздравления.

Пуаро двинулся дальше, осторожно шагая по дорожке и радуясь, что не надел тугие лакированные туфли.

Майкл Гарфилд был не единственным, кого ему было суждено встретить в «Погруженном саду» в тот день. Спустившись на дно впадины, он обнаружил три дорожки, ведущие в разных направлениях. В начале средней дорожки на стволе поваленного дерева сидела девочка, поджидая его, о чем сразу же дала понять.

— Вы мистер Эркюль Пуаро, верно? — спросила она. Ее голос был звонким, как колокольчик, а хрупкая внешность казалась гармонирующей с «Погруженным садом». Существо наподобие дриады или эльфа...

— Это мое имя, — ответил Пуаро.

— Я пришла вас встретить, — объяснила девочка. — Вы ведь идете к нам на чай, не так ли?

— К миссис Батлер и миссис Оливер? Да.

— Это моя мама и тетя Ариадна. — Она добавила с ноткой упрека: — Вы опаздываете.

— Прошу прощения. Я задержался поговорить кое с кем.

— Да, я вас видела. Вы говорили с Майклом, верно?

— Ты его знаешь?

— Конечно. Мы ведь давно здесь живем. Я знаю всех.

Пуаро спросил, сколько ей лет.

— Двенадцать. В будущем году я собираюсь в школу-интернат.

— Ты этому рада?

— Не знаю, пока не попаду туда. Вряд ли мне там очень понравится. — Помолчав, она добавила: — Пожалуй, нам пора идти.

— Ну разумеется. Еще раз извиняюсь за опоздание.

— Ладно, это не важно.

— Как тебя зовут?

— Миранда[1].

— По-моему, имя тебе подходит, — заметил Пуаро.

— Вы имеете в виду Шекспира?

— Да. Вы проходите его в школе?

— Проходим. Мисс Эмлин читает нам Шекспира, а я прошу маму почитать еще. Мне он очень нравится. Так чудесно звучит! «Прекрасен мир, где жители такие!»[2] Но на самом деле так не бывает, правда?

— Ты в это не веришь?

— А вы?

— Прекрасный новый мир всегда существует, — ответил Пуаро, — но только для удачливых людей — для тех, которые способны создать такой мир в самих себе.

— Понимаю, — кивнула Миранда.

Пуаро интересовало, что именно она поняла.

Девочка повернулась и зашагала по дорожке.

— Нам сюда. Это не очень далеко. Можно пройти через изгородь нашего сада — посредине, где был фонтан.

— Фонтан?

— Да, много лет назад. Думаю, он все еще там, под кустарником и азалиями. Фонтан сломался, люди растащили его по кускам, и никто не стал делать новый.

— Жаль.

— Не знаю. Вам нравятся фонтаны?

— Ça dépend... — ответил Пуаро.

— Я немного понимаю по-французски, — сказала Миранда. — Это значит «это зависит», правильно?

— Абсолютно. Ты, кажется, отлично образована.

---

[1] М и р а н д а — героиня пьесы У. Шекспира «Буря».
[2] У. Шекспир. «Буря». Перевод М. Кузмина.

— Все говорят, что мисс Эмлин — прекрасная учительница. Она наша директриса. Мисс Эмлин очень строгая, даже немного суровая, но она всегда рассказывает нам интересные вещи.

— Тогда она в самом деле превосходная учительница, — согласился Пуаро. — Ты вроде бы хорошо здесь ориентируешься — знаешь все тропинки. Ты часто тут гуляешь?

— Да, это одно из моих любимых мест. Когда я хожу сюда, никто не знает, где я. Мне нравится сидеть на ветке и наблюдать за тем, что здесь происходит.

— И что же здесь происходит?

— В парке много птиц и белок. Птицы вечно ссорятся, правда? Хотя в стихотворении говорится: «И птицы дружно в гнездышках живут», но это совсем не так, верно?

— А за людьми ты тоже наблюдаешь?

— Иногда. Но сюда приходит мало людей.

— Интересно, почему?

— Думаю, они боятся.

— Почему боятся?

— Потому что когда-то здесь кого-то убили. Еще до того, как устроили сад. Раньше тут была каменоломня, и тело нашли в куче гравия или песка. Как вы думаете — верна старая поговорка насчет людей, которые рождаются, чтобы быть повешенными или утопленными?

— В наши дни людей в этой стране больше не вешают.

— Зато вешают в других странах. Прямо на улицах — я читала в газетах.

— По-твоему, это хорошо или плохо?

Слова Миранды, строго говоря, не являлись ответом на его вопрос, но Пуаро почувствовал, что девочка намеревалась ему ответить, хотя ей это не вполне удалось.

— Джойс утопили, — сказала она. — Мама не хотела мне говорить, но это глупо. Ведь мне уже двенадцать лет.

— Джойс была твоей подругой?

— Да, очень близкой подругой. Она часто рассказывала мне много интересного о слонах и раджах. Джойс однажды побывала в Индии. Я бы тоже хотела туда съездить. Мы с Джойс рассказывали друг другу все наши секреты. Я даже маме столько не рассказываю. Мама была в Греции, но меня с собой не взяла. Там она познакомилась с тетей Ариадной.

— А кто рассказал тебе про Джойс?

— Миссис Перринг — наша кухарка. Она разговаривала с миссис Майнден, которая приходит убирать. Кто-то сунул голову Джойс в ведро с водой.

— И они говорили, кто это мог быть?

— Нет. По-моему, они не знали, но ведь они обе довольно глупые.

— А ты знаешь, Миранда?

— Меня там не было. У меня болело горло и поднялась температура, поэтому мама не взяла меня на вечеринку. Но думаю, я бы знала, потому что Джойс утопили. Помните, я спросила вас, верно ли, что люди рождаются, чтобы быть утопленными? Здесь мы пройдем через изгородь. Берегите вашу одежду.

Пуаро последовал за девочкой. Проход через изгородь больше подходил для его юной проводницы, обладавшей хрупкостью эльфа, — для нее он выглядел как шоссе. Но Миранда была внимательна к Пуаро, предупреждая его о колючем кустарнике и придерживая перед ним наиболее зловредные компоненты изгороди. Они оказались в том месте, где сад примыкал к куче компоста, и свернули за угол огуречной парниковой рамы, возле которой стояло два мусорных ящика. Оттуда через аккуратный садик, где росли в основном розы, было легко пройти к маленькому бунгало. Миранда вошла сквозь открытое французское окно и заявила с гордостью коллекционера, только что заполучившего образец редкого жука:

— Я его привела!

— Ты не должна была вести его через изгородь, Миранда. Вам следовало пройти по дорожке к боковой калитке.

— Но здесь короче и быстрее, — возразила Миранда.

— И, подозреваю, куда болезненнее.

284

— Я забыла, — вмешалась миссис Оливер, — представила ли я вас уже моей подруге, миссис Батлер?

— Разумеется. На почте.

Упомянутое представление заняло несколько минут, пока они стояли в очереди к прилавку. Теперь Пуаро мог лучше рассмотреть приятельницу миссис Оливер. Ранее он видел только худощавую женщину в платке и макинтоше. Джудит Батлер было лет тридцать пять, и если ее дочь походила на дриаду или лесную нимфу, то Джудит скорее могла претендовать на роль рейнской девы — в ней было нечто от водяного духа. Ее длинные светлые волосы свисали на плечи, она обладала хрупким сложением, продолговатым лицом, впалыми щеками и большими глазами цвета морской волны с длинными ресницами.

— Очень рада, что могу как следует поблагодарить вас, мсье Пуаро, — сказала миссис Батлер. — С вашей стороны было необычайно любезно откликнуться на просьбу Ариадны и приехать сюда.

— Когда моя приятельница миссис Оливер просит меня о чем-то, мне всегда приходится соглашаться, — ответил Пуаро.

— Что за чушь! — фыркнула миссис Оливер.

— Она была твердо уверена, что вы сможете разобраться в этой ужасной истории. Миранда, дорогая, не пойти ли тебе в кухню? На плите стоят ячменные лепешки.

Миранда удалилась с понимающей улыбкой, словно говоря: «Она просто хочет отослать меня из комнаты».

— Я пыталась скрыть от нее этот кошмар, — вздохнула ее мать, — но, полагаю, это с самого начала было безнадежной затеей.

— В самом деле, — согласился Пуаро. — Ничто не распространяется с такой быстротой, как новости о неприятных происшествиях. Вообще, невозможно долго прожить, не зная, что творится вокруг. К тому же дети особенно чувствительны к подобным вещам.

— Не знаю, Бёрнс или сэр Вальтер Скотт сказал, что «ребенок все всегда заметит», — промолвила миссис Оливер, — но он, безусловно, знал, что говорит.

— Во всяком случае, Джойс Рейнолдс заметила такую вещь, как убийство, — сказала миссис Батлер. — Хотя в это и нелегко поверить.

— В то, что Джойс заметила убийство?

— В то, что она его видела и до сих пор об этом молчала. Это не похоже на Джойс.

— Первое, что все здесь мне говорят, — мягко произнес Пуаро, — это что Джойс Рейнолдс была лгуньей.

— Возможно, — сказала Джудит Батлер, — девочка выдумала эту историю, но она неожиданно обернулась правдой?

— Это, безусловно, наш отправной пункт, — отозвался Пуаро. — Ведь Джойс Рейнолдс, вне всякого сомнения, была убита.

— Быть может, вы уже все об этом знаете, — предположила миссис Оливер.

— Мадам, не требуйте от меня невозможного. Вы вечно спешите.

— В наши дни ничего не добьешься, если не поспешишь.

В этот момент вернулась Миранда с тарелкой, полной лепешек.

— Можно я поставлю их здесь? — спросила она. — Вы уже закончили разговор? Или хотите снова отправить меня в кухню?

В ее мягком голосе явно слышалась злость. Миссис Батлер поставила серебряный чайник в георгианском стиле на каминную решетку, включила электрический чайник, налила из него кипяток в серебряный чайник для заварки и разлила чай. Миранда с серьезной элегантностью подала лепешки и сандвичи с огурцами.

— Ариадна и я познакомились в Греции, — сказала Джудит.

— Я свалилась в море, когда мы возвращались с одного из островов, — добавила миссис Оливер. — Море было неспокойным, матросы скомандовали: «Прыгайте!» — но мне показалось, что лодка далеко, я заколебалась и прыгнула, когда ее действительно отнесло волной. — Она сделала паузу, чтобы перевести дыхание. — Джудит помогла меня вытащить, и с тех пор мы подружились, верно?

— Верно, — согласилась миссис Батлер. — Кроме того, мне понравилось твое имя. Оно казалось таким подходящим.

— Да, Ариадна — греческое имя, — кивнула миссис Оливер. — Это не псевдоним — меня действительно так зовут. Но со мной никогда не случалось того, что с Ариадной из греческого мифа. Мой возлюбленный не бросал меня на острове.

Пуаро поднес руку к усам, скрывая улыбку, от которой не смог удержаться, представив себе миссис Оливер в роли покинутой греческой девушки.

— Люди не всегда могут соответствовать своим именам, — заметила миссис Батлер.

— Конечно. Я ведь не могу вообразить тебя отрубающей голову своему любовнику. Ведь именно это проделала Юдифь с Олоферном?

— Это был ее патриотический долг, — отозвалась миссис Батлер, — за что, насколько я помню, она была вознаграждена.

— Я не очень сильна в истории с Юдифью и Олоферном. Это ведь апокриф, не так ли?[1] Все же, если подумать, люди иногда дают своим детям очень странные имена. Кто вбивал гвозди в чью-то голову — Иаиль или Сисара?[2] Никак не могу запомнить, кто из них мужчина, а кто женщина. Кажется, Иаиль — женщина. Не припоминаю, чтобы кто-нибудь назвал так свою дочь.

— «Она положила перед ним масло на роскошном блюде», — неожиданно процитировала Миранда, убирая поднос.

---

[1] Книга Юдифь, повествующая о подвиге еврейской женщины, которая спасла город Ветулию, проникнув в шатер ассирийского полководца Олоферна и обезглавив его во сне, входит в канонический текст только католической Библии — протестанты причисляют ее к апокрифам.

[2] В Библии (Книга Судей, 4:17—21) рассказывается, как хананский военачальник Сисара, разбитый израильтянами, укрылся в шатре Иаили, которая, дождавшись, пока он заснет, вонзила кол ему в висок.

— Не смотри на меня, — сказала подруге Джудит Батлер. — С апокрифами Миранду познакомила не я, а школа.

— Довольно необычно для современной школы, — заметила миссис Оливер. — Теперь там делают упор на этическое начало.

— Только не мисс Эмлин, — возразила Миранда. — Она говорит, что в церкви во время проповедей мы можем услышать лишь современную версию Библии, которая лишена литературных достоинств. Нам следует знать по крайней мере прекрасную прозу и белые стихи английского перевода 1611 года. Мне очень понравилась история Иаили и Сисары. Не то чтобы я хотела вбивать кол человеку в голову, когда он спит, — задумчиво добавила она.

— Надеюсь, — вставила ее мать.

— А как бы ты избавлялась от своих врагов, Миранда? — осведомился Пуаро.

— Я бы старалась не причинять им боль, — задумчиво ответила девочка. — Давала бы им какое-нибудь лекарство, которое вызывает легкую смерть. Они бы просто засыпали, видели прекрасные сны и больше не просыпались. — Она поставила на поднос чайные чашки, хлеб и масленку. — Я вымою посуду, мама, если ты хочешь показать мсье Пуаро сад. Позади еще остались несколько роз «Королева Елизавета».

Миранда вышла из комнаты, осторожно неся поднос.

— У тебя необычный ребенок, Джудит, — заметила миссис Оливер.

— У вас очень красивая дочь, мадам, — добавил Пуаро.

— Да, пожалуй, теперь она стала красивой. Трудно представить, как будут выглядеть дети, когда подрастут. Иногда они выглядят как откормленные поросята. Но Миранда действительно похожа на дриаду.

— Неудивительно, что она любит «Погруженный сад», который примыкает к вашему дому.

— Иногда мне хочется, чтобы она его не так любила. Поневоле нервничаешь, когда ребенок бродит в таком изолированном месте, пусть даже люди и деревня совсем рядом. В наше время всего боишься. Вот почему вам обязательно нужно разобраться в том, что случилось с Джойс, мсье Пуаро. Пока мы не узнаем, кто это сделал, у нас не будет ни минуты покоя — мы постоянно будем волноваться из-за детей. Отведи мсье Пуаро в сад, Ариадна. Я присоединюсь к вам через пару минут.

Захватив две оставшиеся чашки и блюдце, миссис Батлер удалилась в кухню. Пуаро и миссис Оливер вышли через французское окно. Маленький садик походил на большинство осенних садов. На клумбах оставались флоксы, астры и несколько роз, горделиво устремлявших ввысь розовые головки. Миссис Оливер быстро подошла к каменной скамье, опустилась на нее и указала Пуаро на место рядом с собой.

— Если Миранда похожа на дриаду, — спросила она, — то что вы скажете о Джудит?

— Скажу, что ее следовало бы назвать Ундиной, — ответил Пуаро.

— Да, русалка. В самом деле кажется, будто она только что вышла из Рейна, моря или лесного озера, а ее волосы выглядят так, словно побывали в воде. И при этом ее не назовешь неопрятной.

— Она очень красивая женщина, — заметил Пуаро.

— Что вы о ней думаете?

— У меня еще не было времени подумать как следует. Мне только кажется, что она красивая и привлекательная и ее что-то сильно беспокоит.

— Это неудивительно.

— Я бы хотел знать, мадам, что вы думаете о ней.

— Ну, мы с ней крепко подружились. Так иногда бывает во время круиза. Некоторые общаются друг с другом, но больше не испытывают желания видеться, а вот у нас с Джудит получилось наоборот.

— До круиза вы не были знакомы?

— Нет.

— И что вам известно о ней?

— Самое обычное. Она вдова. Ее муж умер несколько лет назад — он был авиапилотом и погиб в автомобильной катастрофе. Оставил ее почти без гроша в кармане. Думаю, Джудит очень переживала. Она не любит говорить о нем.

— Миранда — ее единственный ребенок?

— Да. Джудит иногда работает секретарем где-то поблизости, но постоянной работы у нее нет.

— Она знает людей, которые жили в «Куорри Хаус»?

— Вы имеете в виду полковника и миссис Уэстон?

— Я имею в виду прежнюю владелицу, — кажется, ее звали миссис Ллуэллин-Смайт?

— Да, по-моему, я слышала это имя. Но она умерла два или три года назад, так что о ней здесь редко упоминают. Неужели вам недостаточно живых? — не без раздражения осведомилась миссис Оливер.

— Разумеется, нет, — ответил Пуаро. — Я должен знать и о тех, кто умер или исчез со сцены.

— А кто исчез?

— Девушка au pair.

— Ну, — заметила миссис Оливер, — они ведь всегда исчезают, не так ли? Приезжают, получают плату за проезд и отправляются прямиком в больницу, потому что ждут ребенка, а когда он появляется, называют его Августом, Хансом, Борисом или как-то вроде этого. Иногда они прибывают сюда, чтобы выйти замуж, или вслед за молодым человеком, в которого влюблены. Вы не поверите, что рассказывают мне друзья об этих девушках! Они либо дар Божий для работающих матерей, которые не хотят с ними расставаться, либо крадут ваши чулки, или, еще похлеще, их убивают... Ой! — Она внезапно умолкла.

— Успокойтесь, мадам, — сказал Пуаро. — Вроде бы нет оснований полагать, что эта девушка au pair убита, — совсем наоборот.

— Что значит «наоборот»? Это не имеет смысла!

— Возможно. Тем не менее... — Он вынул записную книжку и что-то туда внес.

— Что вы там записываете?

— Кое-какие вещи, которые произошли в прошлом.

— Вам, кажется, не дает покоя прошлое.

— Прошлое — мать настоящего, — нравоучительно произнес Пуаро. Он протянул ей книжечку. — Хотите посмотреть, что я записал?

— Конечно хочу. Но боюсь, для меня это китайская грамота. Мне редко кажется важным то же, что и вам. — Она раскрыла маленькую черную книжку. — «Смерти: миссис Ллуэллин-Смайт (богатая женщина); Дженет Уайт (школьная учительница); клерк адвокатской фирмы — заколот ножом, ранее привлекался за подделку. Девушка-опера исчезла». Что еще за девушка-опера?

— Сестра Спенса произносит таким образом «девушка au pair».

— Почему она исчезла?

— Возможно, потому, что ей грозили неприятности с законом.

На следующей странице стояло слово «подделка» с двумя вопросительными знаками.

— Подделка? — спросила миссис Оливер. — Почему подделка?

— Это меня и интересует. Почему?

— Но что именно подделали?

— Завещание, вернее, кодицил в пользу девушки au pair.

— Дурное влияние с ее стороны? — предположила миссис Оливер.

— Подделка — нечто более серьезное, чем дурное влияние, — ответил Пуаро.

— Не понимаю, как это может быть связано с убийством бедной Джойс.

— Я тоже, — кивнул Пуаро. — Тем не менее это интересно.

— Что там дальше? Не могу разобрать.

— Слоны.

— Какое отношение имеют к этому слоны?

— Может быть, очень большое, поверьте. — Он поднялся. — Я должен идти. Пожалуйста, извинитесь перед миссис Батлер за то, что я ушел, не простившись. Мне доставило огромное удовольствие познакомиться с ней и ее очаровательной и необычной дочерью. Скажите ей, чтобы следила за девочкой.

— «Запретила строго мать мне с детьми в лесу играть», — продекламировала миссис Оливер. — Ну, пока. Если вам нравится быть таинственным, то ничего не поделаешь. Вы даже не говорите, что будете делать дальше.

— На завтрашнее утро у меня назначена встреча с господами Фуллертоном, Харрисоном и Ледбеттером в Медчестере.

— Зачем?

— Чтобы побеседовать о подделке и других вещах.

— А после этого?

— Хочу поговорить с другими людьми, которые присутствовали...

— На вечеринке?

— Нет, на подготовке к вечеринке.

Глава 12

Офис Фуллертона, Харрисона и Ледбеттера был типичным для старомодной респектабельной фирмы. Но веяние времени ощущалось и здесь. Ни Харрисонов, ни Ледбеттеров больше не было — вместо них наличествовали мистер Эткинсон, молодой мистер Коул и все еще остававшийся мистер Джереми Фуллертон, старший партнер.

Мистер Фуллертон, тощий пожилой человек, обладал бесстрастным лицом, сухим голосом законника и острыми, проницательными глазами. Перед ним лежал лист бумаги с несколькими словами, которые он только что прочитал и сейчас читал снова, вникая в их смысл. После этого он устремил взгляд на человека, которого представляла ему записка.

— Мсье Эркюль Пуаро? — Мистер Фуллертон внимательно изучал посетителя. Пожилой мужчина, иностранец, весьма щеголевато одет, на ногах лакированные кожаные туфли, которые явно ему жмут, — об этом свидетельствуют морщинки боли в уголках глаз. И этого иностранного щеголя ему рекомендует не кто иной, как инспектор Генри Рэглен из отдела уголовного розыска, а также отставной суперинтендент Спенс, ранее служивший в Скотленд-Ярде.

Фуллертон знал Спенса. В свое время этот человек отлично поработал и был высоко ценим начальством. В голове адвоката забрезжили смутные воспоминания. Дело, оказавшееся куда более громким, чем выглядело поначалу... Ну конечно! Его племянник Роберт участвовал в нем в качестве помощника адвоката. Обвиняемый даже не пытался защитить себя, хотя в то время за убийство грозило повешение, а не пожизненное или пятнадцатилетнее пребывание в тюрьме. Мистер Фуллертон сожалел об отмене смертной казни. Теперь молодые громилы считают, что немногим рискуют, уничтожая свидетелей своих преступлений.

То дело расследовал Спенс — спокойный, упорный человек, настаивавший, что они осудили не того, кого надо. Так в итоге и оказалось, причем это удалось раскрыть любителю-иностранцу, отставному детективу из бельгийской полиции[1]. Он уже тогда был в солидном возрасте, а теперь, возможно, и вовсе впал в маразм, однако лучше быть с ним поосторожнее. Хотя мистер Фуллертон не видел, какую полезную информацию он мог бы сообщить по делу о детоубийстве.

Конечно, у мистера Фуллертона были предположения относительно личности преступника, но ему не хотелось ими делиться, так как на эту роль имелось по меньшей мере три претендента. Любой из трех молодых негодяев мог это совершить. Хотя дело наверняка закончится вердиктом о заторможенном умственном развитии на основании доклада психиатра. Правда, утопление девочки во время вечеринки существенно отличается от бесчисленных случаев с не вернувшимися домой школьниками, которые, несмотря на предупреждения, соглашались, чтобы их подвезли в автомобиле, и которых потом находили мертвыми в ближайшей роще или каменоломне. Каменоломня... Когда же это произошло? Много лет назад...

---

[1] Речь идет о событиях, описанных в романе «Миссис Макгинти мертва».

Эти размышления заняли около четырех минут, после чего мистер Фуллертон астматически кашлянул и заговорил снова:

— Чем могу служить? Полагаю, это связано с делом той девочки, Джойс Рейнолдс. Скверная история. Не вижу, чем я могу вам помочь. Я очень мало об этом знаю.

— Но вы, насколько я понял, юрисконсульт семьи Дрейк?

— Да-да. Бедняга Хьюго Дрейк — такой славный парень. Я знал их много лет — с тех пор, как они приобрели «Эппл-Триз» и переехали туда. Полиомиелит — страшная штука. Хьюго подхватил его, когда они проводили отпуск за границей. Разумеется, психически он оставался абсолютно здоровым. Печально, когда человек, который всю жизнь был отличным спортсменом, становится калекой до конца дней.

— Кажется, вы также вели дела миссис Ллуэллин-Смайт?

— Да, тетушки Хьюго. Замечательная была женщина. Приехала сюда жить, когда у нее начались нелады со здоровьем, чтобы быть поближе к племяннику и его жене. Она купила эту развалину, «Куорри-Хаус», заплатив за нее куда выше реальной стоимости, но деньги для нее препятствием не являлись — у нее их было более чем достаточно. Миссис Ллуэллин-Смайт могла бы подыскать дом попривлекательнее, но ее очаровала каменоломня. Она раздобыла садовника-декоратора — одного из этих смазливых длинноволосых парней, который, однако, знал свое дело. Его работы фигурировали в журнале «Дома и сады» и оценивались очень высоко. Да, миссис Ллуэллин-Смайт умела подбирать нужных людей. Речь шла не просто о красивом молодом человеке в качестве протеже, чем часто занимаются глупые старухи. У этого парня имелись мозги, и в своей профессии он был одним из лучших. Но я немного отвлекся. Миссис Ллуэллин-Смайт умерла почти два года назад.

— Причем абсолютно внезапно.

Фуллертон бросил на Пуаро резкий взгляд:

— Ну, я бы так не сказал. У нее было больное сердце, и врачи советовали ей не переутомляться, но она не была ипохондриком и не принадлежала к женщинам, которым можно диктовать, что им делать. — Он снова кашлянул и добавил: — Мы, кажется, отвлеклись от темы, которую вы хотели обсудить со мной.

— Не вполне, — сказал Пуаро, — хотя я бы хотел задать вам несколько вопросов совсем о другом. Мне нужна информация об одном из ваших служащих по имени Лесли Ферриер.

Мистер Фуллертон казался удивленным.

— Лесли Ферриер? Дайте подумать. Право, я почти забыл это имя. Да, да, конечно. Его зарезали, не так ли?

— Совершенно верно.

— Ну, я едва ли могу многое сообщить о нем. Это произошло уже давно. Его убили ночью возле «Зеленого лебедя». Никто не был арестован. Думаю, у полиции имелись подозрения, но им не хватало улик.

— Мотив был сугубо эмоциональный? — спросил Пуаро.

— Я бы сказал, да. Ревность. У него была связь с женой владельца пивной «Зеленый лебедь» в Вудли-Каммон — обычной забегаловки. Потом он вроде бы начал волочиться за другой молодой женщиной, а может, и не за одной. Ферриер был порядочным бабником — из-за этого у него уже случались неприятности.

— Он удовлетворял вас как служащий?

— У меня не было особых оснований для недовольства. Ферриер хорошо обходился с клиентами, работал достаточно усердно, но ему следовало бы проявлять больше внимания к своей репутации и не путаться с женщинами, стоящими, выражаясь старомодно, ниже его по положению. В результате в «Зеленом лебеде» произошла ссора, и Лесли Ферриера зарезали по дороге домой.

— Как вы думаете, это дело рук хозяйки пивной или какой-то из его других женщин?

— Право, не могу сказать с уверенностью. По-моему, полиция считала мотивом ревность, но... — Он пожал плечами.

— Но вы в этом не убеждены?

— Такое вполне возможно, — промолвил мистер Фуллертон. — «Не встретишь фурии страшней ревнивой бабы». Это часто цитируют в суде, и иногда не без оснований.

— Но мне кажется, вы не вполне уверены, что это относится к данному случаю.

— Ну, скажем, я бы предпочел большее количество улик. Как, впрочем, и полиция. Те, которые имелись в наличии, прокурор счел недостаточными.

— Значит, мотив мог быть совсем иным?

— О да. Можно было выдвинуть на обсуждение несколько теорий. Молодой Феррьер не обладал твердыми нравственными устоями. Он был недурно воспитан, его мать — вдова — очень приятная женщина. А вот отец был личностью куда менее удовлетворительной. Он несколько раз попадал в серьезные переделки, так что жене с ним крупно не повезло. Наш молодой человек некоторым образом пошел в отца. Один или два раза он связывался с весьма сомнительной компанией. Я предупреждал его, что эта публика занимается противозаконными сделками. Откровенно говоря, я не стал бы держать у себя Ферриера, если бы не его мать. Конечно, он был молодым и способным парнем, и я надеялся, что мои предупреждения подействуют. Но за последние десять лет преступность среди молодежи резко возросла.

— Думаете, с ним мог разделаться кто-то из его сомнительных друзей?

— Это вполне возможно. Связываясь с подобными людьми, вы всегда подвергаете себя опасности. Малейшее подозрение, что вы собираетесь на них донести, — и нож между лопатками вам обеспечен.

— Никто не видел, как это произошло?

— Никто. Это вполне естественно. Тот, кто проделывает такую работу, должен принимать все меры предосторожности — алиби в нужное время и в нужном месте и так далее.

— Все же кто-то случайно мог это видеть. Например, ребенок.

— Ночью? В окрестностях «Зеленого лебедя»? Это едва ли вероятное предположение, мсье Пуаро.

— Девочка, — настаивал Пуаро, — которая могла это запомнить. Допустим, она возвращалась домой от подруги, живущей неподалеку, и что-то заметила из-за изгороди.

— Право, мсье Пуаро, у вас слишком живое воображение. То, что вы говорите, представляется мне абсолютно невозможным.

— А мне нет, — возразил Пуаро. — Дети многое замечают и часто оказываются в самых неожиданных местах.

— Но, приходя домой, они рассказывают о том, что видели.

— Не обязательно. Они могут не быть уверенными, что именно они видели. Особенно если это их напугало. Дети не всегда рассказывают дома о несчастных случаях на улице или инцидентах, связанных с насилием, свидетелями которых им довелось быть. Они умеют хранить секреты. Иногда им нравится ощущение, что они владеют тайной.

— Но матерям-то они все рассказывают, — запротестовал мистер Фуллертон.

— Я в этом не уверен, — покачал головой Пуаро. — Знаю по опыту, что дети утаивают от матерей очень многие вещи.

— Могу я узнать, почему вас так интересует дело Лесли Ферриера? Насильственная смерть молодого человека, увы, не редкость в наши дни.

— Я ничего о нем не знаю, но хочу знать, потому что его насильственная смерть произошла не так уж давно. Это может быть важным для меня.

— Не могу понять, мсье Пуаро, — резко произнес мистер Фуллертон, — что привело вас ко мне и что именно вас интересует. Не можете же вы подозревать связь между гибелью Джойс Рейнолдс и убийством молодого человека, косвенно замешанного в преступной деятельности, происшедшим годы тому назад.

— Когда стремишься добраться до истины, подозревать можно все, — отозвался Пуаро.

— Простите, но во всех делах, касающихся преступлений, необходимы прежде всего доказательства.

— Возможно, вы слышали, что Джойс заявила в присутствии ряда свидетелей, будто собственными глазами видела убийство.

— В таком месте, как это, — ответил мистер Фуллертон, — слышишь любые сплетни. Если в их основе и имеются подлинные факты, то они доходят до вас настолько преувеличенными, что едва ли заслуживают доверия.

— Безусловно, — кивнул Пуаро. — Насколько мне известно, Джойс было всего тринадцать лет. В девятилетнем возрасте она могла видеть, скажем, как автомобиль сбил человека, как ночью ударили кого-то ножом или как задушили учительницу. Это произвело на нее сильное впечатление, но она никому ничего не рассказывала, не будучи уверенной, что видела на самом деле. Она могла даже забыть об этом, пока что-то ей не напомнило. Вы согласны, что такое возможно?

— Да, но мне это кажется притянутым за уши.

— По-моему, у вас здесь также произошло исчезновение девушки-иностранки. Ее звали Ольга или Соня... не помню фамилии.

— Ольга Семенова. Да, действительно.

— Боюсь, она не слишком заслуживала доверия?

— Вы правы.

— Девушка была компаньонкой или сиделкой миссис Ллуэллин-Смайт — тети миссис Дрейк, о которой мы только что говорили, верно?

— Да. До Ольги у нее работали еще две иностранные девушки. С одной из них она поссорилась почти сразу же, а другая была симпатичной, но непроходимо глупой. Миссис Ллуэллин-Смайт не принадлежала к людям, которые легко мирятся с глупостью. Ольга вроде бы ее вполне удовлетворяла. Если я правильно помню, девушка не отличалась привлекательностью. Она была низкорослой, коренастой, держалась неприветливо, поэтому соседи ее не жаловали.

— В отличие от миссис Ллуэллин-Смайт?

— Она очень привязалась к Ольге — с ее стороны это было весьма неблагоразумно. Несомненно, — продолжал мистер Фуллертон, — я не сообщаю вам ничего такого, о чем вы уже не слышали. Как я говорил, сплетни здесь распространяются с быстротой молнии.

— Насколько я понимаю, миссис Ллуэллин-Смайт оставила этой девушке крупную сумму денег?

— Произошла поразительная вещь, — сказал адвокат. — Миссис Ллуэллин-Смайт долгие годы практически не изменяла свое завещание, не считая добавления определенных сумм на благотворительные нужды. Очевидно, вам это уже известно, если вы интересовались этим вопросом. Основная часть капитала всегда отходила ее племяннику Хьюго Дрейку и его жене, являющейся также его кузиной и, следовательно, в какой-то степени племянницей миссис Ллуэллин-Смайт. Если бы кто-нибудь из них умер раньше тети, деньги переходили оставшемуся в живых. Солидные суммы завещались благотворительным организациям и старым слугам. Но последние изменения были осуществлены примерно за три недели до кончины миссис Ллуэллин-Смайт, причем без участия нашей фирмы, как было до того. Они представляли собой кодицил, написанный ею собственноручно. Число благотворительных организаций уменьшилось до одной или двух, слуги вовсе не получали ничего, а все состояние завещалось Ольге Семеновой в благодарность за ее верную службу и привязанность. Это казалось абсолютно непохожим на миссис Ллуэллин-Смайт.

— А потом? — спросил Пуаро.

— Возможно, об этом вы тоже слышали. Из показаний экспертов по почерку стало ясно, что кодицил поддельный. Он лишь слегка напоминал почерк завещательницы. Миссис Ллуэллин-Смайт не любила пишущую машинку и часто диктовала Ольге Семеновой свои личные письма, прося по возможности копировать ее почерк, а иногда даже ставить за нее подпись. У Ольги было достаточно времени для практики. Очевидно, когда миссис Ллуэллин-Смайт скончалась, девушка решила, что достаточно напрактиковалась для подделки кодицила. Но с экспертами такие вещи не срабатывают.

— И был начат процесс с целью опротестовать завещание?

— Да, но с обычными юридическими проволочками, в течение которых молодая леди потеряла присутствие духа и, как вы упомянули ранее, исчезла.

Глава 13

Когда Эркюль Пуаро откланялся и удалился, Джереми Фуллертон снова сел за стол и стал негромко барабанить по нему кончиками пальцев. Взгляд его был отсутствующим, — казалось, мысли адвоката блуждают где-то далеко.

Он взял лежащий перед ним документ и посмотрел на него, но никак не мог сосредоточиться. Зазвонил внутренний телефон, и Фуллертон поднял трубку:

— Да, мисс Майлс?

— Здесь мистер Холден, сэр.

— Ему следовало прийти на сорок пять минут раньше. Он объяснил причину опоздания?.. Да-да, понимаю. Тот же предлог, что и в прошлый раз. Скажите ему, что я был занят с другим клиентом, и теперь у меня не осталось времени. Назначьте ему время на следующей неделе, ладно? Так больше не может продолжаться.

— Да, мистер Фуллертон.

Адвокат положил трубку и снова устремил задумчивый взгляд на документ, который все еще не мог прочитать. Его ум был поглощен событиями прошлого. С тех пор миновало уже почти два года, но сегодня утром странный человечек в лакированных туфлях и с большими усами напомнил ему об этом своими вопросами.

Фуллертон воскрешал в памяти разговор, происшедший около двух лет назад...

Он снова видел сидящую напротив него невысокую коренастую фигуру девушки со смуглой кожей, темно-красными губами, тяжелыми скулами и голубыми глазами, поблескивающими из-под нависающих бровей. Страстное, полное жизненной энергии лицо принадле-

300

жало женщине, которая знала, что такое страдание, но так и не научилась с ним мириться. Такая женщина будет протестовать и бороться до самого конца. Интересно, где она теперь? Помог ли ей кто-нибудь устроить свою жизнь?

Очевидно, она снова вернулась в какое-то охваченное беспорядками место в Центральной Европе, откуда была родом, так как иной образ действий грозил ей потерей свободы.

Джереми Фуллертон твердо верил в закон. Он презирал многих теперешних судей, выносящих чрезмерно мягкие приговоры. Студенты, ворующие книги, молодые замужние женщины, обчищающие супермаркеты, девушки, крадущие деньги у своих боссов, мальчишки, взламывающие телефоны-автоматы, — никто из них не нуждался по-настоящему, никто не испытывал отчаяния. Все они были просто избалованы и не сомневались, что могут взять то, что не в состоянии купить. Однако, несмотря на убежденность в необходимости справедливых наказаний, мистер Фуллертон был не чужд состраданию. Он мог испытывать к людям жалость и жалел Ольгу Семенову, хотя на него абсолютно не действовали аргументы, выдвигаемые ею в свою защиту.

— Я пришла к вам за помощью. В прошлом году вы были так добры ко мне, помогли с документами, нужными, чтобы задержаться в Англии еще на год. Мне сказали: «Если не хотите, можете не отвечать на вопросы. Вас может представлять адвокат». Поэтому я пришла к вам.

— Пример, приведенный вами, не подходит к теперешним обстоятельствам. — Мистер Фуллертон произнес это холодно и сухо, скрывая чувство жалости. — В данном случае я не могу оказывать вам юридическую помощь. Я уже представляю семью Дрейк. Как вам известно, я был адвокатом миссис Ллуэллин-Смайт.

— Но она умерла, и ей больше не нужен адвокат.

— Она любила вас, — сказал мистер Фуллертон.

— Да, любила! Поэтому она и хотела оставить мне свои деньги!

— Все деньги?

— Почему бы и нет? Она не любила своих родственников.

— Вы не правы. Она очень любила племянника и племянницу.

— Может быть, миссис Ллуэллин-Смайт любила мистера Дрейка, но только не миссис Дрейк. Она ее утомляла — во все вмешивалась, не позволяла делать то, что ей хотелось, есть пищу, которая ей нравилась.

— Миссис Дрейк очень добросовестная женщина — она пыталась убедить свою тетю выполнять предписания врача относительно диеты и недопустимости переутомления.

— Люди не всегда хотят делать то, что говорит врач. Они не хотят, чтобы родственники не давали им покоя. Миссис Ллуэллин-Смайт была богата — она могла делать то, что хотела! И со своими деньгами могла поступать по-своему! У мистера и миссис Дрейк и так достаточно денег, прекрасный дом, полно красивой одежды и две машины. Почему они должны иметь еще больше?

— Они единственные родственники миссис Ллуэллин-Смайт.

— Она хотела передать мне свои деньги! Она жалела меня — знала, через что я прошла, как моего отца забрала полиция и мы с мамой больше никогда его не видели, как потом умерла мама и вся моя семья! Вы не знаете, что такое жить в полицейском государстве! Вы сами на стороне полиции, а не на моей!

— Да, — подтвердил мистер Фуллертон, — я не на вашей стороне. Мне очень жаль вас, но в теперешних неприятностях вы виноваты сами.

— Неправда! Я ничего плохого не сделала! Я была добра к ней, давала есть то, что ей не разрешали, — конфеты и сливочное масло; растительное она терпеть не могла.

— Дело не в масле, — сказал мистер Фуллертон.

— Я ухаживала за ней, и она хотела меня отблагодарить. Когда миссис Ллуэллин-Смайт умерла, я узнала, что она оставила подписанную бумагу, где завещала мне все свои деньги, а потом явились Дрейки и заявили, что я не должна их получить. Они говорили, что я дурно влияла на их тетю и даже что я сама написала это завещание. Это чепуха. Его написала миссис Ллуэллин-Смайт. Она отослала меня из комнаты и позвала уборщицу и садовника Джима — сказала, что бумагу должны подписать они, а не я, потому что я получаю все деньги. Ну и почему я не должна их брать? Почему мне не может повезти раз в жизни? Это казалось чудом! Я строила такие планы, узнав об этом.

— Не сомневаюсь.

— Почему я не могла радоваться? Я хочу быть богатой и счастливой, иметь все, что мне нравится. Она сама написала завещание — никто не может сказать, что это сделала я!

— Тем не менее об этом говорят многие. А теперь перестаньте протестовать и слушайте. Миссис Ллуэллин-Смайт, диктуя вам письма, часто просила вас копировать ее почерк, не так ли? У нее была старомодная идея, что посылать друзьям и знакомым письма, отпечатанные на машинке, — дурной тон. Это пережиток викторианской эпохи. В наши дни никого не интересует, получает он отпечатанные письма или написанные от руки. Но для миссис Ллуэллин-Смайт это выглядело невежливым. Вы понимаете меня?

— Да, понимаю. Она действительно просила меня об этом. «Ольга, — говорила она, — перепиши от руки эти три письма, которые ты застенографировала под мою диктовку, и постарайся, чтобы почерк был похож на мой». Миссис Ллуэллин-Смайт учила меня подражать ее почерку, показывала, как пишет каждую букву. «Теперь, когда ты научилась писать как я, — говорила она, — можешь ставить за меня подпись. Из-за ревматизма мне все труднее писать самой, но я не хочу, чтобы люди считали меня инвалидом, и не люблю, когда мои письма отпечатывают на машинке».

— Вы могли писать их вашим обычным почерком, — заметил мистер Фуллертон, — а в конце добавлять примечание: «Написано секретарем» — или ставить любые инициалы.

303

— Миссис Ллуэллин-Смайт этого не хотела. Ей нравилось, чтобы все думали, будто она пишет письма сама.

«Это достаточно похоже на правду», — подумал мистер Фуллертон. Миссис Ллуэллин-Смайт всегда возмущало то, что она больше не может далеко ходить, быстро подниматься на холм, производить привычные действия руками, особенно правой рукой. Ей хотелось заявить окружающим: «Со мной все в полном порядке — я в состоянии делать все, что хочу». Это была одна из причин, по которым кодицил к последнему завещанию, составленному и подписанному Луизой Ллуэллин-Смайт, вначале был принят без всяких подозрений. Подозрения возникли в офисе самого мистера Фуллертона, потому что он и его младший партнер очень хорошо знали почерк миссис Ллуэллин-Смайт.

— Просто не могу поверить, что Луиза Ллуэллин-Смайт написала этот кодицил, — сказал молодой Коул. — Я знаю, что у нее в последнее время разыгрался артрит, но взгляните на образцы ее почерка, которые я выбрал среди ее бумаг, чтобы показать вам. Тут что-то не так.

Мистер Фуллертон согласился, что с кодицилом что-то не так, и обратился за помощью к экспертам. Ответы независимых друг от друга специалистов были одинаковыми: почерк кодицила определенно не принадлежит Луизе Ллуэллин-Смайт. Если бы Ольга была менее алчной и сохранила без изменений начало кодицила: «В благодарность за внимание, заботу и привязанность ко мне я завещаю...» — но в дальнейшем бы ограничилась просто круглой суммой, оставленной преданной девушке au pair, родственники могли бы счесть такую благодарность чрезмерной, но принять ее без всяких сомнений. Однако полностью лишить наследства родственников — племянника, который являлся главным наследником в предыдущих четырех завещаниях, составленных на протяжении почти двадцати лет, — и оставить все какой-то Ольге Семеновой было не в характере Луизы Ллуэллин-Смайт. Даже жалоба на дурное влияние могла бы привести к опротестованию такого документа. Страстная, энергичная девушка оказалась чересчур жадной. Возможно, миссис Ллуэллин-Смайт сказала, что оставит ей какие-то деньги, так как привязалась к девушке, исполнявшей все ее просьбы и причуды. Перед Ольгой открылась заманчивая перспектива получить все состояние старой леди — деньги, дом, одежду, драгоценности. Но теперь ее постигло наказание за алчность.

Мистер Фуллертон против своей воли и инстинктов юриста чувствовал жалость к девушке. Она страдала с детских лет, живя в полицейском государстве, потеряв родителей, брата и сестру, постоянно испытывая страх и унижение, и все это помогло развиться черте, несомненно врожденной, но не принявшей бы подобных масштабов в иных условиях, — безудержной, поистине детской жадности.

— Все против меня, — продолжала жаловаться Ольга. — Вы все несправедливы ко мне, потому что я иностранка. Почему вы не скажете, что мне делать?

— Потому что я не думаю, что у вас большой выбор, — ответил мистер Фуллертон. — Ваш лучший шанс — честно во всем признаться.

— Если я скажу то, что вы хотите, — это будет ложью. Миссис Ллуэллин-Смайт составила это завещание и подписала его. Она велела мне выйти, пока другие будут его подписывать.

— Есть люди, которые скажут, что миссис Ллуэллин-Смайт часто не знала, что подписывает. Она не всегда перечитывала лежащие перед ней документы.

— Значит, она не знала, что говорит.

— Дитя мое, — сказал мистер Фуллертон, — вам остается надеяться на то, что это ваше первое преступление, что вы иностранка и знаете лишь начатки английского языка. Вы можете отделаться мягким приговором или даже быть условно освобожденной на поруки.

— Все это только слова. Я попаду в тюрьму и никогда оттуда не выйду.

— Теперь вы говорите чушь.

— Было бы лучше, если бы я убежала и спряталась, так чтобы меня никто не мог найти.

— Вас бы нашли, как только выписали бы ордер на ваш арест.

— Нет, если бы я уехала сразу же и кто-нибудь мне помог. Я могла бы покинуть Англию на корабле или самолете, найти кого-нибудь, кто подделывает паспорта, визы, или что там нужно иметь. У меня есть друзья, которые меня любят. Они помогли бы мне исчезнуть. Я могла бы надеть парик и ходить на костылях...

— Послушайте, — властно прервал мистер Фуллертон. — Я рекомендую вас адвокату, который сделает для вас все, что от него зависит. Исчезнуть вам не удастся. Вы рассуждаете как ребенок.

— У меня есть деньги. Я скопила достаточно. — Помолчав, она добавила: — Я верю, что вы стараетесь мне помочь. Но вы ничего не сможете сделать, потому что закон есть закон. Ничего, мне все равно помогут, и я отправлюсь туда, где меня никогда не найдут.

Ее действительно не нашли, и мистера Фуллертона очень интересовало, где она теперь.

Глава 14

Эркюля Пуаро проводили в гостиную «Эппл-Триз» и сказали ему, что миссис Дрейк скоро к нему выйдет.

Идя через холл, Пуаро слышал звуки женских голосов за дверью, очевидно ведущей в столовую.

Он подошел к окну гостиной и окинул взглядом аккуратный, ухоженный сад. Астры и хризантемы все еще цвели, привязанные к подпоркам; пара роз упорно сопротивлялась приближению зимы.

Пуаро не смог разглядеть никаких признаков подготовительной деятельности садовника-декоратора. По-видимому, миссис Дрейк оказалась слишком крепким орешком для Майкла Гарфилда и осталась нечувствительной к его соблазнам.

Дверь открылась.

— Простите, что заставила вас ждать, мсье Пуаро, — сказала миссис Дрейк.

Из холла доносились голоса людей, прощавшихся и покидавших дом.

— У нас было собрание комитета по подготовке празднования Рождества, — объяснила миссис Дрейк. — Такие вещи всегда занимают больше времени, чем ожидается. Кто-нибудь обязательно против чего-то возражает или выдвигает блестящую идею, которую обычно невозможно осуществить.

В ее голосе слышались резкие нотки. Пуаро мог хорошо себе представить, как Ровена Дрейк решительно отвергает абсурдные предложения. По словам сестры Спенса и намекам других людей, он понимал, что миссис Дрейк принадлежит к типу властных женщин, от которых ожидают руководящей деятельности, но не испытывают к ней за это особой признательности. Пуаро также сознавал, что ее добросовестность не могла быть оценена по заслугам пожилой родственницей, принадлежавшей к тому же типу. Ему было известно, что миссис Ллуэллин-Смайт приехала сюда, чтобы жить поближе к племяннику и его жене, и что жена охотно стала заботиться о мужниной тете в той степени, в какой могла это делать, не проживая в ее доме. Миссис Ллуэллин-Смайт, возможно, признавала в душе, что многим обязана Ровене, в то же время, безусловно, возмущаясь ее властными манерами.

— Ну, наконец-то все разошлись, — сказала Ровена Дрейк, услышав, как в последний раз хлопнула дверь холла. — Чем могу вам помочь? Хотите узнать что-то еще об этой ужасной вечеринке? Лучше бы ее здесь не устраивали. К сожалению, у нас нет других подходящих домов. Миссис Оливер все еще гостит у Джудит Батлер?

— Да. Кажется, она собирается вернуться в Лондон через день или два. Вы не были знакомы с ней раньше?

— Нет. Мне нравятся ее книги.

— Она считается очень хорошим писателем, — заметил Пуаро.

— Несомненно, так оно и есть. И сама она очень забавная. У нее есть какие-нибудь идеи... ну, насчет того, кто мог это сделать?

— Думаю, что нет. А у вас, мадам?

— Я уже говорила вам — абсолютно никаких.

— Да, вы говорили. И все же у вас может иметься если не идея, то хотя бы смутное предположение.

Она с любопытством посмотрела на него:

— Почему вы так думаете?

— Вы могли что-то заметить — что-то, поначалу выглядевшее мелким и неважным, но впоследствии показавшееся вам более значительным.

— Должно быть, мсье Пуаро, у вас на уме какой-то определенный инцидент.

— Вынужден признать, что да. Кое-кто рассказал мне об этом.

— Вот как? И кто же?

— Мисс Уиттейкер — школьная учительница.

— Ах да, Элизабет Уиттейкер. Она преподает математику в «Вязах», не так ли? Припоминаю, что мисс Уиттейкер была на вечеринке. Она что-то видела?

— Скорее у нее сложилось впечатление, что вы могли что-то видеть.

Миссис Дрейк удивленно покачала головой.

— Не думаю, — промолвила она, — хотя кто знает.

— Это связано с вазой, — объяснил Пуаро. — Вазой с цветами.

— Вазой с цветами? — Ровена Дрейк выглядела озадаченной, потом ее чело прояснилось. — Ну конечно! На столе в углу лестницы стояла большая ваза с хризантемами и осенними листьями. Очень красивая стеклянная ваза — один из моих свадебных подарков. Когда я проходила через холл — это было под конец вечеринки, хотя я не уверена, — то мне показалось, что листья и один-два цветка поникли. Я подошла посмотреть, в чем дело, сунула пальцы в вазу и обнаружила, что какой-то идиот, должно быть, забыл налить туда воду. Я очень рассердилась, отнесла вазу в ванную и наполнила ее. Но что я могла увидеть в ванной? Там никого не было, я в этом уверена. Может быть, какие-то мальчики и девочки постарше, как говорят в Америке, «тискались» там во время вечеринки, но, когда я пришла туда с вазой, ванная была пуста.

— Нет, нет, я имею в виду не это, — сказал Пуаро. — Насколько я понял, произошел неприятный инцидент. Ваза выскользнула из ваших пальцев, упала в холл и разбилась на куски.

— Да, — вздохнула Ровена. — На мелкие кусочки. Я очень огорчилась, потому что, как я говорила, это был свадебный подарок — прекрасная цветочная ваза, достаточно тяжелая, чтобы в нее ставить большие осенние букеты. Так глупо с моей стороны! Да, ваза упала в холл и разбилась. Там стояла Элизабет Уиттейкер — она помогла мне собрать осколки и подмести пол, чтобы никто не наступил на стекло. Мы вымели осколки в угол, возле напольных часов, чтобы убрать их оттуда позже. — Она вопрошающе посмотрела на Пуаро: — Вы имели в виду этот инцидент?

— Да, — ответил Пуаро. — Мисс Уиттейкер интересовало, почему вы уронили вазу. Она думала, что вас что-то удивило.

— Удивило? — Ровена Дрейк задумчиво нахмурилась. — Вряд ли. Просто иногда вещи выскальзывают из рук — например, посуда во время мытья. К тому времени я очень устала от подготовки и проведения вечеринки, хотя она прошла очень хорошо, поэтому упустила вазу.

— Вы уверены, что вас ничего не испугало? Может быть, вы увидели что-то неожиданное?

— Увидела? Где? Внизу в холле? Я ничего там не видела. В тот момент холл был пуст, если не считать мисс Уиттейкер, так как все играли в «Львиный зев». Да и ее я едва ли заметила, прежде чем она подбежала мне помочь.

— Возможно, вы увидели, как кто-то вышел из двери в библиотеку?

— Из двери в библиотеку?.. Да, понимаю. Я могла это видеть... — Она немного подумала, потом устремила на Пуаро твердый уверенный взгляд. — Нет, я не видела никого выходящего из библиотеки.

Тон, которым Ровена Дрейк это заявила, вызвал у Пуаро сомнение в ее правдивости. Очевидно, она видела кого-то или что-то — возможно, чью-то фигуру за приоткрытой дверью. Но почему она так уверенно это отрицает? Потому что ей не хотелось верить, что тот, кого она видела, имеет отношение к преступлению, совершенному за той дверью? Кто-то, кого она любила или — что более вероятно — хотела защитить. Возможно, кто-то, совсем недавно распростившийся с детством и, как она думала, не вполне осознающий весь ужас содеянного им...

Миссис Дрейк казалась Пуаро женщиной суровой и властной, но откровенной. Такие женщины часто становятся судьями, председателями комитетов или благотворительных обществ и вообще занимаются тем, что обычно именуют «полезной деятельностью». Как ни странно, они чрезмерно верят в обстоятельства, могущие служить оправданием, и склонны к снисходительности в отношении малолетних преступников — тем более умственно отсталых. Если Ровена Дрейк видела выходящим из библиотеки кого-то, относящегося к упомянутой категории, то в ней мог пробудиться покровительственный инстинкт. К сожалению, в нынешнее время преступления нередко совершаются даже детьми семи — девяти лет, и суду нелегко решить, что с ними делать. Обычно для них находят оправдания — неблагополучные семьи, отсутствие внимания со стороны родителей и тому подобное. Но люди, особенно горячо их защищающие, как правило, принадлежат к типу Ровены Дрейк — строгих и властных женщин, в таких случаях неожиданно проявляющих снисхождение.

Пуаро не мог с ними согласиться. Он привык думать прежде всего о правосудии. У него всегда вызывало подозрения избыточное милосердие. По своему опыту в Бельгии и в этой стране он знал, что оно зачастую приводит к новым преступлениям, невинные жертвы которых не стали бы таковыми, если бы о правосудии заботились в первую очередь, а о милосердии во вторую.

— Понятно, — медленно произнес Пуаро.

— Вам не кажется возможным, что мисс Уиттейкер видела, как кто-то входил в библиотеку? — предположила миссис Дрейк.

Пуаро был заинтригован.

— Вы думаете, такое могло произойти?

— По-моему, это не исключено. Она могла видеть, как кто-то вошел в библиотеку, скажем, пять минут назад, а когда я уронила вазу — подумать, что я увидела того же человека и узнала его. Возможно, ей не хотелось делать предположения относительно того, кто это был, так как она толком его не разглядела, а просто, скажем, увидела со спины ребенка или подростка.

— Вы полагаете — не так ли, мадам, — что это был всего лишь ребенок, мальчик или девочка? Вам кажется, что именно ребенок или подросток, скорее всего, мог совершить преступление подобного типа?

Миссис Дрейк задумалась над его словами.

— Пожалуй, — ответила она наконец. — Раньше я не думала об этом. В наши дни преступления часто совершает молодежь. Они не вполне осознают, что делают, — некоторые из них одержимы нелепой жаждой мести, некоторых обуревает инстинкт разрушения. Даже те, кто ломают телефоны-автоматы и протыкают автомобильные шины, поступают так только потому, что ненавидят все человечество. Это симптом нашего века. Поэтому, когда ребенка топят в ведре на вечеринке без какой-либо видимой причины, поневоле предполагаешь, что это дело рук кого-то, не вполне отвечающего за свои действия. Вы согласны, что такое предположение... ну, наиболее вероятно?

— По-моему, полиция разделяет вашу точку зрения — во всяком случае, разделяла.

— Неудивительно. У нас здесь хорошие полицейские, усердные и настойчивые. Они раскрыли немало преступлений. Надеюсь, они раскроют и это убийство, хотя вряд ли это произойдет скоро. Обычно в таких случаях уходит много времени на сбор улик.

— В этом деле улики будет не так легко собрать, мадам.

— Да, по-видимому. Когда погиб мой муж... Он был калека, и, когда переходил дорогу, его сбила машина. Того, кто это сделал, так и не нашли. Может быть, вам известно, что мой муж был жертвой полиомиелита — остался частично парализованным шесть лет назад.

Правда, потом его состояние улучшилось, но ему было нелегко увертываться от мчащихся автомобилей. Я чувствую себя виноватой, хотя он всегда настаивал, что будет выходить из дому один, и старался осторожно переходить улицы. Его возмущала сама мысль о том, чтобы зависеть от сиделки или от жены в качестве сиделки.

— Это несчастье произошло после смерти вашей тети?

— Нет. Она умерла вскоре после этого. Беда никогда не приходит одна, не так ли?

— Увы, это истинная правда, — согласился Эркюль Пуаро. — Значит, полиция не смогла обнаружить автомобиль, который сбил вашего мужа?

— Это был «грассхоппер» седьмой модели. Но почти каждая третья машина, которую вы видите на дороге, этой марки. В полиции мне объяснили, что это самая популярная модель. Они считают, что ее угнали на рыночной площади в Медчестере, — она принадлежала мистеру Уотерхаусу, пожилому торговцу зерном. Мистер Уотерхаус водит автомобиль очень осторожно — тогда за рулем был явно не он. Очевидно, безответственная молодежь опять решила прокатиться. Такие беспечные и бессердечные люди обычно отделываются штрафом, но, по-моему, их следует наказывать более сурово.

— Возможно, тюремным заключением. От штрафов мало толку — все равно их выплачивают снисходительные родственники.

— Но нельзя забывать, — заметила Ровена Дрейк, — что молодые люди не должны прерывать обучение. Важно, чтобы у них оставался шанс преуспеть в жизни.

— Священная корова образования, — усмехнулся Пуаро. — Такую фразу, — поспешно добавил он, — я часто слышал от людей, занимающих видное положение в сфере науки и, следовательно, знающих в этом толк.

— Очевидно, они недостаточно принимают во внимание плохое воспитание молодежи в неблагополучных семьях.

— Значит, по-вашему, молодые преступники нуждаются не в тюремном заключении, а в иных мерах?

312

— Они нуждаются в корректных исправительных мерах, — твердо заявила Ровена Дрейк.

— И это поможет — еще одна старинная поговорка — изготовить шелковый кошелек из свиного уха? Вы не верите в афоризм, что «судьба каждого человека со дня рождения висит у него на шее»?

На лице миссис Дрейк отразилось сомнение.

— Кажется, это исламское изречение, — добавил Пуаро.

— Надеюсь, — промолвила миссис Дрейк, — мы не заимствуем наши идеи — вернее, идеалы — на Ближнем Востоке.

— Факты — упрямая вещь, — заметил Пуаро, — и они заключаются в том, что, по мнению современных западных биологов, — он подчеркнул слово «западных», — корни поведения человека лежат в его генетической природе. Следовательно, двадцатичетырехлетний убийца является убийцей потенциальным и в два, и в три, и в четыре года. Разумеется, так же, как гениальный математик или музыкант.

— Мы не обсуждаем убийц, — возразила миссис Дрейк. — Мой муж погиб в результате несчастного случая, в котором повинна беспечная и плохо приспособленная к жизни в обществе личность. Кем бы ни была эта личность — мальчиком или молодым человеком, — всегда есть надежда внушить ей, что ее долг — думать о других, и научить бояться отнять чужую жизнь. Конечно, речь идет о беспечности и легкомыслии, а не преступных намерениях.

— Таким образом, вы уверены, что в данном случае преступные намерения отсутствовали?

— Практически уверена. — Миссис Дрейк выглядела слегка удивленной. — Не думаю, чтобы полиция всерьез рассматривала подобную возможность. Конечно, это был несчастный случай, трагически изменивший жизни многих людей, включая мою.

— Вы говорите, что мы не обсуждаем убийц, — сказал Пуаро. — Но в вопросе о Джойс мы обсуждаем именно это. Тут не может быть и речи о несчастном случае. Чьи-то руки явно с преступными намерениями засунули голову девочки в ведро с водой и держали там, пока не наступила смерть.

— Знаю. Это ужасно. Мне страшно даже думать об этом.

Она поднялась и беспокойно зашагала по комнате.

— Но мы все еще не знаем мотива, — настаивал Пуаро.

— Мне кажется, такое преступление может вовсе не иметь мотива.

— Вы имеете в виду, что его совершил какой-то маньяк, которому просто нравится убивать? Возможно, убивать именно малолетних?

— Такие случаи известны. Трудно сказать, что является их первоначальным мотивом. Даже у психиатров на этот счет нет единого мнения.

— Вы отказываетесь принять более простое объяснение?

Она казалась озадаченной.

— Более простое?

— Не маньяк и не объект для дискуссий психиатров, а, возможно, просто тот, кто заботится о своей безопасности.

— Безопасности? О, вы имеете в виду...

— За несколько часов до гибели девочка похвалялась, что видела убийство.

— Джойс была очень глупой девочкой, — спокойно и уверенно произнесла миссис Дрейк. — Боюсь, что и не всегда правдивой.

— Другие говорили мне то же самое, — кивнул Эркюль Пуаро. — Начинаю верить, что так оно и было, — вздохнув, добавил он и поднялся. — Должен принести вам извинения, мадам. Я говорил с вами о малоприятных вещах, которые меня не слишком касаются. Но судя по тому, что рассказала мне мисс Уиттейкер...

— Почему бы вам не узнать у нее побольше?

— О чем вы?

— Она учительница и знает куда лучше меня о потенциале (выражаясь вашим языком) своих учеников. Впрочем, как и мисс Эмлин.

— Директриса? — Пуаро выглядел удивленным.

— Да. Она прирожденный психолог. Вы говорили, у меня могут иметься смутные предположения, кто убил Джойс. У меня их нет, но думаю, они могут быть у мисс Эмлин.

— Это интересно.

— Я не имею в виду доказательства. Но возможно, она просто знает и скажет вам... Хотя не думаю, что она это сделает.

— Вижу, — промолвил Пуаро, — что мне предстоит долгий и трудный путь. Люди многое знают, но не станут мне об этом рассказывать. — Он задумчиво посмотрел на Ровену Дрейк. — У вашей тетушки, миссис Ллуэллин-Смайт, была иностранная девушка au pair, которая ухаживала за ней.

— Кажется, вы в курсе всех местных сплетен, — сухо заметила Ровена. — Да, это верно. Она внезапно уехала вскоре после смерти тети.

— И как будто по веской причине?

— Не знаю — возможно, это клевета, — но здесь не сомневались, что она подделала кодицил к тетиному завещанию — или кто-то помог ей это сделать.

— Кто-то?

— Она дружила с молодым человеком, который работал в адвокатской конторе в Медчестере. Он ранее был замешан в истории с подделкой. Дело о завещании не дошло до суда, так как девушка исчезла. Она поняла, что завещание не утвердят и что ей грозит тюрьма. С тех пор о ней ничего не слышали.

— У нее, кажется, тоже было неблагополучное детство, — заметил Пуаро.

Ровена Дрейк бросила на него резкий взгляд, но он любезно улыбнулся:

— Благодарю вас за все, что вы мне сообщили, мадам.

Выйдя из дома, Пуаро свернул с основной дороги на боковую с указателем: «Кладбище Хелпсли». Туда было всего около десяти минут ходьбы. Упомянутое кладбище, по-видимому, возникло лет десять назад в связи с растущим значением Вудли как населенного пункта.

Кладбище на маленьком дворе церкви, возраст которой составлял два-три века, было заполнено целиком, поэтому возникла необходимость в новом кладбище, соединенном со старым дорожкой через два поля. Новое кладбище, думал Пуаро, выглядело современно и деловито, с подобающими выражениями чувств на мраморных и гранитных плитах, с урнами, цветниками и аккуратно подстриженными кустами. Какие-либо интересные надписи или эпитафии отсутствовали полностью — любителю старины тут было нечего делать.

Пуаро остановился прочитать табличку на могиле в группе захоронений двух-трехлетней давности. На ней была простая надпись: «В память о Хьюго Эдмунде Дрейке, любимом муже Ровены Арабеллы Дрейк, скончавшемся 20 марта 19... г. Спи спокойно».

После недавнего общения с динамичной Ровеной Дрейк Пуаро подумал, что спокойный сон — наиболее благоприятное состояние для ее супруга.

Гипсовая урна содержала остатки цветов. Пожилой садовник, очевидно нанятый для ухода за могилами, подошел к Пуаро в надежде на приятную беседу, отложив мотыгу и метлу.

— Вы не из здешних, верно, сэр? — осведомился он.

— Абсолютно верно, — подтвердил Пуаро.

— Славный джентльмен был мистер Дрейк, — продолжал садовник. — Только калека — подхватил детский паралич. Не знаю, почему эту хворь так называют, — вроде взрослые ею болеют не реже, чем дети. Тетя моей жены заразилась этой штукой в Испании — искупалась в какой-то реке, когда ездила туда. Доктора говорили, что это была водяная инфекция, но я им не очень-то верю. Хотя прививки, которые они делают детям, здорово помогают. Да, приятный был джентльмен и не жаловался, хотя ему туго пришлось. Ведь он раньше был спортсменом — играл в крикет в нашей деревенской команде.

— Он погиб в результате несчастного случая, не так ли?

— Верно. Переходил дорогу в сумерках, и его сбила машина с парочкой бородатых юнцов. Даже не остановились посмотреть — поехали дальше. Машину бросили милях в двадцати — она ведь им не принадлежала; угнали на какой-то стоянке. В наши дни такое бывает сплошь и рядом, а полиция ничего не может поделать. Жена очень его любила — здорово переживала, когда он умер. Почти каждую неделю приходила сюда и приносила на могилу цветы. Думаю, она здесь долго не задержится.

— Почему? У нее такой красивый дом.

— Да, и для деревни она много делает — устраивает чаепития, командует в разных женских комитетах и обществах. Некоторые говорят, что она слишком любит командовать и всюду сует свой нос. Но викарий полагается на нее. Впрочем, я тоже частенько думаю — хотя ни за что не скажу об этом жене, — что, какую бы пользу ни приносили такие леди, лучше они от этого не становятся. Вечно они все знают, учат вас, что можно делать, а что нельзя. Никакой свободы! Правда, в наши дни свободу днем с огнем не сыщешь.

— Значит, вы думаете, что миссис Дрейк уедет отсюда?

— Я бы не удивился, если бы она уехала и поселилась где-нибудь за границей. Они любили бывать за границей.

— А почему вам кажется, что она хочет уехать?

На лице старика внезапно появилась плутоватая усмешка.

— Ну, она уже сделала тут все, что могла. Как говорится в Писании, пора выращивать другой виноградник. Ей надобна работа, а здесь она проделала все, что нужно, и даже более того, как некоторые думают. Вот!

— Иными словами, она нуждается в новом поле деятельности? — предположил Пуаро.

— В самую точку попали. Переберется куда-нибудь, где сможет командовать другими людьми. С нами она уже сотворила все, что хотела, так чего ей здесь торчать?

— Возможно, вы правы, — задумчиво промолвил Пуаро.

— Теперь у нее и мужа не осталось, чтобы за ним присматривать. Она несколько лет с ним возилась — это давало ей, как говорится, цель в жизни. Таким женщинам нужно быть занятыми все время. Тем более, что детишек у нее нет. Так что, по-моему, она начнет все заново где-нибудь еще.

— И куда же она поедет?

— А мне откуда знать? На Ривьеру, а может, в Испанию или Португалию. Или в Грецию — я слыхал, как она говорила о греческих островах. Миссис Батлер побывала там. Их называют «охрипелаг» — я такое и выговорить толком не могу.

— Архипелаг, — улыбаясь, поправил Пуаро. — Вам она нравится? — спросил он.

— Миссис Дрейк? Ну, не сказал бы. Конечно, женщина она хорошая — как говорится, исполняет свой долг перед ближними, но уж больно любит этими ближними командовать. Учит меня подрезать розы, как будто я без нее этого не знаю, пристает со всякими новомодными овощами, а мне достаточно капусты.

— Мне пора идти, — сказал Пуаро. — Вы, случайно, не знаете, где живут Николас Рэнсом и Дезмонд Холленд?

— Пройдете мимо церкви — и третий дом с левой стороны. Они столуются у миссис Брэнд и каждый день ездят в Медчестер — в техническое училище. Сейчас они наверняка уже дома. — Он с любопытством посмотрел на Пуаро. — Так вот, значит, что у вас на уме. Некоторые тоже думают на них.

— Пока что я ни на кого не думаю. Но они оба присутствовали там — вот и все.

Простившись с садовником и двинувшись к выходу, Пуаро пробормотал себе под нос:

— Я уже подбираюсь к концу моего списка.

Глава 15

Две пары глаз с беспокойством смотрели на Пуаро.

— Не знаю, что еще мы можем вам рассказать. Нас уже расспрашивала полиция, мсье Пуаро.

Пуаро переводил взгляд с одного юноши на другого. Сами они едва ли стали бы именовать себя юношами — их поведение и манера разговора были подчеркнуто «взрослыми». Если закрыть глаза, то можно было подумать, что это беседуют двое пожилых завсегдатаев клубов. В действительности Николасу было восемнадцать лет, а Дезмонду — шестнадцать.

— По просьбе друга я задаю вопросы тем, кто присутствовал не на самой вечеринке, а на подготовке к ней. Вы оба активно в ней участвовали, не так ли?

— Да.

— Я уже выслушал мнение полиции, побеседовал с уборщицами, врачом, который первым обследовал тело, присутствовавшей там школьной учительницей, директрисой школы, убитой горем матерью, ознакомился с деревенскими сплетнями... Кстати, насколько я понял, у вас имеется местная колдунья?

Двое молодых людей весело рассмеялись.

— Вы имеете в виду мамашу Гудбоди? Да, она пришла на вечеринку и сыграла роль колдуньи.

— Теперь я перехожу к младшему поколению, — продолжал Пуаро, — обладающему острым зрением и слухом, современными научными знаниями и философским мышлением. Мне не терпится узнать вашу точку зрения на эту историю.

Говоря, он внимательно смотрел на двух парней. Юноши для полиции, мальчишки для него, подростки для репортеров — их можно называть как угодно. Неглупые ребята, даже если и не отличаются таким высоким интеллектом, какой он только что им льстиво приписал, чтобы облегчить начало разговора. Они присутствовали и на вечеринке, и на подготовительных мероприятиях, помогая миссис Дрейк.

Николас и Дезмонд лазили на стремянки, развешивали желтые тыквы и китайские фонарики, кто-то из них ловко поработал с фотографиями, позволив девочкам увидеть «будущих мужей». Их возраст подходил для роли главных подозреваемых, по мнению инспектора Рэглена и, очевидно, пожилого садовника. Процент убийств, совершаемых представителями этой возрастной группы, увеличился за последние несколько лет. Не то чтобы Пуаро склонялся к подобным подозрениям, но все возможно — даже то, что убийства, происшедшие два или три года назад, могли быть совершены двенадцатилетним или четырнадцатилетним мальчиком. О таких вещах нередко читаешь в газетах...

Держа в уме эти возможности, Пуаро временно отодвинул их за занавес и сосредоточился на своей оценке двух юных собеседников — их внешности, одежде, поведении, голосах и тому подобном, как обычно маскируя интерес лестью и преувеличенно иностранными манерами, дабы они могли испытывать к нему дружелюбное презрение, скрытое вежливостью, так как оба были хорошо воспитаны. Старший, Николас, носил бакенбарды, волосы до плеч и черную одежду, не в знак траура по случаю недавней трагедии, а, по-видимому, руководствуясь собственным вкусом. Младший, Дезмонд, с пушистыми, ухоженными волосами рыжеватого оттенка, был облачен в розовую куртку, лиловые брюки и гофрированную рубашку. Оба тратили немало денег на одежду, которую явно приобретали не в местных магазинах и, возможно, оплачивали сами, не прибегая к помощи родителей или опекунов.

— Насколько я понял, вы были в «Эппл-Триз» в день вечеринки утром или после полудня, участвуя в подготовке к ней?

— Вскоре после полудня, — уточнил Николас.

— Что именно вы делали? Я слышал о подготовке от нескольких человек, но так толком и не смог все уяснить. Они часто друг другу противоречили.

— Ну, во-первых, занимались освещением.

— Поднимались на стремянки и подвешивали разные вещи, — добавил Дезмонд.

— А также, как я слышал, проделали недурную фотографическую работу?

Дезмонд тотчас же полез в карман, вынул бумажник и с гордостью извлек оттуда несколько фотографий.

— Изготовили их заранее, — объяснил он. — Будущие мужья для девочек. Для девчонок главное, чтобы парень выглядел посовременнее.

Он протянул несколько образцов Пуаро, который стал с интересом разглядывать довольно нечеткие изоб-

ражения молодых людей — с рыжей бородой, с пышным ореолом волос, с бакенбардами, с волосами почти
до колен и прочими украшениями.

— Мы старались, чтобы они не слишком походили
друг на друга. Неплохо получилось, верно?

— Полагаю, у вас были модели?

— Нет, это мы с Ником снимали друг друга — просто немного гримировались и манипулировали с волосами.

— Весьма изобретательно, — одобрил Пуаро.

— Миссис Дрейк тоже понравилось, — сказал Николас. — Она смеялась и поздравляла нас с успехом.
А в доме мы в основном возились с электричеством.
Устанавливали освещение таким образом, чтобы, когда девочки смотрели в зеркало, одному из нас достаточно было подпрыгнуть, и они видели физиономию
с бородой или бакенбардами.

— А девочки знали, что это вы и ваш друг?

— Уверен, что нет, — во всяком случае, не на вечеринке. Они знали, что мы участвовали в подготовке, но
вряд ли узнали нас в зеркале. Не настолько они хорошо соображают. Кроме того, мы с Николасом все время меняли грим. Девчонки визжали от восторга. Чертовски забавно!

— Сколько людей было в доме после полудня? Я не
прошу вас вспомнить всех присутствовавших на вечеринке.

— Ну, на вечеринке было человек тридцать. А после полудня там были, конечно, миссис Дрейк и миссис Батлер, одна из школьных учительниц, — кажется,
ее фамилия Уиттейкер, потом, сестра или жена органиста — миссис Флэттербат, или как там ее, медсестра
доктора Фергюсона, мисс Ли — она была свободна во
второй половине дня и пришла помочь, ну и несколько ребят, от которых было мало толку. Девчонки только околачивались вокруг и хихикали.

— А вы помните, какие именно девочки присутствовали тогда?

— Ну, Рейнолдсы: бедняжка Джойс, ее старшая сестра Энн — жуткая воображала, считает себя шибко

умной — и их младший братишка Леопольд, — ответил Дезмонд. — Он ужасный ябеда — все время подслушивает, а потом всем выбалтывает. Потом, Битрис Ардли и Кэти Грант — редкая тупица. Еще пара уборщиц и писательница, которая притащила вас сюда.

— А мужчины?

— Заглянул викарий — приятный старичок, хотя и глуповат. И его новый заместитель — он заикается, когда нервничает. Вот как будто и все.

— Вы слышали, как Джойс Рейнолдс говорила, что видела убийство?

— Нет, — отозвался Дезмонд. — А она действительно такое говорила?

— Вроде да, — ответил ему Николас. — Правда, я тоже этого не слышал, — очевидно, меня тогда не было в комнате. Где она это сказала?

— В гостиной.

— Ну да, большинство людей были там, если не занимались чем-нибудь особенным, — сказал Дезмонд. — Мы с Ником в основном находились в комнате, где девчонки собирались смотреть в зеркала на своих мужей, — устанавливали проводку и тому подобное. Или на лестнице — вешали китайские фонарики. В гостиную мы заходили один или два раза — подвешивали тыквы, а в те, которые были полыми, вставляли лампочки. Но я ничего такого не слышал. А ты, Ник?

— Я тоже, — кивнул Николас. — Любопытно, если Джойс в самом деле видела убийство.

— Что тут любопытного? — осведомился Дезмонд.

— Ну, это ведь экстрасенсорное восприятие, верно? Она видела, как произошло убийство, и через час или два ее саму убивают. Очевидно, у нее было нечто вроде видения. Я читал, что, согласно последним экспериментам, такую реакцию можно вызвать, прикладывая электрод к яремной вене.

— Ничего у них не выходит с этим экстрасенсорным восприятием, — с презрением сказал Дезмонд. — Люди сидят в разных комнатах, глядя на игральные карты или слова с геометрическими фигурами сверху, но ничего необычного там не видят.

Эркюль Пуаро поспешил вмешаться, не желая выслушивать научную дискуссию.

— Во время вашего пребывания в доме не произошло ничего, что могло бы вам показаться зловещим или просто значительным? Что-нибудь, возможно больше никем не замеченное, но привлекшее ваше внимание?

Николас и Дезмонд нахмурились, пытаясь припомнить какой-либо важный инцидент.

— Нет, там были только шум и суета.

— А у вас имеются какие-нибудь теории? — обратился Пуаро к Николасу.

— Насчет того, кто прикончил Джойс?

— Да. Быть может, вы заметили что-либо, наведшее вас на подозрения по чисто психологическим причинам.

— Да, я понимаю, что вы имеете в виду. Возможно, в этом что-то есть.

— Держу пари, это Уиттейкер, — вмешался Дезмонд.

— Учительница? — спросил Пуаро.

— Да. Она ведь старая дева и наверняка сексуально озабочена. К тому же в школе она постоянно пребывает в женском обществе. Помните, одну учительницу задушили год или два назад? Говорят, она была со странностями.

— Лесбиянка? — осведомился Николас тоном человека, умудренного жизненным опытом.

— Меня бы это не удивило. Помнишь Нору Эмброуз — девушку, с которой она жила? Она была недурна собой и имела одного или двух дружков, а та учительница с ума сходила от ревности. Говорили, будто она мать-одиночка. Пару семестров она отсутствовала по болезни, а потом вернулась. Впрочем, здесь любят посплетничать.

— Ну, как бы то ни было, Уиттейкер почти все время торчала в гостиной. Возможно, она слышала то, что сказала Джойс, и это застряло у нее в голове...

— Как по-твоему, сколько лет Уиттейкер? — спросил Николас. — Наверняка под пятьдесят. В этом возрасте женщины становятся немного странными...

Оба посмотрели на Пуаро с видом довольных собак, которые принесли то, что просил их хозяин.

— Если так, то бьюсь об заклад, что мисс Эмлин об этом знает. Ей известно все, что творится у нее в школе.

— Так чего же она молчит?

— Может быть, считает, что должна защищать своих подчиненных.

— Вряд ли. Если бы она думала, что Элизабет Уиттейкер свихнулась, то не стала бы молчать. А вдруг та прикончит еще несколько учениц?

— Как насчет заместителя викария? — с надеждой осведомился Дезмонд. — Возможно, он тоже слегка чокнутый. Знаете, первородный грех, а тут как раз яблоки, вода и все прочее. По-моему, это недурная идея! Ведь о нем никто ничего не знает. Предположим, на него так подействовал «Львиный зев». У него возникли ассоциации с адским пламенем. Он подошел к Джойс, сказал: «Пойдем, я покажу тебе кое-что», привел ее в комнату с яблоками и велел встать на колени — объяснил, что это крещение, и окунул ее голову в ведро. Видите, как все отлично соответствует? Адам и Ева, яблоки, адский огонь — и повторное крещение, дабы очиститься от греха.

— Наверное, он сначала разделся, — с энтузиазмом подхватил Николас. — У таких вещей всегда сексуальная подоплека.

— Ну, — промолвил Пуаро, — вы, безусловно, дали мне пищу для размышлений.

Глава 16

Эркюль Пуаро с интересом смотрел на миссис Гудбоди. Ее внешность идеально подходила для роли ведьмы. То, что эта внешность почти наверняка сочеталась с добродушным характером, ни в коей мере не рассеивало иллюзию. Она говорила много и охотно.

— Верно, я была там. Я всегда изображаю ведьму. В прошлом году викарию так понравилось, как я это проделала на карнавальном шествии, что он подарил мне новый остроконечный колпак. Ведьмины шапки изнашиваются, как и все остальное. На Хэллоуин я сочинила стишки для девочек с их именами — один для Битрис, другой для Энн и так далее. Я дала их тому, кто изображает призрака, и он их произносил, пока девочки смотрели в зеркало, а мальчики — мистер Николас и Дезмонд — бросали вниз фотокарточки. Я чуть со смеху не померла. Ребята приклеивали себе бороды и патлы, а потом друг друга фотографировали. А их одежда! На днях я видела мастера Дезмонда, так вы не поверите — на нем были коричневые брюки и розовая куртка. Девчонки с ног падают, когда видят такое. Но они тоже хороши — носят юбки все короче и короче, а под них надевают эти... как их там... колготки. В мое время такое только хористки носили, а теперь девочки последние деньги на это тратят. Мальчишки тоже ходят расфуфыренные, как павлины. Впрочем, мне нравятся яркие цвета: я всегда любила смотреть картинки, где нарисованы мужчины в старинных нарядах — в камзолах, штанах в обтяжку, шляпах с перьями — и все в кружевах и с локонами до плеч. Девушкам тогда было на что посмотреть. А сами они наряжались в платья с широченными юбками — они назывались крило... кринолины — и большими кружевными воротниками. Моя бабушка служила в хорошей викторианской семье, а может, это было не при Виктории, а еще раньше — при короле с головой как груша... как же его звали... Билли-дурачок, Вильгельм Четвертый[1]. Так вот, бабушка мне рассказывала, что тогда молодые леди носили муслиновые платья до самых лодыжек. Платья были такие чопорные, но девушки смачивали муслин в воде, чтобы он прилипал к ним. Таким образом они показывали все, что можно было показать. Выглядели скромницами, но джентльмены им проходу не давали... Я одолжила миссис Дрейк мой колдовской шар для вечеринки. Она повесила его возле дымохода, — может, вы его видели; такой красивый, темно-синий шар. Он висит у меня над дверью.

---

[1] В и л ь г е л ь м IV (1765—1837) — король Англии с 1830 г.

— Вы занимаетесь гаданием?

— Еще бы! — усмехнулась женщина. — Правда, полиции это не по душе. Не то чтобы им не нравилось именно мое гадание. Если знаешь, кто тебе больше подходит, от этого вреда нет.

— А вы не могли бы посмотреть в ваш шар и узнать, кто убил эту девочку, Джойс?

— Вы что-то путаете, — ответила миссис Гудбоди. — Чтобы что-то увидеть, нужно смотреть в хрустальный шар. Если бы я вам сказала, кто, по-моему, это сделал, вам бы это не понравилось. Вы бы сочли это противоестественным. Но кругом творится немало противоестественного.

— Возможно, вы правы.

— В общем-то у нас местечко неплохое — люди тут большей частью достойные, — но дьявол везде найдет себе подобных.

— Вы имеете в виду черную магию?

— Это чепуха, — презрительно фыркнула миссис Гудбоди. — Для тех, кто любит всякое шутовство с переодеванием, сексом и прочим. Нет, я говорю о тех, кого коснулся дьявол, — сыновей Люцифера. Таким ничего не стоит убить человека, если они получают от этого прибыль. Когда им что-то нужно, они берут это, ни о ком не думая и никого не жалея. Иногда они красивы, как ангелы. Я знала одну семилетнюю девочку, которая задушила своих маленьких брата и сестру — пятилетних близнецов — прямо в колясках.

— Это произошло здесь, в Вудли-Каммон?

— Нет, не здесь. Кажется, в Йоркшире. Жуткая история. Девочка была прехорошенькая — хоть приделай ей пару крылышек и пой рождественские гимны. Но внутри у нее все прогнило. Вы меня понимаете — вы уже немолоды и знаете, сколько в мире зла.

— Увы! — промолвил Пуаро. — Я слишком хорошо это знаю. Если Джойс действительно видела убийство...

— А кто говорит, что она это видела? — осведомилась миссис Гудбоди.

— Она сама это сказала.

— Ну так нечего ей верить. Она всегда была маленькой лгуньей. — Женщина внимательно посмотрела на Пуаро. — Надеюсь, вы этому не верите?

— Верю, — покачал головой Пуаро. — Уж слишком много людей убеждали меня этого не делать.

— В семьях иногда случаются странные вещи, — продолжала миссис Гудбоди. — Возьмите, к примеру, Рейнолдсов. Мистер Рейнолдс давно занимается продажей недвижимости, но ничего в жизни не добился и никогда не добьется. Миссис Рейнолдс только хлопочет по дому и из-за всего беспокоится. Но никто из их троих детей не пошел в родителей. У Энн отлично работают мозги. Она хорошо учится и собирается в колледж. Может, станет учительницей. Но она так довольна собой, что никто из ребят дважды на нее не посмотрит. Джойс не была такой умной, как Энн или как ее братишка Леопольд, но хотела быть. Ей всегда хотелось знать и уметь больше других, поэтому она плела разные небылицы, чтобы обратить на себя внимание. Но никто ей не верил, потому что девять ее слов из десяти были враньем.

— А мальчик?

— Леопольд? Ну, ему только девять или десять, но у него и руки и голова отлично работают. Он хочет изучать физику и здорово успевает по математике — даже учителя в школе удивляются. Наверняка он станет ученым, только будет придумывать разные скверные штуки, вроде атомной бомбы. Леопольд — один из тех умников, что изобретают вещи, которыми можно уничтожить половину земного шара вместе с людьми. Таких, как он, лучше остерегаться. Леопольд вечно подслушивает и выведывает чужие секреты. Хотела бы я знать, где он берет карманные деньги. Во всяком случае, не у родителей — у них особенно не разживешься, а у Леопольда стали водиться деньги. Он хранит их в ящике комода, под носками, и покупает всякие дорогие штуки. Думаю, он заставляет людей платить за то, что хранит их тайны. — Она сделала паузу, чтобы перевести дух. — Боюсь, я не смогла вам помочь.

— Вы мне очень помогли, — заверил ее Пуаро. — Как по-вашему, что случилось с иностранной девушкой, о которой говорили, что она сбежала?

— По-моему, она не убежала далеко. «Бом-бом, дили-дили — в колодце кошку утопили» — вот что я про нее всегда думала.

Глава 17

— Простите, мэм, не могла бы я поговорить с вами минутку?

Миссис Оливер, стоя на веранде дома ее приятельницы и высматривая признаки приближения Эркюля Пуаро, уведомившего ее по телефону о своем приходе, быстро обернулась.

Перед ней стояла опрятно одетая женщина средних лет, нервно сплетающая руки в хлопчатобумажных перчатках.

— Да? — отозвалась миссис Оливер с подчеркнуто вопросительной интонацией.

— Простите, что беспокою вас, мадам, но я подумала...

Миссис Оливер не торопила посетительницу. Ее интересовало, чем она так взволнована.

— Вы ведь та самая леди, которая пишет истории о преступлениях, убийствах и тому подобных вещах?

— Да, это я, — кивнула миссис Оливер.

В ней проснулось любопытство. Неужели это всего лишь предисловие к просьбе об автографе или фотографии с подписью?

— Я подумала, что вы сумеете мне помочь, — сказала женщина.

— Вы лучше присядьте, — предложила миссис Оливер.

Она поняла, что миссис Как-ее-там — о том, что перед ней миссис, свидетельствовало обручальное кольцо — принадлежит к людям, которым требуется время, чтобы перейти к делу. Женщина села, продолжая теребить перчатки.

— Вас что-то тревожит? — спросила миссис Оливер, делая все от нее зависящее, чтобы ускорить повествование.

— Ну, мне нужен совет по поводу одного уже давнего события. Тогда я не беспокоилась, но знаете, как бывает, — подумаешь и захочешь с кем-то посоветоваться.

— Понимаю, — промолвила миссис Оливер, надеясь внушить доверие этим ни к чему не обязывающим заявлением.

— Тем более учитывая то, что случилось недавно, — продолжала посетительница.

— Вы имеете в виду...

— Я имею в виду то, что произошло на вечеринке в Хэллоуин. Это показывает, что здесь есть люди, на которых нельзя полагаться, верно? И что случившееся раньше могло быть не тем, что вы об этом думали, если вы меня понимаете...

— Да? — Миссис Оливер снова произнесла это односложное слово с подчеркнуто вопросительным оттенком. — По-моему, я не знаю вашего имени, — добавила она.

— Лимен — миссис Лимен. Я работаю приходящей уборщицей у здешних леди. После смерти моего мужа пять лет тому назад я работала у миссис Ллуэллин-Смайт — леди, которая жила в «Куорри-Хаус», прежде чем там поселились полковник и миссис Уэстон. Не знаю, были ли вы с ней знакомы...

— Не была, — сказала миссис Оливер. — Я впервые приехала в Вудли-Каммон.

— Понятно. Ну, значит, вы не знаете, что тогда произошло и что об этом говорили.

— Я много слышала об этом, когда приехала сюда, — отозвалась миссис Оливер.

— Понимаете, я не разбираюсь в законах, потому и беспокоюсь. Адвокаты только все путают, а мне не хочется идти в полицию. Ведь юридические дела полиции не касаются, верно?

— Возможно, — осторожно ответила миссис Оливер.

— Может быть, вы знаете, что тогда говорили о коди... Никак не могу запомнить это слово.

— Кодицил к завещанию? — предположила миссис Оливер.

— Да-да, верно. Миссис Ллуэллин-Смайт написала этот коди... и оставила все деньги иностранной девушке, которая за ней ухаживала. Это казалось удивительным, так как здесь у нее жили родственники и она специально сюда переехала, чтобы быть к ним поближе. Миссис Ллуэллин-Смайт их очень любила — особенно мистера Дрейка. А потом адвокаты начали говорить, что кодицил написала вовсе не она, а иностранная девушка, которая хотела заполучить ее деньги, что они обратятся в суд и что миссис Дрейк собирается опротестовать завещание — кажется, это так называется.

— Да, я слышала что-то подобное, — ободряюще кивнула миссис Оливер. — А вам что-то об этом известно?

— Я ничего плохого не хотела. — В голосе миссис Лимен зазвучали хнычущие интонации, которые миссис Оливер неоднократно слышала в прошлом.

«По-видимому, эта миссис Лимен, — подумала она, — из тех женщин, что не прочь подслушивать под дверью и вообще совать нос в чужие дела».

— Тогда я никому ничего не сказала, — продолжала миссис Лимен, — потому что сама толком не знала, что к чему. Но это выглядело странно, и мне не стыдно признаться такой леди, как вы, которая разбирается в подобных вещах, что я хотела докопаться до правды. Я ведь некоторое время работала у миссис Ллуэллин-Смайт, поэтому мне хотелось выяснить, как там обстоят дела.

— Разумеется, — снова кивнула миссис Оливер.

— Если бы я думала, что поступила неправильно, то, конечно, во всем бы призналась. Но тогда мне казалось, что я ничего дурного не сделала, понимаете?

— Конечно понимаю. Продолжайте. Это связано с кодицилом?

— Да. Как-то раз миссис Ллуэллин-Смайт — она в тот день неважно себя чувствовала — попросила зайти к ней в комнату меня и молодого Джима, который помогал в саду и приносил хворост и уголь. Мы вошли и увидели, что перед ней на столе лежат бумаги. Она повернулась к той иностранной девушке — мы ее называли мисс Ольга — и сказала: «Теперь выйди из комнаты, дорогая, потому что ты не должна в этом участвовать» — или что-то вроде того. Ну, мисс Ольга вышла, а миссис Ллуэллин-Смайт велела нам подойти ближе и говорит: «Это мое завещание». Она прикрыла верхнюю часть листа промокашкой, но низ остался открытым. «Я сейчас напишу здесь кое-что, — сказала она, — и хочу, чтобы вы это засвидетельствовали». Миссис Ллуэллин-Смайт начала писать своим скрипучим пером — шариковых ручек она не признавала. Ну, она написала две или три строчки, подписалась и говорит мне: «А теперь, миссис Лимен, напишите здесь ваше имя и ваш адрес». Потом она велела Джиму сделать то же самое и сказала: «Ну вот, вы засвидетельствовали то, как я это написала и поставила свою подпись. Благодарю вас. Это все». Мы с Джимом вышли. Я немного удивилась, но тогда ничего такого не подумала. Но, выйдя, я повернулась, чтобы потянуть дверь и закрыть ее на защелку. Я вовсе не хотела подсматривать, понимаете?..

— Понимаю, — быстро отозвалась миссис Оливер.

— Я увидела, как миссис Ллуэллин-Смайт с трудом поднялась со стула, — у нее был артрит, и движения причиняли ей боль, — подошла к книжному шкафу, вытащила книгу и положила в нее конверт с бумагой, которую только что подписала. Книга была большая, толстая и стояла на нижней полке — потом она поставила ее на место. Я не думала об этом, пока не началась суета с завещанием, и тогда... — Она внезапно умолкла.

Миссис Оливер в очередной раз помогла ее интуиция.

— Не думаю, что вы ждали так долго, — заметила она.

— Ну, вообще-то вы правы. Признаюсь, мне стало любопытно. В конце концов, всегда хочется знать, что ты подписала. Такова человеческая натура, верно?

— Верно, — кивнула миссис Оливер.

«Любопытство является весьма существенным компонентом натуры миссис Лимен», — подумала она.

— На следующий день миссис Ллуэллин-Смайт уехала в Медчестер, а я убирала ее спальню и подумала, что лучше взглянуть на бумагу, которую меня попросили подписать. Ведь когда что-то покупаешь в рассрочку, всегда говорят, что нужно прочитать напечатанное мелким шрифтом.

— В данном случае написанное от руки, — промолвила миссис Оливер.

— Я решила, что вреда от этого не будет, — ведь я ничего не возьму. Ну, я нашла на нижней полке нужную книгу, а в ней конверт с бумагой. Книга была старая и называлась «Ответ на все вопросы». Это выглядело... ну, как знамение, если вы меня понимаете...

— Понимаю, — в который раз подтвердила миссис Оливер. — Итак, вы вынули из конверта бумагу и посмотрели на нее.

— Верно, мадам. Не знаю, правильно я поступила или нет. Это действительно было завещание. В конце было несколько строк, написанных миссис Ллуэллин-Смайт вчера. Я легко смогла их прочитать, хотя у нее был довольно корявый почерк.

— И что же там говорилось? — спросила миссис Оливер, которую в свою очередь обуяло любопытство.

— Я не помню точные слова... Что-то насчет кодицила и что она все свое состояние завещает Ольге... я забыла фамилию — начинается на букву «С», кажется, Семенова — в благодарность за доброту и внимание к ней во время ее болезни. Внизу стояли подписи — ее, моя и Джима. Я положила бумагу на место, так как не хотела, чтобы миссис Ллуэллин-Смайт догадалась, что я рылась в ее вещах. Меня здорово удивило, что все деньги достанутся иностранной девушке, — мы все знали, что миссис Ллуэллин-Смайт очень богата. Ее муж занимался судостроением и оставил ей большое состояние. «Везет же некоторым!» — подумала я. Мисс Ольга мне не очень нравилась — у нее был скверный характер. Но со старой леди она всегда была внимательна и вежлива. Конечно, она надеялась что-нибудь урвать, но чтобы получить все... Потом я подумала, что миссис Ллуэллин-Смайт, должно быть, разругалась со своими родственниками, а когда перестанет злиться, то порвет этот самый кодицил и напишет новый. Короче говоря, я положила конверт и книгу на место и забыла об этом. Но когда началась суматоха с завещанием и пошли разговоры, будто кодицил поддельный и его написала не миссис Ллуэллин-Смайт, а кто-то еще...

— Ясно, — кивнула миссис Оливер. — И что вы сделали?

— Ничего. Это меня и беспокоит. Тогда я подумала, что все эти разговоры из-за того, что адвокаты не любят иностранцев, как и многие люди. Честно говоря, я сама их не жалую. Мисс Ольга всюду расхаживала с довольным видом, уже задаваться начала, и я даже обрадовалась — думаю, хорошо бы адвокаты доказали, что у нее нет прав на эти деньги, так как она не была родственницей старой леди. Но дело до суда не дошло, потому что мисс Ольга сбежала. Очевидно, вернулась на континент — туда, откуда прибыла. Сразу стало понятно, что тут что-то нечисто. Может, она угрожала миссис Ллуэллин-Смайт и заставила ее написать этот кодицил. Один из моих племянников хочет стать доктором и говорит, что с помощью гипноза можно чудеса творить. А вдруг мисс Ольга загипнотизировала старую леди?

— Когда это произошло?

— Миссис Ллуэллин-Смайт умерла... дайте подумать... почти два года тому назад.

— И тогда это вас не обеспокоило?

— Нет. Все вроде было в порядке, мисс Ольге не удалось получить деньги, и я решила, что меня это не касается.

— Но теперь вы думаете иначе?

— Это все из-за девочки, которую утопили в ведре с яблоками. Говорят, будто она видела какое-то убийство. Что, если мисс Ольга убила старую леди, так как знала, что деньги достанутся ей, но, когда началась суета с адвокатами и полицией, испугалась и сбежала? Я подумала, что должна кому-то рассказать про ту бумагу. У такой леди, как вы, наверняка есть друзья среди полицейских и адвокатов, и вы сможете им объяснить, что я просто смахивала пыль с книжного шкафа, а бумага лежала в книге, и я положила ее на место. Я ведь ничего не взяла.

— Но вы видели, как миссис Ллуэллин-Смайт написала кодицил к своему завещанию, и засвидетельствовали это вместе с Джимом, не так ли?

— Так.

— Значит, если вы оба видели, как миссис Ллуэллин-Смайт написала кодицил и поставила свою подпись, он не мог быть поддельным?

— Я это видела — истинная правда! Джим подтвердил бы мои слова, но он уехал в Австралию больше года назад, и я не знаю его адреса. Он оттуда не возвращался.

— Ну и что же вы хотите от меня?

— Чтобы вы объяснили, должна ли я что-нибудь сказать или сделать. Меня никто никогда не спрашивал, знаю ли я что-нибудь о завещании.

— Ваша фамилия Лимен. А как ваше имя?

— Харриет.

— Харриет Лимен. Как фамилия Джима?

— Дайте вспомнить... Дженкинс — Джеймс Дженкинс. Буду вам очень признательна, если вы мне поможете, потому что меня это здорово беспокоит. Если мисс Ольга убила миссис Ллуэллин-Смайт, а Джойс это видела... Мисс Ольга так хвасталась, когда услышала от адвокатов, что получит кучу денег, но, как только полиция стала задавать вопросы, ее и след простыл. Вот я и думаю, должна ли я что-нибудь рассказать и кому.

— По-моему, — сказала миссис Оливер, — вам следует сообщить обо всем адвокату, который представлял миссис Ллуэллин-Смайт. Уверена, что хороший адвокат правильно поймет ваши чувства и побуждения.

— Если бы вы замолвили за меня словечко — подтвердили, что я не хотела поступать нечестно... Все, что я сделала...

— Все, что вы сделали, — прервала миссис Оливер, — это ничего не рассказали. Но у вас имеется вполне разумное объяснение.

334

— Но если бы вы сами все им объяснили, я была бы так благодарна...

— Я сделаю все, что могу, — пообещала миссис Оливер. Ее взгляд устремился на садовую дорожку, по которой приближалась аккуратная фигурка.

— Спасибо вам огромное! — горячо воскликнула миссис Лимен. — Недаром мне говорили, что вы очень славная леди.

Она поднялась, натянула многострадальные перчатки, проделала нечто среднее между поклоном и реверансом и удалилась.

— Проходите и садитесь, — обратилась миссис Оливер к подошедшему Пуаро. — Что с вами? Вы выглядите расстроенным.

— У меня разболелись ноги, — отозвался Эркюль Пуаро.

— Все из-за ваших ужасных лакированных туфель, — сказала мисс Оливер. — Садитесь и рассказывайте то, что собирались мне рассказать, а потом я расскажу вам кое-что, и это, возможно, вас удивит!

Глава 18

Пуаро сел и вытянул ноги.

— Это уже лучше, — сказал он.

— Снимите ваши туфли, — посоветовала миссис Оливер, — и дайте отдохнуть ногам.

— Нет, нет, я не могу этого сделать! — Предложение явно шокировало Пуаро.

— Мы ведь с вами старые друзья, — уговаривала миссис Оливер, — и Джудит тоже не стала бы возражать, если бы заглянула сюда. Простите, но вам не следует носить лакированные туфли в сельской местности. Почему бы вам не приобрести замшевые или обувь, какую носят хиппи? Знаете, туфли без задников, которые не нужно чистить, — они сами чистятся, благодаря какому-то приспособлению.

— Об этом не может быть и речи, — твердо заявил Пуаро.

— Вся беда в том, — вздохнула миссис Оливер, начиная разворачивать, очевидно, недавно сделанную покупку, — что вам обязательно нужно быть нарядным. Вы больше думаете о ваших усах, вашей одежде и вообще о внешности, чем о том, чтобы вам было удобно. А удобство — это великое дело. Когда вам за пятьдесят, только оно и имеет значение.

— Не уверен, что согласен с вами, chère madame[1].

— Лучше бы вам согласиться, — промолвила миссис Оливер, — иначе вы будете здорово мучиться, причем с каждым годом все сильнее.

Достав из пакета ярко раскрашенную коробку, миссис Оливер сняла крышку и отправила в рот маленький кусочек содержимого. Потом она облизнула пальцы, вытерла их носовым платком и заметила:

— Липкая штука.

— Вы больше не едите яблоки? Когда мы встречались раньше, вы либо ели их, либо держали в руке сумку с яблоками — как-то она порвалась, и яблоки покатились по дороге.

— Я уже говорила вам, что больше даже смотреть на яблоки не желаю. Я их возненавидела. Думаю, когда-нибудь это пройдет, и я снова начну есть яблоки, но пока что они... ну, вызывают неприятные ассоциации.

— А что вы едите сейчас? — Пуаро поднял яркую крышку с изображенной на ней пальмой. — Перешли на финики?

— Ага. — Миссис Оливер сунула в рот еще один финик, вытащила косточку и бросила ее в кусты.

— Тунисские, — заметил Пуаро. — Надеюсь, они не испорчены?

— Не беспокойтесь. На коробке указаны дата упаковки и срок хранения.

— Даты, — повторил Пуаро. — Удивительно!

— Что тут удивительного? На коробках всегда ставят даты.

— Я имел в виду не это. Удивительно, что вы произнесли слово «даты».

---

[1] Дорогая мадам (фр.).

— Почему? — осведомилась миссис Оливер.

— Потому что, — ответил Пуаро, — вы снова и снова указываете мне chemin[1] — дорогу, которой я должен следовать. Даты... До этого момента я не сознавал, насколько они важны.

— Не вижу, какое отношение имеют даты к происшедшему здесь. Ведь это случилось всего пять дней назад.

— Четыре дня. Да, это правда. Но у каждого события есть прошлое, существовавшее неделю, месяц или год назад. Настоящее почти всегда коренится в прошлом. Год, два года, возможно, даже три года тому назад произошло убийство, которое видела Джойс Рейнолдс. Потому что девочка оказалась свидетельницей преступления, происшедшего в давно минувшую дату, ее убили четыре дня назад. Разве это не так?

— Думаю, что так. Хотя кто знает? Возможно, это дело рук какого-то психа, которому нравится засовывать чужие головы в воду и держать там, пока их обладатели не захлебнутся.

— Если бы вы так считали, мадам, то не обратились бы ко мне.

— Пожалуй, — согласилась миссис Оливер. — Уж очень от всего этого дурно пахло. Мне это не понравилось и не нравится сейчас.

— По-моему, вы абсолютно правы. Если вам не нравится запах, нужно выяснить почему. Я изо всех сил стараюсь это сделать, хотя вы, возможно, так не думаете.

— Стараетесь, ходя вокруг да около, болтая с людьми, выясняя, приятные они или нет, а потом задавая им вопросы?

— Вот именно.

— Ну и что вы узнали?

— Факты, — ответил Пуаро. — Факты, которые в свое время будут расставлены по местам при помощи дат.

— Это все? Что еще вам удалось узнать?

— Что никто не верит в правдивость Джойс Рейнолдс.

---

[1] Дорога *(фр.)*.

— Когда она говорила, что видела убийство? Но я сама это слышала.

— Да, она это говорила. Но никто не верит, что это правда. Следовательно, существует возможность, что она не видела ничего подобного.

— Мне кажется, — заметила миссис Оливер, — что ваши факты тянут вас назад, вместо того чтобы вести вперед или хотя бы оставлять на том же месте.

— Факты следует привести к соответствию. Возьмем, к примеру, подделку. Все говорят, что девушка au pair сумела до такой степени войти в доверие к пожилой и очень богатой вдове, что та написала кодицил к завещанию, оставляя ей все деньги. Кодицил оказался поддельным. Но подделала ли его иностранная девушка или же кто-то другой?

— Кто еще мог его подделать?

— В деревне был другой «специалист» в этой области. Его уже однажды обвинили в подделке, но он легко отделался, так как совершил преступление впервые и при смягчающих обстоятельствах.

— Новый персонаж? Я его знаю?

— Нет, не знаете. Его уже нет в живых.

— Вот как? Когда же он умер?

— Около двух лет назад. Точная дата мне еще неизвестна, но я ее выясню. Из-за историй с женщинами, возбуждавшими ревность и иные эмоции, его зарезали однажды ночью. У меня есть идея, что отдельные инциденты могут оказаться связанными друг с другом теснее, чем о них думают. Возможно, не все, но некоторые из них.

— Звучит интересно, — сказала миссис Оливер, — но я не вижу...

— Пока что я тоже, — прервал Пуаро. — Но думаю, даты могут помочь. Даты определенных событий, того, где находились люди, что они делали и что с ними происходило. Все думают, что иностранная девушка подделала завещание, и, возможно, они правы. В конце концов, выигрывала от этого только она. Хотя подождите...

— Подождать чего? — осведомилась миссис Оливер.

— Мне в голову пришла очередная идея, — сказал Пуаро.

Миссис Оливер со вздохом взяла очередной финик.

— Вы возвращаетесь в Лондон, мадам? Или погостите здесь еще?

— Возвращаюсь послезавтра. Больше не могу здесь задерживаться. У меня скопилось много дел.

— Скажите, в вашей квартире или вашем доме — не помню, где вы сейчас живете, так как вы в последнее время часто переезжали, — там есть комната для гостей?

— Я никогда в этом не признаюсь, — ответила миссис Оливер. — Если вы скажете, что у вас в Лондоне есть свободная комната, то все ваши друзья, знакомые и их родственники забросают вас письмами с просьбами приютить их на ночь. Мне это вовсе не улыбается. Придется сдавать в прачечную постельное белье; к тому же гостям нужен утренний чай, а некоторые ожидают, что им еще будут подавать еду. Поэтому о том, что у меня есть свободная комната, знают только самые близкие друзья. Люди, которых я хочу видеть, могут прийти и остаться, но другие — благодарю покорно. Не желаю, чтобы меня использовали.

— Вы очень благоразумны, — одобрил Эркюль Пуаро.

— А почему вы об этом спрашиваете?

— Вы могли бы принять одного или двух гостей в случае необходимости?

— Вообще-то могла бы, — отозвалась миссис Оливер. — А кого вы имеете в виду? Не себя же? У вас прекрасная квартира — ультрасовременная, абстрактная, сплошные квадраты и кубы.

— Просто это может понадобиться в качестве меры предосторожности.

— Для кого? Кого-то еще собираются убить?

— Надеюсь, что нет, но такую возможность исключать нельзя.

— Но кого? Я даже представить не могу...

— Насколько хорошо вы знаете вашу подругу?

— Джудит? Ну, не так уж хорошо. Просто мы понравились друг другу во время круиза и всюду ходили вместе. В ней было что-то... ну, возбуждающее, не похожее на других.

— Вы бы могли когда-нибудь «вставить» ее в одну из ваших книг?

— Ненавижу эту фразу. Люди всегда у меня это спрашивают, но я никогда не изображаю в книгах своих знакомых.

— Но разве, мадам, вы никогда не вводите в книги, допустим, не ваших знакомых, а людей, которых просто встречаете?

— Вообще-то вы правы, — согласилась миссис Оливер. — Иногда вы о многом догадываетесь. К примеру, видишь сидящую в автобусе толстую женщину, которая ест сдобную булочку и при этом шевелит губами, и представляешь, будто она с кем-то говорит или обдумывает предстоящий телефонный разговор, а может быть, письмо. Смотришь на нее — на то, какие на ней туфли, юбка, шляпа, есть ли у нее обручальное кольцо, — думаешь, сколько ей лет, а потом выходишь из автобуса и больше ее никогда не встречаешь. Но в голове складывается история о женщине по имени миссис Карнеби, которая возвращается домой в автобусе и вспоминает, как видела в кондитерской лавке кого-то, кто напомнил ей человека, которого она когда-то встречала и считала умершим, но, очевидно, ошибалась... — Миссис Оливер умолкла, переводя дыхание. — Знаете, это истинная правда, — продолжала она. — Уезжая из Лондона, я видела в автобусе такую женщину, и теперь у меня в голове возникла эта история. Скоро я придумаю весь сюжет — что за человека она видела, грозит ли опасность ей или ему. Думаю, я даже знаю ее имя — Констанс Карнеби. Только одна вещь может все испортить.

— А именно?

— Ну, если я снова встречу ее в другом автобусе, она заговорит со мной или я с ней — и что-то о ней узнаю. Это разрушит весь замысел.

— Да, конечно. Персонаж должен быть целиком вашим. Она — ваше дитя. Вы создали ее, знаете, где она живет и чем занимается. Но идею вам подало реальное человеческое существо, и, если вы узнаете, что оно собой представляет в действительности, история не состоится, не так ли?

— Вы снова правы, — кивнула миссис Оливер. — И насчет Джудит вы, очевидно, правильно догадались. Мы были вместе с ней в круизе, осматривали достопримечательности, но я не так уж хорошо ее знаю. Она вдова — муж умер, оставив ее почти без средств к существованию с дочерью Мирандой, которую вы видели. Они обе вызывают у меня какое-то странное чувство — словно они участвуют в какой-то захватывающей драме. Я не желаю знать, что это за драма, не желаю, чтобы они рассказывали мне о ней. Мне хочется самой ее придумать.

— Выходит, мать и дочь — кандидаты на включение в очередной бестселлер Ариадны Оливер.

— Иногда вы просто невыносимы! — воскликнула миссис Оливер. — В ваших устах это звучит чудовищно вульгарно. — Подумав, она добавила: — Возможно, так оно и есть.

— Нет, нет, это не вульгарно — напротив, вполне естественно.

— И вы хотите, чтобы я пригласила Джудит и Миранду в мою лондонскую квартиру?

— Нет, — ответил Пуаро, — покуда я не буду уверен, что одна из моих маленьких идеек может оказаться верной.

— Вечно вы с вашими маленькими идейками! Кстати, у меня для вас есть новость.

— Я в восторге, мадам.

— Не спешите радоваться. Возможно, это разрушит ваши идейки. Предположим, я сообщу вам, что подделка, о которой вы с таким увлечением рассуждали, на самом деле вовсе не подделка?

— О чем вы?

— Миссис Эп Джоунс Смайт, или как бишь ее, действительно написала кодицил к своему завещанию, оставив все свои деньги девушке au pair, и подписала его в присутствии двух свидетелей, которые также поставили свои подписи. Можете засунуть это себе в усы и выкурить вместо сигареты!

Глава 19

— Миссис... Лимен, — повторил Пуаро, записывая имя.

— Да, Харриет Лимен. А другого свидетеля вроде бы зовут Джеймс Дженкинс. Кажется, он уехал в Австралию. А мисс Ольга Семенова как будто вернулась в Чехословакию или еще куда-то, откуда она родом. Всем как будто приспичило уезжать.

— Насколько, по-вашему, надежна эта миссис Лимен?

— Не думаю, что она все выдумала, если вы это имеете в виду. По-моему, ей было любопытно, что именно ее попросили подписать, и она воспользовалась первой же возможностью, чтобы это узнать.

— Она умеет читать и писать?

— Полагаю, что да. Хотя почерк старых леди иногда нелегко разобрать. Если о завещании или кодициле потом пошли слухи, она могла вообразить, будто прочитала это в неразборчивых каракулях.

— Подлинный документ, — промолвил Пуаро. — Но ведь существовал и поддельный кодицил.

— Кто так говорит?

— Адвокаты.

— Возможно, он не был поддельным.

— Адвокаты не сомневаются, что был. Они собирались представить суду доклады экспертов по этому поводу.

— В таком случае легко вообразить, что могло произойти, — заявила миссис Оливер.

— Что же?

— На следующий день или через несколько дней — может, даже через неделю — миссис Ллуэллин-Смайт либо поссорилась со своей преданной сиделкой au pair, либо помирилась с племянником Хьюго или племянницей Ровеной, поэтому разорвала завещание, вычеркнула кодицил или сожгла то и другое.

— А потом?

— Ну, потом миссис Ллуэллин-Смайт умерла, а девушка воспользовалась случаем и написала новый кодицил примерно в тех же терминах, подделав почерк старой леди и подписи двух свидетелей. Возможно, она хорошо знала почерк миссис Лимен. Наверное, видела ее подпись на медицинском страховом полисе или еще где-нибудь. Но подделка оказалась недостаточно хорошей, и начались неприятности.

— Вы позволите мне воспользоваться вашим телефоном, chère madame?

— Я позволю вам воспользоваться телефоном Джудит Батлер, — поправила миссис Оливер.

— А где ваша подруга?

— Пошла сделать прическу. А Миранда где-то гуляет. Пройдите через французское окно — телефон в комнате.

Пуаро удалился и вернулся минут через десять.

— Ну, чем вы занимались?

— Звонил мистеру Фуллертону, адвокату. Теперь я могу сообщить вам кое-что. Поддельный кодицил был засвидетельствован не Харриет Лимен, а Мэри Доэрти, которая была в услужении у миссис Ллуэллин-Смайт, но недавно скончалась. Вторым свидетелем был Джеймс Дженкинс, который, как поведала вам ваша приятельница миссис Лимен, уехал в Австралию.

— Значит, поддельный кодицил существовал, — сказала миссис Оливер. — Но ведь существовал и подлинный. Слушайте, Пуаро, вам не кажется, что дело становится слишком запутанным?

— Безусловно, — кивнул Пуаро. — В нем, если можно так выразиться, слишком много подделок.

— Возможно, подлинный кодицил все еще находится в библиотеке «Куорри-Хаус», в книге «Ответ на все вопросы».

— Насколько я знаю, все имущество было продано после смерти миссис Ллуэллин-Смайт, за исключением нескольких предметов мебели и картин.

— Теперь нам нужен «Ответ на все вопросы», — сказала миссис Оливер. — Приятное название, правда? Помню, у моей бабушки была такая книга. Там действительно имелись ответы на все — сведения по юридическим вопросам, кулинарные рецепты, как выводить чернильные пятна, как самому изготовить пудру, которая никогда не портит цвет лица, и тому подобное. Вы, наверное, не возражали бы, чтобы сейчас у вас под рукой была эта книга?

— Разумеется, — ответил Эркюль Пуаро, — если в ней имеется рецепт для лечения усталых ног.

— Думаю, даже не один. Но почему бы вам не носить хорошие сельские туфли?

— Мадам, я привык выглядеть soigné[1].

— Ну, тогда вам придется носить вещи, причиняющие вам боль, и при этом улыбаться, — заметила миссис Оливер. — Но я кое-чего не понимаю. Неужели эта миссис Лимен наговорила мне кучу вранья?

— Не исключено.

— Может, кто-то уговорил ее так поступить?

— Это тоже возможно.

— И заплатил ей за это?

— Отлично, — одобрил Пуаро. — Пожалуйста, продолжайте.

— Полагаю, — задумчиво промолвила миссис Оливер, — что миссис Ллуэллин-Смайт, подобно многим богатым женщинам, любила составлять завещания. Наверное, за свою жизнь она изготовила их немало — облагодетельствовала то одного, то другого, меняла отдельные пункты. Конечно, Дрейкам старая леди всегда оставляла солидное наследство, но я сомневаюсь, чтобы она завещала кому-то еще столько, сколько, согласно миссис Лимен и поддельному кодицилу, завещала Ольге Семеновой. Мне бы хотелось побольше узнать об этой девушке. Уж больно успешно ей удалось исчезнуть.

— Надеюсь вскоре разузнать о ней, — сказал Пуаро.

— Каким образом?

— В Лондоне у меня имеется агент, который добывает мне информацию в этой стране и за рубежом. Я должен получить сведения из Герцеговины.

— И вы узнаете, оттуда ли она прибыла?

— Возможно, но более вероятно, что я получу информацию другого рода — письма, написанные Ольгой

---

[1] Аккуратный *(фр.)*.

во время пребывания в Англии, имена друзей, которых она могла здесь завести.

— Как насчет школьной учительницы? — спросила миссис Оливер.

— Кого вы имеете в виду?

— Ту, которую задушили, — про которую вам рассказывала мисс Уиттейкер. — Помолчав, она добавила: — Мне не слишком нравится Элизабет Уиттейкер. Утомительная особа, хотя и умная. Такая могла бы замыслить и осуществить убийство.

— Вы хотите сказать, задушить другую учительницу?

— Нужно исследовать все возможности.

— Как всегда, полагаюсь на вашу интуицию, мадам.

Миссис Оливер с задумчивым видом съела еще один финик.

Глава 20

Выйдя из дома миссис Батлер, Пуаро направился дорогой, указанной ему Мирандой. Ему показалось, что отверстие в изгороди слегка увеличилось с прошлого раза. Вероятно, им пользовался кто-то покрупнее Миранды. Пуаро поднялся по дорожке к каменоломне, снова обратив внимание на красоту пейзажа. Живописное место, однако он, как и прежде, ощутил в нем какую-то языческую безжалостность. На этих извилистых дорожках злые феи могли высматривать добычу, а бесстрастная богиня — определять, какую новую жертву ей должны принести.

Пуаро хорошо понимал, почему здесь не устраивают пикники. Едва ли кому-нибудь могло захотеться принести сюда яйца вкрутую, салат-латук и апельсины и сидеть здесь, беззаботно веселясь. Место к этому явно не располагало. «Было бы лучше, — внезапно подумал Пуаро, — если бы миссис Ллуэллин-Смайт не пришла в голову идея подобной трансформации в стиле волшебной сказки». Каменоломню можно было превратить в скромный сад без призрачной атмосферы, но она была честолюбивой женщиной — честолюбивой и очень богатой.

Минуту или две Пуаро размышлял о завещаниях, которые составляют богатые женщины, о лжи, которая возникает вокруг этих завещаний, о тех местах, куда их иногда прячут, и попытался поставить себя на место человека, осуществившего подделку. Несомненно, завещание, представленное на утверждение, было поддельным. Мистер Фуллертон, опытный и осторожный адвокат, в этом не сомневался. Он никогда бы не посоветовал клиенту затевать судебный процесс, не имея для этого веских оснований и надежных доказательств.

Пуаро свернул на тропинку, сразу почувствовав, что его ноги куда важнее его размышлений. Окажется ли этот путь более коротким до жилища суперинтендента Спенса? По прямой линии — возможно, но основная дорога наверняка была бы удобнее для ног. Тропинка была твердой как камень — трава и мох на ней отсутствовали полностью.

Впереди замаячили две фигуры. На каменном выступе сидел Майкл Гарфилд — он что-то рисовал в блокноте для эскизов и казался целиком поглощенным этим занятием. Немного поодаль, возле мелодично журчащего ручейка, стояла Миранда Батлер. Забыв о боли в ногах, Эркюль Пуаро подумал о том, насколько же красивыми могут быть человеческие существа. В красоте Майкла Гарфилда не приходилось сомневаться. Тем не менее Пуаро затруднялся определить, нравится ему этот молодой человек или нет. Разумеется, на красивых женщин всегда приятно смотреть, однако Эркюль Пуаро не был уверен, что ему нравится мужская красота. Сам он не хотел бы считаться красивым молодым человеком, — впрочем, ему никогда не представлялся подобный шанс. Единственное, что нравилось Пуаро в его внешности, — это великолепные усы, за которыми он тщательно и любовно ухаживал. Пуаро знал, что ни у кого в мире нет таких усов, но он никак не мог бы назвать себя красавцем и даже просто миловидным.

А Миранда? Пуаро снова подумал, что особенно привлекательной в ней кажется ее серьезность. Его интересовало, что творится в голове у этой девочки, но он понимал, что никогда не сможет об этом узнать. Она вряд ли расскажет, о чем думает, даже если ее спросить об этом напрямик. Пуаро чувствовал, что Миранда обладает пытливым умом и что она легко ранима. Он знал о ней кое-что еще — вернее, думал, что знает, но почти не сомневался, что это правда...

Майкл Гарфилд оторвал взгляд от блокнота.

— Ха! Синьор Усач! — воскликнул он. — Добрый день, сэр.

— Могу я взглянуть на то, что вы рисуете, или это вам помешает? Я не хочу быть назойливым.

— Конечно можете, — ответил Майкл. — Меня это нисколько не смутит. Я наслаждаюсь самим собой.

Пуаро заглянул ему через плечо. Карандашный рисунок был удивительно хрупким и деликатным, с едва заметными штрихами. «Этот человек умеет не только проектировать сады, но и рисовать», — подумал Пуаро.

— Весьма изысканно, — заметил он.

— Я тоже так думаю, — согласился Майкл Гарфилд, не поясняя, имеет он в виду рисунок или натурщицу.

— Почему? — осведомился Пуаро.

— Почему я это делаю? Думаете, у меня есть причина?

— Возможно.

— Вы абсолютно правы. Если я уеду отсюда, то мне хотелось бы запомнить пару вещей. Миранда — одна из них.

— А без рисунка вы бы легко ее забыли?

— Очень легко. Таков уж я. Но забыть что-то или кого-то, оказаться неспособным представить себе лицо, изгиб плеча, жест, дерево, цветок, контуры ландшафта, знать, как они выглядят, но не суметь их воспроизвести иногда причиняет подлинные мучения. Ты видишь, запечатлеваешь — а потом все исчезает.

— Только не «Погруженный сад». Он не исчезнет.

— Исчезнет, и очень скоро, если никто не будет им заниматься. Природа возьмет свое. Такие вещи нуждаются в любви, внимании и опытном уходе. Если муниципалитет возьмет на себя заботу о саде — такое часто бывает в наши дни, — то здесь посадят новые кусты, проложат еще несколько дорожек, установят урны для мусора, но сохранить сад в первоначальном состоянии не удастся. В нем слишком много стихийного.

— Мсье Пуаро, — донесся из-за ручья голос Миранды.

Пуаро шагнул вперед, чтобы девочка могла его слышать.

— Ты пришла сюда позировать?

Она покачала головой:

— Я пришла не для того. Просто так вышло...

— Да, — подтвердил Майкл Гарфилд, — просто так вышло. Иногда людям везет.

— Ты гуляла по твоему любимому саду?

— Я искала колодец, — ответила Миранда.

— Колодец?

— В этом лесу был колодец желаний.

— В бывшей каменоломне? Не знал, что в каменоломнях бывают колодцы.

— Вокруг каменоломни всегда был лес. Майкл знает, где колодец, но не хочет мне говорить.

— Тебе будет интереснее самой его поискать, — сказал Майкл Гарфилд. — Особенно если ты не вполне уверена в его существовании.

— Старая миссис Гудбоди все о нем знает. Она колдунья.

— Верно, — кивнул Майкл. — Она здешняя колдунья. Такие имеются во многих местах, и, хотя они не всегда называют себя колдуньями, про них всем известно. Они предсказывают судьбу, наводят порчу на бегонии и пеоны, делают так, чтобы фермерские коровы перестали давать молоко, а иногда торгуют любовным зельем.

— Это был колодец желаний, — настаивала Миранда. — Люди приходили туда и загадывали желания. Для этого нужно было трижды обойти вокруг колодца, а так как он находился на склоне холма, это было не всегда легко сделать. — Она посмотрела на Майкла: — Когда-нибудь я все равно найду колодец, даже если ты мне его не покажешь. Он где-то здесь, но миссис Гудбоди сказала, что его запечатали несколько лет назад, так как считали опасным. Какая-то девочка — кажется, ее звали Китти — свалилась туда.

— Можешь сколько угодно слушать местные сплетни, — сказал Майкл Гарфилд, — но колодец желаний находится не здесь, а в Литтл-Беллинг.

— О том колодце я все знаю, — отмахнулась Миранда. — Он самый обыкновенный. Люди бросают туда монетки, но так как в нем нет воды, то не слышно даже всплеска.

— Очень сожалею.

— Я расскажу тебе, когда найду его, — пообещала девочка.

— Ты не должна верить всему, что болтает колдунья. Я, например, не верю, что ребенок упал в колодец. Наверное, туда свалилась кошка и утонула.

— «Бом-бом, дили-дили — в колодце кошку утопили», — пропела Миранда и поднялась. — Мне пора идти, а то мама будет волноваться.

Она улыбнулась обоим мужчинам и зашагала по еще более крутой и каменистой тропинке, чем та, которая шла по другую сторону ручья.

— «Бом-бом, дили-дили», — задумчиво произнес Пуаро. — Каждый верит в то, во что хочет верить, мистер Гарфилд. Она была права или нет?

Майкл Гарфилд задумчиво посмотрел на него, потом улыбнулся.

— Абсолютно права, — ответил он. — Колодец существует, и он в самом деле запечатан. Должно быть, его действительно считали опасным. Только вряд ли это был колодец желаний — думаю, это выдумка миссис Гудбоди. Здесь есть или было дерево желаний — старый бук на полпути вверх по склону холма, который люди, кажется, трижды обходили вокруг и загадывали желание.

— Ну и что с ним произошло? Его больше не обходят?

— Нет. По-моему, лет шесть тому назад в него ударила молния и расщепила надвое. Вот и конец красивой сказки.

— Вы рассказывали об этом Миранде?

— Нет. Я подумал, что лучше пускай верит в свой колодец. Сожженный молнией бук для нее не так интересен, верно?

— Я должен идти, — сказал Пуаро.

— К вашему приятелю полицейскому?

— Да.

— Вы выглядите усталым.

— Я действительно очень устал.

— Вам было бы удобнее в парусиновых туфлях или сандалиях.

— Ах, ça, non[1].

— Понятно. В одежде вы весьма претенциозны. — Он окинул Пуаро взглядом. — Tout ensemble[2] необычайно хорош — особенно ваши великолепные усы.

— Я польщен, что вы их заметили.

— По-вашему, их можно не заметить?

Пуаро склонил голову набок.

— Вы сказали, что рисуете юную Миранду, так как желаете ее запомнить. Это означает, что вы уезжаете отсюда?

— Подумываю об этом.

— Однако, мне кажется, вы bien placé ici[3].

— Да, вы правы. У меня есть дом — маленький, но построенный по моему проекту — и есть работа, хотя она не так удовлетворяет меня, как обычно. Поэтому меня обуяла охота к перемене мест.

— А почему работа вас недостаточно удовлетворяет?

— Потому что люди, которые хотят приобрести землю и построить дом, разбить или улучшить свой сад, требуют, чтобы я делал ужасные вещи.

— Значит, вы не занимаетесь садом миссис Дрейк?

— Она обращалась ко мне с такой просьбой. Я высказал свои предложения, и миссис Дрейк как будто с ними согласилась. Но я не думаю, — задумчиво добавил он, — что могу ей доверять.

— Вы имеете в виду, что она не позволит вам осуществить ваши намерения?

— Я имею в виду, что миссис Дрейк предпочитает все делать по-своему, и, хотя ее вроде бы привлекли

_____

[1] Нет, нет *(фр.).*
[2] Весь ансамбль *(фр.).*
[3] Хорошо устроились здесь *(фр.).*

мои идеи, она может внезапно потребовать совершенно иного — чего-нибудь утилитарного, дорогого и показушного. Миссис Дрейк будет настаивать на своем, я не соглашусь, и мы поссоримся. Поэтому мне лучше уехать, пока я не поссорился не только с ней, но и с другими соседями. Я достаточно известен, и мне незачем торчать на одном месте. Я могу найти себе другой уголок в Англии, а может быть, в Нормандии или Бретани.

— Там, где вы сумеете улучшать природу и экспериментировать с новыми растениями, где нет ни палящего солнца, ни трескучих морозов? Какой-нибудь участок земли, где вы снова сможете разыгрывать из себя Адама? Вам всегда не сидится на одном месте?

— Я нигде подолгу не задерживаюсь.

— Вы были в Греции?

— Да. Я бы хотел побывать там еще раз. Там есть сады на голых скалах, где могут расти только кипарисы. Но если захотеть, то можно создать что угодно...

— Сад, где гуляют боги?

— Хотя бы. Вы умеете читать чужие мысли, не так ли, мсье Пуаро?

— Хотел бы уметь. Есть так много вещей, о которых я ничего не знаю, но хотел бы узнать.

— Теперь вы говорите о чем-то прозаичном, верно?

— К сожалению, да.

— Поджог, убийство, внезапная смерть?

— Более или менее. Правда, о поджоге я не думал. Вы пробыли здесь немало времени, мистер Гарфилд. Не знали ли вы молодого человека по имени Лесли Ферриер?

— Да, я его припоминаю. Он служил кем-то вроде младшего клерка в медчестерской адвокатской фирме Фуллертона, Харрисона и Ледбеттера. Смазливый парень.

— Он внезапно погиб, не так ли?

— Да. Как-то вечером его пырнули ножом, кажется из-за женщины. Все вроде бы думают, что в полиции отлично знают, кто это сделал, но у них нет доказательств. Лесли Ферриер путался с женщиной по имени Сандра — не помню ее фамилии. Ее муж был хозяином пивной. Потом Лесли подыскал себе другую девушку и бросил Сандру. Во всяком случае, так говорили.

— И Сандре это не понравилось?

— А вы как думаете? Лесли был жутким бабником — гулял одновременно с двумя или тремя девушками.

— Они все были англичанками?

— Интересно, почему вы об этом спрашиваете? Не думаю, чтобы он ограничивался англичанками, — лишь бы он и девушки могли кое-как понимать друг друга.

— Несомненно, здесь время от времени появлялись иностранные девушки?

— Конечно. Разве есть место, где они бы не появлялись? Девушки au pair — часть повседневной жизни. Хорошенькие и безобразные, честные и нечестные, те, которые помогают перегруженным работой матерям, и те, от которых вовсе нет никакой пользы. Некоторые поживут, а потом вдруг вовсе исчезают.

— Как Ольга?

— Совершенно верно.

— А Лесли был приятелем Ольги?

— Значит, вот к чему вы клоните. Да, был. Не думаю, чтобы миссис Ллуэллин-Смайт что-либо об этом знала. Ольга была достаточно осторожной. Она говорила, что на родине у нее есть жених. Не знаю, правда это или выдумка. Как я сказал, молодой Лесли был привлекательным парнем. Не понимаю, что такого он нашел в Ольге, — она не отличалась красотой. Все же... — Майкл немного подумал. — В ней ощущалась энергия, которая могла привлечь молодого англичанина. Короче говоря, у других подружек Лесли имелись основания для недовольства.

— Весьма интересно, — заметил Пуаро. — Я так и думал, что вы можете предоставить мне необходимую информацию.

Майкл Гарфилд с любопытством посмотрел на него:

— Почему? Что все это значит? При чем тут Лесли? Зачем ворошить прошлое?

— Для того, чтобы лучше знать причины недавних событий. Я собираюсь забраться еще глубже — до того времени, когда эти двое, Ольга Семенова и Лесли Ферриер, встречались тайком от миссис Ллуэллин-Смайт.

— Ну, я в этом не уверен. Это просто... просто мое предположение. Я видел их достаточно часто, но Ольга никогда не доверяла мне своих секретов. Что касается Лесли, то я едва его знал.

— Меня интересует то, что было до того. Насколько я понимаю, у Лесли Феррнера были неприятности в прошлом?

— По-моему, да. Во всяком случае, так здесь говорили. Мистер Фуллертон принял его на службу, надеясь сделать из него честного человека. Фуллертон — хороший старикан.

— Кажется, Феррнера обвинили в подделке?

— Да.

— Это было его первым преступлением, и у него имелись смягчающие обстоятельства — больная мать, отец-пьяница или что-то в этом роде. Как бы то ни было, он дешево отделался.

— Я никогда не слышал никаких подробностей. Сначала ему вроде бы удалось выйти сухим из воды, но потом его разоблачили. Толком я ничего не знаю. Это только слухи. Но его действительно обвинили в подделке.

— А когда миссис Ллуэллин-Смайт умерла и ее завещание представили на утверждение, было обнаружено, что оно поддельное?

— Вы считаете, что эти события связаны между собой?

— Человек, уже привлекавшийся за подделку, стал приятелем девушки, которая, если бы завещание вступило в силу, унаследовала бы большую часть огромного состояния.

— Да, верно.

— Лесли Феррнер даже бросил прежнюю возлюбленную, связавшись с иностранкой.

— Вы предполагаете, что он подделал это завещание?

— Это кажется вероятным, не так ли? Считалось, будто Ольга умела хорошо копировать почерк миссис Ллуэллин-Смайт, но мне это всегда представлялось довольно сомнительным. Она писала письма под диктовку старой леди, но их почерки едва ли были одинаковыми. Во всяком случае, не настолько похожими, чтобы ввести в заблуждение. Но если Ольга и Лесли были сообщниками, тогда другое дело. Он мог выполнить работу на достаточно хорошем уровне и надеяться, что все пройдет успешно. Очевидно, он был так же уверен и во время первого преступления, но ошибся. Вероятно, он ошибся и на сей раз. Когда адвокаты начали расследование, обратились к экспертам и стали задавать вопросы, Ольга, по-видимому, потеряла самообладание, поссорилась с Лесли и сбежала, рассчитывая, что он ответит за двоих.

Майкл резко тряхнул головой:

— Почему вы пришли расспрашивать меня об этом в мой прекрасный сад?

— Потому что я хочу знать.

— Лучше ничего не знать — оставить все как есть и не разгребать мусор.

— Вам нужна красота, — промолвил Пуаро. — Красота любой ценой. Ну а мне необходима правда.

Майкл рассмеялся:

— Отправляйтесь к вашим полицейским дружкам и оставьте меня здесь, в моем раю. Изыди, Сатана!

Глава 21

Пуаро снова начал подниматься на холм. Боль в ногах внезапно прошла. Ему наконец удалось соединить друг с другом факты, о которых он знал, что они связаны друг с другом, но не мог понять, каким образом. Теперь он ощущал опасность, грозящую одному человеку, которая может обрушиться на него в любую минуту, если не принять меры к ее предотвращению.

Элспет Маккей вышла из дома ему навстречу.

— Вы выглядите утомленным, — сказала она. — Проходите и садитесь.

— Ваш брат дома?

— Нет. Пошел в участок. Кажется, что-то случилось.

— Случилось? — испуганно переспросил Пуаро. — Так скоро? Не может быть!

— Что вы имеете в виду? — осведомилась Элспет.

— Ничего. Вы хотите сказать, что-то случилось с кем-то?

— Да, но я не знаю, с кем именно. Как бы то ни было, Тим Рэглен позвонил и пропросил брата прийти. Принести вам чашку чаю?

— Нет, благодарю вас, — ответил Пуаро. — Пожалуй, я пойду домой. — Мысль о крепком горьковатом чае приводила его в ужас. — Мои ноги, — объяснил он, найдя предлог, дабы не быть заподозренным в дурных манерах. — У меня не слишком подходящая обувь для ходьбы по сельской местности. Было бы желательно сменить туфли.

Элспет Маккей устремила взгляд на упомянутую обувь.

— Пожалуй, — согласилась она. — Лакированная кожа натирает ноги. Кстати, вам письмо. С заграничными марками. Сейчас принесу.

Элспет вернулась минуты через две и вручила ему письмо.

— Если вам не нужен конверт, я оставлю его для одного из моих племянников — он собирает марки.

— Разумеется.

Пуаро вскрыл письмо и протянул ей конверт. Она поблагодарила и вернулась в дом.

Пуаро развернул письмо и прочитал его.

Действия мистера Гоби за рубежом демонстрировали ту же компетентность, что и в Англии. Он не допускал излишних расходов и быстро добивался результатов.

Правда, на сей раз результаты были не особо значительными, но Пуаро на другое и не рассчитывал.

Ольга Семенова не возвращалась в свой родной город. У нее там не осталось родственников — только пожилая приятельница, с которой она время от времени переписывалась, сообщая ей новости о своей жизни в Англии. У Ольги были хорошие отношения с хозяйкой — женщиной требовательной, но щедрой.

Последние письма, полученные от Ольги, пришли года полтора назад. В них она упоминала молодого человека, не называя его имени, и намекала, что они думают пожениться, но, так как молодой человек любит все делать по-своему, толком еще ничего не решено. В самом последнем письме Ольга сообщала о радужных перспективах на будущее. Когда письма перестали приходить, пожилая приятельница решила, что Ольга вышла замуж за своего англичанина и сменила адрес. Такое часто случалось с девушками, уезжавшими в Англию. Если они счастливо выходили замуж, то часто больше не писали писем, поэтому приятельница не тревожилась.

«Все соответствует, — подумал Пуаро. — Лесли говорил о браке, но это могло не входить в его намерения. Миссис Ллуэллин-Смайт была охарактеризована как «щедрая». Кто-то дал денег Лесли — возможно, Ольга отдала ему деньги, полученные ранее от хозяев, — чтобы убедить его подделать завещание...»

Элспет Маккей снова вышла на террасу. Пуаро поделился с ней своими предположениями насчет отношений Ольги и Лесли.

Женщина задумалась. Вскоре оракул заговорил:

— Если так, то они об этом помалкивали. Не было никаких слухов об этой паре. В таком месте этого избежать трудно.

— У молодого Ферриера была связь с замужней женщиной. Он мог предупредить девушку, чтобы та ничего не говорила о нем ее хозяйке.

— Вполне возможно. Миссис Смайт могла знать, что Лесли Ферриер — никчемный тип, и посоветовать девушке не иметь с ним дело.

Пуаро сложил письмо и спрятал его в карман.

— Жаль, вы не позволили мне угостить вас чаем.

— Нет, нет, я должен вернуться в гостиницу и сменить обувь. Вы не знаете, когда придет ваш брат?

— Понятия не имею. Они не сказали, что от него хотят.

Пуаро зашагал по дороге к гостинице. До нее было всего несколько сотен ярдов. Когда он подошел к двери, ему навстречу вышла хозяйка — жизнерадостная особа лет тридцати с лишним.

— Вас хочет повидать леди, — сообщила она. — Я сказала ей, что не знаю, куда вы ушли и когда вернетесь, но она ответила, что подождет. Это миссис Дрейк. По-моему, она нервничает. Миссис Дрейк всегда такая спокойная, но сейчас ее что-то сильно расстроило. Она в гостиной. Принести вам туда чаю и еще чего-нибудь?

— Думаю, лучше не надо, — ответил Пуаро. — Сначала я хочу услышать, что она мне скажет.

Он вошел в гостиную. Ровена Дрейк стояла у окна, которое не выходило на дорожку к входу, поэтому она не видела приближения Пуаро. При звуке открываемой двери женщина резко повернулась:

— Наконец-то, мсье Пуаро! Время тянулось так медленно.

— Сожалею, мадам. Я был в лесу Куорри и беседовал с моей приятельницей миссис Оливер, а потом разговаривал с двоими юношами, Николасом и Дезмондом.

— Николасом и Дезмондом? А, знаю. Я подумала... Всякое приходит в голову.

— Вы расстроены, — мягко заметил Пуаро.

Он не предполагал, что когда-либо увидит Ровену Дрейк в таком состоянии — не хозяйкой положения и опытным организатором, навязывающим свои решения другим.

— Вы уже слышали, не так ли? — спросила она. — Или, возможно, еще нет?

— Что я должен был слышать?

— Нечто ужасное. Он... он мертв. Кто-то убил его.

— Кто мертв, мадам?

— Значит, вы в самом деле ничего не слышали. Он ведь тоже всего лишь ребенок, и я считала... Какая же я была дура! Мне следовало все вам рассказать, когда вы меня спросили. Теперь я чувствую себя виноватой в том, что думала, будто все знаю, но честное слово, мсье Пуаро, у меня и в мыслях не было...

— Сядьте, мадам, успокойтесь и расскажите все по порядку. Убили еще одного ребенка?

— Ее брата, — ответила миссис Дрейк. — Леопольда.

— Леопольда Рейнолдса?

— Да. Его тело нашли на одной из тропинок в поле. Должно быть, он возвращался из школы и свернул с дороги, чтобы поиграть у ручья. Кто-то поймал его там и сунул голову в воду...

— Так же, как поступили с его сестрой Джойс?

— Да. Очевидно, это дело рук какого-то безумца. Но никто не знает, кто он, — вот что ужасно. А я думала, что знаю. Это так жестоко!

— Вам следует рассказать мне обо всем, мадам.

— Да, да, поэтому я и пришла сюда. Понимаете, вы приходили ко мне после разговора с Элизабет Уиттейкер, когда она сообщила вам, что я что-то видела в холле моего дома, и это меня удивило или напугало. Я сказала вам, что ничего не видела, так как думала... — Она умолкла.

— Так что же вы видели?

— Нужно было сразу вам рассказать. Я видела, как открылась дверь библиотеки и он вышел... Вернее, не вышел, а постоял на пороге, потом быстро шагнул внутрь и закрыл дверь.

— Кто это был?

— Леопольд — мальчик, которого убили. Понимаете, я подумала... Конечно, это была ужасная ошибка. Если бы я вам рассказала, возможно, вы бы поняли, в чем тут дело.

— Вы подумали, что Леопольд убил свою сестру, не так ли? — осведомился Пуаро.

— Да, так. Не сразу, конечно, потому что я тогда не знала, что она мертва. Но у него было такое странное выражение лица. Он всегда был странным ребенком — очень умным и развитым, но... ну, не таким, как все. Я подумала: «Почему он в библиотеке, когда все играют в «Львиный зев»? Что он там делает? Почему он выглядит так странно?» Очевидно, это меня расстроило, и я уронила вазу. Элизабет помогла мне собрать осколки, я вернулась в столовую и больше об этом не вспоминала, пока мы не нашли Джойс. Тогда я решила...

— Вы решили, что это сделал Леопольд.

— Да. Мне показалось, что это объясняет его странный вид. Я всегда думала, что все знаю и во всем права. Оказалось, я могу ошибаться. Его убийство все меняет. Очевидно, Леопольд вошел в библиотеку, обнаружил там мертвую сестру и это его напугало. Он хотел выбраться оттуда незаметно, но увидел меня, поэтому вернулся в комнату и ждал, пока холл не опустеет. Но не потому, что он убил Джойс, а просто от испуга.

— И вы никому ничего не сообщили? Не упомянули, кого вы видели, даже когда нашли убитую Джойс?

— Я... не смогла. Леопольд ведь был еще ребенком — десяти, самое большее одиннадцати лет. Это не была его вина — он не мог знать, что делает, и, значит, не мог нести за это ответственность. Мне казалось, что полицию нельзя в это вмешивать, что тут необходим курс специальной психологической обработки. Поверьте, я хотела как лучше!

«Какие печальные слова! — думал Пуаро. — Быть может, самые печальные в мире». Казалось, миссис Дрейк читала его мысли.

— Да, — повторила она, — я хотела как лучше. Всегда думаешь, будто ты лучше других знаешь, что делать, но, увы, это не так. По-видимому, Леопольд выглядел таким ошеломленным, так как видел либо самого убийцу, либо то, что могло дать какой-то ключ к его личности. Что-то, что заставило преступника не чувствовать себя в безопасности. Поэтому он подстерег мальчика и утопил его в ручье, чтобы тот не смог ничего рассказать. Если бы я только сообщила вам, полиции или кому-нибудь, но я думала, что знаю лучше...

— Только сегодня, — заговорил Пуаро после минутной паузы, во время которой он наблюдал за сдерживающей рыдания миссис Дрейк, — мне сказали, что в последние дни у Леопольда появилось порядочно денег. Должно быть, кто-то платил ему за молчание.

— Но кто?

— Мы это узнаем, — пообещал Пуаро, — и очень скоро.

Глава 22

Эркюлю Пуаро было несвойственно спрашивать мнение других. Обычно он вполне удовлетворялся своим собственным. Тем не менее иногда он допускал исключения. Теперь как раз наступил черед одного из них. После краткого совещания со Спенсом Пуаро заказал такси, и после еще одной недолгой беседы со своим другом и инспектором Рэгленом отправился на машине в Лондон, заехав по пути в «Вязы». Сказав водителю, что задержится самое большее на четверть часа, он попросил мисс Эмлин принять его ненадолго.

— Простите, что беспокою вас в такой час. Сейчас, несомненно, время вашего обеда или ужина.

— Ну, я сделаю вам комплимент, мсье Пуаро, предположив, что вы бы не стали отрывать меня от обеда или ужина без важной причины.

— Вы очень любезны. Откровенно говоря, мне нужен ваш совет.

— В самом деле?

На лице мисс Эмлин появилось удивленное и даже скептическое выражение.

— Это не кажется характерным для вас, мсье Пуаро. Разве вам не достаточно собственного мнения?

— Как правило, достаточно, но для меня было бы поддержкой и утешением, если бы с ним согласился человек, чье мнение я уважаю.

Мисс Эмлин молчала, вопросительно глядя на него.

— Я знаю убийцу Джойс Рейнолдс, — продолжал Пуаро. — Уверен, что вы также его знаете.

— Я этого не говорила, — промолвила мисс Эмлин.

— Да, не говорили. Поэтому мне кажется, что с вашей стороны это всего лишь предположение.

— Догадка? — осведомилась мисс Эмлин несколько холоднее, чем прежде.

— Я бы предпочел не использовать это слово. Скажем, у вас сложилось определенное мнение.

— Хорошо. Признаю, что такое мнение у меня действительно сложилось. Это не означает, что я сообщу его вам.

— Я хотел бы только написать на листе бумаги четыре слова, мадемуазель, и спросить, согласны ли вы с ними.

Мисс Эмлин поднялась, подошла к столу, взяла лист писчей бумаги и вернулась с ним к Пуаро.

— Четыре слова, — повторила она. — Вы меня заинтриговали.

Пуаро вынул из кармана ручку, написал что-то на листе, сложил его вдвое и протянул мисс Эмлин. Она взяла его, развернула и прочитала написанное.

— Ну? — спросил Пуаро.

— Что касается первых двух слов, то я согласна. А вот со вторыми двумя ситуация посложнее. У меня нет доказательств, и вообще такая идея не приходила мне в голову.

— Но в отношении первых двух слов у вас имеются определенные доказательства?

— Думаю, что да.

— Вода, — задумчиво произнес Пуаро. — Как только вы услышали об этом, то сразу все поняли. И я тоже. Мы оба в этом уверены. А теперь мальчик утонул в ручье. Вы уже знаете?

— Да. Мне сообщили по телефону. Брат Джойс. Каким образом он оказался в это замешан?

— Он хотел денег и получил их, — ответил Пуаро. — Но при первой удобной возможности его утопили.

Его голос не смягчился, — напротив, в нем зазвучали резкие нотки.

— Персона, поведавшая мне об этом, — продолжал он, — была обуреваема состраданием. Но я не испытываю подобных чувств. Леопольд был еще мальчиком, но его смерть не случайна, а, как часто бывает, явилась результатом его действий. Он хотел денег и шел на риск. Леопольд был достаточно умен и понимал, что ему грозит. Ему было всего десять лет, но причина и следствие в этом возрасте такие же, какими были бы в тридцать, пятьдесят или девяносто лет. Вы знаете, о чем я думаю прежде всего в подобных случаях?

— Я бы сказала, — промолвила мисс Эмлин, — что вы думаете больше о правосудии, чем о сострадании.

— Мое сострадание ничем не поможет Леопольду, — отозвался Пуаро. — Ему уже ничто не в состоянии помочь. Правосудие, если мы с вами его добьемся, ибо я думаю, что вы на этот счет придерживаетесь того же мнения, что и я, также не поможет Леопольду. Но оно может сохранить жизнь другому ребенку. Опасно, когда на свободе бродит преступник, отнявший уже не одну жизнь, для которого убийство стало способом обеспечения безопасности. Сейчас я на пути в Лондон, где должен обсудить с некоторыми людьми дальнейшие действия, обратить их, так сказать, в свою веру.

— Это может оказаться трудным, — заметила мисс Эмлин.

— Не думаю, так как их ум способен понять ум преступника. У меня к вам еще одна просьба. Мне снова требуется ваше мнение — на сей раз только мнение без каких-либо доказательств — о Николасе Рэнсоме и Дезмонде Холленде. По-вашему, я могу им довериться?

— По-моему, оба они абсолютно надежные ребята. Конечно, во многих отношениях они довольно глуповаты, но это касается мелочей. В серьезных делах они тверды, как нечервивые яблоки.

— Мы снова возвращаемся к яблокам, — печально вздохнул Пуаро. — Ну, мне пора. Меня ждет машина. Я должен нанести еще один визит.

Глава 23

1

— Слышали, что творится в лесу Куорри? — осведомилась миссис Картрайт, укладывая в сумку пакет с кукурузными хлопьями.

— В лесу Куорри? — переспросила Элспет Маккей, к кому она обращалась. — Нет, не слышала ничего особенного. — Она была занята выбором крупы. Обе женщины находились в недавно открытом супермаркете, делая утренние покупки.

— Говорят, деревья там стали опасными. Этим утром прибыли двое лесничих. Сейчас они на крутом склоне, где деревья сильно накренились. Вероятно, они и в самом деле могут повалиться. Прошлой зимой в одно из них ударила молния, но, по-моему, это произошло где-то дальше. Как бы то ни было, лесничие копают возле корней и, боюсь, все испортят. Очень жаль.

— Ну, полагаю, они знают, что делают, — заметила Элспет Маккей. — Очевидно, кто-то их вызвал.

— Там еще два полисмена — следят, чтобы никто не подходил близко. Наверное, они выясняют, какое дерево заболело первым.

— Понимаю, — протянула Элспет Маккей.

Возможно, она действительно понимала. Никто ничего ей не рассказывал, но Элспет никогда в этом не нуждалась.

2

Ариадна Оливер снова прочитала телеграмму, которую ей только что доставили. Она настолько привыкла получать телеграммы по телефону, лихорадочно ища карандаш, чтобы записать содержание, и настаивая, чтобы ей выслали подтверждающую копию, что была удивлена при виде «настоящей телеграммы».

«ПОЖАЛУЙСТА НЕМЕДЛЕННО ПРИВЕЗИТЕ ВАШУ КВАРТИРУ М-С БАТЛЕР И МИРАНДУ ТЧК НЕЛЬЗЯ ТЕРЯТЬ ВРЕМЕНИ ТЧК ВАЖНО ПОВИДАТЬ ВРАЧА НАСЧЕТ ОПЕРАЦИИ ТЧК».

Миссис Оливер направилась в кухню, где Джудит Батлер готовила желе из айвы.

— Джуди, — сказала миссис Оливер, — упакуй все необходимое. Я возвращаюсь в Лондон, и вы с Мирандой едете со мной.

— Это очень любезно с твоей стороны, Ариадна, но у меня дома полно дел. Хотя тебе ведь не обязательно уезжать прямо сегодня, верно?

— Обязательно, — покачала головой миссис Оливер. — Так мне велели.

— Кто велел? Твоя экономка?

— Нет, кое-кто другой. Один из немногих, кого я слушаюсь. Так что поторопись.

— Но я не могу сейчас уезжать!

— Придется, — заявила миссис Оливер. — Машина готова — я привела ее к входу. Мы можем выехать сразу же.

— Мне бы не хотелось брать Миранду. Я могла бы оставить ее здесь у Рейнолдсов или Ровены Дрейк...

— Миранда поедет с нами, — решительно прервала миссис Оливер. — Не создавай лишних трудностей, Джуди. Это серьезно. Не понимаю, как тебе в голову могло прийти оставить Миранду с Рейнолдсами. У них ведь убили двоих детей!

— Да, верно. Думаешь, у них дома что-то не так? Я имею в виду, кто-то там...

— Мы слишком много болтаем, — сказала миссис Оливер. — Хотя, — добавила она, — если кого-то еще собираются убить, то, по-моему, это должна быть Энн Рейнолдс.

— Что происходит с этой семьей? Почему их убивают одного за другим? О, Ариадна, это страшно!

— Да, — кивнула миссис Оливер, — но бывают времена, когда нужно бояться. Я только что получила телеграмму и действую в соответствии с ее содержанием.

— Телеграмму? А я не слышала телефонного звонка.

— Ее прислали не по телефону, а принесли сюда.

Поколебавшись, она протянула телеграмму подруге.

— Что это значит? Операция?

— Возможно, миндалины, — отозвалась миссис Оливер. — У Миранды на прошлой неделе болело горло, не так ли? Разве будет выглядеть невероятным, если ее повезут в Лондон на консультацию у ларинголога?

— Ты спятила, Ариадна?

— Очень может быть. В любом случае Миранде понравится в Лондоне. Не беспокойся — ей не будут делать никакой операции. В шпионских романах это называется «прикрытие». Мы поведем ее в театр, в оперу или на балет — что ей больше нравится. Я думаю, лучше всего сводить ее на балет.

— Я боюсь, — прошептала Джудит.

Ариадна Оливер посмотрела на подругу. Она слегка дрожала и казалась более чем когда-либо похожей на ундину. Джудит Батлер выглядела полностью оторванной от реальности.

— Пошли, — сказала миссис Оливер. — Я обещала Эркюлю Пуаро привезти вас, когда он потребует. Ну, вот он и потребовал.

— Что здесь происходит? — спросила Джудит. — И зачем только я приехала сюда?

— Иногда меня это тоже интересует, — заметила миссис Оливер. — Хотя трудно объяснить, почему люди выбирают то или иное место жительства. Один мой друг в один прекрасный день переехал в Мортон-на-Болоте. Я спросила его почему, а он ответил, что всегда хотел там жить, когда удалится от дел. Я сказала, что никогда не была в этом месте, но, судя по названию, там очень сыро, и спросила, что оно собой представляет. А он ответил, что не знает, так как тоже никогда там не бывал, однако мечтал там поселиться. При этом он вовсе не был сумасшедшим.

— И ему там понравилось?

— Ну, я еще не получала от него известий, — отозвалась миссис Оливер. — Но люди иногда поступают очень странно, не так ли?

Она вышла в сад и окликнула:

— Миранда, мы уезжаем в Лондон!

Миранда медленно подошла к ним.

— В Лондон?

— Ариадна повезет нас туда, — объяснила ей мать. — Мы там сходим в театр. Может быть, миссис Оливер удастся раздобыть билеты на балет. Ты бы хотела посмотреть балет?

— Конечно. — В глазах девочки зажегся интерес. — Но я сначала должна попрощаться с одним из моих друзей.

— Но мы едем практически сразу же.

— Я не задержусь надолго. Просто мне нужно объяснить... Я кое-что обещала.

Она побежала по саду и скрылась за калиткой.

— Что у Миранды за друзья? — с любопытством спросила миссис Оливер.

— Право, не знаю, — ответила Джудит. — Она мне никогда о них не рассказывает. Иногда мне кажется, что Миранда считает своими друзьями только птиц и белок, которых видит в лесу. По-моему, к ней все хорошо относятся, но я не знаю, есть ли у нее настоящие друзья. Миранда никогда не приводит девочек к чаю. Думаю, ее лучшей подругой была Джойс Рейнолдс. Джойс рассказывала ей разные фантастические истории о слонах и тиграх... — Миссис Батлер встряхнулась. — Ну, раз ты настаиваешь, мне нужно укладывать вещи. Но мне не хочется уезжать. У меня тут полно дел — желе и...

— Нужно ехать, — твердо заявила миссис Оливер.

Джудит спустилась с парой чемоданов как раз в тот момент, когда Миранда, слегка запыхавшись, вбежала через боковую дверь.

— А как же ленч? — осведомилась она.

Несмотря на внешность лесной феи, Миранда была здоровым ребенком, любившим поесть.

— Остановимся на ленч по дороге, — ответила миссис Оливер. — В хэвершемском «Негритенке». Это примерно в трех четвертях часа езды отсюда, и там хорошо кормят. Пошли, Миранда, нам пора ехать.

— Я не успею предупредить Кэти, что не смогу пойти с ней завтра в кино. Может, позвонить ей?

— Только поскорее, — поторопила ее мать.

Миранда побежала в гостиную, где находился телефон. Джудит и миссис Оливер отнесли чемоданы в машину. Девочка выбежала следом.

— Я оставила сообщение, — сказала она. — Теперь все в порядке.

— Все-таки, по-моему, ты сошла с ума, Ариадна, — промолвила Джудит, когда они сели в автомобиль. — Что все это значит?

— Полагаю, мы выясним это в свое время, — отозвалась миссис Оливер. — Не знаю, кто сошел с ума — я или он.

— Кто «он»?

— Эркюль Пуаро, — сказала миссис Оливер.

3

В Лондоне Эркюль Пуаро сидел в комнате вместе с еще четверыми мужчинами. Одним из них был инспектор Тимоти Рэглен, чье лицо не выражало ничего, кроме почтения, как всегда в присутствии начальства, вторым был суперинтендент Спенс, третьим — Элфред Ричмонд, главный констебль графства, а четвертым — человек из прокуратуры с характерным проницательным взглядом законника. Их лица, устремленные на Эркюля Пуаро, постоянно меняли выражение.

— Вы кажетесь абсолютно уверенным, мсье Пуаро.

— Я действительно абсолютно уверен, — ответил Пуаро. — Когда вещи выглядят определенным образом, понимаешь, что так и должно быть, если только не находишь причины для обратного.

— Однако мотивы кажутся весьма сложными.

— Совсем наоборот, — возразил Пуаро. — Но они настолько просты, что их трудно четко рассмотреть.

Джентльмен из прокуратуры выглядел скептически.

— Очень скоро у нас будет прямая улика, — сказал инспектор Рэглен. — Конечно, если мы ошиблись...

— Ошиблись мы немножко — в колодце нету кошки? — осведомился Эркюль Пуаро. — Вы это имеете в виду?

— Ну, вы должны признать, что с вашей стороны это всего лишь предположение.

— Но все на это указывает. Для исчезновения девушки может быть не так уж много причин. Первая — что она сбежала с мужчиной. Вторая — что она мертва. Все остальное притянуто за уши и практически никогда не происходит.

— Нет других моментов, к которым вы бы хотели привлечь наше внимание, мсье Пуаро?

— Есть. Я связался с известной фирмой, занимающейся торговлей недвижимостью в Вест-Индии, на побережье Эгейского моря, на Адриатике, в Средиземноморье и других подобных местах. Их клиенты обычно очень состоятельны. Вот недавняя покупка, которая может вас заинтересовать. — Он протянул сложенный лист бумаги.

— Думаете, это связано с нашим делом?

— Не сомневаюсь.

— Мне казалось, продажа островов запрещена правительством этой страны.

— С помощью денег можно обойти запрет.

— У вас имеются другие интересные сведения?

— Возможно, в течение суток я представлю вам кое-что, могущее решить все вопросы.

— И что же это?

— Свидетель.

— Вы имеете в виду...

— Свидетель преступления.

Юрист смотрел на Пуаро с возрастающим недоверием.

— Где же сейчас этот свидетель?

— Надеюсь, на пути в Лондон.

— Вы кажетесь... обеспокоенным.

— Это правда. Я старался обо всем позаботиться, но, говоря откровенно, я боюсь. Боюсь, несмотря на принятые мною защитные меры. Потому что мы имеем дело с безжалостностью, быстротой реакции, не знающей границ алчностью и — хотя я в этом не уверен — с зачатками безумия. Не врожденного, но тщательно культивируемого. Семя, которое пустило корни и быстро прорастает, одержимое абсолютно нечеловеческой жаждой жизни.

— Нам придется посоветоваться со специалистами на этот счет, — промолвил юрист. — Спешить тут нельзя. Конечно, многое зависит от... э-э... результатов работы лесничих. Если все подтвердится, мы можем двигаться дальше, а если нет — нужно будет обдумать все заново.

Эркюль Пуаро поднялся со стула.

— К сожалению, я вынужден откланяться. Я сообщил вам все, что знаю, чего ожидаю и чего опасаюсь. Буду поддерживать с вами контакт.

Он удалился, с иностранной церемонностью пожав руки всем присутствующим.

— В этом человеке есть что-то от шарлатана, — заметил юрист. — Вам не кажется, что у него не все дома? В конце концов, он уже очень стар, и я не знаю, можно ли полагаться на способности человека в столь преклонном возрасте.

— Думаю, мы можем на него положиться, — отозвался главный констебль. — По крайней мере, таково мое впечатление. Спенс, я знаю вас много лет. Вы его друг. По-вашему, он стал немного слабоумным?

— По-моему, нет, — ответил суперинтендент Спенс. — А каково ваше мнение, Рэглен?

— Я познакомился с ним совсем недавно, сэр. Сначала его идеи казались мне фантастичными, — возможно, в этом повинна его манера разговора. Но теперь я думаю, что он прав.

Глава 24

1

Миссис Оливер удобно устроилась за столиком у окна. Было довольно рано, поэтому в «Негритенке» еще не успел собраться народ. Вскоре Джудит Батлер вернулась, припудрив нос, села напротив приятельницы и стала изучать меню.

— Что любит Миранда? — спросила миссис Оливер. — Мы могли бы сделать заказ и для нее. Полагаю, она скоро вернется.

— Она любит жареных цыплят.

— Ну, это просто. А что хочешь ты?

— То же самое.

— Три жареных цыпленка, — заказала миссис Оливер. Она склонилась вперед, внимательно глядя на подругу.

— Что это ты на меня уставилась?

— Я думаю, — ответила миссис Оливер.

— О чем?

— О том, как мало я о тебе знаю.

— Ну, это можно сказать обо всех, не так ли?

— Ты имеешь в виду, что никто ни о ком не знает всего?

— Примерно.

— Возможно, ты права, — промолвила миссис Оливер.

Некоторое время обе женщины молчали.

— С обслуживанием здесь не торопятся, — заметила Джудит Батлер.

— Кажется, к нам уже идут.

К столику подошла официантка с подносом, уставленным блюдами.

— Что-то Миранда задерживается. Она знает, где обеденный зал?

— Конечно знает. Мы заглянули сюда по дороге. — Джудит поднялась. — Пойду приведу ее.

— Может, ее укачало в машине?

— Когда она была поменьше, ее всегда укачивало.

Через пять минут Джудит вернулась.

— Ее нет в дамском туалете, — сказала она. — Там есть дверь в сад. Возможно, Миранда вышла посмотреть на какую-то птицу. Это на нее похоже.

— Сейчас не время глазеть на птиц, — недовольно произнесла миссис Оливер. — Позови ее. Нам нужно поторапливаться.

2

Элспет Маккей подцепила вилкой несколько сосисок, положила их на сковородку, спрятала остальные в холодильник и начала чистить картошку.

Зазвонил телефон.

— Миссис Маккей? Это сержант Гудвин. Ваш брат дома?

— Нет. Он сегодня в Лондоне.

— Я звонил ему туда, но он уже уехал. Когда он вернется, скажите ему, что все подтвердилось.

— Вы имеете в виду, что нашли труп в колодце?

— Нет смысла это скрывать. Слухи уже распространились.

— Чей это труп? Девушки-оперы?

— Вроде бы да.

— Бедняжка, — сказала Элспет. — Она сама бросилась в колодец или?..

— Это не было самоубийство — ее ударили ножом.

3

Когда ее мать вышла из туалета, Миранда подождала минуты две. Потом она приоткрыла дверь, осторожно выглянула наружу, открыла боковую дверь в сад и побежала по дорожке к заднему двору, где раньше находилась конюшня, а теперь гараж. У обочины аллеи стояла машина, в которой сидел мужчина с седой бородой и густыми седыми бровями, читая газету. Миранда открыла дверцу и села рядом с ним.

— Ты выглядишь забавно, — улыбнулась она.

— Можешь хохотать сколько душе угодно — здесь тебя никто не услышит.

Машина поехала по аллее, свернула направо, налево, потом опять направо и выехала на дорогу.

— Мы поспеем вовремя, — сказал седобородый мужчина. — Скоро ты увидишь двойной топор и Килтербери-Даун. Прекрасное зрелище.

Мимо них промчалась машина, едва не отбросив их к изгороди.

— Юные кретины, — проворчал седобородый человек.

У одного из упомянутых «юных кретинов» были волосы до плеч и большие круглые очки, а у другого — бакенбарды, делавшие его похожим на испанца.

— Тебе не кажется, что мама будет волноваться из-за меня? — спросила Миранда.

— У нее не хватит времени. Когда она начнет беспокоиться, ты уже будешь там, где хочешь быть.

4

В Лондоне Эркюль Пуаро поднял телефонную трубку и услышал голос миссис Оливер:

— Мы потеряли Миранду.

— Как это потеряли?

— Мы заехали на ленч в «Негритенок». Миранда пошла в уборную и не вернулась. Кто-то сказал, что видел, как она ехала в автомобиле с пожилым мужчиной. Но это не могла быть Миранда. Должно быть, он ошибся.

— Кому-то из вас следовало оставаться с ней. Ее нельзя было терять из виду. Я же предупреждал вас об опасности. Миссис Батлер очень волнуется?

— А вы как думаете? Конечно волнуется. Она хочет звонить в полицию.

— Вполне естественно. Я тоже позвоню туда.

— Но почему Миранде грозит опасность?

— А вы не понимаете? Теперь вы уже должны были бы знать... — Помолчав, он добавил: — Я только что узнал, что нашли труп.

— Какой труп?

— Труп в колодце.

Глава 25

— Красиво, — промолвила Миранда, оглядываясь вокруг.

Килтербери-Ринг был местной достопримечательностью, хотя его останки не пользовались особой известностью. Большую их часть разобрали много столетий тому назад, но кое-где еще торчали высокие камни эпохи мегалита — свидетельства давних ритуальных поклонений.

— Зачем им были нужны эти камни? — спросила Миранда.

— Для ритуалов. Ты ведь понимаешь, что такое жертвоприношение, не так ли?

— Как будто да.

— Жертвоприношения должны существовать. Это очень важно.

— Ты хочешь сказать, что это не наказание, а что-то другое?

— Конечно другое. Ты умираешь, чтобы другие жили, чтобы жила красота. Разве это не важно?

— А я думала, что...

— Да, Миранда?

— Я думала, что, может быть, жертва должна умереть, потому что из-за нее умер кто-то еще.

— Почему тебе пришло это в голову?

— Я думала о Джойс. Если бы я не рассказала ей кое-что, она бы не умерла, верно?

— Возможно.

— Мне было не по себе с тех пор, как ее убили. Я не должна была ей говорить, но мне так хотелось рассказать ей что-нибудь интересное. Она была в Индии и все время говорила о тиграх и слонах с попонами и золотыми украшениями. Раньше я про это не думала, но внезапно мне захотелось, чтобы об этом знал кто-нибудь еще... — Помолчав, девочка спросила: — Это... тоже было жертвоприношение?

— В какой-то мере.

Миранда задумалась.

— Еще не пора? — осведомилась она.

— Солнце еще не в том положении. Минут через пять оно будет падать прямо на камень.

Они снова умолкли, стоя рядом с машиной.

— Пожалуй, теперь пора, — сказал спутник Миранды, глядя на небо, где солнце клонилось к горизонту. — Какой чудесный момент! Вокруг никого. В это время никто не поднимается на вершину Килтербери-Даун, чтобы посмотреть на Килтербери-Ринг. В ноябре слишком холодно, и ежевика уже сошла. Сначала я покажу тебе двойной топор. Его вырезали на камне, когда эти люди прибыли сюда из Микен или Крита сотни лет тому назад.

Они подошли к самому высокому камню, рядом с которым лежал другой, упавший на землю, а чуть дальше виднелся еще один, казалось склонившийся под бременем веков.

— Ты счастлива, Миранда?

— Да. Я очень счастлива.

— Видишь этот знак?

— Это в самом деле двойной топор?

— Да, хотя он стерся от времени. Это символ. Положи на него руку. А теперь мы выпьем — выпьем за прошлое, будущее и красоту.

— О, какая прелесть! — воскликнула Миранда.

Спутник передал ей позолоченный кубок и налил в него из фляги золотистого цвета жидкость.

— Она пахнет персиками. Выпей, Миранда, и ты станешь еще счастливее.

Девочка понюхала содержимое кубка.

— Действительно, пахнет персиками. Смотри, солнце блестит, как золото. Здесь чувствуешь себя словно на краю света.

Мужчина повернул ее лицом к солнцу.

— Подними кубок и пей.

Рука Миранды все еще покоилась на полустертом знаке, высеченном на мегалитическом камне. Теперь мужчина стоял позади нее. Из-за наклонного камня выскользнули две фигуры и стали быстро подниматься по склону, но мужчина и девочка стояли на холме спиной к ним и не замечали их.

— Выпей за красоту, Миранда.

— Черта с два она выпьет! — послышался голос позади.

Дезмонд Холленд накинул розовую бархатную куртку на голову седобородому мужчине и ловко выбил нож из его поднятой руки. Николас Рэнсом схватил Миранду и оттащил ее в сторону.

— Маленькая дура! — сказал он. — Отправиться сюда с чокнутым убийцей! Ты что, совсем не соображаешь, что делаешь?

— Соображаю, — ответила Миранда. — Я собиралась принести себя в жертву, потому что это моя вина. Из-за меня убили Джойс, значит, я тоже должна умереть. Это было бы ритуальным убийством.

— Не болтай чушь! Они нашли иностранную девушку, которая исчезла около двух лет назад. Все думали, что она сбежала, потому что подделала завещание, но она никуда не убегала. Ее труп нашли в колодце.

— Ой! — вскрикнула Миранда. — Неужели в колодце желаний, который я так хотела отыскать? Кто... кто положил ее туда?

— Тот же, кто привез тебя сюда.

Глава 26

Четверо мужчин снова сидели, глядя на Пуаро. Выражение лиц Тимоти Рэглена, суперинтендента Спенса и главного констебля было таким, как у кошки, ожидающей, что в любой момент перед ней появится блюдце со сливками. На лице четвертого мужчины все еще было написано недоверие.

— Итак, мсье Пуаро, — заговорил главный констебль, беря на себя роль председательствующего, — мы собрались здесь...

Пуаро подал знак рукой. Инспектор Рэглен вышел из комнаты и вернулся вместе с женщиной лет тридцати с лишним, девочкой и двоими юношами, которых представил главному констеблю:

— Миссис Батлер, мисс Миранда Батлер, мистер Николас Рэнсом и мистер Дезмонд Холленд.

Пуаро поднялся и взял Миранду за руку.

— Сядь рядом с мамой, Миранда. Мистер Ричмонд — главный констебль — хочет задать тебе несколько вопросов. Это касается того, что ты видела почти два года назад. Насколько я понял, ты упомянула об этом кое-кому, не так ли?

— Я рассказала Джойс.

— Что именно ты ей рассказала?

— Что я видела убийство.

— А ты рассказывала об этом кому-нибудь еще?

— Нет. Но думаю, что Леопольд догадался. Он всегда подслушивал у дверей — ему нравилось выведывать чужие секреты.

— Ты знаешь, что Джойс Рейнолдс во время подготовки к вечеринке заявила, будто она видела убийство. Это была правда?

— Нет. Она просто повторила то, что я ей рассказала, но притворилась, что это произошло с ней.

— Ты расскажешь нам, что видела тогда?

— Сначала я не знала, что это убийство. Я думала, это несчастный случай — что девушка просто упала откуда-то сверху.

— Где это случилось?

— В «Погруженном саду» — во впадине, где раньше был фонтан. Я сидела на дереве и смотрела на белку, стараясь не шуметь, чтобы она не убежала. Белки очень пугливые.

— Ну и что ты увидела?

— Мужчина и женщина подняли девушку и понесли ее вверх по тропинке. Я подумала, что они несут ее в больницу или в «Куорри-Хаус». Потом женщина вдруг остановилась и сказала: «Кто-то за нами наблюдает». Она посмотрела прямо на мое дерево — я испугалась и сидела неподвижно. Мужчина ответил: «Чепуха», и они пошли дальше. Я видела кровь на шарфе, окровавленный нож, подумала, что, может быть, кто-то пытался их убить, и не двинулась с места.

— Потому что ты боялась?

— Да, хотя сама не знаю чего.

— Ты не рассказала об этом матери?

— Нет. Я подумала, что, возможно, не должна была сидеть там и подсматривать. На следующий день никто ничего не говорил о несчастном случае, поэтому я о нем забыла и не вспоминала, пока... — Она внезапно умолкла.

Главный констебль открыл рот, но сразу же закрыл его, посмотрел на Пуаро и сделал едва заметный жест.

— Пока — что, Миранда? — подсказал Пуаро.

— Пока все как будто не повторилось снова. Только на этот раз я наблюдала из-за кустов за зеленым дятлом. Эти двое сидели там и говорили о каком-то греческом острове. «Все уже подписано, — сказала женщина. — Он наш, и мы можем отправиться туда, когда захотим. Но нам лучше не торопиться». Потом дятел улетел, и я шевельнулась. «Тише! — предупредила женщина. — Кто-то за нами наблюдает». Она сказала это так же, как в прошлый раз, с тем же выражением лица. Я опять испугалась и все вспомнила. Только теперь я знала, что видела убийство и что они несли мертвое тело, чтобы где-нибудь его спрятать. Я уже не была маленькой и поняла, что означали нож и кровь...

— Когда это было? — спросил главный констебль. Миранда немного подумала.

— В прошлом марте — сразу после Пасхи.

— Ты можешь сказать, кто были эти люди?

— Конечно могу. — Миранда выглядела ошеломленной.

— Ты видела их лица?

— Да.

— Ну и кто это был?

— Миссис Дрейк и Майкл.

Это нельзя было назвать драматическим обвинением. Голос девочки был спокойным и уверенным, хотя в нем слышалось нечто похожее на легкое удивление.

— Почему же ты никому об этом не рассказала? — допытывался главный констебль.

— Я думала, что это... жертвоприношение.

— Кто внушил тебе такое?

— Майкл. Он говорил, что жертвоприношения необходимы.

— Ты любила Майкла? — мягко спросил Пуаро.

— Да, — ответила Миранда. — Я его очень любила.

Глава 27

— Наконец-то вы пришли! — сказала миссис Оливер. — Мне не терпится узнать обо всем. — Она посмотрела на Пуаро и строго осведомилась: — Почему вы не пришли раньше?

— Приношу свои извинения, мадам. Я был занят, помогая полиции в расспросах.

— Но как вы заподозрили, что Ровена Дрейк замешана в убийстве? Это никому и в голову не приходило.

— Заподозрить ее было нетрудно, когда я заполучил самый важный ключ к разгадке.

— Что вы называете самым важным ключом?

— Воду. Мне требовался человек, который присутствовал на вечеринке и был мокрым, хотя, казалось бы, не должен был пребывать в таком состоянии. Тот, кто убил Джойс Рейнолдс, никак не мог не промокнуть. Если вы суете крепкого и здорового ребенка головой в ведро, он обязательно будет отбиваться и обольет вас. Поэтому убийце требовалось невинное объяснение того, каким образом он стал мокрым. Когда все отправились в столовую играть в «Львиный зев», миссис Дрейк повела Джойс в библиотеку. Если хозяйка дома просит гостя пойти с ней куда-то, ему, естественно, приходится согласиться. К тому же Джойс ни в чем не подозревала миссис Дрейк. Миранда рассказала ей только то, что однажды видела убийство. Разделавшись с Джойс, миссис Дрейк должна была создать причину, по которой она промокла, и найти свидетеля. Она ждала этого свидетеля на лестничной площадке, держа в руках большую вазу с цветами, наполненную водой. Мисс Уиттейкер стало жарко в столовой, и она вышла оттуда. Увидев ее, миссис Дрейк сразу притворилась, что нервничает, и уронила вазу таким образом, чтобы она разбилась на полу холла, предварительно окатив ее водой. После этого миссис Дрейк сбежала вниз и начала собирать осколки и цветы вместе с мисс Уиттейкер, жалуясь ей на потерю красивой вазы. Она все устроила так, что у мисс Уиттейкер сложилось впечатление, будто Ровена Дрейк видела кого-то, выходящего из комнаты, где произошло убийство. Мисс Уиттейкер приняла все за чистую монету, но, когда она рассказала об этом мисс Эмлин, та заподозрила истинный смысл происшедшего и убедила мисс Уиттейкер сообщить обо всем мне. — Пуаро подкрутил усы. — Таким образом я тоже догадался, кто убийца Джойс.

— А ведь бедная Джойс в действительности не видела никакого убийства!

— Миссис Дрейк этого не знала. Но она всегда подозревала, что кто-то был в лесу Куорри, когда они с Майклом Гарфилдом убили Ольгу Семенову, и видел, как это произошло.

— И когда же вы узнали, что это видела Миранда, а не Джойс?

— Как только здравый смысл вынудил меня принять всеобщее мнение, что Джойс была лгуньей. К тому же многое явно указывало на Миранду. Она часто бывала в лесу Куорри, наблюдая за птицами и белками. Миранда говорила мне, что Джойс была ее лучшей подругой. «Мы все друг другу рассказывали», — сказала она. Миранда не присутствовала на вечеринке, поэтому Джойс легко могла воспользоваться ее историей об убийстве — возможно, с целью произвести впечатление на вас, мадам, как на хорошо известного автора детективов.

— Выходит, я во всем виновата?

— Нет, нет, я вовсе не имел это в виду.

— Ровена Дрейк, — задумчиво произнесла миссис Оливер. — До сих пор не могу поверить, что это сделала она.

— У нее были все необходимые качества. Меня всегда интересовало, что за женщина была леди Макбет. Как бы она выглядела, если бы вы встретили ее в реальной жизни? Думаю, теперь я это знаю.

— А Майкл Гарфилд? Они кажутся такой неподходящей парой...

— Леди Макбет и Нарцисс. Необычная комбинация. Миссис Дрейк была красивой женщиной — энергичной и компетентной, прирожденным администратором и великолепной актрисой. Слышали бы вы ее жалобы по поводу смерти маленького Леопольда и всхлипывания в сухой платок.

— Какая мерзость!

— Помните, я спрашивал у вас, кто из присутствовавших на вечеринке приятный человек, а кто нет.

— Майкл Гарфилд был влюблен в нее?

— Сомневаюсь, чтобы Майкл Гарфилд когда-нибудь был влюблен в кого-то, кроме себя. Он хотел денег — много денег. Возможно, сначала Майкл надеялся расположить к себе миссис Ллуэллин-Смайт до такой степени, чтобы она составила завещание в его пользу, но миссис Ллуэллин-Смайт была не из таких женщин.

— А как насчет подделки? Я все еще этого не понимаю.

— Поначалу меня это тоже сбивало с толку. Так сказать, слишком много подделок. Но если подумать, цель становится ясной. Состояние миссис Ллуэллин-Смайт целиком отходило Ровене Дрейк. Кодицил был подделан настолько явно, что любой адвокат должен был это заметить. Он был бы опротестован, эксперты подтвердили бы факт подделки, и предыдущее завещание вошло бы в силу. Так как муж Ровены Дрейк недавно умер, она бы унаследовала все.

— А как же кодицил, который засвидетельствовала уборщица?

— Я предполагаю, что миссис Ллуэллин-Смайт узнала о связи Майкла Гарфилда и Ровены Дрейк — возможно, еще до смерти ее мужа. В гневе она добавила к завещанию кодицил, оставляя все девушке au pair. Вероятно, девушка сообщила об этом Майклу — она надеялась выйти за него замуж.

— Я думала, что она рассчитывала на брак с молодым Феррьером.

— Эту правдоподобную историю сообщил мне Майкл. Но ничто ее не подтверждало.

— Если он знал, что существует настоящий кодицил, почему же он не женился на Ольге и не заполучил деньги таким путем?

— Потому что он сомневался, получит ли она деньги на самом деле. Существует такая вещь, как дурное влияние. Миссис Ллуэллин-Смайт была старой и больной женщиной. Все ее предыдущие завещания были составлены в пользу племянника и племянницы — их бы утвердил любой суд. А Ольга была иностранкой и прослужила у миссис Ллуэллин-Смайт только год. Поэтому даже подлинный кодицил мог быть опротестован. Кроме того, я сомневаюсь, что Ольга могла бы осуществить покупку греческого острова — или даже захотела бы это сделать. У нее не было ни влиятельных друзей, ни связей в деловых кругах. Ольга привязалась к Майклу, но смотрела на него как на выгодную партию, которая помогла бы ей остаться в Англии, чего она и хотела.

— А Ровена Дрейк?

— Ровеной овладела безрассудная страсть. Она много лет прожила с мужем-инвалидом, и вдруг рядом с ней оказался поразительно красивый молодой человек. Женщины теряли из-за него голову, но ему не была нужна их красота — он хотел создавать красоту сам, используя свое дарование. Для этого требовались деньги — много денег. Что касается любви, то Майкл любил только себя. Он был нарциссом. Есть старая французская песня, которую я слышал много лет назад...

Пуаро негромко пропел:

> Regarde, Narcisse,
> Regarde dans l'eau...
> Regarde, Narcisse,
> Que tu est beau.
> Il n'y à au monde
> Que la Beauté
> Et la Jeunesse,
> Hélas! Et la Jeunesse...
> Regarde, Narcisse,
> Regarde dans l'eau...[1]

— Я просто не в состоянии поверить, будто кто-то может совершить убийство с целью создать сад на греческом острове, — скептическим тоном произнесла миссис Оливер.

— Вот как? Неужели вы не можете себе представить этот остров так, как представлял себе его Гарфилд? Возможно, это всего лишь голая скала, но ее форма предполагает определенные возможности. Многие тонны плодородной земли покроют камни, и на этой земле будут расти цветы, кусты и деревья. Быть может, он читал в газете о миллионере-судостроителе, создавшем на острове сад для любимой женщины, и ему пришло в голову создать такой же сад, но не для женщины, а для самого себя.

---

[1] На гладь воды, Нарцисс, гляди.
Как ты прекрасен, убедись.
Красы и юности такой
Не знает больше мир земной.
Увы, не знает мир земной... *(фр.)*

— Мне по-прежнему все это кажется чистейшим безумием.

— Тем не менее такое случается. Сомневаюсь, чтобы Гарфилд считал свой мотив недостойным. Он думал о нем только как о необходимом средстве для создания красоты, ставшей его навязчивой идеей. Красота леса Куорри, красота других садов, которые сотворил Гарфилд... Теперь он замыслил нечто большее — целый остров красоты. А рядом находилась очарованная им Ровена Дрейк. Разумеется, она интересовала его только в качестве источника денег, с помощью которых он смог бы создавать все новые красоты. Да, возможно, Гарфилд в конце концов стал безумным. Если боги хотят кого-то уничтожить, они прежде всего лишают его разума.

— Ему в самом деле был так необходим этот остров? В придачу с Ровеной Дрейк, висящей у него на шее и командующей им днем и ночью?

— Думаю, с Ровеной Дрейк вскоре произошел бы несчастный случай.

— Еще одно убийство?

— Да. Началось все достаточно просто. Ольгу было необходимо убрать, потому что она знала о кодициле, — к тому же ей отвели роль козла отпущения, обвинив в подделке. Миссис Ллуэллин-Смайт спрятала подлинное завещание, и я думаю, что молодому Ферриеру хорошо заплатили, поручив изготовить аналогичное поддельное, причем подделка должна была выглядеть настолько очевидной, чтобы сразу возбудить подозрение. Согласившись, Лесли Ферриер подписал свой смертный приговор. Вскоре я решил, что Лесли Ферриер не был помолвлен с Ольгой и не имел с ней любовной связи. Такие предположения внушал мне Майкл Гарфилд, но думаю, что именно он заплатил Лесли. Это Майкл добивался привязанности девушки au pair, намекая на возможный брак в будущем, но предупреждая, чтобы она ничего не рассказывала хозяйке, так как хладнокровно наметил ее в качестве жертвы, в которой нуждались он и Ровена Дрейк, чтобы получить деньги. Было не обязательно, чтобы Ольгу Семенову обвинили в подделке и привлекли к суду, — главное, чтобы ее в этом заподозрили. Поддельный кодицил был в ее пользу. Ей не составляло труда его изготовить — существовали свидетельства, что она копировала почерк хозяйки. Если бы Ольга внезапно исчезла, это навело бы на мысль, что она не только подделала завещание, но, вполне возможно, помогла миссис Ллуэллин-Смайт внезапно умереть. Поэтому Ольгу Семенову устранили при первой же удобной возможности. Считалось, что Лесли Ферриер погиб от удара ножа либо сообщника в неблаговидных делах, либо ревнивой женщины. Но нож, найденный в колодце, соответствует полученной им ране. Я знал, что тело Ольги должно быть спрятано где-то поблизости, но понятия не имел, где именно, пока не услышал, как Миранда уговаривает Майкла Гарфилда отвести ее к колодцу желаний, а тот отказывается. Вскоре после этого, когда я в разговоре с миссис Гудбоди упомянул, что интересуюсь исчезновением девушки, а она ответила: «Бом-бом, дили-дили — в колодце кошку утопили», у меня не осталось сомнений, что тело Ольги находится в колодце желаний. Я узнал, что он находится в лесу Куорри, на склоне холма, неподалеку от коттеджа Майкла Гарфилда, и подумал, что Миранда могла видеть либо само убийство, либо то, как потом избавлялись от трупа. Миссис Дрейк и Майкл подозревали о существовании свидетеля, но не знали, кто это, а так как ничего не происходило, уверились в своей безопасности и начали без излишней спешки осуществлять свои планы. Ровена говорила о покупке земли за границей, внушая окружающим, что собирается уехать из Вудли-Каммон, так как это место служит ей печальным напоминанием о смерти мужа. Все шло как надо, как вдруг во время подготовки вечеринки в Хэллоуин Джойс внезапно заявила, что видела убийство. Теперь Ровена знала — вернее, думала, что знает, кто был в лесу в тот день. Она действовала быстро, но этим дело не кончилось. Юный Лефпольд потребовал денег — он сказал, что ему нужно купить какие-то вещи. Трудно сказать, о чем мальчик знал или догадывался, но он был братом Джойс, поэтому миссис Дрейк и Майкл, возможно, подумали, что ему известно больше, чем было на самом деле. В итоге Леопольду также пришлось умереть.

— Ровену вы заподозрили из-за денег, — сказала миссис Оливер. — А Майкла Гарфилда?

— Он подходил во всех отношениях, — просто ответил Пуаро. — Но окончательно я обрел уверенность во время последнего разговора с ним. Он сказал мне, смеясь: «Отправляйтесь к вашим полицейским дружкам. Изыди, Сатана». И тогда я подумал: «Совсем наоборот. Это я оставляю Сатану у себя за спиной». Сатана, молодой и красивый, как Люцифер, может являться смертным...

В комнате присутствовала еще одна женщина — до сих пор она сидела молча, но сейчас шевельнулась в кресле и заговорила:

— Люцифер... Да, теперь понимаю. Он всегда был таким.

— Майкл был очень красив, — продолжал Пуаро, — и любил красоту, которую создавал своими руками, мозгом и воображением. Ради нее он пожертвовал бы всем. Думаю, по-своему Майкл любил Миранду, но был готов пожертвовать ею ради собственной безопасности. Он тщательно спланировал ее убийство, внушив ей мысли о ритуальном жертвоприношении. Миранда сообщила ему, что уезжает из Вудли-Каммон, и он велел ей встретиться с ним у гостиницы, где закусывали вы и миссис Оливер. Девочку нашли бы на Килтербери-Ринг рядом с золотым кубком и знаком двойного топора — чем не ритуал?

— Очевидно, он был безумен, — промолвила Джудит Батлер.

— Мадам, ваша дочь в безопасности, но я очень хотел бы узнать кое-что.

— Полагаю, вы заслужили право знать все, что я могу вам сообщить, мсье Пуаро.

— Миранда — ваша дочь, но не дочь ли она и Майкла Гарфилда?

Помолчав, Джудит ответила:

— Да.

— Но она этого не знает?

— Нет. Встреча с ним здесь была случайным совпадением. Я познакомилась с Майклом, когда была молодой девушкой, безумно в него влюбилась, а потом... испугалась.

— Испугались?

— Да, сама не знаю почему. Не то чтобы он что-то сделал — просто меня пугала его натура. За внешней мягкостью скрывалась холодная безжалостность. Я боялась даже его страсти к творчеству. Поэтому я не сказала Майклу, что жду ребенка, а просто оставила его — уехала и родила Миранду. Я придумала историю о муже-летчике, погибшем в катастрофе. В Вудли-Каммон я появилась более-менее случайно — у меня завелись контакты в Медчестере, где я могла найти место секретаря. А в один прекрасный день Майкл Гарфилд прибыл сюда работать в лесу Куорри. Сначала я не возражала, да и он, по-моему, тоже. Что было, то прошло, но позже, заметив, как часто Миранда бывает в лесу, я стала беспокоиться...

— Да, — кивнул Пуаро, — их тянуло друг к другу. Кровные узы. Я замечал сходство между ними, но Майкл, последователь Люцифера, был самим злом, а в вашей дочери нет зла — только невинность и разум.

Он подошел к столу, взял конверт и вынул карандашный рисунок.

— Ваша дочь.

Джудит посмотрела на рисунок. Внизу стояла подпись: «Майкл Гарфилд».

— Майкл нарисовал Миранду у ручья в лесу Куорри, — объяснил Пуаро. — По его словам, он сделал это, чтобы не забыть ее. Майкл Гарфилд боялся забыть свою дочь, но это не удержало его от попытки убить ее.

Пуаро указал на надпись карандашом в верхнем левом углу.

— Прочтите это.

— Ифигения, — медленно прочитала Джудит.

— Да, — сказал Пуаро, — Ифигения. Агамемнон пожертвовал своей дочерью, чтобы попутный ветер доставил его корабли в Трою. Майкл собирался принести в жертву свою дочь, чтобы заполучить новый сад Эдема.

— Он знал, что делает, — мрачно произнесла Джудит. — Интересно, стал бы он когда-нибудь об этом сожалеть?

Пуаро не ответил. Его глазам представился молодой человек исключительной красоты, лежащий возле мегалитического камня с изображением двойного топора и сжимающий в мертвых пальцах золотой кубок, который он схватил и осушил, когда перед ним предстало возмездие, явившееся спасти его жертву и передать его в руки правосудия.

«Майкл Гарфилд умер по заслугам, — думал Пуаро, — но, увы, сад никогда не расцветет на острове в греческих морях...»

Вместо этого будет цвести Миранда — юная, живая и красивая.

Он поднес к губам руку Джудит.

— До свидания, мадам. Напоминайте обо мне вашей дочери.

— Она должна всегда помнить вас и то, чем вам обязана.

— Лучше не надо — некоторые воспоминания желательно похоронить навсегда.

Пуаро подошел к миссис Оливер.

— Доброй ночи, chère madame. Леди Макбет и Нарцисс... Это было необычайно интересно. Должен поблагодарить вас за то, что вы привлекли мое внимание к этому делу.

— Ну вот, — сердито отозвалась миссис Оливер. — Опять я во всем виновата!

Убийство
в извозчичьем дворе

Рассказы

Murder in the Mews

Посвящается моему старому другу Сибил Хили

УБИЙСТВО В ИЗВОЗЧИЧЬЕМ ДВОРЕ

Глава 1

— Пенни за чучело, сэр!

Мальчишка с чумазой физиономией заискивающе улыбнулся.

— Ни за что! — заявил старший инспектор Джепп. — И послушай-ка меня, парень...

Последовала краткая нотация. Испуганный мальчишка проворно отступил, на ходу бросив своим юным приятелям:

— Будь я проклят, если это не переодетый коп!

Компания пустилась наутек, распевая на ходу:

> Помним хорошо не зря
> Пятое мы ноября.
> Не забудем мы с тобой
> Заговор пороховой[1].

Спутник старшего инспектора, пожилой человек небольшого роста, с яйцевидной головой и огромными, лихо закрученными усами, усмехнулся.

— Tres bien[2], Джепп, — похвалил он. — Вы превосходно читаете проповеди! Поздравляю!

---

[1] П о р о х о в о й з а г о в о р — попытка английских католиков взорвать парламент. Участник заговора Гай Фокс был схвачен на месте преступления 5 ноября 1605 г. В Англии этот день отмечают фейерверками и сожжением чучела Фокса. *(Здесь и далее примеч. перев.)*
[2] Отлично *(фр.)*.

— Этот День Гая Фокса — просто предлог для попрошайничества! — проворчал Джепп.

— Любопытный обычай, — задумчиво промолвил Эркюль Пуаро. — Фейерверки запускаются в честь человека, которого давно нет на свете, а дела его забыты.

Инспектор кивнул:

— Действительно, вряд ли кто-нибудь из этих ребятишек знает, кто такой Гай Фокс.

— А скоро вообще нелегко будет разобраться, из-за чего пускают feu d'artifice[1] пятого ноября — в знак прославления или проклятия. Попытка взорвать парламент была злодеянием или подвигом?

Джепп усмехнулся:

— Некоторые, безусловно, выберут последнее.

Свернув с главной улицы, мужчины углубились в относительную тишину извозчичьего двора. После совместного обеда они кратчайшим путем шли к дому Эркюля Пуаро.

Временами слышался треск шутих, а небо озарял золотой дождь.

— Подходящая ночь для убийства, — заметил Джепп с профессиональным интересом. — Выстрела никто бы не услышал.

— Мне всегда казалось странным, что так мало преступников пользуется этим преимуществом, — отозвался Пуаро.

— Знаете, Пуаро, иногда мне почти хочется, чтобы вы совершили убийство.

— Mon cher![2]

— Да, я бы с удовольствием понаблюдал, как вы это организуете.

— Мой дорогой Джепп, если бы я совершил убийство, вы бы ни за что не догадались. Возможно, вы бы даже не узнали, что убийство совершено.

Джепп добродушно рассмеялся.

— Вы чертовски самоуверенны, — снисходительно сказал он.

---

[1] Фейерверк (фр.).
[2] Мой дорогой! (фр.)

На следующее утро, в половине одиннадцатого, в квартире Эркюля Пуаро зазвонил телефон.

— Алло?

— Алло, это вы, Пуаро?

— Oui, c'est moi[1].

— Это Джепп. Помните, мы возвращались поздно ночью через Бардсли-Гарденс-Мьюс?

— Да.

— И говорили о том, как легко совершить убийство при этих фейерверках, шутихах и всем прочем?

— Разумеется.

— Так вот, в доме 14 в том дворе произошло самоубийство. Молодая вдова — миссис Аллен. Я сейчас отправляюсь туда. Хотите со мной?

— Простите, дорогой друг, но разве сотрудника столь высокого ранга присылают в случае самоубийства?

— Вы быстро соображаете. Нет, не присылают. Но наш доктор считает, что тут есть что-то странное. Так вы придете? Я чувствую, что вам следовало бы принять в этом участие.

— Конечно, приду. Вы сказали, дом 14?

— Совершенно верно.

Пуаро подошел к Бардсли-Гарденс-Мьюс, 14 почти в тот же момент, когда подъехала машина с Джеппом и тремя полицейскими.

Дом явно находился в центре всеобщего внимания. На него глазела толпа народу — шоферы, их жены, посыльные, бродяги, хорошо одетые прохожие и бесчисленное множество детей.

На ступеньке перед входом стоял констебль, делая все возможное, чтобы отогнать подальше любопытных. Прыткие молодые люди с фотоаппаратами сразу засуетились, когда Джепп вышел из автомобиля.

— Для вас нет никаких комментариев, — заявил Джепп, отстраняя их. Заметив Пуаро, он кивнул. — Вы здесь? Ну, пойдемте в дом.

Они быстро вошли, закрыв за собой дверь, и очутились возле лестницы, похожей на стремянку.

Стоящий наверху человек узнал Джеппа и сказал:

— Сюда, сэр.

Джепп и Пуаро поднялись по ступенькам.

Мужчина наверху открыл дверь слева, и они очутились в маленькой спальне.

— Я подумал, сэр, вы захотите, чтобы я изложил вам основные факты.

— Вы правильно подумали, Джеймсон, — отозвался Джепп. — Выкладывайте.

— Покойную звали миссис Аллен, сэр, — начал участковый инспектор Джеймсон. — Она жила здесь с подругой — мисс Плендерлейт. Подруга гостила в деревне и вернулась сегодня утром. Она открыла дверь своим ключом и была удивлена, никого не обнаружив, так как в девять утра обычно приходит прислуга. Мисс Плендерлейт поднялась наверх, сначала в свою комнату, где мы сейчас находимся, а потом прошла через площадку к комнате подруги. Дверь была заперта изнутри. Она дергала ручку, стучала, звала, но не получила никакого ответа. В конце концов встревоженная мисс Плендерлейт позвонила в полицейский участок. Это было в десять сорок пять. Мы сразу же прибыли и взломали дверь. Миссис Аллен лежала на полу с простреленной головой. В руке у нее был пистолет «уэбли» 25-го калибра, так что все выглядело как самоубийство.

— А где сейчас мисс Плендерлейт?

— Внизу, в гостиной, сэр. Очень хладнокровная и энергичная молодая леди. У нее есть голова на плечах.

— Вскоре я с ней побеседую. А сейчас мне лучше поговорить с Бреттом.

В сопровождении Пуаро Джепп пересек лестничную площадку и вошел в комнату напротив. Высокий пожилой мужчина при виде его кивнул:

— Рад, что вы пришли, Джепп. Странная история.

Джепп направился к нему, а Эркюль Пуаро быстро окинул взглядом комнату.

Она была гораздо больше той, откуда они только что вышли. Здесь имелся большой эркер, и если комната

_____

¹ Да, это я (*фр.*).

напротив служила только спальней, то эта явно была приспособлена и под гостиную.

Стены были серебристого цвета, а потолок — изумрудно-зеленого. Портьеры украшал модернистский серебристо-зеленый рисунок. На диване, покрытом изумрудно-зеленым пледом, лежали золотистые и серебристые подушки. В комнате стояли антикварный письменный стол, высокий комод орехового дерева и несколько сверкающих хромом современных стульев. На низеньком стеклянном столике — пепельница, полная окурков.

Эркюль Пуаро осторожно принюхался, потом подошел к Джеппу, склонившемуся над телом.

На полу, возле одного из стульев, лежал труп молодой женщины, лет двадцати семи, со светлыми волосами и тонкими чертами хорошенького, хотя и глуповатого лица. На левом виске запеклась кровь, а в пальцах правой руки был зажат маленький пистолет. Женщина была одета в простое темно-зеленое платье с высоким воротником.

— Ну, Бретт, что вас беспокоит? — осведомился Джепп.

— Положение тела выглядит естественным, — ответил врач. — Если она застрелилась и сползла со стула, то должна была оказаться именно в такой позе. Дверь и окно заперты изнутри.

— Тогда что не так?

— Посмотрите на пистолет. Я не трогал его — ждал дактилоскописта. Но вы поймете, что я имею в виду.

Пуаро и Джепп опустились на колени и внимательно осмотрели пистолет.

— Я понял, — сказал Джепп, вставая. — Пальцы согнуты, как будто сжимают оружие, хотя в действительности это не так. Что-нибудь еще?

— Да. Она держала пистолет в правой руке. А теперь взгляните на рану. Пистолет держали у левого виска.

— Хм! — задумчиво произнес Джепп. — Вы хотите сказать, что в таком случае она не могла держать оружие и выстрелить правой рукой?

— По-моему, это абсолютно невозможно. Если даже она и могла настолько изогнуть руку, то никак не произвести выстрел.

— Тогда все выглядит достаточно ясно. Кто-то застрелил ее и постарался, чтобы это выглядело как самоубийство. Но как насчет запертых двери и окна?

— Окно было закрыто на шпингалеты, сэр, — ответил инспектор Джеймсон, — а вот дверь хоть и была заперта, но ключа мы не нашли.

— Да, — кивнул Джепп, — тут убийца дал маху. Уходя, он запер дверь и надеялся, что на отсутствие ключа не обратят внимания.

— C'est bête, ça![1] — пробормотал Пуаро.

— Ну, старина, не следует судить о других с точки зрения вашего блистательного интеллекта! Такую маленькую деталь очень легко упустить. Дверь заперта, ее взламывают и находят мертвую женщину с пистолетом в руке. Явный случай самоубийства — она заперлась и выстрелила себе в висок! Кто станет беспокоиться из-за ключа? Чистая случайность, что мисс Плендерлейт вызвала полицию. Она могла попросить пару шоферов взломать дверь — и тогда вопрос о ключе вообще бы не возник.

— Полагаю, так оно и есть, — согласился Пуаро. — Для многих это было бы естественной реакцией. В полицию обращаются в последнюю очередь.

Он все еще смотрел на труп.

— Вас что-нибудь смущает? — осведомился Джепп небрежным тоном, но взгляд его был напряженным и внимательным.

Эркюль Пуаро медленно покачал головой:

— Я смотрел на ее часы.

Наклонившись, он коснулся их кончиком пальца. Изящные часики, инкрустированные драгоценными камнями, были прикреплены к черному муаровому ремешку вокруг правого запястья.

— Неплохая штучка, — заметил Джепп. — Должно быть, стоит немало. — Он вопросительно взглянул на Пуаро. — Часы вам о чем-то говорят?

---

[1] Действительно, очень глупо! *(фр.)*

— Возможно.

Пуаро подошел к письменному столу с откидной крышкой, соответствующему общей цветовой гамме.

В центре стояла массивная серебряная чернильница, перед ней лежал блокнот с промокательной бумагой в зеленой лакированной обложке, слева — поднос из изумрудно-зеленого стекла с серебряной ручкой, куском зеленого сургуча, карандашом и двумя марками, а справа — механический календарь, указывающий день недели, число и месяц. В стеклянном кувшинчике красовалось ярко-зеленое гусиное перо, казалось заинтересовавшее Пуаро. Он вытащил его и стал разглядывать, но на нем не было чернил. Очевидно, перо выполняло сугубо декоративную функцию. А вот серебряной ручкой явно пользовались. Взгляд Пуаро переместился на календарь.

— Вторник, пятое ноября, — прочитал Джепп. — Вчера. Все верно.

Он повернулся к Бретту.

— Как давно она умерла?

— Ее убили вчера вечером в одиннадцать тридцать три, — сразу же ответил Бретт. Он усмехнулся, глядя на ошеломленное лицо Джеппа. — Простите, старина. Решил изобразить супердоктора из романа. Самое точное время, которое я могу назвать, — одиннадцать плюс-минус час.

— А я подумал, ее часики остановились или еще что-нибудь в таком роде.

— Часы действительно остановились, но на четверти пятого.

— Полагаю, в четверть пятого ее никак не могли убить?

— Можете выбросить это из головы.

Пуаро раскрыл папку.

— Хорошая идея, — ухмыльнулся Джепп, — но никаких результатов.

Листы промокательной бумаги в блокноте были девственно чистыми. Пуаро просмотрел их, но они ничем не отличались друг от друга.

Он переключил свое внимание на мусорную корзину. В ней оказались три разорванных письма и пара рекламных проспектов. В письмах — просьба о пожертвовании какому-то обществу, помогающему демобилизованным, приглашение на вечеринку с коктейлями третьего ноября и сообщение о примерке у портнихи. Проспекты содержали объявление о распродаже мехов и каталог универмага.

— Ничего, — сказал Джепп.

— Да, и это странно... — промолвил Пуаро.

— Вы имеете в виду, что самоубийцы обычно оставляют записку?

— Именно.

— Вот еще одно доказательство, что это не самоубийство. — Джепп отошел от корзины. — Ладно, пускай мои люди принимаются за работу, а мы спустимся побеседовать с мисс Плендерлейт. Вы идете, Пуаро?

Но Пуаро все еще казался загипнотизированным письменным столом и его содержимым.

Наконец он вышел из комнаты, но у двери снова бросил взгляд на изумрудно-зеленое гусиное перо.

Глава 2

Дверь у начала узкой лестницы вела в просторную гостиную, очевидно перестроенную из конюшни. В комнате, на грубо оштукатуренных стенах которой висели офорты и гравюры по дереву, сидели две женщины.

Одна из них, темноволосая девушка лет двадцати семи, устроилась в кресле у камина, протянув руку к огню. Другая, полная пожилая женщина с продуктовой сеткой, пыхтя от возбуждения, говорила ей:

— Я так перепугалась, мисс, что чуть в обморок не упала. Только подумать, что именно этим утром...

— Все понятно, миссис Пирс, — прервала ее девушка. — Полагаю, эти джентльмены из полиции.

— Мисс Плендерлейт? — осведомился Джепп, шагнув вперед.

Девушка кивнула:

— Это я. А это миссис Пирс — она каждый день приходит к нам убирать.

Неугомонная миссис Пирс разразилась очередным монологом:

— Как я уже говорила мисс Плендерлейт, только подумать, что именно сегодня утром у моей сестры Луизы Мод случился приступ, а так как рядом, кроме меня, никого не было, я подумала, что миссис Аллен не будет возражать, — плоть и кровь есть плоть и кровь, хотя я не люблю причинять неудобства леди...

— Вы абсолютно правы, миссис Пирс, — умудрился вмешаться Джепп. — А теперь, пожалуйста, пройдите с инспектором Джеймсоном в кухню, и он запишет ваши показания.

Избавившись от словоохотливой миссис Пирс, которая вышла вместе с Джеймсоном, не переставая болтать, Джепп обратился к девушке:

— Я старший инспектор Джепп. Мисс Плендерлейт, я хотел бы услышать все, что вы можете сообщить об этой истории.

— Разумеется. С чего начать?

Ее самообладание было поразительным — никаких признаков горя или потрясения, лишь некоторая скованность.

— В котором часу вы сегодня вернулись домой?

— Незадолго до половины одиннадцатого. Увидев, что эта старая лгунья миссис Пирс опять не явилась...

— А это часто случается?

Джейн Плендерлейт пожала плечами:

— Примерно дважды в неделю она приходит к двенадцати или не является вовсе, хотя должна приходить к девяти. То ей самой «не по себе», то кто-то из ее семьи внезапно заболевает. Все эти приходящие домработницы одинаковы — она не хуже других.

— Давно она у вас работает?

— Чуть больше месяца. Прежняя прислуга была нечиста на руку.

— Пожалуйста, продолжайте, мисс Плендерлейт.

— Я расплатилась с таксистом, внесла чемодан, огляделась и, не обнаружив миссис Пирс, поднялась к себе в комнату. Прибравшись немного, я решила зайти к Барбаре. Я стучала, дергала ручку, но ответа не было. Тогда я спустилась и позвонила в полицейский участок.

— Pardon! — вмешался Пуаро. — А вам не пришло в голову попытаться взломать дверь — скажем, с помощью одного из шоферов?

Девушка окинула Пуаро холодным, оценивающим взглядом:

— Нет, я об этом не подумала. Мне казалось, что, если что-то не так, нужно обращаться в полицию.

— Значит, мадемуазель, вы подумали, что тут что-то не так?

— Естественно.

— Потому что вы не получили ответа на ваш стук в дверь? Но ведь ваша подруга могла принять снотворное...

— Барбара никогда не принимала снотворных, — резко прервала девушка.

— Или она могла уйти и запереть дверь.

— Зачем ей ее запирать? В любом случае она оставила бы для меня записку.

— А вы уверены, что она ее не оставила?

— Конечно, уверена. Я бы сразу ее увидела.

Девушка говорила все более резким тоном.

— Вы не пробовали заглянуть в замочную скважину, мисс Плендерлейт? — спросил Джепп.

— Нет, — задумчиво ответила Джейн Плендерлейт. — Мне это и в голову не пришло. Но я все равно бы ничего не увидела. В замке ведь был ключ, не так ли?

Ее невинный вопрошающий взгляд встретился с взглядом Джеппа. Пуаро украдкой улыбнулся.

— Разумеется, вы правы, мисс Плендерлейт, — сказал Джепп. — Очевидно, у вас не было причин предполагать, что ваша подруга собирается покончить с собой?

— Конечно нет!

— Она не казалась огорченной или встревоженной?

— Нет, — ответила девушка после довольно длительной паузы.

— Вы знали, что у нее есть пистолет?

Джейн Плендерлейт кивнула:

— Да, Барбара привезла его из Индии и всегда держала у себя в комнате в ящике комода.

— Хм! А у нее имелось разрешение?

— Очевидно. Точно не знаю.

— А теперь, мисс Плендерлейт, расскажите мне все, что можете, о миссис Аллен — как вы с ней познакомились, где живут ее родственники и так далее.

— Я знаю Барбару около пяти лет, — начала Джейн Плендерлейт. — Познакомилась с ней за границей — в Египте. Она возвращалась из Индии. Я некоторое время работала в британской школе в Афинах и провела несколько недель в Египте перед возвращением домой. Мы вместе плавали по Нилу и подружились. Тогда я подыскивала женщину, с которой могла бы разделить квартиру или маленький дом. Барбара была абсолютно одинокой, и мы решили, что отлично поладим.

— И вы действительно ладили? — осведомился Пуаро.

— Да и превосходно. У каждой из нас были свои друзья — мои все больше из артистических кругов, а Барбара предпочитала более светское общество. Возможно, это было к лучшему.

Пуаро кивнул.

— Что вам известно о семье миссис Аллен и ее жизни до знакомства с вами? — спросил Джепп.

Джейн Плендерлейт пожала плечами:

— Очень мало. Кажется, ее девичья фамилия была Армитидж.

— А ее муж?

— Сомневаюсь, чтобы он был достоин упоминания. Насколько я поняла, он пил и умер через год или два после свадьбы. У них был ребенок — девочка, которая умерла в трехлетнем возрасте. Барбара мало говорила о муже. По-моему, они поженились в Индии, когда ей было около семнадцати. Потом они уехали на Борнео или в другое Богом забытое место, но, так как это была болезненная для нее тема, я ее не затрагивала.

— Не знаете, не было ли у миссис Аллен каких-нибудь финансовых затруднений?

— Уверена, что не было.

— Ни долгов, ничего в таком роде?

— Нет. Она, безусловно, не была на мели.

— Я вынужден задать еще один вопрос, мисс Плендерлейт, и надеюсь, он вас не шокирует. У миссис Аллен были близкие друзья среди мужчин?

— Она была помолвлена, если это вас интересует, — холодно ответила Джейн Плендерлейт.

— Как зовут мужчину, с которым она была помолвлена?

— Чарлз Лейвертон-Уэст. Он член парламента от какого-то местечка в Хэмпшире.

— Она давно была с ним знакома?

— Чуть более года.

— А когда они обручились?

— Два... нет, почти три месяца назад.

— Не знаете, между ними бывали ссоры?

Мисс Плендерлейт покачала головой:

— Нет. Меня бы очень удивило, если бы между ними произошло что-нибудь в таком роде. Барбара всегда избегала ссор.

— А когда вы в последний раз видели миссис Аллен?

— В прошлую пятницу, перед отъездом на уик-энд.

— Миссис Аллен оставалась в городе?

— Да. По-моему, она куда-то собиралась с женихом в воскресенье.

— А где вы провели уик-энд?

— В Лейделлс-Холле, Лейделлс в Эссексе.

— Как зовут людей, у которых вы гостили?

— Мистер и миссис Бентинк.

— Вы уехали оттуда только сегодня утром?

— Да.

— Должно быть, очень рано?

— Мистер Бентинк привез меня на машине. Он всегда встает рано, так как должен быть в городе к десяти.

— Понятно.

Джепп кивнул. Ответы мисс Плендерлейт звучали четко и убедительно.

— Каково ваше мнение о мистере Лейвертоне-Уэсте? — задал вопрос Пуаро.

Девушка пожала плечами:

— Это имеет значение?

— Возможно, нет, но мне хотелось бы знать.

— Я не слишком-то им интересовалась... Он молод — ему около тридцати двух лет, честолюбив, хороший оратор, намерен добиться успеха...

— Это положительные качества. А отрицательные?

— Ну... — Мисс Плендерлейт задумалась. — По-моему, он довольно зауряден — его идеи не оригинальны — и слегка напыщен.

— Не слишком серьезные недостатки, мадемуазель, — улыбаясь, заметил Пуаро.

— Вы так думаете?

В ее голосе слышались нотки иронии.

— Возможно, они казались серьезными вам... — заметив, что девушка слегка смутилась, Пуаро поспешил воспользоваться преимуществом, — но миссис Аллен вряд ли обращала на них внимание.

— Вы абсолютно правы. Барбара принимала его таким, каким он был, и считала чудесным.

— Вы очень любили вашу подругу? — мягко осведомился Пуаро.

Он увидел, как пальцы девушки плотно стиснули колено, а линии челюсти стали тверже, однако она ответила спокойно, бесстрастно:

— Очень любила.

— Еще один вопрос, мисс Плендерлейт, — снова заговорил Джепп. — Вы с вашей подругой никогда не ссорились? Между вами не было разногласий?

— Никаких.

— Даже из-за ее помолвки?

— Конечно. Я радовалась, что она счастлива.

— Вы не знаете, были ли у миссис Аллен враги?

На сей раз последовала довольно длинная пауза.

— Не знаю, что вы подразумеваете под врагами, — слегка изменившимся тоном отозвалась мисс Плендерлейт.

— Например, тех, кто выигрывал бы от ее смерти финансово.

— Это просто нелепо. У нее был очень маленький доход.

— И кто его унаследует?

— Право, не знаю. — В голосе Джейн слышалось легкое удивление. — Возможно, даже я. Если она, конечно, оставила завещание.

— А как насчет врагов в другом смысле слова? — быстро сменил тему Джепп. — Людей, которые затаили на нее злобу?

— Не думаю, чтобы такие существовали. Барбара была очень доброй и мягкой, всегда старалась всем угодить...

Ее голос впервые дрогнул. Пуаро молча кивнул.

— Итак, — подвел итоги Джепп, — миссис Аллен была со всеми в хороших отношениях, у нее не было финансовых затруднений, она была обручена и радовалась своей помолвке. Ничто не могло послужить причиной самоубийства. Верно, не так ли?

— Да, — ответила Джейн после небольшой паузы.

Джепп поднялся.

— Прошу прощения, я должен переговорить с инспектором Джеймсоном.

Он вышел из комнаты.

Эркюль Пуаро остался tête à tête[1] с Джейн Плендерлейт.

Глава 3

Несколько минут в гостиной царила тишина.

Джейн Плендерлейт бросила на маленького человечка быстрый оценивающий взгляд и уставилась перед собой. Она сидела неподвижно, но была напряжена. Ее присутствие создавало атмосферу некоторой нервозности. Когда Пуаро наконец нарушил молчание, сам звук его голоса словно принес ей облегчение.

— Когда вы разожгли камин, мадемуазель? — осведомился он обычным дружелюбным тоном.

— Камин? — Ее голос звучал рассеянно. — Как только вернулась сегодня утром.

— До того, как вы поднялись наверх, или после?

— До...

_____
[1] Наедине (фр.).

— Да, естественно... А уголь уже был в очаге или вам пришлось самой его засыпать?

— Конечно, был. Мне осталось только поднести спичку.

В голосе девушки слышались нотки раздражения. Она явно подозревала Пуаро в стремлении завязать разговор. Возможно, это соответствовало действительности. Как бы то ни было, он продолжал спокойным и беспечным тоном:

— А ваша подруга? В ее комнате я заметил только газовый камин.

— Единственный угольный камин — здесь, — машинально отозвалась Джейн Плендерлейт. — В других комнатах только газовые.

— А готовите вы тоже на газе?

— По-моему, в наши дни все так делают.

— Верно. Это экономит силы.

Разговор увял. Джейн Плендерлейт постукивала ногой по полу.

— Этот старший инспектор Джепп... его считают толковым? — внезапно спросила она.

— Он на очень хорошем счету. Джепп работает усердно, и от него мало что ускользает.

— Интересно... — пробормотала девушка.

Пуаро внимательно наблюдал за ней. Его глаза при свете каминного огня казались зелеными.

— Должно быть, смерть подруги для вас большое потрясение? — негромко спросил он.

— Ужасное, — искренне призналась Джейн.

— Вы этого не ожидали?

— Разумеется.

— Наверно, в первый момент вам это показалось невероятным — вы считали, что такое просто не могло произойти?

Сочувствие в его голосе наконец сломало защитную броню Джейн Плендерлейт.

— Да, — ответила она без прежней скованности и резкости. — Даже если Барбара убила себя, я не могу представить, чтобы она сделала это таким способом.

— Тем не менее у нее был пистолет?

Джейн Плендерлейт с раздражением отмахнулась:

— Это всего лишь наследие прошлого. Ей приходилось бывать в местах, далеких от цивилизации. Я уверена, что она хранила его просто по привычке.

— Почему вы в этом так уверены?

— Ну, из-за того, что она говорила.

— А именно?

Его мягкий, приветливый голос подкупил ее.

— Мы как-то обсуждали тему самоубийства, и Барбара сказала, что самым легким способом было бы включить газ, заткнуть все щели и лечь в постель. Я ответила, что не смогла бы просто лежать и ждать смерти, поэтому предпочла бы застрелиться. А Барбара сказала, что никогда бы не стала стрелять в себя из страха, что у нее дрогнет рука, и, кроме того, она вообще боится звука выстрела.

— Понимаю, — промолвил Пуаро. — Действительно, это странно... Тем более что, как вы мне только что сказали, в ее комнате есть газовый камин.

Джейн Плендерлейт с удивлением посмотрела на него:

— В самом деле... Не могу понять, почему она не покончила с собой таким способом.

Пуаро покачал головой:

— Да, это кажется неестественным.

— Вся эта история выглядит неестественно. Я до сих пор не могу поверить, что Барбара убила себя. Ведь это самоубийство?

— Ну, есть и другая возможность.

— Что вы имеете в виду?

Пуаро посмотрел ей прямо в глаза:

— Это могло быть убийство.

Джейн отпрянула:

— О нет! Что за ужасное предположение!

— Ужасное — да, но кажется ли оно вам невозможным?

— Конечно. Ведь дверь и окна были заперты изнутри.

— Дверь была заперта, но неизвестно — изнутри или снаружи. Дело в том, что ключ исчез.

— Если он исчез... — Она задумалась. — Тогда дверь, должно быть, заперли снаружи. Иначе ключ был бы где-нибудь в комнате.

— Возможно, он в самом деле там. Не забывайте, что комнату еще не обыскивали как следует. А может, ключ выбросили в окно и кто-то подобрал его.

— Убийство! — Смуглое смышленое лицо девушки напряглось. — Пожалуй, вы правы.

— Но для убийства нужен мотив. Вам известен мотив, мадемуазель?

Джейн медленно покачала головой. Однако, несмотря на отрицание, у Пуаро сложилось впечатление, что она что-то утаивает.

Дверь открылась, и вошел Джепп. Пуаро поднялся.

— Я предположил в разговоре с мисс Плендерлейт, — сказал он, — что смерть ее подруги не была самоубийством.

Джепп выглядел недовольным. Он укоризненно посмотрел на Пуаро.

— Сейчас рановато что-либо утверждать, — заметил он. — Мы должны принимать во внимание любые возможности.

— Понятно, — спокойно отозвалась Джейн Плендерлейт.

Джепп подошел к ней:

— Скажите, мисс Плендерлейт, вы когда-нибудь видели это раньше?

На его ладони лежал маленький овал из синей эмали. Джейн покачала головой:

— Нет, никогда.

— Это не ваше и не миссис Аллен?

— Нет. Такие вещи женщины обычно не носят, верно?

— Значит, вы узнали этот предмет?

— Конечно. Это половинка мужской запонки.

Глава 4

— Эта девица чересчур самоуверенна, — пожаловался Джепп.

Двое мужчин снова находились в спальне миссис Аллен. Тело сфотографировали и унесли, а дактилоскопист, закончив работу, ушел.

— Было бы неразумно считать ее глупой, — заметил Пуаро. — Мисс Плендерлейт — необычайно толковая молодая женщина.

— Думаете, это ее рук дело? — спросил Джепп с надеждой. — Вполне возможно. Нужно проверить ее алиби. Может быть, они поссорились из-за этого молодого человека — многообещающего члена парламента. Уж слишком едко она о нем отзывалась. Похоже, мисс Плендерлейт сама положила на него глаз, а он дал ей от ворот поворот. Такие, как она, могут прикончить кого угодно, если сочтут это необходимым, и при этом не потерять голову. Да, нужно заняться ее алиби — уж очень оно оказалось к месту. В конце концов, Эссекс не так уж далеко, и оттуда можно быстро добраться поездом или машиной. Стоит проверить, не легла ли она вчера спать пораньше, сказав, что у нее болит голова.

— Вы правы, — согласился Пуаро.

— Во всяком случае, — продолжал Джепп, — она что-то утаивает. Вам так не показалось?

Пуаро задумчиво кивнул:

— Да, это очевидно.

— Вот в чем трудность подобных дел, — вздохнул Джепп. — Люди держат язык за зубами — иногда по вполне веским причинам.

— За это их едва ли можно порицать, друг мой.

— Но это затрудняет нашу работу, — проворчал Джепп.

— Зато это позволяет вам полностью продемонстрировать вашу изобретательность, — утешил его Пуаро. — Кстати, как насчет отпечатков пальцев?

— Ну, это, безусловно, убийство — на пистолете нет никаких отпечатков. Его вытерли начисто, прежде чем вложить в руку жертвы. Даже если бы ей удалось изогнуть руку вокруг головы наподобие какого-нибудь акробатического трюка, она не смогла бы выстрелить, не сжимая пистолет в руке, а тем более вытереть его после смерти.

— Нет-нет, здесь явное вмешательство извне.

— С отпечатками вообще плохо. Их нет ни на дверной ручке, ни на окне. Наводит на размышления, а? Везде много отпечатков миссис Аллен...

— А Джеймсон что-нибудь выяснил?

— У прислуги? Нет. Она много болтала, но практически ничего не знала. Подтвердила, что женщины хорошо ладили друг с другом. Я послал Джеймсона навести справки в гаражах и соседних домах. Придется также побеседовать с мистером Лейвертоном-Уэстом — выяснить, где он был и что делал прошлой ночью. А пока что мы просмотрим ее бумаги.

Джепп сразу же приступил к делу, иногда что-то передавая Пуаро. Обыск продлился недолго. В письменном столе было немного бумаг, и все они были аккуратно рассортированы.

Наконец Джепп со вздохом откинулся на спинку стула.

— Улов скудный, верно?

— Должен с вами согласиться.

— Большинство бумаг — счета, некоторые из них неоплаченные — приглашения, письма от друзей... — Джепп положил ладонь на пачку из семи-восьми писем, — чековая и расчетная книжки. Вы что-нибудь обнаружили?

— Да, она превысила кредит в банке.

— И это все?

Пуаро улыбнулся:

— Вы меня экзаменуете? Да, я заметил то, что вы имеете в виду. Двести фунтов сняты со счета три месяца назад и еще двести вчера.

— И ничего на корешке чековой книжки. Никаких чеков, выписанных на себя, кроме маленьких сумм — самое большее пятнадцать фунтов. Более того, в доме нет этих денег. Четыре фунта в одной сумочке и пара шиллингов в другой. Думаю, все ясно.

— Вы имеете в виду, что она выплатила кому-то двести фунтов вчера?

— Да. Вопрос в том, кому.

Дверь открылась, и вошел инспектор Джеймсон.

— Ну, Джеймсон, что-нибудь разузнали?

— Да, сэр, кое-что. Прежде всего, никто не слышал выстрела. Правда, две-три женщины утверждают, что слышали, но только потому, что им бы этого хотелось.

Со всеми этими фейерверками никто ничего не мог услышать.

— Что верно, то верно, — проворчал Джепп. — Продолжайте.

— Вчера миссис Аллен была дома почти весь вечер. Она пришла около пяти, в шесть выходила, но только к почтовому ящику в конце двора. Около половины десятого подъехала машина — седан «стандард-суоллоу», и из нее вышел мужчина, по описанию лет сорока пяти, с военной выправкой, в синем пальто, шляпе-котелке и с усами щеточкой. Джеймс Хогг, шофер из дома 18, говорит, что видел, как он и раньше приходил к миссис Аллен.

— Лет сорока пяти... — повторил Джепп. — Навряд ли это Лейвертон-Уэст.

— Этот человек, кто бы он ни был, провел здесь около часа и ушел примерно в двадцать минут одиннадцатого. В дверях он остановился и заговорил с миссис Аллен. Фредерик Хогг, сынишка шофера, вертелся поблизости и слышал, что он сказал.

— Что же?

— «Ну, подумайте как следует и дайте мне знать». А когда она что-то ответила, добавил: «Ладно. Пока», потом сел в машину и уехал.

— В десять двадцать, — задумчиво произнес Пуаро.

Джепп почесал нос.

— Значит, в десять двадцать миссис Аллен была еще жива, — сказал он. — Что еще?

— Больше ничего, сэр, насколько я мог выяснить. Шофер из дома 22 вернулся в половине одиннадцатого — он обещал своим ребятишкам попускать с ними шутихи. Они его дожидались вместе с другими мальчишками из переулка. Шофер устроил фейерверк, и все вокруг на это глазели, а потом отправились спать.

— И не видели больше никого, кто бы входил в дом 14?

— Нет, но это ничего не значит. Никто и не мог бы ничего заметить.

— Это правда, — признал Джепп. — Ну, теперь нужно разыскать этого джентльмена «с военной выправкой

408

и усами щёточкой». Очевидно, он последним видел миссис Аллен живой. Интересно, кто же это?

— Возможно, нам сообщит это мисс Плендерлейт, — предположил Пуаро.

— Может, да, а может, и нет, — мрачно отозвался Джепп. — Не сомневаюсь, что она многое могла бы нам сообщить, если бы захотела. Вы, старина, пробыли с ней некоторое время наедине. Не вы ли похвалялись умением разыгрывать из себя отца-исповедника?

Пуаро развёл руками:

— Увы, мы говорили только о газовых каминах.

— О газовых каминах! — с отвращением повторил Джепп. — Да что с вами творится? С тех пор как вы пришли сюда, вас интересовали только гусиные перья и мусорные корзины. Да-да, я видел, как вы потихоньку заглядывали внизу в одну из них. Нашли что-нибудь?

— Только каталог цветочных луковиц и старый журнал, — вздохнул Пуаро.

— А вы чего ожидали? Если кто-то хочет избавиться от инкриминирующего документа или других улик, он едва ли станет бросать их в мусорную корзину.

— Истинная правда. Но иногда туда выбрасывают какие-нибудь абсолютно неважные мелочи.

Несмотря на благодушный тон Пуаро, Джепп с подозрением уставился на него.

— Ладно, — сказал он, — я знаю, чем займусь дальше. А как насчёт вас?

— Eh bien[1], — ответил Пуаро. — Я завершу поиски неважных мелочей. Осталась ещё одна корзина.

Он быстро вышел из комнаты. Джепп с отвращением посмотрел ему вслед.

— Совсем чокнулся! — буркнул он.

Инспектор Джеймсон хранил почтительное молчание, но выражение его лица говорило с британским превосходством: «Ох уж эти иностранцы!»

— Так это и есть мистер Эркюль Пуаро? — рискнул спросить он. — Я слышал о нем.

---

[1] Ну что ж (фр.).

— Он мой старый друг, — объяснил Джепп, — и, уверяю вас, вовсе не такой чокнутый, каким кажется. Хотя теперь, похоже, становится таковым.

— Как говорится, впадает в слабоумие, — подсказал инспектор Джеймсон. — Что поделаешь — старость не радость.

— Тем не менее, — заметил Джепп, — я бы хотел знать, что у него на уме.

Он подошел к письменному столу и с сомнением уставился на изумрудно-зеленое гусиное перо.

Глава 5

Джепп вовлек в разговор уже третью шоферскую жену, когда Пуаро внезапно и бесшумно, как кот, появился рядом.

— Ну и напугали вы меня! — воскликнул Джепп. — Нашли что-нибудь?

— Не то, что искал.

Джепп снова обратился к миссис Джеймс Хогг:

— Говорите, вы видели этого джентльмена раньше?

— Да, сэр. И мой муж тоже. Мы сразу его узнали.

— Теперь послушайте меня внимательно, миссис Хогг. Вы толковая женщина и, несомненно, знаете все о ваших соседях. К тому же вы очень проницательны... — Джепп, не краснея, рассыпался в однообразных похвалах, а польщенная миссис Хогг постаралась изобразить на лице почти сверхчеловеческий интеллект. — Опишите мне этих двух женщин — миссис Аллен и мисс Плендерлейт. Какими они были? Веселыми? Часто устраивали вечеринки?

— О нет, сэр, ничего подобного. Леди часто ходили в гости — особенно миссис Аллен, но они, что называется, высший класс. Не то что некоторые с другого конца двора, вроде миссис Стивенс — если только она действительно «миссис», в чем я сомневаюсь. Не хотелось бы мне рассказывать, что они вытворяют...

— Да-да, — поспешно остановил ее Джепп. — То, что вы рассказали, очень важно. Значит, к миссис Аллен и мисс Плендерлейт здесь хорошо относились?

410

— Да, сэр, они такие приятные леди — особенно бедная миссис Аллен. У нее всегда находилось для детей ласковое слово. Бедняжка ведь потеряла дочурку. Я сама похоронила троих и знаю...

— Да-да, это очень печально. А мисс Плендерлейт?

— Ну, она, конечно, тоже славная леди, но более резкая, если вы понимаете, о чем я. Проходя мимо, просто кивает и никогда не остановится поболтать. Но я против нее ничего не имею.

— Она и миссис Аллен ладили между собой?

— Да, сэр, они жили дружно и никогда не ссорились. Уверена, что миссис Пирс скажет вам то же самое.

— Мы с ней побеседуем. Вы знаете в лицо жениха миссис Аллен?

— Джентльмена, за которого она собиралась замуж? Да, сэр, он иногда бывал здесь. Говорят, он член парламента.

— А это не он приезжал вчера поздно вечером?

— Нет, сэр. — Миссис Хогг встрепенулась, в ее чопорном голосе послышались возбужденные нотки. — Если хотите знать мое мнение, сэр, то вы зря так думаете о миссис Аллен. Она была не из таких. Это правда, что она была одна дома, но я уверена, что ничего дурного там не происходило. Я только сегодня утром говорила об этом мужу. «Нет, Хогг, — сказала я ему. — Миссис Аллен была настоящей леди, так что ты ничего такого не воображай». Я ведь знаю, что у мужчин на уме одни непристойности.

Джепп пропустил оскорбление мимо ушей.

— Значит, вы видели, как этот человек приехал и уехал? — допытывался он.

— Да, сэр.

— А вы не слышали ничего подозрительного? Например, звуков ссоры?

— Нет, сэр, да и вряд ли я бы их услышала. Хотя, когда миссис Стивенс орет на свою служанку, это слышит весь двор. Совсем запугала бедную девочку. Мы все советовали ей плюнуть и уйти, но уж больно жалованье хорошее. Конечно, характер у миссис Стивенс жуткий, но платит за него тридцать шиллингов в неделю...

— Но вы не слышали ничего подобного в доме 14? — спешно прервал ее Джепп.

— Нет, сэр. Как я могла слышать при этих чертовых фейерверках? Мой Эдди себе все брови опалил.

— Этот мужчина уехал в двадцать минут одиннадцатого, не так ли?

— Может быть, сэр. Если Хогг так говорит, значит, так оно и есть. Он человек надежный.

— Вы видели, как незнакомец уезжал. А вы, случайно, не слышали, что он сказал перед отъездом?

— Нет, сэр. Я была не настолько близко от него — просто видела из своего окна, как он, стоя в дверях, что-то говорил миссис Аллен.

— Ее вы тоже видели?

— Да, сэр, она стояла внутри у самого порога.

— Вы не заметили, как она была одета?

— Нет, сэр. Честно говоря, не обратила внимания.

— И даже не заметили, обычное на ней было платье или вечернее? — спросил Пуаро.

— Нет, сэр.

Пуаро задумчиво посмотрел на окно сверху, потом на дом 14, улыбнулся и обменялся взглядом с Джеппом.

— А как был одет джентльмен?

— В синем пальто и шляпе-котелке. Выглядел щеголем.

Джепп задал еще несколько вопросов и обратился к следующему собеседнику Фредерику Хоггу, ясноглазому пареньку с озорной физиономией, явно гордившемуся ролью важного свидетеля.

— Да, сэр. Я слышал, как джентльмен сказал: «Подумайте как следует и дайте мне знать». Миссис Аллен что-то ответила, а он попрощался: «Ладно. Пока». Потом сел в свою машину и уехал. Я придержал ему дверцу, но он ничего мне не дал, — удрученно добавил мистер Хогг.

— Значит, ты не слышал, что сказала миссис Аллен?

— Нет, сэр.

— А ты заметил, как она была одета? Например, какого цвета было на ней платье?

— Нет, сэр. Я ведь ее не видел — она, должно быть, стояла за дверью.

— А теперь, мой мальчик, — сказал Джепп, — я хочу, чтобы ты хорошенько подумал, прежде чем ответить на мой следующий вопрос. Если ты не знаешь или не можешь вспомнить, то так и скажи. Ясно?

— Да, сэр, — энергично кивнул мистер Хогг.

— Кто из них закрыл дверь — миссис Аллен или джентльмен?

— Входную дверь?

— Естественно, входную.

Мальчик закатил глаза, стараясь вспомнить.

— По-моему, леди... Нет, джентльмен. Он хлопнул ею как следует и вскочил в машину, словно куда-то спешил.

— Отлично. Ты, кажется, смышленый паренек. Вот тебе шесть пенсов.

Отпустив мистера Хогга, Джепп повернулся к своему другу. Оба одновременно кивнули.

— Это возможно, — произнес Джепп.

— Вполне, — согласился Пуаро.

Его глаза сверкали зеленым, кошачьим блеском.

Глава 6

Вернувшись в гостиную дома 14, Джепп не стал ходить вокруг да около, а сразу взял быка за рога:

— Послушайте, мисс Плендерлейт, вам не кажется, что лучше рассказать все начистоту? Все равно вам придется это сделать.

Джейн Плендерлейт приподняла брови. Она стояла у камина, грея ногу над очагом.

— Не знаю, о чем вы.

— В самом деле, мисс Плендерлейт?

Девушка пожала плечами:

— Я ответила на все ваши вопросы. Не понимаю, что еще я могу сделать.

— По-моему, очень многое — если захотите.

— Это всего лишь ваше мнение, не так ли, старший инспектор?

Джепп побагровел.

— Думаю, — вмешался Пуаро, — мадемуазель лучше поймет причину ваших вопросов, если вы расскажете ей, как обстоит дело.

— Это очень просто. Факты таковы, мисс Плендерлейт: вашу подругу обнаружили с пулевым ранением в голову и пистолетом в руке, а дверь и окно были заперты. Все указывало на самоубийство. Но это не было самоубийством, что доказывает медицинское заключение.

— Каким образом?

Вся ее холодная ирония сразу исчезла. Она склонилась вперед, не сводя напряженного взгляда с лица Джеппа.

— Пистолет был в ее руке, но пальцы его не сжимали. Более того, на пистолете не обнаружено никаких отпечатков пальцев. А угол ранения свидетельствует о том, что миссис Аллен никак не могла нанести его сама. К тому же она не оставила письма — это весьма необычно для самоубийства. И хотя дверь была заперта, ключа так и не нашли.

Джейн Плендерлейт медленно повернулась и опустилась на стул.

— Так вот оно что! — промолвила она. — Я чувствовала, что Барбара не могла убить себя, и оказалась права. Она этого не делала — ее убил кто-то другой!

Минуту или две девушка молчала, погруженная в свои мысли, потом резко вскинула голову:

— Задавайте мне любые вопросы — я постараюсь на них ответить, насколько это в моих силах.

— Вчера вечером у миссис Аллен был посетитель, — начал Джепп. — По описаниям это мужчина лет сорока пяти, с военной выправкой, щеголевато одетый и водит седан «стандард-суоллоу». Вы знаете, кто это?

— Не могу быть уверена, но, похоже, это майор Юстас.

— Кто такой майор Юстас? Расскажите о нем все, что знаете.

— Барбара познакомилась с ним за границей, в Индии. Он объявился в Лондоне около года тому назад, с тех пор мы видели его несколько раз.

— Он был другом миссис Аллен?

— Держался он именно так, — сухо ответила Джейн.

— А как она к нему относилась?

— Не думаю, что он ей нравился, — даже уверена, что нет.

— Но она обращалась с ним по-дружески?

— Да.

— Вам никогда не казалось — подумайте как следует, мисс Плендерлейт, — что она боится его?

Пару минут Джейн обдумывала вопрос.

— Пожалуй, — наконец сказала она. — Барбара всегда нервничала при его появлении.

— Майор и мистер Лейвертон-Уэст когда-нибудь встречались?

— По-моему, только однажды. Они не слишком друг другу понравились. Вернее, майор Юстас старался вести себя дружелюбно, но на Чарлза это не подействовало. У него отличное чутье на тех, кто... ну, не вполне...

— А майор Юстас был... как вы это называете... не вполне? — осведомился Пуаро.

— Вот именно, — сухо отозвалась девушка. — У него довольно волосатые пятки, и он явно не из верхнего ящика.

— Увы, я не знаком с этими двумя выражениями. Вы имеете в виду, что он не пукка сахиб?[1]

На губах Джейн Плендерлейт мелькнула улыбка, но она серьезно ответила:

— Да.

— Вас бы очень удивило, мисс Плендерлейт, если бы я предположил, что этот человек шантажировал миссис Аллен?

Джепп склонился вперед, наблюдая за результатом своего предположения.

Он был вполне удовлетворен. Краска сбежала с лица девушки; она вздрогнула и резко хлопнула ладонью по подлокотнику стула.

— Так вот оно что! Какая же я была дура, что не догадалась!

---

[1] Пукка сахиб — настоящий джентльмен (англо-инд.).

— Вы считаете это предположение вероятным, мадемуазель? — осведомился Пуаро.

— Я только по глупости об этом не подумала! За последние полгода Барбара несколько раз занимала у меня небольшие суммы. И я видела, как она корпела над своей банковской книжкой. Я знала, что Барбара живет по средствам, и поэтому не беспокоилась, но, конечно, если она платила кому-то...

— А это соответствовало ее поведению? — допытывался Пуаро.

— Абсолютно. Она казалась очень нервной — совсем не похожей на себя.

— Простите, — мягко возразил Пуаро, — но раньше вы говорили нам совсем другое.

— Я не то имела в виду, — нетерпеливо отмахнулась Джейн. — Она не была подавленной и не походила на человека, который думает о самоубийстве. Но шантаж — другое дело. Лучше бы она мне все рассказала. Я послала бы этого негодяя ко всем чертям!

— Но ведь он мог пойти не... э-э... ко всем чертям, а к мистеру Лейвертону-Уэсту, — заметил Пуаро.

— Да, верно, — медленно произнесла Джейн Плендерлейт.

— А вам не известно, что именно этот человек мог о ней знать? — спросил Джепп.

Девушка покачала головой:

— Понятия не имею. Не могу поверить, зная Барбару, что это было нечто серьезное. С другой стороны... Она сделала небольшую паузу. — Понимаете, Барбара в некоторых отношениях была очень наивной. Ее ничего не стоило напугать. Такая женщина была просто подарком для этой гнусной скотины! — Последние слова она произнесла с нескрываемой ненавистью.

— К несчастью, — сказал Пуаро, — преступление произошло шиворот-навыворот. Обычно жертва убивает шантажиста, а не шантажист — жертву.

Джейн слегка нахмурилась:

— Это правда, но при определенных обстоятельствах...

— Каких именно?

— Быть может, Барбара пришла в отчаяние и угрожала ему своим дурацким пистолетом. Майор пытался вырвать у нее оружие, выстрелил во время борьбы и убил ее. Потом он испугался содеянного и попытался придать случившемуся видимость самоубийства.

— Возможно, — согласился Джепп, — но тут есть одно затруднение.

Девушка вопросительно посмотрела на него:

— Майор Юстас (если это был он) ушел отсюда вчера вечером в двадцать минут одиннадцатого и попрощался на пороге с миссис Аллен.

Лицо Джейн вытянулось.

— Понятно... — Помолчав, она медленно произнесла. — Но он мог вернуться позже.

— Да, это возможно, — кивнул Пуаро.

— Скажите, мисс Плендерлейт, — продолжал Джепп, — где миссис Аллен обычно принимала гостей — здесь или в комнате наверху?

— И тут и там. Но эту комнату чаще использовали для моих или наших общих гостей. Понимаете, мы с Барбарой договорились, что она берет себе большую спальню, но будет пользоваться ею и как гостиной, а я беру маленькую спальню, зато буду принимать гостей здесь.

— Если майор Юстас приходил вчера вечером, заранее договорившись о встрече, где, по-вашему, приняла бы его миссис Аллен?

— Думаю, она привела бы его сюда, — с сомнением отозвалась девушка. — Здесь была бы не столь интимная обстановка. С другой стороны, если Барбара хотела выписать чек, то, возможно, повела бы его наверх. Тут нет письменных принадлежностей.

Джепп покачал головой:

— Речь идет не о чеке. Миссис Аллен вчера сняла со счета двести фунтов наличными. И пока что мы не обнаружили в доме никаких их признаков.

— Значит, она отдала их этому мерзавцу? Бедная Барбара!

Пуаро кашлянул.

— Если это не был, как вы предположили, несчастный случай, то кажется весьма маловероятным, чтобы он убил свой постоянный источник дохода.

— Какой еще несчастный случай? Он вышел из себя, потерял голову от злости и убил ее!

— Значит, вот как это, по-вашему, произошло?

— Да! — решительно заявила Джейн. — Это было самое настоящее убийство!

— Не стану утверждать, что вы ошибаетесь, мадемуазель, — серьезно промолвил Пуаро.

— Какие сигареты курила миссис Аллен? — спросил Джепп.

— Дешевые — они вон в той коробке.

Джепп открыл коробку, вынул сигарету и кивнул. Потом он положил сигарету в карман.

— А какие курите вы, мадемуазель? — спросил Пуаро.

— Те же самые.

— Вы никогда не курили турецкие?

— Никогда.

— А миссис Аллен?

— Нет. Они ей не нравились.

— А что курит мистер Лейвертон-Уэст? — допытывался Пуаро.

Она уставилась на него:

— Чарлз? Какое имеет значение, что он курит? Вы ведь не предполагаете, что он убил Барбару?

Пуаро пожал плечами:

— Мужчины не раз убивали любимых женщин, мадемуазель.

Джейн с раздражением покачала головой:

— Чарлз никого бы не убил. Он для этого слишком осторожен.

— Именно осторожные люди, мадемуазель, совершают самые ловкие убийства.

— Но не по тому мотиву, который вы только что предположили, мсье Пуаро.

Он склонил голову:

— Да, вы правы.

Джепп поднялся:

— Ну, пожалуй, это все. Я бы хотел еще немного здесь пошарить.

— На случай, если деньги где-то спрятаны? Ищите где хотите. Можете посмотреть и в моей спальне — хотя вряд ли Барбара стала бы прятать их там.

Обыск Джеппа был недолгим, но эффективным. Гостиная открыла все свои секреты за несколько минут. После этого он поднялся наверх. Джейн Плендерлейт курила, сидя на подлокотнике стула, и смотрела на огонь в камине. Пуаро внимательно наблюдал за ней.

— Не знаете, мистер Лейвертон-Уэст сейчас в Лондоне? — спросил он через несколько минут.

— Понятия не имею. Думаю, он в Хэмпшире со своей семьей. Наверное, мне надо ему телеграфировать... Совсем об этом забыла...

— Когда случается катастрофа, мадемуазель, невозможно помнить обо всем. К тому же плохие новости могут подождать. Чем позже их узнаешь, тем лучше.

— Верно, — рассеянно согласилась девушка.

Послышались шаги Джеппа, спускающегося по лестнице. Джейн поднялась ему навстречу:

— Ну?

Джепп покачал головой:

— Боюсь, что никаких результатов, мисс Плендерлейт. Я перерыл весь дом. Хотя нужно еще заглянуть в кладовую под лестницей.

Говоря, он потянул за ручку.

— Она заперта, — сказала Джейн Плендерлейт.

Что-то в ее голосе заставило мужчин внимательно посмотреть на нее.

— Я вижу, что она заперта, — вежливо отозвался Джепп. — Может быть, вы принесете ключ?

Девушка стояла, словно окаменев.

— Я... я не помню, где он.

Джепп бросил на нее быстрый взгляд.

— Какая жалость, — заметил он тем же любезным тоном. — Не хочется ломать дверь. Пошлю Джеймсона за набором ключей.

Джейн нерешительно шагнула вперед.

— Подождите, — сказала она. — Он может быть...

Джейн вернулась в гостиную и вскоре появилась с большим ключом в руке.

— Мы держим кладовую запертой, — объяснила она, — потому что зонтики и другие вещи хватает кто попало.

— Разумная предосторожность, — одобрил Джепп, беря ключ.

Он вставил его в замок и открыл дверь. Внутри было темно. Джепп вынул фонарик и осветил им кладовую.

Пуаро почувствовал, как стоящая рядом девушка напряглась и затаила дыхание. Его взгляд следил за лучом фонарика.

В кладовой было мало вещей. Три зонтика — из них один сломанный, четыре трости, набор клюшек для гольфа, две теннисные ракетки, аккуратно свернутый ковер и несколько диванных подушек в различной стадии обветшания. Наверху лежал маленький изящный чемоданчик.

Когда Джепп протянул к нему руку, Джейн Плендерлейт быстро сказала:

— Это мой. Я... привезла его с собой сегодня утром, так что там ничего не может быть.

— На всякий случай лучше убедиться, — дружелюбно отозвался Джепп.

Он открыл чемоданчик. Внутри находились шагреневые щетки, флакончики с косметикой и два журнала.

Джепп внимательно обследовал все содержимое. Когда он наконец захлопнул крышку и начал бегло осматривать диванные подушки, девушка вздохнула с явным облегчением.

Так как в кладовой больше ничего не было, Джепп быстро закончил осмотр, запер дверь и передал ключ Джейн Плендерлейт.

— Ну вот и все, — сказал он. — Вы можете дать мне адрес мистера Лейвертона-Уэста?

— Фарлском-Холл, Литл-Ледбери, Хэмпшир.

— Благодарю вас, мисс Плендерлейт. Может быть, позднее я загляну к вам еще раз. Только прошу вас, об убийстве ни слова! Пускай для широкой публики это пока остается самоубийством.

— Конечно, я все понимаю.

Она обменялась рукопожатиями с обоими мужчинами.

Когда они шли по переулку, Джепп взорвался:

— Что, черт возьми, было в этой кладовой? Ведь что-то там было!

— Безусловно.

— И держу пари, что это связано с чемоданчиком! Но я, очевидно, законченный болван, так как ничего не смог найти! Заглядывал во все бутылочки, ощупал подкладку, но все без толку.

Пуаро задумчиво покачал головой.

— Девушка явно в этом замешана, — продолжал Джепп. — Она говорит, что привезла чемоданчик сегодня утром. Черта с два! Вы заметили, что в нем было два журнала?

— Да.

— Так вот, один из них был за прошлый июль!

Глава 7

Войдя на следующий день в квартиру Пуаро, Джепп с отвращением швырнул шляпу на стол и плюхнулся в кресло.

— Она в этом не замешана! — буркнул он.

— Кто?

— Плендерлейт. Играла в бридж до полуночи. Хозяин, хозяйка, гость — морской офицер — и двое слуг готовы в этом поклясться. Версию об ее участии в преступлении теперь придется отбросить. Тем не менее мне бы хотелось знать, почему она так заволновалась из-за этого чемоданчика в кладовой. Это по вашей части, Пуаро. Вы любите разгадывать мелочи, которые никуда не приводят. «Тайна чемоданчика»... Звучит многообещающе!

— Я бы предложил другое название — «Тайна запаха сигаретного дыма».

— Для названия это слишком громоздко. Запах... Так вот почему вы так принюхивались, когда мы осматривали тело! Я слышал, как вы сопите, и решил, что вы простудились.

— Вы глубоко заблуждались.

Джепп вздохнул:

— Я всегда думал, что все дело в маленьких серых клеточках мозга. Не говорите, что клеточки вашего носа тоже действуют неизмеримо лучше, чем у всех остальных.

— Нет-нет, можете не беспокоиться.

— Я не почуял никакого сигаретного дыма, — с подозрением продолжал Джепп.

— Я тоже, друг мой.

Джепп с сомнением посмотрел на него, потом вытащил из кармана сигарету.

— Вот такие дешевые сигареты курила миссис Аллен. Шесть окурков в пепельнице принадлежали ей. Но остальные три были турецкими.

— Совершенно верно.

— Полагаю, вы догадались об этом не глядя на них — благодаря вашему замечательному носу?

— Уверяю вас, мой нос тут ни при чем. Он абсолютно ничего не почуял.

— Зато серые клеточки отметили многое?

— Разве вам не кажется, что там имелись кое-какие указания?

— А именно?

— Eh bien, кое-что явно исчезло из комнаты, а кое-что, думаю, прибавилось... К тому же на письменном столе...

— Так я и знал! Мы подбираемся к этому чертову гусиному перу!

— Du tout. Гусиное перо играет сугубо негативную роль.

Джепп переключился на более безопасную тему:

— Я пригласил Чарлза Лейвертона-Уэста к себе в Скотленд-Ярд через полчаса и подумал, что вы, возможно, захотите присутствовать.

— С большим удовольствием.

— К тому же я рад вам сообщить, что мы нашли майора Юстаса. У него квартира с гостиничным обслуживанием на Кромвель-роуд.

— Превосходно!

— И у нас на него имеется материал. Майор Юстас — не слишком приятная личность. После того как я побеседую с мистером Лейвертоном-Уэстом, мы отправимся повидать его. Не возражаете?

— Разумеется, нет.

— Ну, тогда пошли.

В половине двенадцатого Чарлза Лейвертона-Уэста проводили в кабинет старшего инспектора Джеппа. Инспектор встал и пожал ему руку.

Член парламента был среднего роста и обладал красивой, хотя и не слишком броской внешностью. Обращали на себя внимание подвижный рот актера и слегка выпуклые глаза на чисто выбритом лице, часто сопутствующие ораторскому таланту.

Несмотря на бледность и расстроенный вид, его манеры были сдержанны и сугубо официальны.

Опустившись на стул, Лейвертон-Уэст положил на стол шляпу и перчатки и посмотрел на Джеппа.

— Прежде всего, я хотел бы сказать, мистер Лейвертон-Уэст, — начал инспектор, — что хорошо понимаю, каким ударом это для вас явилось.

Но Лейвертон-Уэст отмахнулся от соболезнований:

— Не будем обсуждать мои чувства. У вас есть какие-нибудь предположения, старший инспектор, насчет того, что побудило мою... миссис Аллен покончить с собой?

— А вы не в состоянии нам в этом помочь?

— К сожалению, нет.

— Между вами не было ссоры или какого-либо отчуждения?

— Ничего подобного. Для меня это было абсолютной неожиданностью.

— Возможно, ситуация станет вам более понятной, сэр, если я скажу, что это было не самоубийство, а убийство.

— Убийство?! — Глаза Чарлза Лейвертона-Уэста едва не вылезли из орбит. — Вы сказали, убийство?

— Совершенно верно. А теперь, мистер Лейвертон-Уэст, скажите, имеются ли у вас какие-нибудь идеи насчет того, кто мог убить миссис Аллен?

— Нет! — Лейвертон-Уэст почти выплюнул это слово. — Сама мысль об этом выглядит невероятной!

— Она никогда не упоминала ни о каких врагах? О ком-нибудь, кто мог затаить на нее злобу?

— Никогда.

— Вы знали, что у нее был пистолет?

— Я не был осведомлен об этом факте.

Он выглядел слегка удивленным.

— Мисс Плендерлейт говорит, что миссис Аллен привезла пистолет из-за границы несколько лет назад.

— В самом деле?

— Конечно, мы можем полагаться только на ее слова. Вполне возможно, миссис Аллен чувствовала, что ей грозит опасность, и держала пистолет наготове.

Чарлз Лейвертон-Уэст с сомнением покачал головой. Он казался ошеломленным.

— Каково ваше мнение о мисс Плендерлейт, мистер Лейвертон-Уэст? Я имею в виду, кажется ли она вам правдивой, надежной женщиной?

Лейвертон-Уэст немного подумал.

— Ну... пожалуй, да.

— Но вам она не нравится? — предположил Джепп, внимательно наблюдая за ним.

— Я бы так не сказал. Она не из тех молодых женщин, которыми я восхищаюсь. Меня не привлекает этот саркастический независимый тип, но я не сомневаюсь в ее правдивости.

— Хм! — произнес Джепп. — А вы знаете майора Юстаса?

— Юстаса? Ах да, припоминаю. Встречал его однажды у Барбары... миссис Аллен. По-моему, довольно сомнительная личность. Я говорил об этом моей... миссис Аллен. Он не принадлежал к людям, которых я бы стал приглашать в дом после того, как мы бы поженились.

— А что ответила на это миссис Аллен?

— Согласилась со мной. Она полностью полагалась на мое суждение. Мужчина лучше понимает другого

424

мужчину, чем женщина. Миссис Аллен объяснила, что не могла быть грубой с человеком, которого давно не видела. Думаю, она боялась упреков в снобизме. Естественно, если бы она вышла за меня замуж, многие из ее прежних знакомых стали бы... ну, скажем, неподходящими.

— Вы имеете в виду, что замужество повысило бы ее статус? — напрямик осведомился Джепп.

Лейвертон-Уэст протестующе поднял холеную руку.

— Нет-нет, не совсем так. Фактически мать миссис Аллен была дальней родственницей моей семьи, так что по происхождению она вполне равна мне. Но, разумеется, в моем положении я должен быть особенно осмотрителен в выборе друзей, а моя жена — в выборе своих. Являясь, в определенной степени, публичной фигурой...

— Да, понимаю, — сухо произнес Джепп. — Итак, вы не в состоянии нам помочь?

— Боюсь, что нет. Я просто ошарашен. Барбара убита! Это невероятно...

— Не могли бы вы, мистер Лейвертон-Уэст, сообщить мне о вашем местопребывании вечером пятого ноября?

— О моем местопребывании?

Лейвертон-Уэст негодующе повысил голос.

— Обычный вопрос, — объяснил Джепп. — Мы... э-э... должны задавать его всем.

Чарлз Лейвертон-Уэст с достоинством посмотрел на него:

— Для человека в моем положении можно было бы сделать исключение.

Джепп молча ждал.

— Я был... дайте вспомнить... Ах да. Я был в палате общин до половины одиннадцатого. Потом прогулялся по набережной и посмотрел фейерверк.

— Приятно думать, что в наши дни никто не устраивает заговоров с целью взорвать парламент, — весело заметил Джепп.

Лейвертон-Уэст устремил на него рыбий взгляд:

— Ну а затем я... э-э... пошел домой.

— Ваш лондонский адрес, кажется, Онслоу-сквер... Когда же вы туда добрались?

— Точно не знаю.

— В одиннадцать? В половине двенадцатого?

— Примерно так.

— Кто-нибудь открыл вам дверь?

— Нет, у меня свой ключ.

— По дороге вы никого не встретили?

— Нет. Право, старший испектор, меня возмущают эти вопросы!

— Повторяю, мистер Лейвертон-Уэст, это всего лишь формальность. Тут нет ничего личного.

Ответ, казалось, успокоил раздраженного члена парламента.

— Если это все...

— Пока что все, мистер Лейвертон-Уэст.

— Вы будете держать меня в курсе...

— Естественно, сэр. Кстати, позвольте представить вам мистера Эркюля Пуаро. Возможно, вы слышали о нем.

Взгляд мистера Лейвертона-Уэста с интересом устремился на маленького бельгийца.

— Да, я слышал это имя.

— Мсье! — воскликнул Пуаро, чьи манеры внезапно стали в высшей степени иностранными. — Поверьте, мое сердце болит за вас! Такая потеря! Как вы, должно быть, страдаете! Правда, англичане великолепно умеют скрывать свои эмоции. — Он вынул портсигар. — Позвольте мне... Ах да, он пуст. Джепп?

Джепп похлопал себя по карманам и покачал головой.

Лейвертон-Уэст извлек собственный портсигар и предложил:

— Возьмите мою сигарету, мсье Пуаро.

— Благодарю вас. — Маленький человечек воспользовался любезностью.

— Как вы сказали, мсье Пуаро, — продолжал Лейвертон-Уэст, — мы, англичане, не демонстрируем наши эмоции. Наш девиз — сдержанность во всем.

Он поклонился обоим мужчинам и вышел.

— Напыщенный осел! — с отвращением произнес Джепп. — Эта девушка абсолютно права. Впрочем, он недурен собой и может произвести впечатление на женщину, у которой нет чувства юмора. Как насчет этой сигареты?

Пуаро повертел ее в руке и покачал головой:

— Египетская. Дорогой сорт.

— Нет, это не подходит. Жаль, так как мне еще не попадалось более слабое алиби. Фактически это вовсе не алиби... Знаете, Пуаро, мне жаль, что все не было по-другому. Если бы миссис Аллен шантажировала его... Он превосходный объект для шантажа — платил бы, как ягненок, лишь бы избежать скандала.

— Друг мой, повернуть дело так, как бы нам хотелось, очень приятно, но не это наша задача.

— Вы правы. Наша задача — Юстас. У меня есть о нем кое-какие сведения. Явно дрянной тип.

— Между прочим, вы сделали то, что я предложил вам насчет мисс Плендерлейт?

— Да. Подождите секунду, я узнаю последнюю информацию.

Джепп снял телефонную трубку и задал вопрос. Получив ответ, он положил трубку и посмотрел на Пуаро.

— Довольно бессердечное создание. Пошла играть в гольф. Подходящее занятие на следующий день после того, как убили ее лучшую подругу!

Пуаро вскрикнул.

— В чем дело теперь? — осведомился Джепп.

Но Пуаро бормотал себе под нос:

— Конечно... Это вполне естественно... Какой же я идиот — ведь это просто бросалось в глаза!

— Перестаньте бурчать! — сердито сказал Джепп. — Давайте лучше займемся Юстасом.

Он с удивлением увидел, как лицо Пуаро расплылось в улыбке.

— Разумеется, давайте им займемся. Потому что теперь я знаю все — абсолютно все!

Глава 8

Майор Юстас принял двух посетителей с непринужденностью светского человека.

Квартира была маленькой, всего лишь pied à terre[1], как майор объяснил им. Он предложил визитерам выпить и, когда они отказались, вынул портсигар.

Взяв по сигарете, Джепп и Пуаро обменялись быстрыми взглядами.

— Вижу, вы курите турецкие, — заметил Джепп, разминая сигарету между пальцами.

— Да, а вы предпочитаете дешевый сорт? У меня где-то есть одна.

— Нет-нет, не беспокойтесь. — Джепп склонился вперед — его тон внезапно изменился. — Возможно, вы догадываетесь, майор Юстас, по какой причине я пришел к вам?

Хозяин дома покачал головой, не проявляя особого интереса. Майор Юстас был высоким и красивым мужчиной, хотя в его внешности чувствовалось нечто вульгарное. Хитрые маленькие глазки под отечными веками плохо соответствовали дружелюбным манерам.

— Нет, — ответил он, — я понятия не имею, чем обязан визиту столь важной шишки, как старший инспектор. Что-то насчет моего автомобиля?

— Нет, ваш автомобиль тут ни при чем. Думаю, майор Юстас, вы были знакомы с миссис Барбарой Аллен?

Майор откинулся на спинку стула и выпустил струйку дыма.

— Ах вот оно что! Я должен был сразу догадаться. Печальная история.

— Вы знаете об этом?

— Прочитал в газете вчера вечером. Весьма прискорбно.

— Кажется, вы познакомились с миссис Аллен в Индии?

---

[1] Временное пристанище (фр.).

— Да, несколько лет назад.

— А ее мужа вы тоже знали?

Последовавшая пауза заняла всего лишь долю секунды, но за это время маленькие, свиные глазки майора успели окинуть обоих мужчин быстрым взглядом.

— Нет, — ответил он, — я никогда не встречался с Алленом.

— Но вы знаете что-нибудь о нем?

— Слышал, что он был никудышний тип. Но это всего лишь слух.

— А миссис Аллен вам ничего не рассказывала?

— Она никогда о нем не говорила.

— Вы были с ней близко знакомы?

Майор Юстас пожал плечами:

— Мы были старыми друзьями, хотя не слишком часто виделись.

— Но вы виделись с ней в последний вечер ее жизни — пятого ноября?

— Ну, вообще-то — да.

— По-моему, вы приезжали к ней домой.

Майор кивнул.

— Да, — печально вздохнул он, — она просила меня дать ей совет по поводу кое-каких инвестиций. Я понимаю, к чему вы клоните, — в каком она была настроении и так далее. Ну, на это нелегко ответить. Вроде бы она вела себя обычно, хотя, если подумать, казалась немного нервной.

— Но она никак не намекнула вам на то, что задумала сделать?

— Ни в малейшей степени. Прощаясь, я сказал, что скоро ей позвоню, и мы сходим в театр.

— Значит, вы сказали, что позвоните ей. Это были ваши последние слова?

— Да.

— Любопытно. У меня есть сведения, что вы сказали нечто совсем иное.

Юстас слегка покраснел.

— Конечно, точно я не помню...

— Согласно моей информации вы сказали: «Ну, подумайте как следует и дайте мне знать».

— Дайте вспомнить... Да, пожалуй, вы правы. Думаю, я предложил, чтобы она сообщила мне, когда будет свободна.

— Не совсем то же самое, верно? — заметил Джепп. Майор Юстас пожал плечами:

— Дорогой мой, вы ведь не можете ожидать, чтобы человек помнил слово в слово все, что он когда-то говорил.

— А что ответила миссис Аллен?

— Что позвонит мне. Опять же насколько я помню.

— Потом вы сказали: «Ладно. Пока».

— Вполне возможно.

— Вы говорите, — спокойно продолжал Джепп, — что миссис Аллен спрашивала у вас совета насчет ее вкладов. Случайно, она не доверила вам сумму в двести фунтов наличными, чтобы вы для нее их инвестировали?

Лицо Юстаса стало багровым.

— Что, черт возьми, вы имеете в виду? — огрызнулся он.

— Да или нет?

— Это мое дело, мистер старший инспектор.

— Миссис Аллен сняла с банковского счета двести фунтов наличными. Часть денег была в пятифунтовых банкнотах — их номера, разумеется, можно проследить.

— Допустим, вы правы. Ну и что из того?

— Эти деньги предназначались для вклада или были платой шантажисту, майор Юстас?

— Какая нелепость! Что вам еще придет в голову? Джепп заговорил официальным тоном:

— Думаю, майор Юстас, мне придется попросить вас явиться в Скотленд-Ярд для дачи показаний. Конечно, вы не обязаны это делать и можете, если хотите, пригласить своего адвоката.

— На кой черт мне адвокат? В чем вы меня обвиняете?

— Я расследую обстоятельства смерти миссис Аллен.

— Господи, приятель, вы же не предполагаете... Какая чепуха! Слушайте, я расскажу вам, что произошло. Я заехал к Барбаре, так как мы договорились о встрече...

— В какое время это было?

— Около половины десятого. Мы сидели и разговаривали...

— И курили?

— Да, и курили. В этом есть что-то предосудительное? — воинственно осведомился майор.

— Где происходила беседа?

— В гостиной на первом этаже — дверь налево, как входите. Я уже говорил, что беседа была вполне дружеской. Ушел я незадолго до половины одиннадцатого и задержался на пороге, чтобы попрощаться...

— Попрощаться навсегда, — пробормотал Пуаро.

— А вы кто такой, хотел бы я знать? — Юстас повернулся к нему со свирепым выражением лица. — Какой-то паршивый иностранец! Чего ради вы в это вмешиваетесь?

— Я Эркюль Пуаро, — с достоинством ответил маленький человечек.

— Меня не заботит, даже если вы статуя Ахилла! Повторяю: мы с Барбарой расстались дружески. Я сразу поехал в Дальневосточный клуб, добрался туда без двадцати пяти одиннадцать, пошел в карточную комнату и играл там в бридж до половины второго ночи. Можете засунуть все это себе в трубку и выкурить!

— Я не курю трубку, — сказал Пуаро. — У вас недурное алиби.

— Железное, не сомневайтесь. — Он посмотрел на Джеппа. — Ну, сэр, вы удовлетворены?

— В течение вашего визита вы все время оставались в гостиной?

— Да.

— И не поднимались наверх, в будуар миссис Аллен?

— Нет, говорю я вам! Мы не покидали гостиную.

Некоторое время Джепп задумчиво смотрел на него.

— Сколько у вас пар запонок? — спросил он наконец.

— Запонок? А они тут при чем?

— Разумеется, вы не обязаны отвечать на этот вопрос.

431

— Да нет, я могу ответить. Мне нечего скрывать. И я потребую извинений! Вот одни... — Он протянул обе руки.

Джепп кивнул при виде запонок из золота и платины.

— А вот другие.

Юстас встал, выдвинул ящик комода, вынул оттуда футляр, открыл его и грубо ткнул под нос Джеппу.

— Симпатичный рисунок, — заметил старший инспектор. — Вижу, одна из них сломана — отломился кусочек эмали.

— Ну и что?

— Полагаю, вы не помните, когда это произошло?

— День или два тому назад — не больше.

— Вы удивитесь, услышав, что это случилось во время вашего визита к миссис Аллен?

— Почему я должен удивляться? Я ведь не отрицаю, что был там. — Майор говорил высокомерным тоном, изображая справедливое возмущение, но руки его дрожали.

Джепп склонился вперед и многозначительно произнес:

— Да, но обломок этой запонки был найден не в гостиной, а наверху, в будуаре миссис Аллен — в комнате, где ее убили и где сидел мужчина, курящий те же сигареты, что и вы.

Выстрел достиг цели. Юстас упал на стул. Его глаза бегали из стороны в сторону. Превращение забияки в труса являло собой не слишком приятное зрелище.

— У вас нет против меня никаких улик, — заговорил он хнычущим голосом. — Вы пытаетесь меня оклеветать, но у вас ничего не выйдет. У меня есть алиби... Той ночью я больше не приближался к этому дому.

— Вам было бы незачем это делать, — заметил Пуаро, — если миссис Аллен была уже мертва, когда вы оттуда вышли.

— Это невозможно... Она стояла в дверях и говорила со мной... Соседи могли слышать и видеть ее...

— Они слышали, как вы говорили с ней, — поправил Пуаро, — притворились, будто ждете ответа, и за-

432

говорили снова. Это старый трюк. Соседи предполагают, что она стояла там, но они не видели ее, так как не могли сказать, было ли на ней обычное или вечернее платье и какого цвета.

— Боже мой! Это неправда...

Теперь он дрожал всем телом.

Джепп с отвращением посмотрел на него:

— Должен просить вас, сэр, следовать за мной.

— Вы меня арестовываете?

— Скажем так — задерживаю до выяснения обстоятельств.

Наступившую тишину нарушил глубокий вздох, вслед за которым послышался полный отчаяния голос майора Юстаса:

— Я пропал!..

Эркюль Пуаро весело улыбнулся, потирая руки. Он казался довольным собой.

Глава 9

— Быстро он скис, — заметил Джепп несколько позже, когда они с Пуаро ехали в машине по Бромптон-роуд.

— Он понял, что игра проиграна, — рассеянно отозвался Пуаро.

— У нас на него целое досье, — сказал Джепп. — Жил под двумя или тремя вымышленными именами, подделал чек и провернул недурную аферу, когда останавливался в «Рице» под именем полковника де Бата. Облапошил дюжину торговцев с Пикадилли. Сейчас мы предъявим ему это обвинение, пока история с убийством не выяснится окончательно. Зачем вам нужна эта поездка в деревню, старина?

— Друг мой, чтобы закрыть дело, нужно выяснить абсолютно все. Сейчас я занят расследованием тайны, которую вы предложили назвать «Тайной исчезнувшего чемоданчика».

— Просто «Тайна чемоданчика», — поправил Джепп. — Насколько я знаю, он не исчез.

433

— Подождите, mon ami.

Машина свернула в извозчичий двор. У двери дома 14 Джейн Плендерлейт только что вышла из маленького «Остина-7». Она была одета для игры в гольф.

Посмотрев на двоих мужчин, Джейн вынула ключ и открыла дверь.

— Входите.

Джепп последовал за ней в гостиную. Пуаро задержался в холле, бормоча себе под нос:

— C'est embêtant[1] — как трудно выбраться из этих рукавов!

Через минуту он вошел в гостиную без пальто. Джепп усмехнулся в усы — он расслышал слабый звук открываемой двери кладовой.

Инспектор бросил вопросительный взгляд на Пуаро, и тот ответил едва заметным кивком.

— Мы не задержим вас надолго, мисс Плендерлейт, — заговорил Джепп. — Мы только хотим узнать, не можете ли вы сообщить нам имя адвоката миссис Аллен.

— Адвоката? — Девушка покачала головой. — Я даже не знаю, был ли у нее адвокат.

— Ну, когда она брала в аренду этот дом вместе с вами, кто-то должен был составить договор?

— Едва ли. Понимаете, дом арендовала я, и документы выписаны на мое имя. Барбара просто выплачивала мне половину стоимости. Все было абсолютно неформально.

— Понятно. Ну, тогда это все.

— Простите, что не могу вам помочь, — вежливо сказала Джейн.

— Это не так уж важно. — Джепп повернулся к двери. — Играли в гольф?

— Да. — Она покраснела. — Полагаю, это кажется вам бессердечным. Но я чувствовала, что не могу находиться в этом доме. Я должна была куда-нибудь пойти и чем-нибудь заняться, иначе я бы здесь задохнулась!

---

[1] Как это раздражает (фр.).

— Я хорошо вас понимаю, мадемуазель, — живо отозвался Пуаро. — Это вполне естественно. Сидеть в этом доме и думать — занятие не из приятных.

— Хорошо, хоть вы понимаете, — сказала Джейн.

— Вы принадлежите к гольф-клубу?

— Да, я играю в Уэнтуорте.

— Сегодня приятный день, — заметил Пуаро. — К сожалению, на деревьях почти не осталось листьев. Еще неделю назад в лесу было великолепно.

— Сейчас тоже неплохо.

— Всего хорошего, мисс Плендерлейт, — попрощался Джепп. — Я дам вам знать, когда выяснится что-нибудь определенное. Фактически мы уже произвели арест по подозрению в убийстве.

— Кого же вы арестовали?

— Майора Юстаса.

Девушка кивнула и наклонилась зажечь огонь в камине.

— Ну? — осведомился Джепп, когда машина свернула за угол.

Пуаро улыбнулся:

— Это было несложно. На сей раз ключ был в двери.

— И?..

— Eh bien, клюшки исчезли.

— Естественно. Кем бы ни была эта девушка, она далеко не глупа. А что-нибудь еще исчезло?

Пуаро кивнул:

— Да, друг мой. Чемоданчик.

Акселератор дернулся под ногой Джеппа.

— Проклятье! — воскликнул он. — Я знал, что в нем что-то было! Но что? Ведь я тщательно его обыскал.

— Как вы говорите в подобных случаях, «ведь это элементарно, мой дорогой Ватсон».

Джепп бросил на него сердитый взгляд.

— Куда мы едем? — спросил он.

Пуаро посмотрел на часы.

— Еще нет четырех. Думаю, мы сможем добраться в Уэнтуорт до темноты.

— Вы полагаете, она действительно побывала там?

— Да. Она ведь знала, что мы сможем это проверить. Уверен, мы убедимся, что так оно и было.

— Ладно, посмотрим. — Джепп умело лавировал между транспортом. — Хотя не могу понять, какое отношение имеет к преступлению этот чемоданчик. Не вижу, чтобы он мог быть как-то с ним связан.

— Согласен с вами, друг мой. Чемоданчик никак не связан с преступлением.

— Тогда почему... Нет, не отвечайте, а то опять начнете про порядок и метод и про то, что все необходимо выяснить до конца. Сегодня в самом деле прекрасный день...

Машина была быстроходной, и они прибыли к уэнтуортскому гольф-клубу чуть позже половины пятого. В будний день здесь было мало народу.

Пуаро сразу же направился к старшине мальчиков, подносящих клюшки и мячи, и попросил клюшки мисс Плендерлейт, объяснив, что завтра она играет на другом поле.

Старшина окликнул мальчика, который стал перебирать стоящие в углу клюшки и наконец извлек сумку с инициалами «Дж.П.».

— Благодарю вас, — сказал Пуаро. Отойдя в сторону, он повернулся и спросил: — А она не оставляла у вас маленький чемоданчик?

— Только не сегодня, сэр. Может быть, она оставила его в здании клуба.

— Значит, мисс Плендерлейт была здесь сегодня?

— Да, я видел ее.

— А кто из мальчиков ее обслуживал? Мисс Плендерлейт забыла чемоданчик и не может вспомнить, где именно.

— Мисс Плендерлейт не брала мальчика. Она просто купила два мяча и взяла пару клюшек. По-моему, у нее в руке тогда был чемоданчик.

Снова поблагодарив, Пуаро вместе с Джеппом двинулся вокруг здания клуба. На момент он остановился, любуясь видом.

— Красиво, не так ли? Темные сосны и озеро. Да, озеро...

Джепп быстро взглянул на него:

— Это идея.

Пуаро улыбнулся:

— Думаю, кто-то мог что-нибудь видеть. На вашем месте я бы занялся расспросами.

Глава 10

Пуаро шагнул назад и, слегка склонив голову набок, окинул взглядом комнату. Один стул здесь, другой там — все как надо. А вот и звонок в дверь — это, должно быть, Джепп.

Старший инспектор быстро вошел в комнату:

— Вы оказались правы, старина! Вчера в Уэнтуорте видели, как молодая женщина что-то бросила в озеро. По описанию это Джейн Плендерлейт. Мы выудили это без труда — там полно тростника.

— И что же это было?

— Разумеется, чемоданчик! Но почему? Я не в силах этого понять. Внутри ничего не оказалось — даже журналов. Зачем вроде бы разумной молодой женщине бросать в озеро дорогой чемоданчик? Я всю ночь ломал себе над этим голову.

— Mon pauvre[1] Джепп! Но вам больше незачем беспокоиться. Слышали звонок? Ответ уже прибыл.

Джордж, безупречный слуга Пуаро, открыл дверь и доложил:

— Мисс Плендерлейт.

Девушка вошла в комнату с обычной уверенностью и поздоровалась с двоими мужчинами.

— Пожалуйста, садитесь, мадемуазель, и вы тоже, Джепп, — пригласил Пуаро. — Я попросил вас прийти сюда, мадемуазель, так как у меня есть для вас новости.

Девушка села, отложив в сторону шляпу и нетерпеливо переводя взгляд с одного на другого.

— Майор Юстас арестован, — сказала она.

---

[1] Мой бедный (*фр.*).

— Очевидно, вы прочли об этом в утренней газете?

— Да.

— Пока что его обвиняют в не слишком серьезном преступлении, — сказал Пуаро. — А тем временем мы ищем доказательства в связи с убийством.

— Значит, это было убийство?

Пуаро кивнул.

— Да, — ответил он. — Это было убийство. Преднамеренное уничтожение одного человеческого существа другим.

Джейн слегка поежилась:

— Не надо! В ваших устах это звучит ужасно.

— Это в самом деле ужасно. — Помолчав, он добавил: — А теперь, мисс Плендерлейт, я собираюсь рассказать вам, каким образом мне удалось докопаться до истины.

Девушка перевела взгляд с Пуаро на Джеппа. Инспектор улыбнулся.

— У него свои методы, мисс Плендерлейт, — сказал он. — Я привык доверять ему. Думаю, нам лучше его выслушать.

— Как вам известно, мадемуазель, — начал Пуаро, — я прибыл с моим другом на место преступления утром шестого ноября. Мы прошли в комнату, где было обнаружено тело миссис Аллен, и меня сразу же поразили некоторые весьма значительные детали. Кое-что в комнате было решительно странным.

— Продолжайте, — сказала девушка.

— Прежде всего, запах сигаретного дыма...

— Думаю, вы преувеличиваете, Пуаро, — прервал Джепп. — Я ничего не учуял.

Пуаро быстро повернулся к нему:

— Вот именно! Вы не почуяли запах табачного дыма — и я тоже. Но это выглядело очень странным, так как дверь и окно были закрыты, а в пепельнице лежали не менее десяти сигаретных окурков. Однако воздух в комнате был абсолютно свежим.

— Так вот к чему вы клонили! — Джепп вздохнул. — Вечно вы подбираетесь к цели самым извилистым путем.

— Ваш Шерлок Холмс поступал так же. Помните, он отметил странное поведение собаки в ночное время? Странным оказалось то, что собака никак себя не вела[1]. Но продолжим. Следующим, что привлекло мое внимание, были часы на руке мертвой женщины.

— Что в них было особенного?

— В них самих — ничего, но они находились на правом запястье, хотя часы обычно носят на левом.

Джепп пожал плечами. Прежде чем он успел заговорить, Пуаро быстро продолжил:

— Но, как вы сказали, в этом нет ничего особенного. Некоторые предпочитают носить часы на правой руке. А теперь я перехожу к кое-чему по-настоящему интересному — к письменному столу, друзья мои.

— Так я и думал! — проворчал Джепп.

— Он выглядел странно по двум причинам. Во-первых, кое-что оттуда исчезло.

— Что именно? — спросила Джейн Плендерлейт.

Пуаро повернулся к ней:

— Использованный лист промокательной бумаги, мадемуазель. Верхний лист в блокноте был абсолютно чистым.

Джейн пожала плечами:

— Право же, мсье Пуаро, люди иногда вырывают использованный лист.

— Да, но что они с ним делают? Бросают в мусорную корзину, не так ли? Но в мусорной корзине его не было — я проверил.

Джейн Плендерлейт выглядела раздраженной.

— Возможно, его выбросили днем раньше. Бумага была чистой, потому что в тот день Барбара не писала никаких писем.

— Едва ли, мадемуазель. В тот вечер миссис Аллен выходила к почтовому ящику — следовательно, она писала письма. Она не могла писать их внизу — там не было письменных принадлежностей. Вряд ли она бы пошла для этого в вашу комнату. Тогда что же случилось с листом, которым она промокнула свои письма?

---

[1] См. рассказ А. Конан Дойла «Серебряный».

Правда, люди иногда бросают мусор не в корзину, а в камин, но в ее комнате был только газовый камин. А внизу камин в тот день не топили — вы сами сказали, что топливо лежало в очаге наготове, когда вы поднесли к нему спичку.

Он сделал паузу.

— Любопытная маленькая проблема! Я проверил все корзины и мусорный бак, но нигде не нашел использованного листа промокательной бумаги. Это показалось мне крайне важным. Выглядело так, будто кто-то намеренно забрал этот лист. Почему? Потому что отпечатавшийся на нем текст можно легко было прочитать, держа его перед зеркалом.

Но на письменном столе было еще кое-что необычное. Возможно, вы помните, Джепп, расположение предметов? Блокнот с промокательной бумагой и чернильница — в центре, поднос для ручки — слева, календарь и гусиное перо — справа. Eh bien? Вы не понимаете? Вспомните, что гусиное перо, которое я обследовал, было чисто декоративным — им не пользовались. Как — вы все еще не понимаете? Повторяю еще раз: папка — в центре, поднос для ручки — слева, Джепп. Но ведь обычно его держат справа, чтобы ручку было удобнее брать правой рукой.

Теперь вам все ясно, не так ли? Поднос для ручки слева, часы на правом запястье, унесенный лист использованной промокательной бумаги... К тому же в комнату кое-что принесли — пепельницу с сигаретными окурками!

Воздух в комнате был свежим и чистым, Джепп. Окно явно не было закрыто всю ночь. И тогда я представил себе картину...

Он повернулся и посмотрел на Джейн:

— Я представил себе вас, мадемуазель, подъезжающую к дому в такси, расплачивающуюся с водителем, быстро поднимающуюся по лестнице и, возможно, зовущую подругу — а потом открывающую дверь и обнаруживающую миссис Аллен мертвой, с пистолетом в руке — естественно, в левой руке, так как она была левша, — и с пулевой раной в левом виске. В комнате лежит записка, адресованная вам, где рассказывается о том, что довело ее до самоубийства. Думаю, это было очень трогательное письмо. Добрую и несчастную молодую женщину шантаж вынудил лишить себя жизни...

Думаю, идея пришла вам в голову почти сразу же. Шантажист должен быть наказан по заслугам! Вы берете пистолет, вытираете его и кладете в правую руку миссис Аллен. Вы забираете записку и отрываете верхний лист промокательной бумаги, на котором отпечатался текст, потом спускаетесь вниз, разводите огонь и бросаете их в камин. Затем вы относите наверх пепельницу, дабы создать иллюзию, что двое людей беседовали именно там, и подбираете с пола обломок эмалевой запонки. Вам кажется, что эта удачная находка все решит окончательно. Потом вы запираете окно и дверь. Полицейские должны застать все именно в таком виде — поэтому вы не ищете помощи во дворе, а сразу звоните в полицию.

После этого вы хладнокровно и расчетливо играете свою роль. Сначала вы отказываетесь что-либо сообщать, но ловко подвергаете сомнению версию о самоубийстве. А позже вы уверенно наводите нас на след майора Юстаса...

Да, мадемуазель, это было ловкое убийство — покушение на убийство майора Юстаса.

Джейн Плендерлейт вскочила на ноги:

— Это было не убийство, а правосудие! Негодяй довел до самоубийства бедную Барбару! Она была такой мягкой и беспомощной... Понимаете, в Индии у Барбары была связь с мужчиной — ей было всего семнадцать, а он был гораздо старше ее и к тому же женат. Она родила ребенка и, конечно, могла оставить его в приюте, но не желала и слышать об этом. Барбара уехала в какую-то глушь и стала называть себя миссис Аллен. Потом ребенок умер, а Барбара вернулась в Англию и влюбилась в этого напыщенного осла Чарлза. Она обожала его, а он принимал это как должное. Будь он другим человеком, я бы посоветовала ей рассказать ему все. Но я убедила ее держать язык за зубами. В конце концов, никто ничего не узнал об этой истории.

Но потом объявился этот дьявол Юстас! Остальное вам известно. Он стал методично высасывать кровь из Барбары, но только в последний вечер своей жизни она осознала, что подвергает риску и Чарлза. Их брак — как раз то, что было нужно Юстасу; ведь у Барбары появился бы богатый муж, панически боящийся любого скандала! Когда Юстас уходил с деньгами, она сказала ему, что должна все обдумать, а потом поднялась наверх и написала мне записку — объяснила, что любит Чарлза и не может без него жить, но не должна выходить за него замуж ради его же блага и поэтому выбирает лучший выход. — Джейн вскинула голову. — И вы удивляетесь тому, что я сделала? Вам хватает духу называть это убийством?

— Потому что это и есть убийство, — сурово сказал Пуаро. — Убийство иногда можно оправдать, но оно все равно остается таковым. Вы правдивая и здравомыслящая женщина, мадемуазель, так взгляните же правде в глаза! Ваша подруга умерла, потому что ей не хватило смелости жить. Мы можем ей сочувствовать, можем ее жалеть, но факт остается фактом — она сама лишила себя жизни.

Он сделал паузу.

— Сейчас этот человек в тюрьме, он получит немалый срок за другие преступления. И вы действительно хотите сознательно лишить жизни — жизни, не забывайте — человеческое существо?

Джейн смотрела на него. Ее глаза потемнели.

— Вы правы, — внезапно пробормотала она. — Не хочу.

Круто повернувшись, девушка быстро вышла из комнаты. Хлопнула входная дверь...

Джепп издал продолжительный свист.

— Ну, будь я проклят! — воскликнул он.

Пуаро сел и дружески ему улыбнулся. Прошло немало времени, прежде чем молчание было нарушено.

— Надо же! — снова заговорил Джепп. — Не убийство замаскировано под самоубийство, а наоборот — самоубийство под убийство!

— Да, и притом очень ловко — с идеальным чувством меры.

— А чемоданчик? — внезапно спросил Джепп. — При чем тут он?

— Но, мой дорогой друг, я ведь уже говорил вам, что он тут совершенно ни при чем.

— Тогда почему...

— Из-за клюшек, Джепп. Это были клюшки для левши. Свои клюшки Джейн Плендерлейт хранила в Уэнтуорте, а эти принадлежали Барбаре Аллен. Неудивительно, что девушка занервничала, когда вы открыли кладовую. Весь ее план мог рухнуть. Но она быстро поняла, что на краткий момент выдала себя. Мадемуазель видит то же, что и мы, поэтому делает лучшее, что может придумать, — пытается сфокусировать наше внимание на другом предмете. «Это мой, — говорит она о чемоданчике. — Я... привезла его с собой сегодня утром, так что там ничего не может быть». Таким образом, мадемуазель, как она и рассчитывала, направила вас по ложному следу. Отправившись на следующий день в Уэнтуорт, чтобы избавиться от клюшек, она продолжает использовать чемодан как отвлекающий маневр.

— Вы имеете в виду, что ее подлинной целью было...

— Подумайте хорошенько, друг мой. Где лучше всего избавиться от сумки с клюшками для гольфа? Их нельзя сжечь или выбросить в мусорный бак. Если клюшки оставить где-нибудь, их могут вернуть. Мисс Плендерлейт взяла их с собой на поле для гольфа. Она оставляет клюшки в здании клуба, берет другую пару из собственной сумки и отправляется на поле без мальчика. Несомненно, через солидный промежуток времени она бы сломала клюшки миссис Аллен и выбросила бы их в кустарник, а потом таким же образом избавилась бы и от пустой сумки. Находка сломанных клюшек на поле никого бы не удивила. Люди часто ломают

443

клюшки во время игры и в приступе раздражения бросают их куда попало.

Но, понимая, что ее действиями могут заинтересоваться, мисс Плендерлейт демонстративно выбрасывает в озеро свою отвлекающую приманку — чемоданчик. Вот вам, друг мой, правда о «Тайне чемоданчика».

Некоторое время Джепп молча смотрел на приятеля, потом встал, хлопнул его по плечу и расхохотался:

— Не так уж плохо для старой ищейки! Честное слово, вы заработали пирожное! Сходим куда-нибудь на ленч?

— С удовольствием, друг мой, но мы не ограничимся пирожными. Предлагаю omelette aux champignons, blanquette de veau, petit pois à la française[1] и на десерт baba au rhum[2].

— Ладно, ведите меня к ним, — сказал Джепп.

[1] Омлет с шампиньонами, рагу из телятины под белым соусом, зеленый горошек по-французски (*фр.*).
[2] Ромовая баба (*фр.*).

НЕВЕРОЯТНАЯ КРАЖА

Глава 1

Когда дворецкий подавал суфле, лорд Мейфилд доверительно склонился к своей соседке справа — леди Джулии Кэррингтон. Славившийся гостеприимством, он старался соответствовать своей репутации. Хотя лорд Мейфилд оставался холостяком, он всегда очаровывал женщин.

Леди Джулия Кэррингтон была женщиной лет сорока, высокой, темноволосой и энергичной. Несмотря на сильную худобу, она все еще была красива — особенно впечатляли безупречной формы ноги. Но ее манеры казались резкими и беспокойными, как у человека, постоянно пребывающего в нервном напряжении.

По другую сторону круглого стола сидел ее супруг, маршал авиации сэр Джордж Кэррингтон. Его карьера началась во флоте, и он все еще сохранял грубоватую бодрость, присущую отставным морякам. Он смеялся и шутил с миссис Вандерлин, сидевшей слева от хозяина дома.

Миссис Вандерлин была необычайно красивой блондинкой. В ее голосе едва слышался американский акцент — как раз в той дозе, чтобы быть приятным, а не назойливым.

Слева от сэра Джорджа Кэррингтона сидела миссис Макэтта — член парламента и величайший авторитет в области жилищного строительства и детского благосостояния. Говорила она краткими фразами, резко и громко. Ее манера разговора напоминала лай. Естественно, что маршалу авиации было куда приятнее беседовать со своей соседкой справа.

Миссис Макэтта, которая всегда и везде говорила только на узкопрофессиональные темы, выдавала отрывочные порции информации сидящему слева от нее молодому Реджи Кэррингтону.

Реджи было двадцать один год, и его совершенно не интересовали жилищное строительство, детское благосостояние и любые политические темы. Хотя в промежутках он произносил: «Ужасно!» или «Абсолютно с вами согласен!», мысли его витали где-то далеко. Мистер Карлайл, личный секретарь лорда Мейфилда, сидел между Реджи и его матерью. Бледный и сдержанный молодой человек в пенсне, он говорил мало, но был всегда готов заполнить любую паузу, возникающую в беседе. Заметив, что Реджи Кэррингтон борется с зевотой, он склонился вперед и спросил миссис Макэтте о ее программе «Что нужно детям».

Вокруг стола бесшумно двигались дворецкий и двое слуг, предлагая блюда и наполняя бокалы. Лорд Мейфилд платил очень высокое жалованье своему повару и слыл знатоком вин.

Хозяина можно было определить с первого взгляда — лорд Мейфилд был крупный мужчина с квадратными плечами, густыми серебристыми волосами, большим прямым носом и слегка выпяченным подбородком. Такое лицо было очень удобным для карикатуристов. Еще будучи сэром Чарлзом Маклафлином, лорд Мейфилд сочетал политическую карьеру с работой во главе крупной инженерной фирмы. Сам он был первоклассным инженером. Став пэром год назад, он одновременно был назначен военным министром.

На стол подали десерт и портвейн. Поймав взгляд миссис Вандерлин, леди Джулия поднялась. Три женщины вышли из комнаты.

Мужчинам вновь налили портвейн, и лорд Мейфилд заговорил о фазанах. В течение следующих пяти минут разговор шел об охоте, потом сэр Джордж обратился к сыну:

— Реджи, мальчик мой, думаю, тебе хочется присоединиться к дамам в гостиной. Лорд Мейфилд не будет возражать.

Юноша понял намек.

— Благодарю вас, лорд Мейфилд. Пожалуй, я пойду.

— Прошу прощения, лорд Мейфилд, — пробормотал мистер Карлайл. — Меня ждут кое-какие документы и другая работа...

Лорд Мейфилд кивнул. Двое молодых людей вышли из столовой. Слуги удалились еще раньше. Министр вооружений и маршал авиации остались наедине.

— Все в порядке? — вскоре осведомился Кэррингтон.

— В полном! Ни в одной стране Европы нет ничего подобного этому новому бомбардировщику.

— Выходит, мы их заткнули за пояс? Так я и думал.

— Да, мы добились превосходства в воздухе, — подтвердил лорд Мейфилд.

— Но нас поджимает время! — вздохнул сэр Джордж Кэррингтон. — Ты ведь знаешь, Чарлз, вся Европа превратилась в порохой погреб, а мы не были к этому готовы. Мы оказались на волоске от провала, и сейчас еще не выбрались из всех затруднений, несмотря на всю спешку с новым самолетом.

— Тем не менее, Джордж, в позднем старте есть некоторые преимущества, — возразил лорд Мейфилд. — Европейская техника значительно устарела, а многие страны близки к банкротству.

— Я этому не верю, — мрачно возразил сэр Джордж. — Только и слышно, что та или иная страна вот-вот обанкротится, а она продолжает жить как ни в чем не бывало. Финансы для меня полная тайна.

Лорд Мейфилд слегка прищурился. Сэр Джордж Кэррингтон всегда выглядел «добрым старым морским волком», но некоторые утверждали, что это всего лишь маска.

Переменив тему, Кэррингтон заметил подчеркнуто небрежным тоном:

— Привлекательная женщина эта миссис Вандерлин.

— Тебя интересует, что она здесь делает? — с усмешкой отозвался лорд Мейфилд.

Кэррингтон выглядел слегка смущенным.

— Вовсе нет.

— Как бы не так, старый врун. Ты хочешь узнать, не стал ли я ее последней жертвой!

— Признаюсь, — медленно произнес Кэррингтон, — что ее присутствие здесь — особенно в этот уик-энд — кажется мне несколько странным.

— Стервятники всегда слетаются на падаль, — кивнул лорд Мейфилд. — Пища у нас, можно сказать, имеется, а миссис Вандерлин нетрудно описать как стервятника номер один.

— Ты знаешь что-нибудь о ней? — осведомился маршал авиации.

Лорд Мейфилд отрезал кончик сигары, аккуратно зажег ее и, тщательно подбирая слова, ответил:

— Что я знаю о миссис Вандерлин? Я знаю, что она американская гражданка, что у нее было три мужа — итальянец, немец и русский — и что она в результате установила полезные контакты в странах, откуда они родом. Живет в роскоши, и ничего не известно об источниках ее доходов.

— Вижу, Чарлз, твои шпионы не теряли времени даром, — с усмешкой промолвил сэр Джордж Кэррингтон.

— Кроме соблазнительной внешности, — продолжал лорд Мейфилд, — миссис Вандерлин обладает даром слушателя и умеет проявлять интерес к тому, что мы именуем «коньком». Мужчина может многое рассказать ей о своей работе, чувствуя, что его внимательно слушают. Некоторые молодые офицеры проявили излишнее усердие в стремлении заинтересовать очаровательную собеседницу, отчего впоследствии пострадала их карьера. Они рассказывали миссис Вандерлин немного больше, чем следовало. Почти все ее друзья — военные, но прошлой зимой она охотилась в одном из графств неподалеку от нашей крупнейшей фирмы по производству вооружений и завязала дружеские отношения не только на почве охоты. Короче говоря, миссис Вандерлин очень полезна для... — Он описал сигарой круг в воздухе. — Пожалуй, лучше не упоминать, для кого именно. Скажем, для европейской державы — а возможно, и не одной.

Кэррингтон облегченно вздохнул:

— Ты снял камень с моей души, Чарлз.

— А ты подумал, что я поддался чарам этой сирены? Методы миссис Вандерлин, дорогой Джордж, уж слишком очевидны для такого стреляного воробья, как я. Кроме того, она, как говорится, уже не первой молодости. Твои молодые командиры эскадрилий этого не замечают. Но мне уже пятьдесят шесть, старина. Года через четыре я, возможно, превращусь в мерзкого старикашку, гоняющегося за молоденькими дебютантками.

— Я был дураком, — виновато сказал Кэррингтон, — но мне показалось немного странным...

— Тебе показалось странным, что она присутствует в интимном семейном кругу как раз в тот момент, когда мы с тобой собирались неофициально обсудить открытие, которое, возможно, совершит революцию в противовоздушной обороне?

Сэр Джордж молча кивнул.

— В том-то все и дело, — улыбнулся лорд Мейфилд. — Это приманка.

— Приманка?

— Понимаешь, Джордж, у нас нет никаких улик против нее. А нам нужно что-нибудь! В прошлом она слишком часто выходила сухой из воды. Мы знаем, что ей нужно, но у нас нет доказательств. Поэтому нам и нужна аппетитная приманка.

— В виде спецификации нового бомбардировщика?

— Вот именно. Это должно заставить ее пойти на риск — выйти из тени. Тогда она окажется в наших руках!

— Пожалуй, ты прав, — согласился сэр Джордж. — Ну а если она не пойдет на риск?

— Это было бы весьма прискорбно, — отозвался лорд Мейфилд, — но думаю, ей не устоять...

Он поднялся:

— Может быть, присоединимся к леди в гостиной? Мы не должны лишать твою жену бриджа.

— Джулия чересчур увлекается бриджем, — недовольно проворчал сэр Джордж. — Ухлопывает на него кучу денег. Я говорил ей, что она не может себе позволить играть по таким высоким ставкам, но Джулия — прирожденный игрок. — Подойдя к хозяину дома, он добавил: — Надеюсь, Джордж, твой план сработает.

Глава 2

Разговор в гостиной не клеился. Миссис Вандерлин обычно теряла преимущества, оказываясь наедине с представительницами своего пола. Ее очарование и заинтересованный вид, столь высоко ценимые мужчинами, по той или иной причине оставляли женщин равнодушными. Манеры леди Джулии могли быть либо очень хорошими, либо очень плохими. В данной ситуации ей не нравилась миссис Вандерлин и надоела миссис Макэтта, причем она не хотела скрывать это. Если бы не миссис Макэтта, беседа вскоре угасла бы окончательно.

Миссис Макэтта была необычайно энергичной и целеустремленной женщиной. Не обращая внимания на миссис Вандерлин, которую считала бесполезным паразитом, она пыталась заинтересовать леди Джулию организуемым ею благотворительным предприятием. Леди Джулия рассеянно отвечала, подавляя зевоту и думая о своем. Почему не приходят Чарлз и Джордж? Все-таки мужчины — ужасные зануды. Ее замечания становились все более поверхностными по мере того, как она углублялась в свои мысли и заботы.

Три женщины сидели молча, когда мужчины наконец вошли в комнату.

«Джулия сегодня плохо выглядит, — подумал лорд Мейфилд. — Она просто комок нервов».

— Как насчет роббера? — осведомился он вслух.

Лицо леди Джулии сразу прояснилось. Бридж действовал на нее как дыхание жизни.

В этот момент вошел Реджи Кэррингтон, и необходимая для игры четверка тут же организовалась. Леди Джулия, миссис Вандерлин, сэр Джордж и молодой

Реджи уселись за карточный стол. Лорд Мейфилд посвятил себя задаче развлекать миссис Макэтту.

Когда сыграли два роббера, сэр Джордж многозначительно взглянул на часы на каминной полке.

— Едва ли стоит начинать следующий, — заметил он.

Его жена выглядела огорченной.

— Сейчас только без четверти одиннадцать. Всего один короткий роббер.

— Они никогда не бывают короткими, дорогая, — добродушно отозвался сэр Джордж. — К тому же у нас с Чарлзом есть работа.

— Как серьезно это звучит! — улыбнулась миссис Вандерлин. — Полагаю, такие важные и высокопоставленные люди, как вы, никогда по-настоящему не отдыхают.

— Сорокавосьмичасовая рабочая неделя не для нас, — согласился сэр Джордж.

— Знаете, — продолжала миссис Вандерлин, — меня приводят в трепет встречи с людьми, контролирующими судьбы страны! Вам, наверное, кажется это чересчур наивным?

— Нисколько. — Он улыбался, но нотки иронии в его голосе не остались незамеченными.

Миссис Вандерлин с ослепительной улыбкой повернулась к Реджи:

— Мне жаль терять такого партнера. С вашей стороны было очень умно объявить четыре без козыря.

— Это чистая случайность, — покраснев, пробормотал польщенный Реджи.

— Нет-нет, это было необычайно дальновидно. Вы точно рассчитали, у кого какие карты, и сыграли соответственно. По-моему, это просто блестяще.

Леди Джулия резко поднялась.

«Эта женщина не имеет чувства меры», — с отвращением подумала она.

Ее взгляд, устремленный на сына, смягчился. Реджи принимает все это за чистую монету. Каким трогательно молодым и довольным он выглядит! Как же он все-таки наивен — неудивительно, что постоянно попадает в переделки. Реджи по натуре чересчур мягок и доверчив.

Джордж абсолютно его не понимает. Мужчины слишком строги в своих суждениях — они забывают, что сами были молодыми. Джордж так суров с Реджи...

Миссис Макэтта встала. Все пожелали друг другу доброй ночи.

Женщины вышли из комнаты. Лорд Мейфилд налил вина себе и сэру Джорджу, потом посмотрел на появившегося в дверях мистера Карлайла.

— Достаньте все бумаги, Карлайл, — распорядился он. — В том числе чертежи и фотокопии. Мы с маршалом скоро ими займемся — только немного прогуляемся, ладно, Джордж? Дождь вроде бы прекратился.

Мистер Карлайл повернулся, чтобы выйти, и пробормотал извинение, едва не столкнувшись с миссис Вандерлин.

— Моя книга, — объяснила она, проплывая мимо него. — Я читала ее перед обедом.

Реджи подбежал и протянул ей книгу.

— Вот эта? Она лежала на диване.

— Да, большое спасибо.

Миссис Вандерлин улыбнулась, снова пожелала всем доброй ночи и вышла.

Сэр Джордж открыл одно из французских окон.

— Приятный вечер, — заметил он. — Тебе пришла в голову недурная идея — немного пройтись.

— Доброй ночи, сэр, — сказал Реджи. — Я иду спать.

— Доброй ночи, мой мальчик, — отозвался лорд Мейфилд.

Реджи удалился, прихватив с собой детективный роман, который начал читать раньше.

Лорд Мейфилд и сэр Джордж вышли на террасу.

Вечер действительно был превосходный. На ясном небе мерцали звезды.

Сэр Джордж глубоко вздохнул.

— Эта женщина использует слишком много духов, — заметил он.

— Но ее духи не из дешевых, — усмехнулся лорд Мейфилд. — По-моему, один из самых дорогих сортов.

Сэр Джордж скорчил гримасу:

— Очевидно, я должен быть за это благодарен?

— Еще бы! Нет ничего хуже женщины, пользующейся дешевыми духами.

Сэр Джордж посмотрел на небо:

— Как быстро прояснилось! Когда мы обедали, я слышал шум дождя.

Мужчины медленно прогуливались по террасе. Она тянулась вдоль всего дома.

Сэр Джордж зажег сигару.

— Что касается этого сплава... — начал он.

Разговор перешел на сугубо технические темы.

Когда они в пятый раз подошли к дальнему концу террасы, лорд Мейфилд со вздохом произнес:

— Полагаю, нам лучше вернуться в дом.

— Да, у нас еще полно работы.

Они повернулись, и лорд Мейфилд с удивлением воскликнул:

— Видел?

— Что? — спросил Кэррингтон.

— По-моему, кто-то выскользнул из окна моего кабинета через террасу.

— Чепуха, старина. Я ничего не видел.

— Может быть, мне показалось.

— Тебя подвело зрение. Я смотрел прямо на террасу и наверняка бы заметил, если бы там кто-то был. Вдаль я вижу хорошо.

— Тут я тебя обошел, Джордж, — усмехнулся лорд Мейфилд. — Я и читаю без очков.

— Зато ты не всегда можешь различить человека, сидящего в парламенте на другой стороне зала. Или твой монокль только для устрашения?

Смеясь, мужчины направились в кабинет лорда Мейфилда через открытое французское окно.

Мистер Карлайл, стоя возле сейфа, разбирал бумаги в папке.

Когда они вошли, он обернулся:

— Ну, Карлайл, все готово?

— Да, лорд Мейфилд, все бумаги на вашем столе.

Массивный письменный стол из красного дерева стоял в углу кабинета, у окна. Лорд Мейфилд склонился над ним и начал сортировать разложенные документы.

— Прекрасная ночь, — заметил сэр Джордж.

— В самом деле, — согласился Карлайл. — Удивительно, как быстро прояснилось после дождя. — Отложив папку, он спросил: — Я вам сегодня еще понадоблюсь, лорд Мейфилд?

— Не думаю, Карлайл. Я сам положу бумаги на место. Мы можем засидеться допоздна, так что лучше идите спать.

— Благодарю вас. Доброй ночи, лорд Мейфилд. Доброй ночи, сэр Джордж.

— Доброй ночи, Карлайл.

Когда секретарь собирался выйти, лорд Мейфилд внезапно остановил его:

— Одну минуту, Карлайл. Вы забыли самое важное.

— Прошу прощения, лорд Мейфилд?

— Чертежи бомбардировщика, приятель.

Секретарь уставился на него:

— Они лежат сверху, сэр.

— Ничего подобного.

— Но я только что положил их туда.

— Посмотрите сами.

Молодой человек с ошеломленным видом подошел к стоящему у стола лорду Мейфилду.

Министр с раздражением указал на стопку бумаг. Карлайл просмотрел их, и выражение его лица стало еще более озадаченным.

— Как видите, их здесь нет.

— Но... но это невероятно! — запинаясь произнес секретарь. — Я положил их туда не более трех минут назад.

— Должно быть, вы ошиблись, — добродушно сказал лорд Мейфилд, — и они все еще в сейфе.

— Да нет же! Я помню, как положил их на стол.

Лорд Мейфилд прошел мимо него к открытому сейфу. Сэр Джордж последовал за ним. Спустя несколько минут они убедились, что чертежей там нет.

Не веря своим глазам, все вернулись к столу и снова просмотрели бумаги.

— Господи! — воскликнул лорд Мейфилд. — Они исчезли!

— Но это невозможно! — возразил Карлайл.

— Кто был в этой комнате? — резко осведомился министр.

— Никого.

— Послушайте, Карлайл, чертежи не могли испариться сами по себе. Кто-то их взял. Миссис Вандерлин была в кабинете?

— Миссис Вандерлин? Нет, сэр.

— По-моему, это правда, — поддержал его Кэррингтон, понюхав воздух. — Мы бы сразу почувствовали запах ее духов.

— Здесь никого не было, — настаивал Карлайл. — Ничего не понимаю!

— Возьмите себя в руки, Карлайл, — сказал лорд Мейфилд. — Мы должны во всем разобраться. Вы абсолютно уверены, что чертежи были в сейфе?

— Абсолютно.

— Вы действительно их видели? Вы не могли просто решить, что они среди других бумаг?

— Нет-нет, лорд Мейфилд, я их видел. Я положил их на стол поверх других документов.

— И вы утверждаете, что с тех пор в комнате никого не было? А вы сами выходили из кабинета?

— Нет. Хотя... да, выходил.

— Вот оно что! — воскликнул сэр Джордж.

— Какого черта... — сердито начал лорд Мейфилд, но Карлайл прервал его:

— При обычных обстоятельствах, лорд Мейфилд, мне бы и в голову не пришло выйти из комнаты, когда на столе лежат важные документы, но, услышав женский крик...

— Женский крик? — удивленно переспросил министр.

— Да, лорд Мейфилд. Я как раз разбирал документы, когда услышал крик, и, естественно, сразу же выбежал в холл.

— Кто кричал?

— Горничная-француженка миссис Вандерлин. Девушка стояла на лестнице бледная и дрожала всем телом. Она сказала, что видела привидение.

— Привидение?

— Да, высокую женщину в белом, которая бесшумно парила в воздухе.

— Что за вздор!

— Именно это я и сказал ей, лорд Мейфилд. Горничная выглядела смущенной. Затем она поднялась наверх, а я вернулся сюда.

— Когда именно это произошло?

— За минуту или две до того, как вошли вы и сэр Джордж.

— А сколько времени вас не было в комнате?

Секретарь задумался.

— Минуты две — самое большее три.

— Достаточно долго! — простонал лорд Мейфилд. Внезапно он схватил своего друга за руку. — Помнишь, Джордж, я сказал тебе, что видел, как какая-то тень выскользнула из этого окна? Это и был вор! Как только Карлайл вышел, он прокрался сюда, схватил чертежи и был таков!

— Скверная история, — промолвил сэр Джордж. — И что же нам теперь делать?

Глава 3

— Во всяком случае, надо попробовать, Чарлз.

Прошло полчаса. Двое мужчин все еще находились в кабинете лорда Мейфилда, и сэр Джордж убеждал друга в своей правоте.

Сопротивление лорда Мейфилда не так легко было сломить.

— Не будь таким упрямым, Чарлз, — настаивал сэр Джордж.

— Зачем втягивать в эту историю какого-то иностранца, о котором мы ничего не знаем? — возразил министр.

— Но я знаю о нем достаточно. Это удивительный человек.

— Хм!

— Нужно воспользоваться шансом, Чарлз! Главное — не допустить огласки. Если об этом станет известно...

— Ты имеешь в виду, когда об этом станет известно?

— Вовсе нет. Этот Эркюль Пуаро...

— Придет сюда и предъявит нам чертежи, как фокусник, вытаскивающий кролика из шляпы?

— Он докопается до правды. А правда — то, что нам нужно. Ладно, Чарлз, я беру ответственность на себя.

— Поступай как хочешь, — устало произнес лорд Мейфилд, — но я не вижу, каким образом этот тип сможет...

Сэр Джордж снял телефонную трубку.

— Сейчас я позвоню ему.

— Он наверняка уже в постели.

— Ничего, поднимется. Черт возьми, Чарлз, нельзя позволить этой женщине ускользнуть!

— Ты имеешь в виду миссис Вандерлин?

— Да. Ты ведь не сомневаешься, что это ее рук дело?

— Нет. Мы в полном смысле слова поменялись ролями. Вынужден признать, что эта женщина перехитрила нас. Мы знаем, что она все подстроила, но у нас нет никаких доказательств.

— Женщины — дьявольское отродье, — с чувством промолвил сэр Джордж.

— Ее с этой историей ничего не связывает! Мы можем предполагать, что она велела служанке поднять крик и что человек на террасе был ее сообщником, но не сумеем ничего доказать.

— Возможно, это удастся Эркюлю Пуаро.

Лорд Мейфилд неожиданно рассмеялся:

— Черт возьми, Джордж, я думал, в тебе слишком много от Джона Буля, чтобы довериться французу, пусть даже самому умному!

— Он не француз, а бельгиец, — не без смущения поправил сэр Джордж.

— Ладно, звони своему бельгийцу. Пускай поломает себе голову над этой проблемой. Держу пари, он сможет сделать не больше нашего.

Не ответив, сэр Джордж снова протянул руку к телефону.

Быстро моргая и подавляя зевоту, Эркюль Пуаро переводил взгляд с одного собеседника на другого.

Было половина третьего ночи. Его разбудили и привезли сюда в большом «роллс-ройсе». Он только что выслушал рассказ двоих мужчин.

— Таковы факты, мсье Пуаро, — сказал лорд Мейфилд.

Откинувшись на спинку стула, он вставил в глаз монокль и наблюдал за Пуаро с весьма скептическим видом. Пуаро покосился на сэра Джорджа Кэррингтона.

На лице этого джентльмена было написано выражение почти детской надежды.

— Я выслушал факты, — медленно заговорил Пуаро. — Горничная визжит, секретарь выходит из кабинета, неизвестный наблюдатель входит сюда, чертежи лежат на столе сверху, он хватает их и уходит. Факты слишком последовательны.

Тон, которым он произнес последнюю фразу, казалось, привлек внимание лорда Мейфилда. Он выпрямился на стуле, уронив монокль.

— Прошу прощения, мсье Пуаро?

— Я говорю, лорд Мейфилд, что все складывалось очень удобно — для вора. Кстати, вы уверены, что видели мужчину?

Лорд Мейфилд покачал головой:

— Нет. Это была всего лишь тень. Я уже начинаю сомневаться, что вообще видел кого-то.

Пуаро перевел взгляд на маршала авиации:

— А вы, сэр Джордж? Вы можете сказать, кто это был — мужчина или женщина?

— Лично я никого не видел.

Пуаро задумчиво кивнул, потом внезапно встал и направился к письменному столу.

— Могу вас заверить, что чертежей там нет, — сказал лорд Мейфилд. — Мы втроем просматривали эти бумаги полдюжины раз.

— Втроем? Вы имеете в виду вашего секретаря?

— Да, Карлайла.

Пуаро повернулся к нему:

— Скажите, лорд Мейфилд, какая именно бумага лежала сверху, когда вы подошли к столу?

Мейфилд нахмурился, пытаясь вспомнить:

— Дайте подумать... Да, приблизительная сводка наших позиций противовоздушной обороны.

Пуаро быстро нашел бумагу и показал ее.

— Эта, лорд Мейфилд?

Министр взял у него бумагу и посмотрел на нее.

— Да, это она.

Пуаро протянул бумагу Кэррингтону.

— А вы заметили этот документ на столе?

Сэр Джордж взглянул на бумагу, держа ее в вытянутой руке, потом надел пенсне.

— Да. Я тоже просматривал бумаги с Карлайлом и Мейфилдом. Эта лежала сверху.

Кивнув, Пуаро положил бумагу на стол. Мейфилд озадаченно посмотрел на него.

— Если у вас есть другие вопросы... — начал он.

— Разумеется, есть один вопрос — Карлайл.

Лорд Мейфилд слегка покраснел.

— Карлайл вне подозрений, мсье Пуаро! Он уже девять лет является моим доверенным секретарем, имеет доступ ко всем моим личным бумагам и может легко скопировать чертежи и спецификации так, чтобы никто ни о чем не догадался.

— Ваши доводы разумны, — сказал Пуаро. — Если бы он был виновен, ему бы не понадобилось разыгрывать неуклюжее ограбление.

— В любом случае я уверен в Карлайле, — заявил лорд Мейфилд. — Я ручаюсь за него!

— С Карлайлом все в порядке, — подтвердил Кэррингтон.

Пуаро развел руками.

— А эта миссис Вандерлин — с ней все не в порядке?

— Безусловно, — ответил сэр Джордж.

— Думаю, мсье Пуаро, — более дипломатично отозвался лорд Мейфилд, — можно не сомневаться в... в определенной деятельности миссис Вандерлин. Министерство иностранных дел может предоставить вам более точные сведения по этому поводу.

— И горничная, по-вашему, сообщница хозяйки?

— Несомненно, — кивнул сэр Джордж.

— Это кажется мне весьма вероятным, — осторожно промолвил лорд Мейфилд.

Последовала пауза. Пуаро вздохнул и рассеянно переставил пару предметов на столе справа от него.

— Насколько я понимаю, — осведомился он, — украденные бумаги стоят немалых денег?

— Да, если представить их в определенных кругах.

— В каких именно?

Сэр Джордж назвал две европейские державы.

Пуаро кивнул:

— Думаю, этот факт был известен всем?

— Миссис Вандерлин, безусловно, это знала.

— Я сказал «всем».

— Полагаю, что да.

— Иными словами, любой, обладающий минимумом интеллекта, мог бы оценить стоимость бумаг?

— Да, мсье Пуаро, но... — Лорд Мейфилд выглядел смущенным.

Пуаро поднял руку.

— Я, как говорится, исследую все возможности.

Внезапно он встал, вышел через французское окно и осветил фонариком край газона у дальнего конца террасы.

Двое мужчин наблюдали за ним.

Пуаро вернулся в кабинет и сел.

— Скажите, лорд Мейфилд, — спросил он, — почему вы не стали преследовать этого злодея, таившегося во мраке?

Лорд Мейфилд пожал плечами:

— Из сада ничего не стоит выбраться на шоссе. Если его ждала там машина, то он скоро оказался бы вне досягаемости.

— Да, но полиция...

— Вы забываете, мсье Пуаро, — прервал его сэр Джордж, — что мы не можем допустить огласки. Если бы стало известно, что чертежи украдены, результат был бы крайне неблагоприятным для партии.

— Ах да! — воскликнул Пуаро. — Нужно помнить о La Politique[1] и соблюдать величайшую осмотрительность. Поэтому вы обратились не в полицию, а ко мне. Ну, возможно, это упростит задачу.

— Вы надеетесь на успех, мсье Пуаро? — В голосе лорда Мейфилда слышались нотки недоверия.

Маленький человечек пожал плечами:

— Почему бы и нет? Необходимо только как следует подумать... — Помолчав, он добавил: — Теперь я бы хотел побеседовать с мистером Карлайлом.

— Разумеется. — Лорд Мейфилд поднялся. — Я просил его подождать, так что он где-то рядом.

Министр вышел из комнаты.

Пуаро посмотрел на сэра Джорджа.

— Eh bien[2], — сказал он. — Как насчет этого человека на террасе?

— Меня об этом не спрашивайте, мсье Пуаро. Я его не видел и не могу описать.

Пуаро подался вперед:

— Вы это уже говорили. Но все не совсем так, верно?

— Что вы имеете в виду? — резко осведомился сэр Джордж.

— Как бы это лучше выразить... Ваше недоверие имеет более глубокую природу.

Сэр Джордж хотел заговорить, но передумал.

— Рассказывайте! — подбодрил его Пуаро. — Вы оба находитесь в конце террасы. Лорд Мейфилд видит тень, выскользнувшую из окна и метнувшуюся через террасу на траву. Почему же вы не видели эту тень?

Кэррингтон уставился на него:

— Вы попали в самую точку, мсье Пуаро! Меня все время это беспокоило. Понимаете, я мог бы поклясться, что никто не выходил из этого окна. Я подумал, что Мейфилд просто вообразил это, увидев шевельнувшуюся ветку дерева или что-нибудь в этом роде. Но когда мы вошли сюда и обнаружили пропажу, все выглядело так, будто прав Мейфилд, а не я. И все-таки...

---

[1] Политика (*фр.*).
[2] Хорошо (*фр.*).

Пуаро улыбнулся:

— И все-таки вы в глубине души верите собственным глазам?

— Вы правы.

— С вашей стороны — это благоразумно, — заметил Пуаро.

— На траве не было следов?

Пуаро кивнул:

— Вот именно. Лорду Мейфилду кажется, будто он видел тень. Потом он узнает о краже — и предположение становится уверенностью! Но это не так. Я не очень увлекаюсь отпечатками ног и тому подобным, но их отсутствие на траве является негативным доказательством. Вечером шел сильный дождь. Если бы кто-то прошел через террасу к траве, там остались бы следы.

— Но тогда... — начал сэр Джордж.

— Тогда мы вынуждены обратиться к людям, находящимся в этом доме.

Он умолк, так как дверь открылась и вошел лорд Мейфилд с мистером Карлайлом.

Секретарь успел вновь обрести самообладание, хотя все еще выглядел бледным и встревоженным. Поправив пенсне, он сел и вопросительно посмотрел на Пуаро:

— Сколько времени вы находились в этой комнате, мсье, прежде чем услышали крик?

Карлайл задумался.

— Около десяти минут.

— И до этого не было ничего необычного?

— Нет.

— Насколько я понимаю, большую часть вечера в одной из комнат был прием?

— Да, в гостиной.

Пуаро заглянул в записную книжку.

— Там присутствовали сэр Джордж Кэррингтон и его жена, миссис Макэтта, миссис Вандерлин, мистер Реджи Кэррингтон, лорд Мейфилд и вы сами, не так ли?

— Меня не было в гостиной. Я работал здесь.

Пуаро обернулся к лорду Мейфилду:

— Кто первым пошел спать?

— По-моему, леди Джулия Кэррингтон.

— А затем?

— Вошел мистер Карлайл, и я велел ему приготовить бумаги, так как мы с сэром Джорджем собирались ими заняться.

— Тогда вы и решили прогуляться по террасе?

— Да.

— О вашей предстоящей работе в кабинете упоминалось в присутствии миссис Вандерлин?

— Да.

— Но ее не было в комнате, когда вы инструктировали мистера Карлайла относительно бумаг?

— Нет.

— Простите, лорд Мейфилд, — вмешался Карлайл. — Сразу после того, как вы дали мне указания, я столкнулся с ней в дверях. Она вернулась за книгой.

— И вы думаете, она могла это услышать?

— По-моему, да.

— Вернулась за книгой... — пробормотал Пуаро. — Вы нашли ее книгу, лорд Мейфилд?

— Да, Реджи передал ее ей.

— Ну да, это у вас называется побитым... простите, избитым трюком — вернуться за книгой. Впрочем, иногда он срабатывает.

— По-вашему, она нарочно оставила книгу?

Вместо ответа, Пуаро пожал плечами:

— Потом вы, джентльмены, вдвоем вышли на террасу. А миссис Вандерлин?

— Она ушла со своей книгой.

— А молодой мсье Реджи? Он тоже пошел спать?

— Да.

— Затем мистер Карлайл пришел сюда и через пять—десять минут услышал крик. Продолжайте, мсье Карлайл. Вы услышали крик и вышли в холл. Будет лучше, если вы точно воспроизведете ваши действия.

Мистер Карлайл поднялся со смущенным видом.

— Я кричу, — с надеждой сказал Пуаро. Открыв рот, он громко заблеял.

Лорд Мейфилд отвернулся, чтобы скрыть улыбку, а мистер Карлайл явно чувствовал себя не в своей тарелке.

— Allez![1] Вперед! Марш! — скомандовал Пуаро. — Сейчас ваш выход.

Мистер Карлайл нехотя направился к двери, открыл ее и вышел. Пуаро и двое остальных последовали за ним.

— Вы закрыли за собой дверь или оставили ее открытой?

— Право, не помню. Думаю, оставил открытой.

— Ладно, это не важно. Продолжайте.

Все еще неуверенно двигаясь, мистер Карлайл подошел к лестнице, остановился и посмотрел вверх.

— Вы говорили, горничная стояла на лестнице, — сказал Пуаро. — Где именно?

— Примерно посредине.

— И она выглядела испуганной?

— Безусловно.

— Eh bien, теперь я горничная. — Пуаро проворно взбежал по ступенькам. — Здесь?

— На одну-две ступеньки выше.

— Вот так? — Пуаро встал в позу.

— Ну... не совсем.

— А как же?

— Она поднесла руки к голове.

— Вот как, руки к голове? Очень интересно! Так? Пуаро прижал ладони к голове чуть выше ушей.

— Да.

— Ага! Скажите, мсье Карлайл, она хорошенькая?

— Я не заметил.

— Неужели? Разве молодой человек может не заметить, хорошенькая девушка или нет?

— Право же, мсье Пуаро, я могу только повторить, что я этого не заметил.

Карлайл бросил на своего шефа страдальческий взгляд. Сэр Джордж Кэррингтон внезапно усмехнулся.

— Кажется, мсье Пуаро решил изобразить вас повесой, Карлайл, — заметил он.

Секретарь холодно посмотрел на него.

---

[1] Вперед! (фр.)

— Что касается меня, то я всегда обращаю внимание на хорошеньких девушек, — заявил Пуаро, спускаясь по лестнице.

Молчание, которым мистер Карлайл ответил на эти слова, было весьма красноречивым.

— И тогда она сообщила вам, что видела привидение? — продолжал Пуаро.

— Да.

— Вы в это поверили?

— Едва ли, мсье Пуаро.

— Я не спрашиваю вас, верите ли вы в привидения. Меня интересует, показалось ли вам, что девушка действительно думает, будто что-то видела?

— На это я не могу ответить. Она задыхалась от волнения и выглядела испуганной.

— А ее хозяйку вы не видели?

— Она вышла из комнаты на галерею сверху и позвала: «Леони!»

— А потом?

— Девушка побежала к ней, а я вернулся в кабинет.

— Пока вы стояли возле лестницы, мог кто-то войти в кабинет через дверь, которую вы оставили открытой?

Карлайл покачал головой:

— Не мог, не пройдя мимо меня. Как видите, дверь в кабинет находится в конце коридора.

Пуаро задумчиво кивнул.

— Должен признаться, — добавил мистер Карлайл, — я очень рад, что лорд Мейфилд видел вора, вылезающего через окно. Иначе я бы оказался в очень неприятном положении.

— Чепуха, мой дорогой Карлайл, — нетерпеливо вмешался лорд Мейфилд. — Никто не может вас подозревать.

— Это очень любезно с вашей стороны, лорд Мейфилд, но факты есть факты, и я вижу, что они выглядят скверно для меня. В любом случае, я считаю, что нужно обыскать меня и мои вещи.

— Чушь! — заявил Мейфилд.

— Вы в самом деле этого хотите? — осведомился Пуаро.

— Безусловно.

С минуту Пуаро задумчиво смотрел на него, потом пробормотал:

— Понятно. — После очередной паузы он спросил: — Как расположена комната миссис Вандерлин по отношению к кабинету?

— Она находится прямо над ним.

— И окно расположено над террасой?

— Да.

Пуаро снова кивнул.

— Давайте перейдем в гостиную, — предложил он.

Войдя, он прошелся по комнате, обследовал шпингалеты на окнах, бросил взгляд на записи очков на столике для бриджа и, наконец, обратился к лорду Мейфилду:

— Это дело сложнее, чем кажется. Но одно абсолютно ясно: украденные чертежи не покидали дом.

Лорд Мейфилд уставился на него:

— Но, дорогой мсье Пуаро, человек, которого я видел выходящим из кабинета...

— Не было никакого человека.

— Но я его видел!

— При всем моем уважении к вам, лорд Мейфилд, я уверен, что вам показалось. Вас обманула тень покачнувшейся ветки дерева.

— Но право же, мсье Пуаро, я видел собственными глазами...

— Ставлю мои глаза против твоих, старина, — вмешался сэр Джордж.

— Простите, лорд Мейфилд, но на этот счет у меня нет никаких сомнений. Никого не было на террасе.

— В таком случае, — заговорил побледневший мистер Карлайл, — если мсье Пуаро прав, подозрение падает на меня. Я единственный, кто мог совершить кражу.

Лорд Мейфилд вскочил на ноги:

— Это абсурд! Что бы ни думал об этом мсье Пуаро, я с ним не согласен. Я убежден в вашей невиновности, Карлайл, и готов поручиться за вас.

— Но я ведь не сказал, что подозреваю мсье Карлайла, — мягко заметил Пуаро.

— Нет, — отозвался Карлайл, — но вы ясно дали понять, что никто другой не имел возможности украсть чертежи.

— Du tout!

— Но я ведь говорил вам, что никто не проходил мимо меня по холлу к двери кабинета.

— Верно. Однако в кабинет можно проникнуть и через окно.

— Вы же говорили, что этого не могло быть!

— Я сказал, что никто не смог бы войти туда снаружи и выйти, не оставив следов на траве. Но это могли сделать изнутри. Кто-то мог выйти из какой-нибудь комнаты через окно, проскользнуть по террасе к окну кабинета, войти через него и вернуться таким же способом.

— Но лорд Мэйфилд и сэр Джордж были на террасе, — возразил мистер Карлайл.

— Да, но они были там en promenade[1]. Можно положиться на глаза сэра Джорджа Кэррингтона... — Пуаро отвесил легкий поклон, — но они у него не на затылке! Окно кабинета находится у левого края террасы, окна этой комнаты идут следом, но ведь терраса тянется вправо мимо одной, двух, трех, а может, и четырех комнат?

— Столовой, бильярдной, утренней комнаты и библиотеки, — сказал лорд Мейфилд.

— Сколько раз вы прошли взад-вперед по террасе?

— Пять или шесть.

— Как видите, это не составляет труда — вор должен был только улучить нужный момент.

— Вы имеете в виду, — медленно произнес Карлайл, — что, когда я говорил в холле со служанкой, вор поджидал в гостиной?

— Это мое предположение.

— Мне оно не кажется правдоподобным, — сказал лорд Мейфилд. — Уж слишком это рискованно.

— Я не согласен с тобой, Чарлз, — возразил маршал авиации. — Это вполне возможно. Удивительно, что я сам до этого не додумался.

---

[1] На прогулке (фр.).

— Вот почему я считаю, что чертежи все еще в доме, — продолжал Пуаро. — Проблема в том, чтобы найти их.

— Это достаточно просто, — фыркнул сэр Джордж. — Нужно всех обыскать.

Лорд Мейфилд сделал протестующий жест, но Пуаро заговорил раньше его:

— Нет-нет, это не так просто, как кажется. Тот, кто взял чертежи, предвидел возможность обыска и позаботился, чтобы их не нашли среди его или ее вещей. Они спрятаны на нейтральной территории.

— Вы хотите сказать, что нам придется играть в «холодно-горячо» по всему дому?

Пуаро улыбнулся:

— Нет-нет, нам незачем действовать так грубо. Мы можем определить местонахождение чертежей (или личность виновного) с помощью умозаключений. Это упростит дело. Утром я побеседую с каждым находящимся в доме. Полагаю, что не стоит беспокоить всех сейчас.

Лорд Мейфилд кивнул:

— Возникнет слишком много вопросов и комментариев, если мы поднимем всех с постели в три часа ночи. В любом случае вы должны соблюдать осторожность, мсье Пуаро. Необходимо сохранять секретность.

Маленький человечек взмахнул рукой:

— Предоставьте это Эркюлю Пуаро. Моя ложь всегда изобретательна и убедительна. Итак, завтра я проведу расследование. Но до утра я бы хотел побеседовать с вами, сэр Джордж, и с вами, лорд Мейфилд.

Он поклонился обоим.

— Вы имеете в виду — наедине с каждым?

— Таково мое намерение.

Лорд Мейфилд слегка приподнял брови.

— Хорошо, — сказал он. — Я оставлю вас с сэром Джорджем. Когда я вам понадоблюсь, вы найдете меня в кабинете. Пошли, Карлайл.

Мейфилд и секретарь вышли, закрыв за собой дверь.

Сэр Джордж сел, машинально потянулся за сигаретой и озадаченно посмотрел на Пуаро.

— Знаете, — медленно произнес он, — я чего-то не понимаю...

— Все объясняется очень просто, — с улыбкой отозвался Пуаро. — Точнее говоря, двумя словами: миссис Вандерлин.

— Миссис Вандерлин? — переспросил Кэррингтон.

— Вот именно. Вопрос, который я собираюсь задать, возможно, было бы не совсем деликатно задавать лорду Мейфилду. Почему здесь присутствует миссис Вандерлин — леди, у которой сомнительная репутация? Я вижу три возможных объяснения. Первое — что лорд Мейфилд имеет penchant[1] к упомянутой леди (вот почему, не желая его смущать, я хотел поговорить с вами наедине); второе — что миссис Вандерлин — близкий друг кого-то из присутствующих...

— Меня можете исключить, — с усмешкой сказал сэр Джордж.

— Если обе возможности отпадают, вопрос еще более обостряется. Почему здесь миссис Вандерлин? Мне кажется, я начинаю догадываться. Ее присутствие было желательно для лорда Мейфилда по какой-то особой причине. Я прав?

Сэр Джордж кивнул:

— Абсолютно. Мейфилд слишком опытен, чтобы попасться на ее уловки. Она была нужна ему здесь совсем по другой причине.

Он пересказал ему свой разговор с лордом Мейфилдом за обеденным столом. Пуаро внимательно слушал.

— Теперь мне все ясно, — сказал он. — Тем не менее, по-моему, эта леди побила вас вашим же оружием.

Сэр Джордж выругался.

Пуаро наблюдал за ним с легкой усмешкой.

— Вы не сомневаетесь, что кража — ее рук дело? Я имею в виду, что она ответственна за нее, даже если и не играла в ней активную роль?

Сэр Джордж уставился на него:

— Разумеется! Кому же еще могло понадобиться похищать эти чертежи?

---

[1] Склонность (фр.).

Эркюль Пуаро откинулся в кресле и задумчиво уставился в потолок.

— Однако, сэр Джордж, не прошло и четверти часа, как мы с вами согласились, что чертежи стоят немалых денег. Возможно, не в такой очевидной форме, как банкноты, золото или драгоценности, а скорее — потенциально. Если здесь присутствовал кто-нибудь, испытывающий финансовые затруднения...

Сэр Джордж громко фыркнул.

— У кого их нет в наши дни? Полагаю, я могу так говорить, не навлекая на себя подозрения?

Пуаро вежливо улыбнулся:

— Mais oui, вы можете говорить что угодно, сэр Джордж, так как у вас железное алиби.

— Зато с деньгами у меня туго.

Пуаро печально покачал головой:

— Человек в вашем положении вынужден нести большие расходы. К тому же ваш сын в таком возрасте, когда деньги очень нужны.

— Одно образование чего стоит, а тут еще долги, — вздохнул сэр Джордж. — Но уверяю вас, Реджи — неплохой парень.

Пуаро с явным сочувствием слушал жалобы маршала авиации. У молодого поколения нет ни целеустремленности, ни стойкости; матери невероятно портят детей и всегда принимают их сторону; если женщина начинает играть, то ее уже не остановишь; глупо играть по более высоким ставкам, чем можешь себе позволить... Все это говорилось как бы ни о ком конкретно — сэр Джордж не упоминал ни жену, ни сына, но свойственная ему прямота делала его откровения вполне прозрачными.

— Простите, — внезапно извинился он. — Я не должен отвлекать вас от дела, тем более в такой час ночи — вернее, утра.

Кэррингтон подавил зевок.

— По-моему, вам следует лечь спать, сэр Джордж, — предложил Пуаро. — Вы были очень любезны и сообщили много полезных сведений.

— Пожалуй, я так и сделаю. Вы в самом деле думаете, что есть шанс вернуть чертежи?

Пуаро пожал плечами:

— Я намерен попытаться. Почему бы и нет?

— Спокойной ночи.

Он вышел из комнаты.

Некоторое время Пуаро сидел в кресле, задумчиво глядя в потолок, потом вынул записную книжечку и, найдя чистую страницу, написал:

М-с Вандерлин?

Леди Джулия Кэррингтон?

М-с Макэтта?

Реджи Кэррингтон?

М-р Карлайл?

Ниже он добавил:

М-с Вандерлин и м-р Реджи Кэррингтон?

М-с Вандерлин и леди Джулия?

М-с Вандерлин и м-р Карлайл?

Пуаро разочарованно покачал головой и пробормотал:

— C'est plus simple que ça[1].

Потом он написал несколько коротких фраз:

«Видел ли лорд Мейфилд «тень»? Если нет, почему он утверждает, что видел? Видел ли что-нибудь сэр Джордж? Он уверенно заявил, что ничего не видел после того, как я обследовал газон. Примечание: лорд Мейфилд близорук, может читать без очков, но пользуется моноклем, чтобы рассмотреть какой-нибудь предмет. Сэр Джордж дальнозоркий. Следовательно, с дальнего конца террасы он мог видеть лучше, чем лорд Мейфилд. Тем не менее лорд Мейфилд абсолютно уверен, что что-то видел, несмотря на сомнения друга.

Может ли кто-нибудь быть настолько выше подозрений, каким кажется мистер Карлайл? Лорд Мейфилд упорно настаивает на его невиновности — даже слишком упорно. Почему? Потому, что тайно подозревает его и стыдится своих подозрений? Или потому, что определенно подозревает кого-то другого — причем не миссис Вандерлин?»

Спрятав книжечку, Пуаро встал и направился в кабинет.

---

[1] Это слишком просто (фр.).

Глава 5

Когда Пуаро вошел, лорд Мейфилд сидел за письменным столом. Он повернулся, отложил ручку и вопросительно посмотрел на него:

— Ну, мсье Пуаро, вы побеседовали с Кэррингтоном?

Пуаро улыбнулся и сел.

— Да, лорд Мейфилд. Он прояснил проблему, которая меня озадачивала.

— Какую?

— Присутствие здесь миссис Вандерлин. Понимаете, мне казалось возможным...

Мейфилд быстро понял причину несколько преувеличенного смущения Пуаро.

— Вы думали, что я питаю слабость к этой леди? Отнюдь нет! Забавно, что Кэррингтон думал то же самое.

— Да, он пересказал мне ваш разговор на эту тему.

На лице лорда Мейфилда отразилось сожаление.

— Мой маленький план не сработал. Всегда неприятно признавать, что женщина оказалась умнее.

— Да, но она еще не оказалась умнее, лорд Мейфилд.

— Думаете, дело не так уж безнадежно? Рад это слышать. Мне бы тоже хотелось так думать. — Он вздохнул. — Я чувствую, что вел себя как круглый дурак — слишком понадеялся на свой план завлечь ее в ловушку.

Эркюль Пуаро зажег одну из своих миниатюрных сигарет.

— А в чем именно состоял ваш план, лорд Мейфилд?

— Ну... — Министр заколебался. — Я еще не продумал все детали.

— Вы ни с кем его не обсуждали?

— Нет.

— Даже с мистером Карлайлом?

— Даже с ним.

Пуаро улыбнулся:

— Привыкли играть в одиночку, лорд Мейфилд?

— Я всегда предпочитал так действовать, — довольно мрачно ответил министр.

— «Не доверяй никому» — благоразумный девиз. Но вы упоминали об этом лорду Кэррингтону?

— Только потому, что видел, как серьезно он беспокоится обо мне. — Воспоминание вызвало улыбку на устах лорда Мейфилда.

— Он ваш старый друг?

— Да. Я знаю его больше двадцати лет.

— А его жену?

— Ее я, разумеется, тоже давно знаю.

— Но (простите мою дерзость) с ней вы не настолько близки?

— Не вижу, мсье Пуаро, каким образом мои личные отношения с людьми могут иметь связь с этим делом?

— Думаю, что могут, лорд Мейфилд, и немалую. Вы ведь согласны, что моя теория насчет человека в гостиной вполне возможна?

— Да. Я уверен, что именно так все и было.

— Не стоит быть ни в чем уверенным — слишком смело с нашей стороны. Но если моя теория верна, кто, по-вашему, был в гостиной?

— Очевидно, миссис Вандерлин. Она уже один раз возвращалась туда за книгой и могла вернуться снова за сумочкой, носовым платком — под любым женским предлогом. Миссис Вандерлин подговорила горничную поднять крик и выманить Карлайла из кабинета, а сама проникла туда и тем же путем возвратилась обратно.

— Вы забываете, что это могла быть не миссис Вандерлин. Карлайл слышал, как она окликнула горничную сверху, когда он разговаривал с девушкой.

Лорд Мейфилд закусил губу.

— Вы правы — я забыл об этом. — Он выглядел раздосадованным.

— Не огорчайтесь — мы продвигаемся вперед, — утешил его Пуаро. — Сначала у нас было простое объяснение, будто похититель проник в кабинет снаружи и ускользнул с добычей. Очень удобная теория — как я говорил, слишком удобная, чтобы с ходу ее принять. Мы отказались от нее и перешли к теории иностранного агента, миссис Вандерлин, которая тоже казалась вероятной. Но теперь и она выглядит чересчур легкой, чтобы с ней согласиться.

— Вы вообще исключаете миссис Вандерлин из числа подозреваемых?

— В гостиной была не она. Там мог находиться ее сообщник, совершивший кражу, но, возможно, миссис Вандерлин тут вообще ни при чем. Если так, мы должны подумать о мотиве.

— Не слишком ли это притянуто за уши, мсье Пуаро?

— По-моему, нет. Итак, какой тут может быть мотив? Прежде всего, деньги. Бумаги могли украсть с целью получить за них крупную сумму. Это простейшая возможность. Но мотив может оказаться и совсем иным.

— Каким же?

— Кража могла быть осуществлена, — медленно произнес Пуаро, — с целью причинить кому-то вред.

— Кому?

— Возможно, мистеру Карлайлу. Он должен был стать наиболее очевидным подозреваемым. Но здесь может таиться и нечто более серьезное. Люди, контролирующие судьбу страны, лорд Мейфилд, особенно уязвимы для общественного мнения.

— Вы хотите сказать, что кража — это попытка дискредитировать меня?

Пуаро кивнул:

— Думаю, я прав, лорд Мейфилд. Лет пять назад вам пришлось пережить трудный период. Вас подозревали в дружбе с европейской державой, в то время крайне непопулярной среди избирателей.

— Вы абсолютно правы, мсье Пуаро.

— В наши дни на государственного деятеля возложена огромная ответственность. Он должен осуществлять политику, которую считает выгодной для своей страны, одновременно учитывая настроение общества. Ведь они не всегда могут правильно оценить деятельность того или иного руководителя.

— Отлично сказано! Вы точно выразили основу деятельности политика. Ему приходится склоняться перед общественным мнением, каким бы глупым и опасным оно ни было.

— Думаю, в этом и состояла ваша проблема. Ходили слухи, что вы заключили соглашение с упомянутой державой. Общественное мнение и пресса были возмущены. К счастью, премьер-министр категорически опроверг эти слухи, и вы сами отрицали их, не скрывая своих симпатий.

— Все это правда, мсье Пуаро, но зачем ворошить прошлое?

— Потому что мне кажется, что враг, разочарованный тем, как вы преодолели кризис, мог попытаться создать новую проблему. Вы быстро вернули доверие общества. Эти обстоятельства остались в прошлом, и сейчас вы являетесь одним из самых популярных политиков. О вас поговаривают как о будущем премьер-министре, когда мистер Ханберли уйдет в отставку.

— Вы думаете, кто-то хочет скомпрометировать меня? Чепуха!

— Tout de même, лорд Мейфилд, вам не пошло бы на пользу, если бы стало известно, что чертежи нового британского бомбардировщика похитили во время уик-энда, когда некая очаровательная леди была вашей гостьей. Туманные намеки в газетах на ваши отношения с этой леди породили бы недоверие к вам.

— Такое невозможно воспринимать всерьез!

— Вы отлично знаете, что это не так, мой дорогой лорд Мейфилд. Чтобы подорвать доверие к человеку, требуется очень мало.

— Это правда, — согласился лорд Мейфилд. Теперь он выглядел обеспокоенным. — Господи, каким же сложным становится это дело! Вы в самом деле думаете... Нет, это совершенно невозможно!

— Вы не знаете никого, кто бы вам завидовал?

— Абсурд!

— В любом случае вы должны признать, что мои вопросы о ваших личных отношениях с находящимися в этом доме не так уж неуместны.

— Да, возможно... Вы спрашивали меня о Джулии Кэррингтон. Тут, в общем, не о чем говорить. Я никогда особо ей не симпатизировал, и, думаю, она мне тоже. Джулия — одна из тех нервных, беспокойных созданий, которые кидают деньги на ветер и помешаны на картах. Думаю, она достаточно старомодна, чтобы презирать меня, как выскочку, который сам сделал карьеру.

— Я навел о вас справки в «Кто есть кто?», прежде чем приехать сюда, — сказал Пуаро. — Вы — глава известной фирмы и к тому же первоклассный инженер.

— Нет ничего, что бы я не знал о практической стороне дела. Можно сказать, я поднялся наверх с самого дна. — Тон лорда Мейфилда был довольно мрачным.

— О-ля-ля! — воскликнул Пуаро. — Как же глуп я был!

Министр уставился на него:

— Прошу прощения, мсье Пуаро?

— Эта часть загадки стала для меня абсолютно ясной. Кое-чего я не замечал до сих пор... Но теперь все сходится с идеальной точностью.

Лорд Мейфилд с недоумением посмотрел на него.

Пуаро с улыбкой покачал головой:

— Нет-нет, не сейчас. Я должен привести в порядок мои идеи.

Он поднялся.

— Спокойной ночи, лорд Мейфилд. Думаю, я знаю, где находятся чертежи.

— Знаете? — воскликнул министр. — Тогда давайте заберем сейчас же!

Пуаро снова покачал головой:

— Нет-нет, так не пойдет. Спешка оказалась бы роковой. Предоставьте все Эркюлю Пуаро.

Он вышел из комнаты. Лорд Мейфилд с презрением пожал плечами.

— Этот человек — шарлатан! — проворчал он, после чего, отложив бумаги и выключив свет, отправился спать.

Глава 6

— Если произошло ограбление, какого черта старик Мейфилд не вызвал полицию? — воскликнул Реджи Кэррингтон.

Он спустился последним. Хозяин дома, миссис Макэтта и сэр Джордж уже закончили завтрак, а его мать и миссис Вандерлин завтракали в постели.

Сэр Джордж описал происшедшее так, как было условлено с лордом Мейфилдом и Эркюлем Пуаро, но чувствовал, что ему не слишком это удалось.

— Не понимаю, зачем нужно было приглашать этого чудаковатого иностранца? — сказал Реджи. — А что украли, папа?

— Точно не знаю, мой мальчик.

Реджи поднялся. Этим утром он выглядел нервным и напряженным.

— Ничего... важного? Никаких... документов или чего-нибудь в таком роде?

— По правде говоря, Реджи, я не могу тебе ответить.

— Совершенно секретно, не так ли? Понимаю.

Реджи начал подниматься по лестнице, на полпути остановился, нахмурив брови, потом постучал в комнату матери.

Леди Джулия сидела в кровати, делая какие-то подсчеты на оборотной стороне конверта.

— Доброе утро, дорогой. — Посмотрев на сына, она резко спросила: — В чем дело, Реджи?

— Ничего особенного, но прошлой ночью, кажется, произошло ограбление.

— Ограбление? И что украли?

— Не знаю. Все строго секретно. Внизу какой-то чудной тип вроде частного детектива пристает ко всем с вопросами.

— Как странно!

— Не слишком приятно, — добавил Реджи, — гостить в доме, где такое происходит.

— А что именно произошло?

— Понятия не имею. Это случилось через некоторое время после того, как мы все отправились спать. Ты сейчас опрокинешь поднос, мама.

Он спас поднос и поставил его на столик у окна.

— Украли деньги?

— Говорю тебе, что не знаю.

— И этот детектив расспрашивает всех?

— Очевидно.

— Где каждый был прошлой ночью и тому подобное?

— Вероятно. Ну, от меня он узнает немного. Я поднялся к себе и сразу же заснул.

Леди Джулия промолчала.

— Ты не дашь мне немного денег, мама? Я абсолютно на мели.

— Не дам, — решительно ответила его мать. — Я и так чудовищно превысила кредит в банке. Не знаю, что скажет твой отец, когда узнает об этом.

В дверь постучали, и вошел сэр Джордж.

— Вот ты где, Реджи. Ты не спустишься в библиотеку? Мсье Эркюль Пуаро хочет с тобой поговорить.

Пуаро только что закончил беседу с грозной миссис Макэттой.

С помощью нескольких кратких вопросов ему удалось выяснить, что миссис Макэтта пошла спать незадолго до одиннадцати и не видела и не слышала ничего, что могло бы оказаться полезным.

Пуаро ловко перешел с кражи на более личные темы. Он заявил, что восхищается лордом Мейфилдом и считает его истинно великим человеком. Разумеется, миссис Макэтта более осведомлена, вращаясь в политических кругах...

— Лорд Мейфилд — человек толковый, — признала миссис Макэтта. — И он сделал карьеру только благодаря самому себе, а не наследственному влиянию. Возможно, ему недостает широты кругозора — в этом, увы, все мужчины похожи друг на друга. У них отсутствует воображение, которым наделены женщины. Через десять лет, мсье Пуаро, женщины станут огромной силой в правительстве.

Пуаро ответил, что не сомневается в этом, и переключился на миссис Вандерлин. Правда ли, что они, как ему однажды намекнули, являются очень близкими друзьями?

— Ничего подобного. Откровенно говоря, я была очень удивлена, встретив ее здесь.

Пуаро предложил миссис Макэтте высказать мнение о миссис Вандерлин, что она охотно сделала:

— Одна из абсолютно бесполезных женщин, мсье Пуаро, которые могут заставить других стыдиться своего пола. Паразит с головы до ног!

— Но ведь мужчины ею восхищаются?

— Мужчины! — Миссис Макэтта произнесла это слово с невероятным презрением. — Для них важнее всего красивая внешность. Этот мальчик, Реджи Кэррингтон, краснел всякий раз, когда эта женщина заговаривала с ним, довольный, что на него обратили внимание. А она так глупо ему льстила — похвалила его игру в бридж, которая была далеко не блестящей.

— Значит, он не слишком хороший игрок?

— Вчера вечером он сделал все ошибки, какие только можно было сделать.

— Зато леди Джулия играет хорошо, не так ли?

— По-моему, даже слишком хорошо, — ответила миссис Макэтта. — Это стало для нее почти профессией. Она играет утром, днем и вечером.

— И по высоким ставкам?

— Куда более высоким, чем я могла бы себе позволить. Не могу сказать, что я это одобряю.

— Очевидно, она много выигрывает?

Миссис Макэтта громко и негодующе фыркнула.

— Леди Джулия надеется таким образом расплатиться с долгами. Но я слышала, что в последнее время ей крупно не везло. Вчера вечером она выглядела так, словно что-то задумала. Игра, мсье Пуаро, ненамного меньшее зло, чем пьянство. Будь у меня полномочия, страна бы очистилась...

Пуаро пришлось выслушать длительные рассуждения о моральном очищении Англии. После этого он ловко закончил беседу и послал за Реджи Кэррингтоном.

Когда молодой человек вошел в комнату, Пуаро окинул его внимательным взглядом, отметив безвольный рот, маскируемый очаровательной улыбкой, нерешительный подбородок, широко расставленные глаза, довольно узкий череп. Тип, к которому принадлежал Реджи Кэррингтон, был ему хорошо знаком.

— Мистер Реджи Кэррингтон?

— Да. Я могу вам чем-нибудь помочь?

— Просто расскажите все, что можете, о прошлой ночи.

— Дайте подумать... Мы играли в бридж в гостиной, а потом я пошел спать.

— В какое время?

— Незадолго до одиннадцати. Полагаю, кража произошла после этого?

— Да, после. Вы ничего не видели и не слышали?

Реджи с сожалением покачал головой:

— Боюсь, что нет. Я сразу лег, а сплю я очень крепко.

— Вы пошли в вашу спальню прямо из гостиной и оставались там до утра?

— Да.

— Любопытно, — заметил Пуаро.

— Что вы имеете в виду? — резко осведомился Реджи.

— Вы не слышали крик?

— Нет, не слышал.

— Это очень любопытно.

— Не понимаю, о чем вы.

— Вы немного глуховаты?

— Разумеется, нет.

Губы Пуаро шевельнулись. Возможно, он в третий раз произнес слово «любопытно».

— Благодарю вас, мистер Кэррингтон, — сказал он. — Это все.

Реджи поднялся и остановился в нерешительной позе.

— Знаете, — заговорил он, — когда вы об этом упомянули, мне кажется, что я слышал нечто подобное.

— Вот как?

— Да, но я читал книгу — детективный роман — и не обратил особого внимания...

— Весьма удовлетворительное объяснение, — заметил Пуаро бесстрастным тоном.

Поколебавшись, Реджи повернулся и медленно направился к двери. Там он остановился и спросил:

— А что именно украли?

— Нечто очень ценное, мистер Кэррингтон. Это все, что я могу вам сообщить.

— О!.. — рассеянно произнес Реджи и вышел из комнаты.

Пуаро кивнул.

— Все отлично сходится, — пробормотал он.

Нажав кнопку звонка, он вежливо осведомился, встала ли уже миссис Вандерлин.

Глава 7

Миссис Вандерлин выглядела очаровательно в искусно скроенном спортивном костюме красно-коричневого оттенка, прекрасно оттеняющего цвет ее волос. Она подплыла к стулу и ослепительно улыбнулась стоявшему перед ней маленькому человечку.

На момент в этой улыбке промелькнуло нечто похожее то ли на торжество, то ли на насмешку и тут же исчезло, не оставшись, однако, незамеченным Пуаро.

— Кража? Прошлой ночью? Какой ужас! А я и понятия не имела! Что думает полиция? Неужели они не в состоянии ничего сделать?

И снова в ее взгляде мелькнула насмешка.

«Очевидно, вы не опасаетесь полиции, миледи, — подумал Эркюль Пуаро. — Вы отлично знаете, что ее не станут вызывать».

Но что из этого следует?

— Надеюсь, вы понимаете, мадам, — сказал он, — что это дело — строго конфиденциальное.

— Естественно, мсье... Пуаро, не так ли?.. я не пророню никому ни слова. Я слишком восхищаюсь дорогим лордом Мейфилдом, чтобы причинить ему хотя бы малейшее беспокойство.

Миссис Вандерлин закинула ногу на ногу. Лакированная туфелька из коричневой кожи болталась на кончике обтянутой шелком ступни.

Неотразимая улыбка словно свидетельствовала о прекрасном здоровье и довольстве жизнью.

— Могу я чем-нибудь помочь?

— Благодарю вас, мадам. Вчера вечером вы играли в бридж в гостиной?

— Да.

— Насколько я понимаю, потом все леди пошли спать?

— Совершенно верно.

— Но кое-кто вернулся за книгой. Это были вы, не так ли, миссис Вандерлин?

— Я вернулась первой.

— Что значит — первой? — резко спросил Пуаро.

— Я вернулась сразу же, — объяснила миссис Вандерлин. — Потом я поднялась наверх и позвонила моей горничной. Она все не приходила. Я позвонила снова, а затем вышла на площадку, услышала голос горничной и позвала ее. Когда Леони причесала меня, я ее отослала — она нервничала и пару раз запутала мои волосы в гребне. Выйдя следом за ней, я увидела леди Джулию, поднимающуюся по лестнице. Она сказала мне, что тоже спускалась за книгой. Любопытно, правда?

Миссис Вандерлин улыбнулась широкой, кошачьей улыбкой. Эркюль Пуаро подумал, что она явно не симпатизирует леди Джулии Кэррингтон.

— Согласен с вами. Скажите, мадам, вы слышали, как кричала ваша горничная?

— Да, что-то в этом роде.

— Вы спросили ее, в чем дело?

— Да. Она ответила какую-то чепуху — будто видела фигуру в белом, плывущую по воздуху!

— Как была одета вчера вечером леди Джулия?

— Вы думаете, что... Да, понимаю. На ней было белое вечернее платье. Конечно, это все объясняет. Должно быть, Леони приняла ее в темноте за привидение. Эти девушки так суеверны.

— Ваша горничная давно служит у вас, мадам?

— Нет. Около пяти месяцев.

— Я бы хотел побеседовать с ней наедине, если вы не возражаете, мадам.

Миссис Вандерлин приподняла брови.

— Да, разумеется, — холодно ответила она.

— Понимаете, мне нужно расспросить ее...

— Да-да.

Снова насмешка во взгляде.

482

Пуаро встал и поклонился.

— Я восхищен вами, мадам.

Миссис Вандерлин казалась сбитой с толку.

— Это очень любезно с вашей стороны, мсье Пуаро, но почему?

— Вы так хладнокровны, так уверены в себе.

— Должна ли я воспринимать это как комплимент?

— Возможно, как предупреждение — не быть излишне самонадеянной.

Миссис Вандерлин рассмеялась, встала и протянула руку.

— Желаю вам успеха, дорогой мсье Пуаро. Благодарю вас за любезности.

Она вышла из комнаты.

«Ты желаешь мне успеха, вот как? — подумал Пуаро. — А сама уверена, что у меня ничего не получится! От этого можно выйти из себя!»

Он с раздражением дернул шнур звонка и попросил прислать к нему мадемуазель Леони.

Окинув взглядом неуверенно стоящую в дверях девушку в черном платье, с разделенными аккуратным пробором черными локонами и скромно опущенными веками, Пуаро одобрительно кивнул.

— Входите, мадемуазель Леони, — пригласил он. — Не бойтесь.

Девушка вошла в комнату и остановилась перед Пуаро.

— Вы знаете, — заметил Пуаро, изменив тон, — что на вас очень приятно смотреть?

Леони метнула на него быстрый взгляд и тихо пробормотала:

— Мсье очень любезен.

— Представьте себе! — продолжал Пуаро. — Я спросил у мсье Карлайла, хорошенькая вы или нет, а он ответил, что не знает!

Леони презрительно выпятила подбородок.

— Этот истукан!

— Хорошее описание.

— Я не верю, что он хоть раз в жизни посмотрел на девушку.

— Вполне возможно. Очень жаль — он многое потерял. Но в доме есть и другие — более восприимчивые, не так ли?

— Право, не знаю, что мсье имеет в виду.

— Отлично знаете, мадемуазель Леони. Вы уверяли, будто прошлой ночью видели привидение. Но как только я услышал, что вы стояли поднеся руки к голове, то сразу понял, что о привидениях не может быть и речи. Если девушка испугана, она прижимает руку к сердцу или ко рту, чтобы сдержать крик, но если она поднимает руки к голове, значит, ей повредили прическу и она спешит привести ее в порядок. А теперь, мадемуазель, говорите правду. Почему вы кричали на лестнице?

— Но это правда, мсье. Я видела высокую фигуру в белом...

— Не оскорбляйте мой интеллект, мадемуазель. Возможно, эта история достаточно хороша для мсье Карлайла, но никак не для Эркюля Пуаро. Правда в том, что вас поцеловали, верно? И я догадываюсь, что это сделал мсье Реджи Кэррингтон.

Леони не выглядела обескураженной.

— В конце концов, что значит один поцелуй? — осведомилась она.

— В самом деле, — галантно согласился Пуаро.

— Понимаете, молодой джентльмен подошел сзади и схватил меня за талию. Естественно, я испугалась и закричала. Знай я, в чем дело, то, конечно, не стала бы кричать.

— Разумеется, — кивнул Пуаро.

— Но он подкрался бесшумно, как кот! Потом дверь кабинета открылась и оттуда вышел мсье секретарь — молодой человек быстро ускользнул наверх, а я осталась стоять, как дура. Естественно, мне нужно было что-то сказать, тем более... — она перешла на французский, — un jeune homme comme ça, tellement comme il faut![1]

— Поэтому вы изобрели привидение?

---

[1] Такому приличному молодому человеку (*фр.*).

— Это все, что мне пришло в голову, мсье. Высокая фигура в белом, парящая в воздухе. Конечно, это нелепо, но что еще мне оставалось делать?

— Ничего. Итак, все объяснилось. Впрочем, я подозревал это с самого начала.

Леони бросила на него уважительный взгляд:

— Мсье очень умный и очень симпатичный.

— А так как я не собираюсь причинять вам неприятности из-за этой истории, вы сделаете для меня кое-что в благодарность?

— Охотно, мсье.

— Что вам известно о делах вашей хозяйки?

Девушка пожала плечами:

— Очень мало, мсье. Конечно, у меня есть предположения...

— Какие?

— От меня не укрылось, что друзья мадам — всегда военные, моряки или летчики. Есть еще иностранные джентльмены, которые иногда навещают ее потихоньку. Мадам очень красива, хотя я не думаю, что это надолго. Но молодые люди находят ее весьма привлекательной. Иногда они говорят слишком много. Но это только мое предположение — мадам со мной не откровенничает.

— Иными словами, она предпочитает действовать в одиночку?

— Да, мсье.

— Значит, вы не в состоянии мне помочь?

— Боюсь, что нет, мсье.

— Скажите, ваша хозяйка сегодня в хорошем настроении?

— Даже в очень хорошем, мсье.

— По какой причине?

— Она была в хорошем настроении с тех пор, как приехала сюда.

— Вам виднее, Леони.

— Да, мсье, — уверенно согласилась девушка. — Тут я не могу ошибиться. Я знаю все настроения мадам.

— Можно сказать, она торжествует?

485

— Самое подходящее слово, мсье.

Пуаро мрачно кивнул:

— Это нелегко вынести. Но приходится мириться с неизбежностью. Благодарю вас, мадемуазель, это все.

Леони бросила на него кокетливый взгляд:

— Спасибо, мсье. Если я встречу мсье на лестнице, он может не сомневаться, что я не закричу.

— Дитя мое, — с достоинством произнес Пуаро, — такие фривольности не для моих преклонных лет.

Леони рассмеялась и вышла.

Пуаро бродил взад-вперед по комнате. Его лицо было серьезным и обеспокоенным.

— А теперь очередь леди Джулии, — промолвил он вслух. — Интересно, что она скажет?

Леди Джулия вошла в комнату с уверенным видом. Грациозно кивнув, она опустилась на стул, который придвинул ей Пуаро, и заговорила негромким голосом безукоризненно воспитанной женщины:

— Лорд Мейфилд сказал, что вы хотите задать мне несколько вопросов.

— Да, мадам, по поводу прошлой ночи. Что произошло, когда вы закончили игру в бридж?

— Мой муж решил, что слишком поздно начинать следующий роббер, поэтому я пошла к себе.

— А потом?

— Я легла спать.

— И это все?

— Да. Боюсь, что не могу сообщить вам ничего интересного. Когда произошла эта... кража? — Она произнесла последнее слово после некоторого колебания.

— Вскоре после того, как вы поднялись наверх.

— Понятно. А что именно было украдено?

— Кое-какие бумаги, мадам.

— Важные?

— Очень.

Леди Джулия слегка нахмурилась:

— И они... представляют ценность?

— Да, мадам, они стоят немало денег.

— Понятно, — снова сказала она.

— Как насчет вашей книги, мадам? — спросил Пуаро после паузы.

— Моей книги? — Леди Джулия озадаченно посмотрела на него.

— Да. Миссис Вандерлин сказала, что вскоре после того, как все три леди покинули гостиную, вы спустились назад за книгой.

— Да, я так и сделала.

— Значит, вы не сразу легли спать, когда поднялись наверх? Вы вернулись в гостиную?

— Да, это правда. Я забыла.

— Находясь в гостиной, вы не слышали крик?

— Нет... да... не думаю.

— Вы никак не могли его не слышать, мадам.

Леди Джулия вскинула голову и твердо заявила:

— Я ничего не слышала.

Пуаро поднял брови, но промолчал.

— Какие принимаются меры? — резко осведомилась леди Джулия, когда пауза стала неловкой.

— Меры? Не понимаю вас, мадам.

— Я имею в виду кражу. Должна же полиция что-то делать.

Пуаро покачал головой:

— Полицию не вызывали, мадам. Я веду расследование.

Она уставилась на него — ее усталое, беспокойное лицо напряглось, ищущий взгляд пытался проникнуть сквозь броню его бесстрастности, но потерпел поражение.

— И вы не можете сообщить мне, какие принимаете меры?

— Могу лишь заверить вас, мадам, что я ничего не оставлю без внимания.

— Чтобы поймать вора или... вернуть бумаги?

— Самое главное — вернуть бумаги, мадам.

Ее поведение внезапно изменилось — она стала вялой и апатичной.

— Полагаю, вы правы.

Последовала очередная пауза.

— Что-нибудь еще, мсье Пуаро?

— Нет, мадам. Больше не стану вас задерживать.

— Благодарю вас.

Он распахнул перед ней дверь. Она вышла, не глядя на него.

Пуаро вернулся к камину и стал приводить в порядок безделушки на полке. За этим занятием его застал лорд Мейфилд.

— Ну? Как дела? — осведомился он.

— Думаю, все идет как надо. Факты приобретают определенную форму.

Лорд Мейфилд уставился на него:

— И вы удовлетворены?

— Не вполне, но это меня устраивает.

— Право, мсье Пуаро, я не могу вас понять.

— Я вовсе не такой шарлатан, как вы думаете.

— Я никогда не говорил...

— Но вы думали! Ладно, это не имеет значения. Я не обижаюсь. Иногда бывает необходимо выглядеть шарлатаном.

Во взгляде лорда Мейфилда сквозило недоверие. Он не понимал Эркюля Пуаро. Что-то подсказывало ему, что забавный маленький человечек отнюдь не так нелеп, как кажется, и не позволяло относиться к нему с презрением. Чарлз Маклафлин всегда мог распознать незаурядную личность, когда видел ее.

— Мы в ваших руках, — сказал он. — Что вы посоветуете теперь?

— Вы можете избавиться от ваших гостей?

— Думаю, это можно устроить... Я скажу, что из-за этой истории должен съездить в Лондон. Тогда они, возможно, сами захотят уехать.

— Отлично. Займитесь этим.

Лорд Мейфилд колебался:

— Вы не думаете, что...

— Я вполне уверен, что это самое правильное решение.

Министр пожал плечами:

— Ну, если вы так считаете...

Он вышел из комнаты.

Гости отбыли после ленча. Миссис Вандерлин и миссис Макэтта поехали поездом, а Кэррингтоны — в своем автомобиле. Пуаро стоял в холле, когда миссис Вандерлин прощалась с хозяином дома.

— Так жаль, что у вас столько неприятностей! Надеюсь, все кончится хорошо. Я не пророню об этом ни слова.

Пожав ему руку, она вышла к поджидающему «роллс-ройсу», который должен был доставить ее на станцию. Миссис Макэтта уже сидела в машине. Ее прощание было кратким и не обремененным выражениями сочувствия.

Внезапно Леони, сидевшая впереди рядом с шофером, бросилась назад в холл.

— В машине нет несессера мадам, — объяснила она.

Последовали спешные поиски. Наконец лорд Мейфилд нашел несессер в тени старого дубового сундука. Леони с радостным криком схватила элегантное изделие из зеленого сафьяна и быстро выбежала.

Миссис Вандерлин высунулась из окошка автомобиля. Позвав лорда Мейфилда, она протянула ему конверт.

— Вы бы не могли отправить это письмо? Я уверена, что забуду опустить его в ящик в городе. Обычно письма неделями лежат в моей сумке.

Сэр Джордж Кэррингтон щелкнул крышкой часов. Он был фанатиком пунктуальности.

— У них времени в обрез, — пробормотал он. — Если они не поторопятся, то опоздают на поезд.

— Не суетись, Джордж, — с раздражением сказала ему жена. — В конце концов, это их поезд, а не наш!

Он укоризненно посмотрел на нее.

«Роллс-ройс» наконец тронулся с места.

Реджи подъехал к парадному входу в «моррисе» Кэррингтонов.

— Можем ехать, папа, — сказал он.

Слуги начали выносить багаж Кэррингтонов. Реджи наблюдал за его укладкой.

Пуаро тоже вышел поглядеть на происходящее.

Внезапно он ощутил на своем предплечье чью-то руку и услышал взволнованный шепот леди Джулии:

— Мсье Пуаро, я должна немедленно поговорить с вами!

Пуаро послушно последовал за ней в маленькую утреннюю комнату. Леди Джулия закрыла дверь и подошла к нему.

— То, что вы сказали, — правда? Я имею в виду, что самое главное для лорда Мейфилда — найти бумаги?

Пуаро с любопытством посмотрел на нее:

— Истинная правда, мадам.

— Если бы... если бы эти бумаги вернули вам, вы могли бы обеспечить, чтобы их передали лорду Мейфилду без лишних вопросов?

— Я не уверен, что понимаю вас.

— А я уверена, что отлично понимаете! Я предлагаю вам вернуть бумаги при условии, что вор останется неизвестен.

— И когда же это произойдет, мадам? — осведомился Пуаро.

— В течение двенадцати часов.

— Вы можете это обещать?

— Да, могу. — Так как Пуаро молчал, она нетерпеливо спросила: — А вы можете обещать, что не будет никакой огласки?

— Да, мадам, я обещаю вам это, — серьезно ответил Пуаро.

— Тогда все можно устроить.

Она быстро вышла из комнаты. Вскоре Пуаро услышал звук отъезжающего автомобиля.

Он пересек холл и направился по коридору к кабинету. Сидевший там лорд Мейфилд посмотрел на Пуаро.

— Ну? — осведомился он.

Пуаро развел руками.

— Дело закончено, лорд Мейфилд.

— Что?!

Пуаро повторил слово в слово свой разговор с леди Джулией.

Лорд Мейфилд выглядел ошеломленным.

— Но что это означает? Не понимаю!

— Все ясно, не так ли? Леди Джулия знает, кто украл чертежи.

— Вы же не хотите сказать, что она сама их взяла?

— Разумеется, нет. Леди Джулия — игрок, но не воровка. Однако, если она предлагает вернуть чертежи, это значит, что их взял ее муж или сын. Сэр Джордж был на террасе вместе с вами. Остается сын. Думаю, я могу достаточно точно восстановить события прошлой ночи. Леди Джулия пошла в комнату сына, но никого там не обнаружила. Она спустилась вниз, но не нашла его и там. Утром леди Джулия узнает о краже и слышит, как ее сын заявляет, что вечером сразу пошел в свою комнату и ни разу ее не покидал. Она знает, что это ложь. Более того, ей известно, что ее слабовольный сын отчаянно нуждается в деньгах и что он очарован миссис Вандерлин. Теперь для нее все ясно: миссис Вандерлин убедила Реджи украсть чертежи. Леди Джулия хочет вмешаться. Она припрет Реджи к стене, заберет у него чертежи и вернет их.

— Но ведь это просто невозможно! — воскликнул лорд Мейфилд.

— Да, невозможно, но леди Джулия этого не знает. Ей неизвестно то, что знаю я, Эркюль Пуаро, — а именно, что молодой Реджи Кэррингтон прошлой ночью не воровал чертежи, а флиртовал с горничной миссис Вандерлин.

— Выходит, дело все-таки не закончено?

— Нет, оно закончено, ибо я, Эркюль Пуаро, знаю правду. Вы мне не верите? Вы не поверили мне и вчера, когда я сказал, что чертежи здесь. Но я это знал. Они были совсем рядом.

— Где же?

— В вашем кармане, милорд.

Последовала длительная пауза.

— Вы понимаете, что говорите, мсье Пуаро? — спросил наконец лорд Мейфилд.

— Понимаю. Я также понимаю, что говорю с очень умным человеком. С самого начала меня озадачило, что вы, человек близорукий, так уверенно заявляли о фигуре, выскользнувшей из окна кабинета. Для вас эта версия была очень удобной. Почему? Позднее я исключил всех остальных, одного за другим, из числа подозреваемых. Миссис Вандерлин была наверху, сэр Джордж находился с вами на террасе, Реджи Кэррингтон — с горничной на лестнице, а миссис Макэтта, несомненно, в своей спальне (она рядом с комнатой экономки, а миссис Макэтта сильно храпит). Леди Джулия явно считала виновным своего сына. Оставались только две возможности. Либо Карлайл положил чертежи не на стол, а себе в карман (а это бессмысленно, потому что, как вы сказали, он мог легко их скопировать), либо они были на столе, когда вы подошли к нему, и единственное место, куда они могли перекочевать, — ваш карман. В таком случае все становилось ясным. Ваша настойчивость по поводу таинственной фигуры и невиновности Карлайла, а также нежелание обратиться ко мне.

Меня озадачивала только одна вещь — мотив. Понимаете, я был убежден, что вы честный и порядочный человек. Об этом свидетельствовало ваше стремление отвести подозрения от невиновного. Не подлежало также сомнению, что пропажа чертежей могла пагубно отразиться на вашей карьере. К чему же тогда эта абсолютно бессмысленная кража? В конце концов я нашел ответ. Кризис в вашей карьере несколько лет тому назад, заверения, данные миру премьер-министром, что вы не вели переговоров с державой, о которой шла речь... Предположим, что это не вполне соответствовало действительности, что сохранился какой-то документ — возможно, письмо, — свидетельствующий, что вы занимались тем, что столь энергично отрицали. Разумеется, это отрицание было необходимо в интересах публичной политики, но сомнительно, чтобы этот довод подействовал на общественность. Стало быть, в тот момент, когда верховная власть могла бы перейти в ваши руки, нелепое эхо прошлого все бы погубило.

Я подозреваю, что письмо попало в руки правительства определенной страны, которое предложило вам сделку — письмо в обмен на чертежи нового бомбардировщика. Многие на вашем месте ответили бы отказом, но вы согласились. Миссис Вандерлин действовала в качестве посредника. Она приехала сюда по договоренности с вами, чтобы произвести обмен. Вы выдали себя, признавшись, что не имеете конкретного плана, чтобы завлечь ее в западню. Это признание сделало ваше объяснение ее присутствия здесь крайне неубедительным.

Вы организовали «кражу» — притворились, будто видели вора на террасе, чтобы отвести от Карлайла подозрения. Даже если он не покидал комнаты, стол находился так близко от окна, что вор легко мог взять чертежи, когда Карлайл стоял у сейфа спиной к окну. Вы подошли к столу, взяли чертежи и держали их при себе до того момента, когда, согласно плану, переложили их в несессер миссис Вандерлин. В обмен она вручила вам компрометирующий документ под видом собственного неотправленного письма.

Пуаро умолк.

— Вы знаете абсолютно все, мсье Пуаро, — вздохнул лорд Мейфилд. — Должно быть, вы считаете меня законченным негодяем.

Пуаро сделал протестующий жест:

— Нет-нет, лорд Мейфилд. Как я уже говорил, я считаю вас очень умным человеком. Во время нашей беседы прошлой ночью мне внезапно пришла в голову мысль. Ведь вы первоклассный инженер. Очевидно, вам удалось сделать в чертежах такие искусные и незаметные изменения, что трудно будет понять причину, по которой бомбардировщик не оправдает ожиданий. В некоей иностранной державе сочтут машину негодной. Думаю, они будут сильно разочарованы.

Последовала очередная пауза.

— Вы слишком умны, мсье Пуаро, — заговорил наконец лорд Мейфилд. — Прошу вас не сомневаться во мне. Я глубоко убежден, что я тот человек, который сумеет вывести Англию из грядущего кризиса. Если бы я не был уверен, что я нужен моей стране, чтобы управлять кораблем государства, я бы не стал спасать себя от катастрофы с помощью ловкого трюка.

— Милорд, — сказал Пуаро, — если бы вы не умели использовать ловкие трюки в критических ситуациях, вы не могли бы называться политиком.

ЗЕРКАЛО МЕРТВЕЦА

Глава 1

Квартира была современной, это касалось и обстановки комнаты. Кресла были квадратными, а стулья — прямоугольными. За столь же современным письменным столом, стоящим у окна, сидел маленький пожилой человечек. Его голова была практически единственным непрямоугольным предметом в комнате — по форме она напоминала яйцо.

Мсье Эркюль Пуаро читал письмо:

«Железнодорожная станция: Уимперли. «Хэмборо-Клоуз».
Телеграммы: Хэмборо-Сент-Мэри
Хэмборо-Сент-Джон. Уэстшир
24 сентября 1936 г.
Мсье Эркюлю Пуаро

Дорогой сэр!
Дело, по которому я пишу Вам, требует чрезвычайной деликатности и осторожности. Поскольку я слышал о Вас много хороших отзывов, то решил доверить это дело Вам. У меня есть основания полагать, что я являюсь жертвой мошенничества, но по семейным обстоятельствам мне не хотелось бы обращаться в полицию. Я сам принимаю определенные меры, но Вы должны быть готовы выехать сюда сразу же после по-

лучения телеграммы. Буду Вам признателен, если Вы не ответите на это письмо.

Искренне Ваш,

Джервас Чевеникс-Гор».

Брови мсье Эркюля Пуаро медленно поползли вверх, едва не слившись с волосами.

— Кто же такой этот Джервас Чевеникс-Гор? — вслух осведомился он.

Подойдя к полке, Пуаро вытащил толстую книгу и быстро нашел то, что ему было нужно.

«Чевеникс-Гор, сэр Джервас Франсис Ксэвьер, 10-й баронет, титул создан в 1694 г.; ранее капитан 17-го уланского полка; родился 18 мая 1878 г.; старший сын сэра Гая Чевеникс-Гора, 9-го баронета, и леди Клодии Брезертон, второй дочери 8-го графа Уоллингфорда. Титул унаследовал в 1911 г.; с 1912 г. женат на Ванде Элизабет, старшей дочери полковника Фредерика Арбатнота; образование: Итон; участник мировой войны 1914—1918 гг. Увлечения: путешествия, охота на крупного зверя. Адреса: Хэмборо-Сент Мэри, Уэстшир, и Лоундс-Сквер, 218, Юго-Запад, 1. Клубы: Кавалеристов, Путешественников».

Пуаро разочарованно покачал головой. Пару минут он оставался погруженным в раздумья, затем подошел к столу, выдвинул ящик и извлек маленькую пачку пригласительных карточек.

Его лицо прояснилось.

— A la bonne heur![1] Вот кто мне нужен. Он, безусловно, там будет.

Радушие герцогини, приветствовавшей мсье Эркюля Пуаро, казалось не очень искренним.

— Какое счастье, что вы все-таки смогли прийти, мсье Пуаро!

— Это счастье для меня, мадам, — с поклоном отозвался Пуаро.

---

[1] В добрый час! *(фр.)*

Успешно ускользнув от знаменитого дипломата, столь же знаменитой актрисы и прославившегося охотничьими подвигами пэра, он наконец нашел того, кого искал, — неизменно упоминавшегося в числе «также присутствующих» гостей мистера Сэттерсуэйта.

— Милая герцогиня!.. — дружелюбно щебетал мистер Сэттерсуэйт. — Я всегда в восторге от ее приемов... Такая яркая личность... Я часто виделся с ней на Корсике несколько лет тому назад...

Мистер Сэттерсуэйт всегда очень любил при разговоре упоминать о своих титулованных знакомых. Вполне возможно, что иногда ему доставляла удовольствие компания мистера Джоунса, Брауна или Робинсона, но об этом он никогда не распространялся. И все же описывать мистера Сэттерсуэйта всего лишь как сноба было бы несправедливо. Он был тонким знатоком человеческой натуры и, если верить пословице «со стороны виднее», повидал на своем веку немало интересного.

— Друг мой, кажется, мы не виделись с вами уже несколько лет. Я всегда гордился тем, что имел возможность наблюдать за вашей работой во время того дела в Кроуз-Нест[1]. Так приятно быть в курсе дела! Кстати, я только на прошлой неделе видел леди Мэри[2]. Очаровательное существо — фейерверк ароматических смесей и лаванды!

После краткого обсуждения пары злободневных скандалов — нескромности графской дочери и неблаговидного поведения виконта — Пуаро наконец удалось упомянуть имя Джерваса Чевеникс-Гора.

Мистер Сэттерсуэйт тотчас же откликнулся:

— О, это личность! Его прозвище — Последний из баронетов.

— Pardon, я не вполне понимаю.

Мистер Сэттерсуэйт снисходительно отнесся к непонятливости иностранца:

---

[1] См. роман «Трагедия в трех актах».
[2] Л е д и   М э р и   Л и т т о н - Г о р — персонаж романа «Трагедия в трех актах».

— Это всего лишь щутка. Разумеется, он не последний баронет в Англии, но знаменует собой конец целой эпохи. Сэр Джервас из тех самоуверенных и легкомысленных баронетов, которые были популярны в романах прошлого века. Такие, как он, заключают заведомо проигрышные пари и, несмотря ни на что, выигрывают.

Мистер Сэттерсуэйт пояснил сказанное. В молодые годы Джервас Чевеникс-Гор объехал на яхте вокруг света. Он участвовал в экспедиции к полюсу, вызвал на дуэль заносчивого пэра, на спор проскакал верхом по лестнице герцогского дома. Как-то он выпрыгнул из ложи на сцену и похитил знаменитую актрису во время спектакля.

Его имя было окутано множеством легенд.

— Это старинное семейство, — продолжал мистер Сэттерсуэйт. — Сэр Гай де Шевени участвовал в первом крестовом походе. Теперь, увы, их род угасает. Сэр Джервас — последний из Чевеникс-Горов.

— И его имение, должно быть, в запущенном состоянии?

— Отнюдь. Джервас сказочно богат. Кроме недвижимости, он владеет угольными копями. Еще в молодости он заявил права на рудник в Перу или где-то еще в Южной Америке, который принес ему удачу. Удивительный человек. Ему везло абсолютно во всех начинаниях.

— Он, конечно, уже немолод?

— Да. Бедняга Джервас. — Мистер Сэттерсуэйт вздохнул и покачал головой. — Большинство людей считает его сумасшедшим. В какой-то мере так оно и есть. Джервас действительно сумасшедший — не в том смысле, что имеет справку о невменяемости или страдает какой-нибудь манией, а в том, что он ненормален. Его поведение всегда было более чем оригинальным.

— А оригинальность с годами переросла в эксцентричность? — предположил Пуаро.

— Совершенно верно. Именно это и произошло со стариной Джервасом.

— Может, он слишком много о себе возомнил?

— Безусловно. Мне кажется, Джервас всегда делил человечество на две части: к одной относились Чевеникс-Горы, а к другой — все остальные.

— Чрезмерная родовая спесь?

— Вот именно. Все Чевеникс-Горы были дьявольски надменны — для них не существовало никаких законов, кроме собственных. Джервас в этом смысле — достойный наследник. Слушая его, можно подумать, что он — Господь Всемогущий!

Пуаро кивнул:

— Так я и думал. Понимаете, я получил от него письмо. Не совсем обычное. Оно не просит, а повелевает!

— Королевский приказ! — усмехнулся мистер Сэттерсуэйт.

— Совершенно верно. Вашему сэру Джервасу, кажется, не приходит в голову, что я, Эркюль Пуаро, занятой человек и к тому же не менее важная персона, чем он! Немыслимо, чтобы я бросил все дела и помчался к нему, как собачонка, как какое-нибудь ничтожество, польщенное данным ему поручением!

Мистер Сэттерсуэйт закусил губу, стараясь сдержать улыбку. Очевидно, ему пришло в голову, что в проявлении эгоцентризма Эркюль Пуаро и Джервас Чевеникс-Гор были примерно равны.

— Конечно, — пробормотал он, — если причина вызова была неотложной...

— В том-то и дело, что нет! — Пуаро выразительно взмахнул руками. — Мне было приказано оставаться в его распоряжении на случай, если я ему потребуюсь, — вот и все! Enfin, je vous demande?[1]

Взмах руками ярче любых слов выразил возмущение мсье Эркюля Пуаро.

— Насколько я понимаю, вы отказались? — осведомился мистер Сэттерсуэйт.

— Я еще не имел возможности отправить ему письмо, — медленно ответил Пуаро.

— Но вы откажетесь?

На лице маленького человечка появилось смятение.

---

[1] Что же это такое, в конце концов? (фр.)

— Не знаю, как вам объяснить... — Пуаро задумчиво наморщил лоб. — Моим первым побуждением было отказаться. Но у меня есть предчувствие... Я, так сказать, чую запах жареного.

Мистер Сэттерсуэйт воспринял заявление вполне серьезно.

— Вот как? — промолвил он. — Это интересно.

— Мне кажется, — продолжал Эркюль Пуаро, — что человек, которого вы мне описали, должен быть очень уязвимым.

— Уязвимым? — с удивлением переспросил мистер Сэттерсуэйт. Это слово у него никак не ассоциировалось с Джервасом Чевеникс-Гором. Но, будучи весьма сообразительным человеком, он медленно произнес: — Думаю, я понимаю, что вы имеете в виду.

— Такие люди, как правило, закованы в броню — и какую! Латы крестоносцев — ничто по сравнению с этой броней самонадеянности, гордости, высокомерия. Конечно, она от многого защищает — отражает стрелы, посылаемые жизнью. Но здесь таится и опасность. Человек может не заметить нападения, так как броня мешает ему видеть, слышать и чувствовать. — Сделав паузу, Пуаро спросил другим тоном: — А из кого состоит семья сэра Джерваса?

— Его жена Ванда, урожденная Арбатнот, в молодости была очень красива и сейчас не утратила обаяния. Правда, ужасно рассеянна. Ванда очень предана Джервасу. По-моему, она увлекается оккультизмом. Носит амулеты и скарабеи и заявляет, что она — перевоплотившаяся царица египетская. Затем Рут, их приемная дочь — своих детей у них нет. Весьма привлекательная современная девица. Вот и вся семья. Ах да, еще Хьюго Трент — племянник Джерваса... Памела Чевеникс-Гор вышла замуж за Реджи Трента, и Хьюго — их единственный ребенок. Он сирота. Разумеется, Хьюго не может унаследовать титул, но думаю, что в конце концов он получит большую часть денег Джерваса. Сейчас служит во флоте.

Пуаро задумчиво кивнул.

— И сэра Джерваса очень огорчает, что у него нет сына, который унаследовал бы его имя? — спросил он.

— Думаю, да.

— Родовое имя — его страсть?

— Конечно.

Мистер Сэттерсуэйт немного помолчал, глубоко заинтригованный.

— У вас есть какой-нибудь повод для поездки в «Хэмборо-Клоуз»? — рискнул спросить он.

Пуаро медленно покачал головой.

— Пока нет, — ответил он. — Но мне кажется, что я все-таки поеду туда.

Глава 2

Эркюль Пуаро сидел в углу купе первого класса. За окнами поезда мелькали сельские пейзажи.

Вынув из кармана аккуратно сложенную телеграмму, он с задумчивым видом перечитал ее:

«Выезжайте экспрессом в 4.30 с вокзала Сент-Панкрас. Прикажите проводнику остановиться в Уимперли.

Чевеникс-Гор».

Проводник держался подобострастно. Джентльмен едет в «Хэмборо-Клоуз»? О да, гости сэра Джерваса Чевеникс-Гора всегда останавливают экспресс в Уимперли. Очевидно, это их привилегия.

Контролер еще дважды заходил в купе: первый раз — заверить пассажира, что к нему не подсадят попутчиков, второй — сообщить, что поезд опаздывает на десять минут.

Экспресс должен был прибыть в Уимперли без десяти восемь, но только в две минуты девятого Эркюль Пуаро, сунув ожидаемые полкроны в руку проводника, спустился на платформу сельского полустанка.

Раздался гудок паровоза, и Северный экспресс тронулся в дальнейший путь. К Пуаро подошел высокий мужчина в темно-зеленой униформе шофера:

— Мистер Пуаро? В «Хэмборо-Клоуз»?

Подхватив изящный саквояж детектива, он направился к ожидающему у станции «роллс-ройсу», открыл дверцу, пропуская Пуаро, положил ему на колени роскошный меховой плед и отъехал от станции.

После десяти минут езды по узким деревенским улочкам машина свернула в широкие ворота, украшенные по бокам огромными каменными грифонами.

Через парк они подъехали к дому. Дверь открылась, и на пороге возникла внушительная фигура дворецкого.

— Мистер Пуаро? Прошу вас, сэр.

Он проводил гостя через холл, открыл дверь справа и доложил:

— Мистер Эркюль Пуаро.

В комнате находилось несколько человек в вечерних туалетах. Пуаро сразу понял, что его явно не ждали. В устремившихся на него взглядах читалось искреннее удивление.

Высокая женщина, чьи темные волосы уже тронула седина, неуверенно шагнула к Пуаро, который галантно склонился над ее рукой.

— Простите, мадам, — извинился он. — Боюсь, что мой поезд опоздал.

— Вовсе нет, — рассеянно отозвалась леди Чевеникс-Гор, все еще озадаченно глядя на него. — Вовсе нет, мистер... э-э... я не вполне расслышала...

— Эркюль Пуаро. — Он произнес свое имя ясно и отчетливо.

Сзади кто-то с шумом вдохнул. Пуаро понял, что хозяина дома нет.

— Вы знали о моем приезде, мадам? — вежливо осведомился он.

— Я? О да... — В голосе звучала неуверенность. — Думаю, что да, но я ужасно рассеянна, мсье Пуаро. Все забываю... — Судя по тону, это ее явно не огорчало. — Мне говорят разные вещи, я слушаю, но они тут же исчезают у меня из головы, словно их вовсе не было. — С опозданием вспомнив об обязанностях хозяйки, она бросила вокруг отсутствующий взгляд и сказала: — Полагаю, вы знаете всех.

Хотя это не соответствовало действительности, леди Чевеникс-Гор избавила себя таким образом от процедуры представления, во время которой ей пришлось бы вспоминать имена присутствующих.

Однако, совершив над собой усилие, она произнесла:

— Моя дочь Рут.

Девушка, стоящая перед Пуаро, была высокой и темноволосой, но совсем не была похожа на свою мать. Орлиный нос и четкие линии подбородка резко отличались от неопределенных, расплывчатых черт хозяйки дома. Зачесанные назад черные волосы были завиты во множество мелких локонов. Здоровый цвет лица почти не нуждался в косметике. Эркюлю Пуаро она показалась одной из самых хорошеньких девушек, которых он когда-либо видел.

Пуаро также подметил, что Рут не только красива, но и умна, кроме того, обладает гордым и вспыльчивым нравом. В разговоре она слегка растягивала слова — Пуаро показалось, что намеренно.

— Как интересно принимать у себя мсье Эркюля Пуаро! — воскликнула Рут. — Наверное, старик устроил для нас маленький сюрприз.

— Значит, вы не знали, что я должен приехать, мадемуазель? — быстро спросил Пуаро.

— Понятия не имела. По-видимому, автографы придется отложить на после обеда.

Из холла донесся звук гонга, после чего дворецкий открыл дверь и объявил:

— Обед... подан.

Перед тем как было произнесено последнее слово, произошло нечто странное. Величественная фигура дворецкого на мгновение стала воплощением предельного изумления.

Метаморфоза была настолько быстрой, что заметить это мог лишь человек, пристально наблюдавший за происходящим. Но Пуаро был именно таковым, и случившееся заинтриговало его.

Дворецкий неуверенно мялся в дверях. Хотя лицо его снова стало корректно-бесстрастным, во всей фигуре ощущалось напряжение.

— О Боже! Это так необычно... — заговорила леди Чевеникс-Гор. — Право, я не знаю, что делать...

— Всеобщее замешательство, мсье Пуаро, вызвано тем, — объяснила Рут, — что мой отец впервые за последние двадцать лет опаздывает к обеду.

— Это очень странно, — продолжала причитать леди Чевеникс-Гор. — Джервас никогда...

Пожилой мужчина с военной выправкой подошел к ней и весело рассмеялся:

— Ай да старина Джервас! Наконец-то он опоздал! Придется как следует его отругать. Небось потерял запонку от воротничка. Или, по-твоему, Джервас лишен слабостей, присущих всем нам?

— Но Джервас никогда не опаздывает, — тихо и озадаченно произнесла леди Чевеникс-Гор.

Волнение, возникшее по столь пустячному поводу, могло бы рассмешить стороннего наблюдателя. Но Эркюлю Пуаро было не до веселья. За всеобщим замешательством он ощущал тревогу и даже дурные предчувствия. Ему казалось странным, что Джервас Чевеникс-Гор не вышел приветствовать гостя, которого вызвал столь таинственным образом.

Никто не знал, что делать. Беспрецедентная ситуация поставила всех в тупик.

Наконец леди Чевеникс-Гор взяла на себя инициативу, хотя ее поведение по-прежнему оставалось крайне рассеянным.

— Снелл, — начала она, — ваш хозяин...

Не окончив фразу, она выжидающе посмотрела на дворецкого.

Снелл, очевидно хорошо знакомый с ее манерой спрашивать, сразу же ответил:

— Сэр Джервас спустился без пяти восемь, миледи, и пошел прямо в кабинет.

— О, понимаю... — Рот ее был открыт, а взгляд блуждал где-то далеко. — А как вы думаете, он... он слышал гонг?

— Думаю, да, миледи. Ведь гонг находится прямо у двери кабинета. Разумеется, я не знал, что сэр Джервас все еще в кабинете, иначе я бы сообщил ему, что обед подан. Вы позволите сделать это сейчас, миледи?

Леди Чевеникс-Гор ухватилась за это предложение с явным облегчением:

— О, благодарю вас, Снелл. Пожалуйста, сообщите ему. — Когда дворецкий вышел, она добавила: — Снелл просто сокровище. Я полностью на него полагаюсь. Не знаю, что бы я без него делала.

Никто не произнес ни слова. Эркюлю Пуаро, внимательно наблюдавшему за присутствующими, казалось, что все испытывают чувство напряжения. Он окинул их быстрым взглядом. Двое пожилых мужчин: один — с военной выправкой, который только что говорил; другой — худощавый, с седыми волосами и плотно сжатыми губами, похожий на адвоката. Двое мужчин помоложе: один — с усами и довольно надменным выражением лица — должно быть, племянник сэра Джерваса, служивший во флоте. Второй — довольно смазливый субъект с зачесанными назад гладкими волосами, — по мнению Пуаро, принадлежал к более низшему сословию. В комнате находились также маленькая пожилая женщина в пенсне, сквозь которое смотрели проницательные глаза, и девушка с огненно-рыжими волосами.

В дверях появился Снелл. Его манеры были безупречны, но сквозь внешний лоск бесстрастного дворецкого снова проглядывало простое человеческое волнение.

— Прошу прощения, миледи, но дверь кабинета заперта.

— Заперта?

Звонкий голос, в котором слышалась тревога, принадлежал молодому человеку с зализанными волосами. Шагнув вперед, он спросил:

— Может быть, мне пойти и посмотреть?..

Но в этот момент Эркюль Пуаро взял бразды правления в свои руки, причем проделал это настолько естественно, что никто не удивился, почему прибывший незнакомец вдруг начал отдавать распоряжения.

— Давайте пойдем в кабинет, — предложил он и попросил Снелла: — Если вас не затруднит, покажите мне дорогу.

Снелл повиновался. Пуаро двинулся следом, а за ними, точно стадо овец, потянулись остальные.

Дворецкий провел их через холл, вдоль разветвляющейся лестницы, мимо огромных напольных часов и ниши, в которой помещался гонг, по узкому коридору, оканчивавшемуся дверью.

Обогнав Снелла, Пуаро осторожно взялся за ручку. Она повернулась, но дверь не открылась. Тогда Пуаро деликатно постучал по дверной панели. Он стучал все громче и громче, затем внезапно опустился на колени и заглянул в замочную скважину.

Медленно поднявшись, Пуаро сурово посмотрел на окружающих.

— Джентльмены, — сказал он, — дверь нужно немедленно взломать!

По его указанию двое молодых людей, высокого роста и крепкого телосложения, атаковали дверь. Дело оказалось нелегким, так как двери «Хэмборо-Клоуз» были изготовлены на совесть.

Наконец замок поддался, и дверь со звуком расщепляющегося дерева рухнула внутрь.

Несколько секунд все стояли неподвижно, столпившись в проеме. В кабинете горел свет. У левой стены стоял массивный письменный стол из красного дерева. Боком к столу и спиной к вошедшим на стуле сидел высокий мужчина. Голова и верхняя часть туловища свисали вниз над правой стороной стула, правая рука безвольно болталась. Под ней на ковре лежал маленький блестящий пистолет.

Все было ясно. Сэр Джервас Чевеникс-Гор застрелился.

Глава 3

Некоторое время группа людей в дверях стояла неподвижно, созерцая сцену в кабинете. Затем Пуаро двинулся вперед.

В тот же момент Хьюго Трент резко произнес:
— Боже мой, старик застрелился!

— О, Джервас!... — протяжно застонала леди Чевеникс-Гор.

Пуаро властно бросил через плечо:

— Уведите леди Чевеникс-Гор. Ей здесь нечего делать.

— Пошли, Ванда, — сказал пожилой мужчина с военной выправкой. — Пошли, дорогая. Теперь уж ничего не поделаешь. Рут, позаботься о матери.

Но Рут Чевеникс-Гор вошла в комнату и встала рядом с Пуаро, который склонился над телом мужчины.

Она заговорила тихим, на удивление спокойным голосом:

— Вы уверены, что он... мертв?

Пуаро посмотрел на нее.

На лице девушки застыло странное выражение — в нем было нелегко разобраться, так как Рут, по-видимому, хорошо владела собой. Это было не горе, а скорее возбуждение, смешанное со страхом.

— Не кажется ли вам, дорогая, что ваша мать... — пробормотала маленькая женщина в пенсне.

Рыжеволосая девушка истерически закричала:

— Значит, это был не автомобиль и не пробка от шампанского! Мы слышали выстрел!

Пуаро обернулся к остальным.

— Кто-нибудь должен сообщить полиции, — сказал он.

— Нет! — вскрикнула Рут.

— Боюсь, что это неизбежно, — заметил пожилой мужчина, похожий на адвоката. — Вы займетесь этим, Бэрроуз? Хьюго...

— Вы мистер Хьюго Трент? — обратился Пуаро к высокому молодому человеку с усами. — Думаю, будет лучше, если все, кроме вас и меня, выйдут из этой комнаты.

Никто не стал с ним спорить, и все быстро покинули кабинет. Пуаро и Хьюго Трент остались одни.

— Послушайте, — начал Хьюго, — кто вы такой и что здесь делаете?

Пуаро вынул из кармана футляр с визитными карточками и протянул одну молодому человеку.

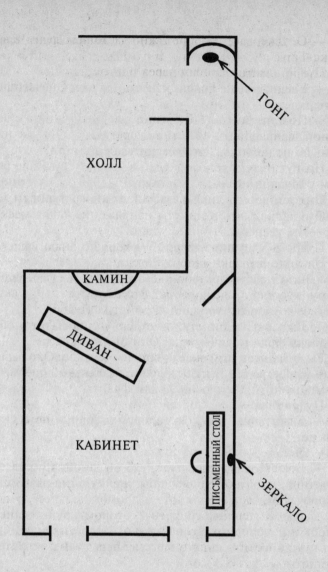

ГОНГ

ХОЛЛ

КАМИН

ДИВАН

КАБИНЕТ

ПИСЬМЕННЫЙ СТОЛ

ЗЕРКАЛО

— Частный детектив? — протянул Хьюго Трент, глядя на карточку. — Конечно, я слышал о вас... Но я все еще не понимаю, что вам здесь понадобилось.

— Значит, вы не знали, что ваш дядя... Он был вашим дядей, не так ли?

Хьюго взглянул на мертвеца.

— Старик? Да, он был моим дядей.

— И вы не знали, что он посылал за мной?

Хьюго покачал головой:

— Понятия не имел.

Выражение его лица казалось немного туповатым, но Пуаро знал, что в минуты напряжения такая маска бывает полезной.

— Мы в Уэстшире, верно? Я хорошо знаю вашего главного констебля, майора Риддла.

— Риддл живет в полумиле отсюда, — сказал Хьюго. — Возможно, он прибудет сюда сам.

— Это было бы хорошо, — заметил Пуаро.

Пройдясь по кабинету, он отдернул портьеры и обследовал французские окна. Они были закрыты.

На стене за столом висело круглое зеркало. Оно было разбито. Пуаро нагнулся и подобрал маленький предмет.

— Что это? — спросил Хьюго Трент.

— Пуля.

— Значит, она пробила голову навылет и попала в зеркало?

— Похоже.

Пуаро положил пулю туда, где он ее обнаружил, и подошел к столу. Все бумаги были аккуратно разложены по стопкам. На блокноте с промокательной бумагой лежал отдельный лист, на котором крупным нетвердым почерком было написано: «Простите».

— Должно быть, он это написал перед тем... как сделать это, — сказал Хьюго.

Пуаро задумчиво кивнул.

Он вновь посмотрел на разбитое зеркало, потом перевел взгляд на труп. Лоб его в недоумении сморщился. Пуаро направился к криво висящей двери со сломанным замком. Ключа в двери не было, иначе ему бы не удалось заглянуть в замочную скважину. На полу ключа тоже не было. Пуаро склонился над трупом, ощупывая пальцами одежду.

— Да, — кивнул он. — Ключ у него в кармане.

Хьюго вытащил портсигар и зажег сигарету.

— Все как будто ясно, — заговорил он хрипловатым голосом. — Мой дядя заперся здесь, нацарапал это слово на листе бумаги и выстрелил в себя.

Пуаро молча кивнул.

— Но я не понимаю, — продолжал Хьюго, — почему он послал за вами. Что все это значит?

— Да, это объяснить сложнее. Пока мы ждем полицию, мистер Трент, может, вы расскажете мне, кто те люди, которых я видел, приехав сюда?

— Кто такие? — рассеянно переспросил Хьюго. — Да, конечно... Пожалуй, нам лучше сесть. — Он указал на диван в дальнем углу комнаты. — Ну, во-первых, Ванда — моя тетя — и Рут — моя кузина. Вы их уже знаете. Другую девушку зовут Сузан Кардуэлл. Она только гостья здесь. Полковник Бери — старый друг семьи. Мистер Форбс — тоже старый друг и к тому же семейный адвокат. Оба старикана были влюблены в Ванду, когда она была молода, и до сих пор ей преданы. Нелепо, но трогательно. Далее Годфри Бэрроуз, секретарь старика — я имею в виду дядю, и мисс Лингард, которая помогала ему писать историю семейства Чевеникс-Гор. Она раскапывает исторический материал для писателей. Как будто все.

Пуаро снова кивнул.

— Насколько я понял, — спросил он, — вы слышали выстрел, который убил вашего дядю?

— Да. Сначала мы решили, что это пробка от шампанского — по крайней мере, я так подумал. Сузан и мисс Лингард показалось, что это выхлоп газа в автомобиле — дорога проходит совсем рядом.

— Когда это произошло?

— Примерно в десять минут девятого. Снелл только что первый раз ударил в гонг.

— А где находились вы, когда услышали это?

— В холле. Нас это рассмешило — мы стали спорить, откуда донесся звук. Я сказал, что из столовой, Сузан —

что со стороны гостиной, мисс Лингард — что сверху, а Снелл — что с дороги снаружи, только звук проник через окна наверху. Тогда Сузан спросила: «Есть еще какие-нибудь теории?» А я рассмеялся и сказал, что это, наверное, убийство. Не очень приятное воспоминание...

Его лицо нервно дернулось.

— И никому из вас не пришло в голову, что сэр Джервас мог застрелиться?

— Конечно нет!

— У вас нет никаких мыслей относительно причины самоубийства?

— Ну, — медленно отозвался Хьюго, — я бы так не сказал.

— Значит, у вас есть предположение?

— Понимаете, это не так легко объяснить. Естественно, я не ожидал, что он покончит с собой, но в то же время я не так уж удивлен. Дело в том, мсье Пуаро, что мой дядя был абсолютно сумасшедшим. Все это знали.

— И это кажется вам достаточным объяснением?

— Ну, люди иногда стреляют в себя, когда у них не все дома.

— Ваше объяснение восхищает своей простотой.

Хьюго уставился на него.

Пуаро встал и начал ходить по комнате. Она была комфортабельно меблирована, большей частью в викторианском стиле. Здесь стояли массивные книжные шкафы, тяжелые кресла и несколько стульев с прямой спинкой в подлинном стиле «Чиппендейл»[1]. Украшений в кабинете было немного, но несколько бронзовых изделий на каминной полке привлекли внимание Пуаро и, по-видимому, вызвали у него восхищение. Он брал их одно за другим в руки, тщательно осматривал и осторожно ставил на место. С крайней левой статуэтки он счистил что-то ногтем.

— Что это? — осведомился Хьюго без особого интереса.

---

[1] «Чиппендейл» — стиль мебели XVIII века, названный по имени мебельного мастера Томаса Чиппендейла (1718—1779).

— Ничего особенного. Маленький осколок зеркала.

— Забавно, что пуля разбила зеркало, — заметил Хьюго. — Ведь разбитое зеркало — дурная примета. Бедный старый Джервас... Видимо, ему слишком долго везло.

— Ваш дядя был удачливым человеком?

Хьюго усмехнулся:

— Его удачливость вошла в поговорку! Все, к чему он прикасался, превращалось в золото! Если он ставил на аутсайдера, тот приходил первым. Если он вкладывал деньги в сомнительный прииск, там тут же обнаруживали золотую жилу. Он умудрялся выходить сухим из воды в самых опасных ситуациях. Несколько раз он чудом избегал смерти. Вообще-то дядя был довольно славный старикан — как говорится, повидал виды, причем куда больше, чем любой из его поколения.

— Вы были привязаны к вашему дяде? — спросил Пуаро.

Вопрос, казалось, слегка удивил Хьюго Трента.

— Да, разумеется, — довольно неуверенно сказал он. — Хотя временами с ним нелегко было иметь дело. К счастью, виделись мы не часто.

— А он любил вас?

— Ну, я бы не сказал! Скорее мое существование его раздражало.

— В каком смысле, мистер Трент?

— Понимаете, у него не было сына, и он очень огорчался из-за этого. Дядя просто спятил на почве продолжения рода и тому подобного. По-моему, его терзала мысль, что, когда он умрет, Чевеникс-Горы прекратят свое существование. Они ведут свой род со времен норманнского завоевания. Старик был последним из них. Конечно, для него это было не слишком приятно.

— А вы не разделяете эти чувства?

Хьюго пожал плечами:

— Все это кажется мне абсолютно устаревшим.

— Что теперь будет с имением?

— Право, не знаю. Может быть, оно отойдет ко мне, а может быть, к Рут. Возможно, Ванда будет владеть им пожизненно.

— А ваш дядя не объявлял своих намерений?

— Ну, у него была навязчивая идея.

— В чем она заключалась?

— В том, что Рут и я должны пожениться.

— Это, несомненно, было бы весьма удобно.

— Чрезвычайно. Но Рут привыкла все делать по-своему. Она прекрасно осознает, насколько привлекательна, и не спешит обзаводиться семьей.

Пуаро склонился вперед:

— Но вы не возражали против этого плана, мистер Трент?

— По-моему, — скучающим тоном ответил Хьюго, — в наши дни не имеет никакого значения, на ком жениться. Если супруги не сошлись характерами, то ведь можно легко развестись и начать все заново.

Дверь открылась, и вошел Форбс вместе с высоким, щеголевато одетым мужчиной.

Последний кивнул Тренту:

— Здравствуйте, Хьюго. Я вам глубоко сочувствую. Для вас это тяжелый удар.

Эркюль Пуаро шагнул вперед:

— Здравствуйте, майор Риддл. Вы помните меня?

— Еще бы! — Главный констебль пожал ему руку. — Значит, вы здесь? Интересно...

Он с любопытством посмотрел на Пуаро.

Глава 4

— Ну? — осведомился майор Риддл.

Прошло двадцать минут. Вопросительное «ну» главного констебля было обращено к полицейскому врачу — пожилому долговязому мужчине с седеющими волосами.

Тот пожал плечами:

— Он мертв не менее получаса, но не более часа. Зная ваше отвращение к медицинской терминологии, избавлю вас от нее. Этот человек погиб от выстрела в голову — пистолет находился в нескольких дюймах от правого виска. Пуля пробила череп навылет, пройдя через мозг.

— Это согласуется с версией о самоубийстве?

— Вполне. После выстрела тело сползло на стул, а пистолет выпал из руки.

— У вас есть пуля?

— Да. — Доктор протянул ему пулю.

— Отлично, — сказал майор Риддл. — Мы возьмем ее для сравнения с пистолетом. Рад, что дело ясное и сложностей не предвидится.

— Вы уверены, что нет никаких трудностей, доктор? — мягко спросил Эркюль Пуаро.

— Ну, — медленно ответил доктор, — вообще-то здесь есть кое-что странное. Когда он стрелял в себя, то должен был немного наклониться вправо. В противном случае пуля попала бы не в зеркало, а в стену под ним.

— Весьма неудобная поза для самоубийства, — заметил Пуаро.

Доктор пожал плечами:

— Знаете, в такой момент думать об удобствах... Он не закончил фразу.

— Тело можно убрать? — осведомился майор Риддл.

— Да.

— А как дела у вас, инспектор? — Майор обратился к высокому мужчине в штатском с бесстрастным лицом.

— Все в порядке, сэр. Мы выяснили все, что нужно. На пистолете только отпечатки пальцев покойного.

— Тогда можете забирать труп.

Бренные останки Джерваса Чевеникс-Гора вынесли из комнаты. Главный констебль и Пуаро остались вдвоем.

— Ну, — промолвил Риддл, — все как будто совершенно ясно. Дверь и окна заперты, ключ от двери в кармане покойного. Все ясно — кроме одного.

— Чего же, друг мой? — спросил Пуаро.

— Вас! — ответил Риддл. — Что вам здесь понадобилось?

Вместо ответа, Пуаро протянул ему письмо, которое получил от покойного неделю назад, и телеграмму, которая привела его сюда.

— Хм! — произнес главный констебль. — Интересно. Надо будет в этом разобраться. По-моему, это имеет прямое отношение к самоубийству.

— Согласен.

— Придется заняться всеми присутствующими в доме.

— Могу назвать вам их имена. Я только что узнал их от мистера Трента.

Он повторил список имен.

— Возможно, майор Риддл, вы знаете что-нибудь об этих людях?

— Разумеется, знаю. Леди Чевеникс-Гор — такая же сумасшедшая, как и старый сэр Джервас. Каждый из них сходил с ума по-своему, но оба очень любили друг друга. Она самое рассеянное существо из всех когда-либо существовавших, но иногда бывает фантастически проницательной. Над ней часто смеются, но ее это мало беспокоит. Она абсолютно лишена чувства юмора.

— Насколько я понял, мисс Чевеникс-Гор — их приемная дочь?

— Да.

— Очень красивая молодая леди.

— Да, весьма привлекательная девушка. Смутила покой почти всех здешних молодых парней. Сначала раздает им авансы, а потом смеется над ними. У нее золотые руки, и она отлично ездит верхом.

— Ну, в данный момент это нас не касается.

— Может быть, и так... Теперь о других. Старика Бери я хорошо знаю. Он почти все время торчит здесь. Его держат как домашнего кота. Бери — вроде адъютанта при леди Чевеникс-Гор. Он старый друг семьи — они знают его с детства. По-моему, у него и сэра Джерваса были общие интересы в какой-то компании, директором которой являлся Бери.

— А что вы знаете об Освальде Форбсе?

— По-моему, я встречал его только однажды.

— Мисс Лингард?

— Никогда о ней не слышал.

— Мисс Сузан Кардуэлл?

— Довольно интересная девушка с рыжими волосами? Я видел ее последние дни с Рут Чевеникс-Гор.

— Мистер Бэрроуз?

— Его я знаю. Секретарь Чевеникс-Гора. Между нами говоря, он мне не слишком нравится. Смазливый парень и хорошо это знает, но явно не джентльмен.

— Он давно служит у сэра Джерваса?

— Кажется, около двух лет.

— И больше никого... — Пуаро не договорил.

В комнату быстро вошел высокий блондин. Он запыхался и выглядел расстроенным.

— Добрый вечер, майор Риддл. Я услышал, что сэр Джервас застрелился, и поспешил сюда. Снелл сказал мне, что это правда. Невероятно! Я просто не могу в это поверить!

— Тем не менее это так, Лейк. Позвольте вас представить. Это капитан Лейк, управляющий имением сэра Джерваса. Мсье Эркюль Пуаро, о котором вы, наверное, слышали.

Лицо Лейка осветилось восторгом, смешанным с недоверием.

— Мсье Эркюль Пуаро? Очень рад с вами познакомиться! По крайней мере... — Внезапно Лейк умолк — очаровательная улыбка исчезла, сменившись выражением беспокойства. — Надеюсь, сэр, в этом самоубийстве нет ничего... сомнительного?

— А почему в нем должно быть что-то сомнительное? — резко осведомился главный констебль.

— Ну, потому, что здесь мсье Пуаро, и потому, что вся эта история кажется такой невероятной.

— Нет-нет, — быстро сказал Пуаро. — Я здесь не по поводу смерти сэра Джерваса. Я уже был в доме — в качестве гостя.

— А, понимаю. Странно — он ничего не говорил мне о вашем приезде, когда я проверял с ним отчеты сегодня днем.

— Вы дважды употребили слово «невероятно», капитан Лейк, — заметил Пуаро. — Значит, вас очень удивило известие о самоубийстве сэра Джерваса?

— Еще как удивило! Конечно, он был не в себе — это все знали. Но в то же время я просто не могу пред-

515

ставить себе сэра Джерваса, решившего, будто мир в состоянии существовать без него.

— Да, — кивнул Пуаро. — В том-то все и дело. — И он с одобрением посмотрел на открытое смышленое лицо молодого человека.

Майор Риддл кашлянул.

— Раз уж вы здесь, капитан Лейк, то лучше сядьте и ответьте на несколько вопросов.

— Конечно, сэр.

Лейк уселся напротив майора и Пуаро.

— Когда вы в последний раз видели сэра Джерваса?

— Сегодня, незадолго до трех часов. Нужно было проверить несколько отчетов и выяснить кое-что относительно нового арендатора одной из ферм.

— Сколько времени вы провели с ним?

— Примерно полчаса.

— Подумайте как следует — не заметили ли вы что-нибудь необычное в его поведении?

Молодой человек задумался.

— Как будто нет. Разве только он казался немного возбужденным, но в этом не было ничего необычного.

— Он не выглядел подавленным?

— Нет, сэр Джервас был в хорошем настроении. Он очень радовался, что закончил описание истории своего рода.

— И давно он начал этим заниматься?

— Около полугода назад.

— Тогда сюда и приехала мисс Лингард?

— Нет. Она приехала около двух месяцев назад, когда сэр Джервас понял, что ему одному не справиться со всей исследовательской работой.

— И вам казалось, что он доволен собой?

— Конечно. Ведь сэр Джервас не сомневался, что во всем мире имеет значение только его семейство.

В голосе молодого человека послышались нотки горечи.

— Итак, насколько вам известно, сэра Джерваса ничто не беспокоило?

— Нет, — ответил Лейк после едва заметной паузы.

— Как по-вашему, — неожиданно вмешался Пуаро, — сэр Джервас не беспокоился из-за дочери?

— Из-за дочери?

— Да.

— Насколько я знаю, нет, — холодно ответил молодой человек.

Пуаро не стал настаивать.

— Ну что ж, спасибо, Лейк, — сказал майор Риддл. — Надеюсь, вы будете поблизости на случай, если мне понадобится узнать что-нибудь еще?

— Конечно, сэр. — Лейк поднялся. — Могу я еще чем-нибудь помочь?

— Да, пришлите сюда дворецкого. И узнайте, как себя чувствует леди Чевеникс-Гор и не сможет ли она ответить мне на несколько вопросов.

Лейк кивнул и решительно вышел из комнаты.

— Симпатичный молодой человек, — заметил Пуаро.

— Да, славный парень и отлично справляется с работой. Он всем нравится.

Глава 5

— Садитесь, Снелл, — дружелюбным тоном предложил майор Риддл. — Мне придется задать вам несколько вопросов, хотя я знаю, что смерть сэра Джерваса стала для вас тяжелым потрясением.

— Конечно, сэр. Благодарю вас.

— Вы давно здесь служите, не так ли?

— Шестнадцать лет, сэр, с тех пор, как сэр Джервас... э-э... так сказать, обосновался здесь.

— Ах да, ведь ваш хозяин в молодости был неутомимым путешественником.

— Да, сэр. Он участвовал в экспедиции к полюсу и по многим другим интересным местам.

— Скажите, Снелл, когда вы в последний раз видели вашего хозяина?

— Я был в столовой, сэр, наблюдал за сервировкой стола. Дверь в холл была открыта, и я видел, как сэр

Джервас спустился по лестнице, пересек холл и пошел по коридору в кабинет.

— В котором часу?

— Около восьми. Примерно без пяти восемь.

— И больше вы его не видели?

— Нет, сэр.

— Вы слышали выстрел?

— Да, сэр, но в тот момент я не понял, что означает этот звук.

— А что вы подумали?

— Я решил, что это автомобиль, сэр. Дорога проходит совсем рядом с оградой парка. Или это мог стрелять в лесу какой-то браконьер. Но я и вообразить не мог, что...

Майор Риддл прервал его:

— В котором часу это было?

— Ровно в восемь минут девятого, сэр.

— Вы можете назвать время с точностью до минуты? — недоверчиво спросил главный констебль.

— Это очень просто, сэр. Я только что первый раз ударил в гонг.

— Первый раз?

— Да, сэр. По распоряжению сэра Джерваса первый раз ударяли в гонг за семь минут до обычного обеденного гонга. Таким образом, ко второму гонгу все уже должны собраться в гостиной. Ударив в гонг второй раз, я шел в гостиную, объявлял, что обед подан, и все отправлялись в столовую.

— Я начинаю понимать, — заметил Эркюль Пуаро, — почему вы выглядели таким удивленным, войдя в гостиную доложить об обеде. Сэр Джервас в это время обычно присутствовал в гостиной?

— До сегодняшнего дня всегда, сэр. Потому я так удивился. Я подумал...

Майор Риддл снова прервал его:

— А все остальные тоже, как правило, находились там?

Снелл кашлянул.

— Опоздавшего к обеду, сэр, больше не приглашали в этот дом.

— Хм! Весьма сурово...

— Сэр Джервас, сэр, нанял повара, который раньше служил у императора Моравии[1]. Обычно он говорил, что обед не менее значителен, чем религиозный обряд.

— А как на это смотрели члены его семьи?

— Леди Чевеникс-Гор всегда старалась не огорчать его, сэр, и даже мисс Рут не осмеливалась опаздывать к обеду.

— Интересно, — пробормотал Эркюль Пуаро.

— Значит, — продолжал Риддл, — обед начался в четверть девятого, а вы, как обычно, первый раз ударили в гонг в восемь минут девятого?

— Нет, сэр, не как обычно. Обед у нас начинается в восемь, но сэр Джервас сегодня велел задержать его на пятнадцать минут, так как он ожидал джентльмена, прибывающего последним поездом.

Снелл слегка поклонился в сторону Пуаро.

— Когда ваш хозяин направлялся в кабинет, он не выглядел огорченным или встревоженным?

— Я не могу судить об этом, сэр, так как стоял очень далеко. Я просто заметил его — вот и все.

— Он был один?

— Да, сэр.

— А после этого никто не проходил в кабинет?

— Не знаю, сэр. Потом я пошел в буфетную и был там до первого гонга — то есть до восьми минут девятого.

— Тогда вы и услышали выстрел?

— Да, сэр.

— Другие, кажется, тоже его слышали? — осведомился Пуаро.

— Да, сэр. Мистер Хьюго и мисс Кардуэлл. И мисс Лингард.

— Эти люди также были в холле?

— Мисс Лингард вышла из гостиной, а мистер Хьюго и мисс Кардуэлл только что спустились по лестнице.

---

[1] Императоров в Моравии никогда не было — это вымысел писательницы.

— Они обсуждали услышанное? — допытывался Пуаро.

— Ну, сэр, мистер Хьюго спросил у меня, было ли к обеду шампанское. Я ответил, что поданы шерри, рейнвейн и бургундское.

— Он подумал, что это была пробка от шампанского?

— Да, сэр.

— Но никто не воспринял это всерьез?

— Все пошли в гостиную, разговаривая и смеясь.

— А где были остальные из присутствующих в доме?

— Не знаю, сэр.

— Вам знаком этот пистолет? — спросил майор Риддл, протягивая дворецкому оружие.

— О да, сэр. Он принадлежал сэру Джервасу. Пистолет всегда хранился в ящике письменного стола.

— Он был заряжен?

— Не знаю, сэр.

Майор Риддл отложил пистолет и откашлялся.

— Теперь, Снелл, я задам вам очень важный вопрос. Надеюсь, вы ответите на него правдиво. Вам известна какая-нибудь причина, которая могла привести вашего хозяина к самоубийству?

— Нет, сэр, неизвестна.

— Не замечали ли вы в последнее время чего-нибудь странного в поведении сэра Джерваса? Он не казался угнетенным или обеспокоенным?

Снелл виновато кашлянул.

— Простите, сэр, но поведение сэра Джерваса всегда могло показаться постороннему человеку немного странным. Он был весьма оригинальным джентльменом, сэр.

— Да-да, я знаю.

— Посторонние, сэр, не всегда понимали сэра Джерваса.

Слово «понимали» Снелл произнес словно с большой буквы.

— Знаю. Но вам ничто в нем не казалось необычным?

Дворецкий замялся.

— По-моему, сэр, в последнее время сэр Джервас был чем-то обеспокоен, — сказал он наконец.

— Обеспокоен и подавлен?

— Скорее обеспокоен.

— А у вас есть предположения о причине этого беспокойства?

— Нет, сэр.

— Не было ли это связано с каким-либо конкретным человеком?

— Не знаю, сэр. Ведь это только мое впечатление.

— Вас удивило самоубийство сэра Джерваса? — снова заговорил Пуаро.

— Очень удивило, сэр. Для меня это было страшным потрясением. Я никогда не ожидал ничего подобного.

Пуаро задумчиво кивнул.

Риддл посмотрел на него и вновь обратился к дворецкому:

— Ну, Снелл, думаю, это все, о чем мы хотели вас спросить. Вы абсолютно уверены, что больше ничего не можете сообщить нам, — например, о каких-нибудь необычных инцидентах, происшедших в последние несколько дней?

Дворецкий покачал головой и поднялся.

— Нет, сэр.

— Тогда можете идти.

— Благодарю вас, сэр.

Снелл направился к двери, но внезапно шагнул в сторону. В комнату вплыла леди Чевеникс-Гор.

На ней было плотно облегающее фигуру восточное одеяние из пурпурного и оранжевого шелка. Выражение лица ее было безмятежным и спокойным.

— Леди Чевеникс-Гор! — Майор Риддл вскочил на ноги.

— Мне передали, что вы хотите поговорить со мной, — промолвила она.

— Может быть, нам перейти в другую комнату? Наверное, для вас мучительно находиться здесь.

Леди Чевеникс-Гор покачала головой и опустилась на один из чиппендейловских стульев.

521

— Нет, — прошептала она. — Какое это имеет значение?

— Ваше самообладание, леди Чевеникс-Гор, заслуживает высочайшей похвалы. Я знаю, каким ударом это было для вас, и...

Леди Чевеникс-Гор прервала его.

— Сначала это действительно было ударом, — согласилась она. Ее голос звучал легко и беспечно. — Но ведь смерть — всего лишь переход в иное состояние. Например, сейчас Джервас стоит за вашим левым плечом. Я отчетливо его вижу.

Левое плечо майора Риддла слегка дернулось. Он с сомнением посмотрел на леди Чевеникс-Гор.

Она улыбалась ему счастливой рассеянной улыбкой.

— Вы, конечно, не верите мне. Большинство других — тоже. Но для меня мир духов так же реален, как этот. Пожалуйста, спрашивайте меня о чем хотите и не бойтесь меня огорчить. Я нисколько не расстроена. Это судьба. Никому не избежать своей кармы. Все указывает на это — даже зеркало.

— Зеркало, мадам? — быстро спросил Пуаро.

Она рассеянно кивнула:

— Да. Видите — оно разбито. Это символ! Помните поэму Теннисона? Я часто читала ее в юности, хотя, конечно, не понимала ее тайного смысла. «И в трещинах зеркальный круг. Вскричав: "Злой рок!", застыла вдруг леди из Шалотта»[1]. Это случилось и с Джервасом. Проклятие внезапно настигло его. Знаете, по-моему, над многими старинными семействами тяготеет проклятие... Зеркало треснуло. Он знал, что обречен. Проклятие свершилось!

— Но, мадам, зеркало разбило не проклятие, а пуля.

— Какая разница? — тем же рассеянным тоном произнесла леди Чевеникс-Гор. — Ведь это судьба...

— Но ваш муж застрелился.

Она снисходительно улыбнулась:

---

[1] Альфред Теннисон. Леди из Шалотта. (*Пер. В. Лунина.*)

— Конечно, он не должен был этого делать. Но Джервас всегда был нетерпелив. Он не мог ждать. Его час пробил — и он сам двинулся ему навстречу. Право, все это так просто!

Майор Риддл с раздражением кашлянул.

— Значит, — осведомился он, — вас не удивило самоубийство вашего мужа? Вы этого ожидали?

— О нет! — Ее глаза широко раскрылись. — Ведь не всегда можно предвидеть будущее. Разумеется, Джервас был очень странным человеком. Он не был похож на других. В нем возродился некто из великих мира сего. Я недавно узнала это — думаю, Джервас тоже. Ему было тяжело подчиняться нелепым условностям повседневной жизни. — Она добавила, глядя поверх плеча майора Риддла: — Теперь он смеется над нами, над нашей глупостью. Мы в самом деле глупы, как дети. Считаем эту жизнь реальной, хотя она всего лишь величайшая иллюзия...

Чувствуя, что обречен на неудачу, майор Риддл тем не менее спросил:

— Так вы не можете объяснить нам, что побудило вашего мужа покончить с собой?

Леди Чевеникс-Гор пожала худыми плечами:

— Нами движут потусторонние силы... Вам этого не понять — ведь вы принимаете во внимание только материальный мир.

Пуаро кашлянул.

— Кстати, о материальном мире. Вам известно, мадам, как ваш муж распорядился своими деньгами?

— Деньги? — Она уставилась на него. — Я никогда о них не думаю.

В ее голосе звучало презрение.

Пуаро переменил тему:

— Сколько было времени, когда вы сегодня вечером спустились обедать?

— Времени? А что такое время? Это бесконечность...

— Но ваш муж, мадам, — продолжал Пуаро, — весьма тщательно следил за временем — особенно, как мне говорили, за обеденным.

— Милый Джервас! — Она снисходительно улыбнулась. — Он вел себя глупо, но это делало его счастливым. Поэтому мы никогда не опаздывали.

— Вы были в гостиной, мадам, когда прозвучал первый гонг?

— Нет, я была в своей комнате.

— Вы не помните, кто был в гостиной, когда вы туда спустились?

— По-моему, почти все, — рассеянно отозвалась леди Чевеникс-Гор. — А разве это имеет значение?

— Может быть, и нет, — согласился Пуаро. — Тогда еще вопрос. Говорил ли вам муж, что он подозревает, будто его обкрадывают?

Леди Чевеникс-Гор не проявила интереса к этой проблеме.

— Обкрадывают? Нет, не думаю.

— Обкрадывают, обманывают — словом, каким-то образом причиняют ущерб?

— По-моему, он не говорил ничего подобного... Джервас бы очень рассердился, если бы кто-нибудь так поступил.

— Значит, он не упоминал вам об этом?

— Нет-нет... — Леди Чевеникс-Гор все еще без особого интереса покачала головой. — Я бы запомнила...

— Когда вы в последний раз видели вашего мужа живым?

— Джервас, как обычно, заглянул ко мне, спускаясь вниз перед обедом. Со мной была моя горничная. Он просто сказал, что идет вниз.

— А о чем он чаще всего говорил в последние несколько недель?

— О семейной истории. Это дело хорошо продвигалось. Джервас нашел эту забавную старушонку, мисс Лингард, — ей просто цены не было. Она разыскивала для него сведения в Британском музее и тому подобное. Раньше мисс Лингард работала с лордом Малкастером над его книгой. К тому же она была тактична — я имею в виду, добывала только нужную информацию. Ведь не всех предков желательно вытаскивать на свет

Божий, а Джервас был так чувствителен в этом вопросе. Мисс Лингард и мне помогала — раздобыла много сведений о Хатшепсут[1]. Знаете, я ведь перевоплотившаяся Хатшепсут. — Леди Чевеникс-Гор сделала это заявление, сохраняя полное спокойствие. — А еще раньше, — добавила она, — я была принцессой в Атлантиде.

Майор Риддл заерзал на стуле.

— Э-э... очень интересно, — сказал он. — Ну, леди Чевеникс-Гор, думаю, этого достаточно. Было очень любезно с вашей стороны ответить на наши вопросы.

Леди Чевеникс-Гор поднялась, запахнувшись в свое восточное одеяние.

— Доброй ночи, — попрощалась она. Затем ее взгляд устремился на нечто находящееся за спиной майора Риддла. — Доброй ночи, дорогой Джервас. Я бы хотела, чтобы ты пришел ко мне, но знаю, что ты должен оставаться здесь. — Она добавила, словно объясняя: — Тебе нужно оставаться на месте по крайней мере сутки. Только потом ты сможешь свободно передвигаться и общаться.

Леди Чевеникс-Гор выплыла из комнаты.

Майор Риддл вытер лоб.

— Ну и ну! — воскликнул он. — Эта женщина еще более сумасшедшая, чем я думал! Неужели она в самом деле верит в эту чепуху?

Пуаро задумчиво покачал головой.

— Возможно, это ей помогает, — заметил он. — Сейчас ей необходим иллюзорный мир, где она могла бы прятаться от сознания реальности смерти мужа.

— Мне она кажется совершенно ненормальной, — сказал майор Риддл. — Ведь она все время порола чушь, в которой не было ни капли смысла.

— Нет-нет, друг мой. Мистер Хьюго Трент в разговоре со мной упомянул, что, несмотря на все свои фантазии, леди Чевеникс-Гор иногда обнаруживает редкую

---

[1] Х а т ш е п с у т — древнеегипетская царица в 1525—1503 гг. до н. э.

проницательность[1]. Она продемонстрировала это, говоря о тактичности мисс Лингард, которая не акцентировала внимание на нежелательных предках. Поверьте мне, леди Чевеникс-Гор отнюдь не глупа.

Он встал и прошелся по комнате.

— Кое-что в этом деле мне не нравится. Да, совсем не нравится.

Риддл с любопытством посмотрел на него:

— Вы имеете в виду мотив самоубийства?

— Самоубийство, самоубийство... Здесь все неверно. Неверно психологически! Кем считал себя Чевеникс-Гор? Колоссом, важной персоной, центром мироздания! Разве такой человек мог убить себя? Конечно нет! Скорее он уничтожит кого-нибудь другого — какого-нибудь жалкого человечишку, осмелившегося причинить ему беспокойство. Такое действие он счел бы священной необходимостью. Но самоубийство? Уничтожение собственной персоны?

— Все верно, Пуаро. Но доказательства не вызывают сомнений. Дверь заперта, ключ в кармане покойного, окна закрыты и заперты. Конечно, в книгах всякое случается, но не в реальной жизни... Вас беспокоит что-нибудь еще?

— Да. — Пуаро сел на стул. — Допустим, я — Чевеникс-Гор. Я сижу за письменным столом и собираюсь убить себя, потому что... ну, скажем, потому что я узнал нечто позорящее родовое имя. Не очень убедительно, но для примера сойдет. Eh bien, и как же я действую? Я пишу на листе бумаги слово «простите». Это вполне возможно. Потом я открываю ящик письменного стола, вынимаю оттуда пистолет, заряжаю его и — стреляю в себя? Нет, я сперва поворачиваю свой стул — вот так, — потом наклоняюсь немного вправо — так — и только тогда подношу пистолет к виску и стреляю!

Пуаро вскочил со стула и, повернувшись, осведомился:

---

[1] Ошибка Пуаро (и Агаты Кристи). Об этом упомянул не Хьюго Трент, а майор Риддл.

— Я спрашиваю вас, это имеет смысл? Зачем повора-, чивать стул? Если бы на стене висела какая-нибудь картина, это могло быть объяснением. Он мог захотеть в последнюю минуту увидеть чей-то портрет, но смотреть на оконную портьеру — ah non[1], это бессмысленно!

— Может, он взглянул в окно, чтобы в последний раз увидеть свое имение.

— Дорогой друг, вы сами отлично понимаете, что это чепуха. В восемь минут девятого уже темно, к тому же портьеры были задернуты. Нет, здесь должно быть что-то другое...

— Я могу сказать только одно. Джервас Чевеникс-Гор был безумен.

Пуаро с сомнением покачал головой.

Майор Риддл поднялся.

— Пошли, — сказал он. — Надо расспросить остальных. Возможно, от них мы хоть чего-нибудь добьемся.

Глава 6

После весьма напряженной беседы с леди Чевеникс-Гор майор Риддл испытывал облегчение, разговаривая с толковым и проницательным адвокатом Форбсом.

Ответы мистера Форбса были осторожными и сдержанными, но конкретными.

Да, самоубийство сэра Джерваса очень потрясло его. Он никогда не считал его человеком, который мог бы лишить себя жизни. О причинах ему ничего не известно.

— Сэр Джервас был не только моим клиентом, но и очень давним другом. Я знал его с детства. По-моему, он всегда наслаждался жизнью.

— При сложившихся обстоятельствах, мистер Форбс, я вынужден просить вас говорить абсолютно откровенно. Вы не знали о каком-нибудь тайном беспокойстве или горе в жизни сэра Джерваса?

— Нет. Как и у большинства людей, у него были маленькие огорчения, но ни одного серьезного.

---

[1] Нет (*фр.*).

— Ни болезней, ни раздоров с женой?

— Нет. Сэр Джервас и леди Чевеникс-Гор очень любили друг друга.

— Леди Чевеникс-Гор, — осторожно заметил майор Риддл, — придерживается несколько странных взглядов.

Мистер Форбс снисходительно улыбнулся.

— Дамам позволительно иметь фантазии, — сказал он.

— Вы вели дела сэра Джерваса? — продолжал главный констебль.

— Да, моя фирма «Форбс, Огилви и Спенс» уже более ста лет ведет дела семьи Чевеникс-Гор.

— А в этой семье бывали какие-нибудь скандалы?

Брови мистера Форбса полезли вверх.

— Простите, я вас не вполне понимаю.

— Мсье Пуаро, не покажете ли вы мистеру Форбсу письмо, которое показывали мне?

Пуаро молча встал и с легким поклоном протянул письмо мистеру Форбсу.

Тот прочитал его и еще выше поднял брови.

— Весьма интересное письмо. Теперь мне понятен ваш вопрос. Нет, насколько мне известно, не было ничего такого, что могло бы оправдать это послание.

— А сэр Джервас ничего не говорил вам по этому поводу?

— Абсолютно ничего. Должен сказать, мне кажется довольно странным, что он этого не сделал.

— Он, как правило, во всем доверял вам?

— Думаю, он полагался на мои суждения.

— И у вас нет никаких предположений относительно этого письма?

— Я не люблю делать поспешных выводов.

Майор Риддл оценил этот ответ по достоинству.

— Теперь, мистер Форбс, возможно, вы сообщите нам, как сэр Джервас распорядился своим состоянием?

— Разумеется. Против этого у меня нет никаких возражений. Жене сэр Джервас оставил годовой доход с поместья в шесть тысяч фунтов, а также либо Дауэр-Хаус, либо городской дом на Лоундс-сквер — в зависимости от того, что она предпочтет. Остальное состояние, свободное от долгов и налогов, завещано его приемной дочери Рут при условии, что, если она выйдет замуж, ее муж примет фамилию Чевеникс-Гор.

— А что получает его племянник, мистер Хьюго Трент?

— Пять тысяч фунтов.

— Насколько я понимаю, сэр Джервас был богатым человеком?

— Очень богатым. Помимо имения, у него было огромное состояние. Конечно, он был уже не так богат, как прежде. Доходы с инвестиций значительно уменьшились. К тому же полковник Бери уговорил его вложить крупную сумму в компанию «Пэрагон синтетик раббер сабститьют».

— Это был не очень разумный совет?

Мистер Форбс вздохнул:

— Участие отставных военных в финансовых операциях, как правило, оканчивается для них плачевно. По-моему, они еще более доверчивы, чем вдовы.

— Но эти неудачные инвестиции не отразились серьезно на доходах сэра Джерваса?

— Конечно нет. Он все еще оставался очень богатым человеком.

— А когда было составлено его завещание?

— Два года назад.

— Не кажется ли вам, — заметил Пуаро, — что завещание несколько несправедливо к мистеру Хьюго Тренту, племяннику сэра Джерваса? Ведь он, в конце концов, его ближайший кровный родственник.

Мистер Форбс пожал плечами:

— Нужно учитывать определенные обстоятельства семейной истории.

— А именно?

Мистер Форбс явно был не расположен развивать эту тему.

— Вы не подумайте, — сказал майор Риддл, — что мы хотим копаться в старых скандалах или что-нибудь в этом роде. Но письмо сэра Джерваса к мсье Пуаро необходимо объяснить.

— В причинах отношения сэра Джерваса к племяннику нет ничего скандального, — быстро отозвался мистер Форбс. — Просто сэр Джервас всегда очень серьезно воспринимал свое положение главы семейства. У него были младшие брат и сестра. Брат, Энтони, погиб на войне. Сестра, Памела, вышла замуж, и сэр Джервас не одобрял этот брак. К тому же он считал, что сестра вначале должна была заручиться его согласием. По мнению сэра Джерваса, семья капитана Трента занимала недостаточно высокое положение, чтобы породниться с Чевеникс-Горами. Но его сестру такое отношение только забавляло. Результатом стала неприязнь сэра Джерваса к племяннику. Думаю, это и привело его к решению взять приемную дочь.

— А на появление своего ребенка он не мог рассчитывать?

— Нет. Через год после свадьбы леди Чевеникс-Гор родила мертвого ребенка, и врачи сказали ей, что она больше не сможет иметь детей. Два года спустя сэр Джервас удочерил Рут.

— А кто такая мадемуазель Рут? Почему они именно на ней остановили свой выбор? — спросил Пуаро.

— По-моему, она дальняя родственница.

— Так я и думал. — Пуаро бросил взгляд на стену, увешанную семейными портретами. — Нос и линии подбородка указывают на ту же кровь. На этой стене они повторяются неоднократно.

— Характер она тоже унаследовала, — сухо промолвил мистер Форбс.

— Можно себе представить. В каких отношениях она была с приемным отцом?

— У них часто бывали бурные ссоры, но, думаю, они хорошо подходили друг другу.

— Тем не менее она причиняла ему немало беспокойства?

— Постоянно. Но уверяю вас, это не могло послужить причиной самоубийства.

— Разумеется, — согласился Пуаро. — Еще никто не вышибал себе мозги только потому, что у него своенравная дочь. Итак, мадемуазель наследует. А сэр Джервас никогда не думал об изменении завещания?

— Хм! — Мистер Форбс кашлянул, чтобы скрыть замешательство. — Действительно, по прибытии сюда — точнее, два дня назад — я получил от сэра Джерваса указания готовить проект нового завещания.

— Что такое? — Майор Риддл ближе придвинул свой стул. — Вы не говорили нам об этом.

— Но вы спрашивали меня только об условиях завещания сэра Джерваса, — быстро ответил мистер Форбс. — Я и сообщил вам требуемые сведения. Новое завещание не только не было подписано, но даже толком составлено.

— А каковы были его условия? Они могут объяснить душевное состояние сэра Джерваса.

— В целом разница небольшая, но мисс Чевеникс-Гор должна была наследовать только в случае брака с мистером Хьюго Трентом.

— Ага! — воскликнул Пуаро. — Но это весьма существенная разница.

— Я не одобрял этого пункта, — заметил мистер Форбс, — и счел себя обязанным указать, что он может быть успешно опротестован. Суду не слишком нравятся подобные условия. Однако сэр Джервас настаивал на своем.

— А если бы мисс Чевеникс-Гор или мистер Трент отказались выполнить это условие?

— Если бы мистер Трент отказался жениться на мисс Чевеникс-Гор, то деньги безоговорочно перешли бы к ней. Но если бы он согласился, а она отказалась, то деньги достались бы ему.

— Странная история, — промолвил майор Риддл.

Пуаро склонился вперед и похлопал адвоката по колену.

— Но что стояло за всем этим? Что побудило сэра Джерваса включить это условие? Ведь должна быть какая-то определенная причина... Возможно, сэр Джервас обнаружил, что его дочь увлечена другим мужчиной, которого он не одобрял. Думаю, мистер Форбс, вы должны знать, кто этот человек.

— Право, мсье Пуаро, я не располагаю подобными сведениями.

— Но вы могли бы догадаться.

— Я никогда не строю догадок. — Судя по голосу, мистер Форбс был шокирован.

Сняв пенсне, он протер его шелковым носовым платком и осведомился:

— Есть еще что-нибудь, что вы хотели бы узнать?

— В данный момент нет, — ответил Пуаро. — По крайней мере, что касается меня.

Мистер Форбс выглядел так, словно считал, что эта история вообще не слишком касается Пуаро, и перевел взгляд на главного констебля.

— Благодарю вас, мистер Форбс, — сказал майор Риддл. — Думаю, это все. Я бы хотел, если можно, побеседовать с мисс Чевеникс-Гор.

— Разумеется. По-моему, она наверху с матерью.

— Тогда я лучше сначала переговорю с... как его... Бэрроузом и женщиной, которая занимается семейной историей.

— Они в библиотеке. Я передам им.

Глава 7

— Занятие не из легких, — заметил майор Риддл, когда адвокат вышел из комнаты. — Нужно немало потрудиться, чтобы вытянуть информацию из этих юристов старой закалки. По-моему, все крутится вокруг этой девушки.

— На первый взгляд так оно и есть.

— А вот и Бэрроуз.

Весь вид Годфри Бэрроуза говорил о желании принести пользу. Стараясь придать лицу печальное выражение, он улыбнулся уголками рта. Улыбка выглядела скорее принужденной, чем искренней.

— Мистер Бэрроуз, мы хотим задать вам несколько вопросов.

— Разумеется, майор Риддл. Сколько угодно.

— Ну, прежде всего, есть ли у вас какие-нибудь соображения относительно причины самоубийства сэра Джерваса?

— Абсолютно никаких. Это потрясло меня.

— Вы слышали выстрел?

— Нет. Должно быть, я тогда был в библиотеке. Я спустился довольно рано и пошел в библиотеку навести одну справку. Библиотека в противоположном конце дома, поэтому я не мог что-то слышать.

— Был кто-нибудь с вами в библиотеке? — спросил Пуаро.

— Нет.

— А вы знаете, где в это время находились остальные?

— Наверное, переодевались наверху.

— Когда вы пришли в гостиную?

— Как раз перед прибытием мсье Пуаро. Все уже были там — конечно, кроме сэра Джерваса.

— Вам показалось странным его отсутствие?

— Вообще-то да. Как правило, он присутствовал в гостиной уже перед первым гонгом.

— В последнее время вы не замечали никаких изменений в поведении сэра Джерваса? Не был ли он огорчен, взволнован или подавлен?

Бэрроуз задумался.

— По-моему, нет. Может быть, слегка озабочен.

— Но он не казался обеспокоенным по какому-нибудь определенному поводу?

— Нет.

— У него были какие-нибудь финансовые осложнения?

— Да, его немного тревожили дела одного предприятия — компании «Синтетик пэрагон раббер».

— Что именно он говорил по этому поводу?

На лице Годфри Бэрроуза вновь промелькнула та же искусственная улыбка.

— Ну, в общем, он говорил следующее: «Старый Бери либо дурак, либо мошенник. Думаю, что дурак. Но мне придется терпеть его ради Ванды».

— А почему «ради Ванды»? — поинтересовался Пуаро.

— Понимаете, леди Чевеникс-Гор очень любила полковника Бери, а тот просто обожал ее. Ходил за ней как собачонка.

— А сэр Джервас не ревновал?

— Ревновал? — Бэрроуз уставился на собеседника, затем рассмеялся. — Сэр Джервас ревновал! Да он даже не знал, как приступить к этому занятию! Ему никогда бы не пришло в голову, что кто-то может предпочесть его персоне кого-нибудь другого. Такого просто не могло быть.

— По-видимому, сэр Джервас вам не слишком нравился? — деликатно предположил Пуаро.

Бэрроуз покраснел.

— Вы правы. Но ведь такие вещи в наши дни выглядят просто смешно.

— Какие именно? — спросил Пуаро.

— Ну, весь этот феодализм — высокомерие, гордость собственным происхождением. Во многих отношениях сэр Джервас был очень способным человеком, к тому же прожившим интересную жизнь, но он был бы куда интереснее, если бы поменьше занимался собственной персоной и не страдал таким чудовищным эгоизмом.

— А его дочь соглашалась с вами в этом вопросе?

Бэрроуз покраснел еще гуще.

— Я считал мисс Чевеникс-Гор вполне современной девушкой. Естественно, я не обсуждал с ней ее отца.

— Но современные молодые люди постоянно обсуждают своих отцов, — заметил Пуаро. — Критиковать родителей — вполне в духе времени.

Бэрроуз пожал плечами.

— А кроме этой компании, у него не было финансовых неприятностей? — спросил майор Риддл. — Сэр Джервас никогда не говорил, что его обманули?

— Обманули? — В голосе Бэрроуза звучало удивление. — Нет, никогда.

— Вы сами были с ним в хороших отношениях?

— Разумеется. А почему бы и нет?

— Об этом я и спрашиваю вас, мистер Бэрроуз.

Молодой человек помрачнел:

— Мы были в наилучших отношениях.

— Вы знали, что сэр Джервас послал мсье Пуаро письмо с просьбой приехать сюда?

— Нет.

— Сэр Джервас обычно сам писал письма?

— Нет, он почти всегда диктовал их мне.

— Но в этом случае он так не сделал?

— Очевидно.

— Как вы думаете почему?

— Понятия не имею.

— Вы не можете представить себе никакой причины, побудившей сэра Джерваса самостоятельно написать это письмо?

— Нет, не могу.

— Весьма любопытно, — заметил майор Риддл. — Когда вы в последний раз видели сэра Джерваса?

— Перед тем, как пошел переодеваться к обеду. Я принес ему на подпись несколько писем.

— И как он тогда себя вел?

— Вполне нормально. Я бы сказал, даже доволен собой.

Пуаро шевельнулся на стуле.

— Вот как? — промолвил он. — Значит, вам показалось, что он был чем-то доволен? И все же вскоре после этого он застрелился! Довольно странно!

Годфри Бэрроуз пожал плечами:

— Это только мое впечатление.

— Да-да, и оно очень ценно. В конце концов, вы, возможно, один из последних, видевших сэра Джерваса живым.

— Последним его видел Снелл.

— Видел, но не говорил с ним.

Бэрроуз промолчал.

— Когда вы пошли переодеваться к обеду? — спросил майор Риддл.

— Примерно в пять минут восьмого.

— Что в тот момент делал сэр Джервас?

— Я оставил его в кабинете.

— Как долго он обычно переодевался?

— Как правило, он отводил на это полных три четверти часа.

— Значит, если обед начинался в четверть девятого, он должен был подняться к себе самое позднее в половине восьмого?

535

— Очевидно, да.

— А вы сами переоделись заранее?

— Да, я хотел перед обедом зайти в библиотеку и получить там нужную справку.

Пуаро задумчиво кивнул.

— Ну, — сказал майор Риддл, — думаю, что пока это все. Пришлите, пожалуйста, сюда эту мисс... как ее там?

Маленькая мисс Лингард появилась почти немедленно. На ней было несколько цепочек, которые звякнули, когда она опустилась на стул. Усевшись, она окинула обоих мужчин вопрошающим взглядом.

— Все это весьма... э-э... печально, мисс Лингард, — начал майор Риддл.

— В самом деле, — согласилась мисс Лингард.

— Когда вы прибыли в этот дом?

— Около двух месяцев назад. Сэр Джервас написал в Британский музей своему другу, полковнику Фозерингею, и он рекомендовал меня. Мне приходилось много заниматься историческими исследованиями.

— Вам было трудно работать с сэром Джервасом?

— В общем, нет. Конечно, ему часто приходилось потакать, но, имея дело с мужчинами, этого не избежать.

Испытывая неприятное ощущение, что мисс Лингард в этот момент, возможно, потакает ему, майор продолжал:

— Ваша работа здесь заключалась в помощи сэру Джервасу писать книгу?

— Да.

— И что конкретно вам приходилось делать?

В глазах мисс Лингард мелькнул огонек.

— Конкретно мне приходилось писать книгу! Я добывала всю информацию, делала примечания, готовила материал и, наконец, правила написанное сэром Джервасом.

— Должно быть, вам пришлось проявить немало такта, мадемуазель, — заметил Пуаро.

— Такта и твердости. Он нуждался и в том и в другом, — отозвалась мисс Лингард.

536

— А сэра Джерваса не возмущала ваша... э-э... твердость?

— Нисколько. Конечно, я все устраивала так, что ему не нужно было возиться с мелкими деталями.

— Понятно.

— С сэром Джервасом было довольно легко справиться, если только правильно за это взяться.

— Теперь, мисс Лингард, я хотел бы знать, известно ли вам что-нибудь способное пролить свет на эту трагедию?

Мисс Лингард покачала головой:

— Боюсь, что нет. Понимаете, сэр Джервас не был со мной откровенным. Я здесь практически посторонняя. Да и вообще, по-моему, он был слишком горд, чтобы говорить с кем-то о семейных неприятностях.

— Значит, вы считаете, что покончить с собой его вынудили семейные неприятности?

Мисс Лингард выглядела удивленной.

— Ну конечно! А разве есть другие предположения?

— Вы уверены, что его беспокоили семейные дела?

— Я знаю, что он был сильно расстроен.

— Вот как? Он говорил вам что-нибудь по этому поводу?

— Не слишком подробно.

— Что же он сказал?

— Дайте вспомнить... Я заметила, что он не слишком внимательно меня слушает...

— Pardon, одну минуту. Когда это было?

— Сегодня. Мы обычно работали с трех до пяти.

— Пожалуйста, продолжайте.

— Как я сказала, сэр Джервас не мог ни на чем сосредоточиться — он объяснил, что ему не дают покоя несколько серьезных дел, и добавил нечто вроде этого (конечно, я не помню точные слова): «Ужасно, мисс Лингард, когда на одно из самых гордых семейств в стране должно пасть бесчестье».

— А что вы на это ответили?

— О, что-то успокаивающее. Кажется, я сказала, что в каждом семействе встречаются неудачные представители, — это род кары за величие, — но что потомство об этом редко вспоминает.

— Это его успокоило?

— Более или менее. Мы снова занялись сэром Роджером Чевеникс-Гором. Я нашла интересное упоминание о нем в манускрипте того времени. Но сэр Джервас опять отвлекся. В конце концов он заявил, что сегодня больше не в состоянии работать из-за удара, обрушившегося на него.

— Удара?

— Так он сказал. Конечно, я не задавала никаких вопросов, а только заметила: «Мне очень жаль это слышать, сэр Джервас». Потом он попросил меня предупредить Снелла о приезде мсье Пуаро и чтобы он отложил обед до четверти девятого и отправил машину на станцию к поезду в семь пятьдесят.

— Сэр Джервас обычно обращался к вам с просьбами о подобных приготовлениях?

— Как правило, эту работу выполнял мистер Бэрроуз. Я занималась исключительно литературной деятельностью — ведь я не секретарь.

— Как вам кажется, — спросил Пуаро, — была у сэра Джерваса какая-то определенная причина, чтобы дать эти указания вам, а не мистеру Бэрроузу?

Мисс Лингард задумалась.

— Может, и была... Тогда я об этом не подумала. Мне казалось, что сэр Джервас просто обратился к тому, кто был рядом. Но теперь я припоминаю, что он просил меня никому не рассказывать о приезде мсье Пуаро. По его словам, это должно было стать сюрпризом.

— Ах вот оно что! Весьма интересно. А вы рассказали кому-нибудь?

— Конечно нет, мсье Пуаро. Я сообщила Снеллу насчет обеда и велела послать на станцию шофера встретить джентльмена, прибывающего поездом в семь пятьдесят.

— Говорил ли сэр Джервас что-нибудь еще, что могло бы иметь отношение к создавшейся ситуации?

— По-моему, нет, — подумав, ответила мисс Лингард. — Сэр Джервас был очень взвинчен. Помню, когда я выходила из комнаты, он сказал: «Теперь его приезд уже ничего не даст. Слишком поздно».

— И вы не знаете, что он под этим подразумевал?

— Н-нет.

Отрицание прозвучало не слишком уверенно.

— «Слишком поздно», — нахмурившись, повторил Пуаро. — Что же это означало?

— Как вы думаете, мисс Лингард, что именно могло так расстроить сэра Джерваса? — спросил майор Риддл.

Мисс Лингард медленно ответила:

— Мне кажется, это как-то связано с мистером Хьюго Трентом.

— С Хьюго Трентом? Почему вы так думаете?

— Ну, мне точно ничего не известно, но вчера мы занимались сэром Хьюго де Шевени (который, боюсь, проявил себя не совсем с хорошей стороны во время Войны Роз[1]) и сэр Джервас сказал: «Моя сестра правильно поступила, назвав своего сына Хьюго. В нашей семье это имя всегда приносило несчастье. Ей следовало знать, что ни из одного Хьюго не выйдет ничего хорошего».

— То, что вы нам сообщили, наводит на размышления, — заметил Пуаро. — Да, это подало мне новую идею.

— Сэр Джервас не добавил ничего более конкретного? — спросил майор Риддл.

Мисс Лингард покачала головой:

— Нет, да это и естественно. Ведь его слова, несомненно, были обращены не ко мне, а к самому себе.

— Да, вы правы.

— Мадемуазель, — снова заговорил Пуаро, — вы, человек посторонний, пробыли здесь два месяца. Для нас было бы очень ценным, если бы вы откровенно поделились с нами вашими впечатлениями о членах этой семьи и других обитателях дома.

_____

[1] В о й н а Р о з (1455—1485) — гражданская война между сторонниками претендовавших на английский престол Ланкастерской и Йоркской династий, в гербах которых были алые и белые розы.

Мисс Лингард сняла пенсне и прищурилась.

— Ну, если говорить откровенно, то сначала мне казалось, что я угодила прямиком в сумасшедший дом! Леди Чевеникс-Гор постоянно видела несуществующие вещи, сэр Джервас вел себя как король на сцене — по-моему, я никогда не встречала более странных людей, чем эта пара. Конечно, мисс Чевеникс-Гор вполне нормальна, да и вскоре я поняла, что на самом деле она очень славная женщина.

Но, думаю, сэр Джервас был безумен по-настоящему. Его эгомания — кажется, это так называется? — усиливалась с каждым днем.

— А остальные?

— Не сомневаюсь, что мистеру Бэрроузу приходилось трудновато с сэром Джервасом. Думаю, он был рад, что наша работа над книгой позволяла ему хоть немного вздохнуть свободно. Полковник Бери — очаровательный человек. Он всецело предан леди Чевеникс-Гор и был в хороших отношениях с сэром Джервасом. Мистер Трент, мистер Форбс и мисс Кардуэлл пробыли здесь всего несколько дней, поэтому о них я знаю немного.

— Благодарю вас, мадемуазель. А что вы скажете о капитане Лейке — управляющем?

— Симпатичный молодой человек. Он всем нравился.

— Включая сэра Джерваса?

— Да. Я слышала, как он говорил, что Лейк — лучший управляющий из всех, что у него были. Конечно, капитану Лейку тоже бывало с ним нелегко, но в целом он хорошо справлялся.

Пуаро задумчиво кивнул.

— Я собирался спросить вас о какой-то мелочи, — пробормотал он, — но никак не могу вспомнить, о чем именно...

Мисс Лингард терпеливо ожидала.

Пуаро раздосадованно покачал головой:

— Ведь это буквально вертится на кончике языка!

Майор Риддл некоторое время ждал, пока Пуаро продолжал растерянно морщить лоб, потом снова взял на себя инициативу:

— Когда вы в последний раз видели сэра Джерваса?

— За чаем в этой комнате.

— И его поведение было нормальным?

— Таким же нормальным, как обычно.

— А среди присутствующих ощущалось напряжение?

— Нет, по-моему, все держались вполне непринужденно.

— Куда пошел сэр Джервас после чая?

— Как всегда, в свой кабинет с мистером Бэрроузом.

— И больше вы не видели его живым?

— Да. Я пошла в комнату, где обычно работаю, и отпечатала на машинке главу из книги, внося замечания, сделанные сэром Джервасом. В семь часов я поднялась наверх отдохнуть и переодеться к обеду.

— Насколько я понял, вы слышали выстрел?

— Да, я была здесь, услышала звук, похожий на выстрел, и вышла в холл. Там были мистер Трент и мисс Кардуэлл. Мистер Трент спросил Снелла, подано ли к обеду шампанское, и пошутил по этому поводу. Нам и в голову не пришло принять это всерьез. Мы были уверены, что это просто выхлоп газов в автомобиле.

— А вы не слышали, — осведомился Пуаро, — как мистер Трент в шутку предположил, что это убийство?

— Кажется, он сказал что-то вроде этого — шутя, разумеется.

— Что произошло затем?

— Мы все вошли сюда.

— Вы можете вспомнить, в каком порядке остальные спускались к обеду?

— По-моему, первой пришла мисс Чевеникс-Гор, за ней мистер Форбс. Потом вместе спустились полковник Бери и леди Чевеникс-Гор, следом пришел мистер Бэрроуз. Думаю, они входили в таком порядке, хотя я не уверена, так как все появились почти одновременно.

— Собравшись на звук первого гонга?

— Да. Услышав этот гонг, все начинали суетиться, так как сэр Джервас был ярым сторонником пунктуальности в отношении обеда.

— В какое время обычно спускался он сам?

— Он почти всегда был в гостиной перед первым гонгом.

— А вас удивило, что сегодня его там не оказалось?

— Очень удивило.

— А, наконец-то! — воскликнул Пуаро.

Когда двое остальных вопросительно посмотрели на него, он объяснил:

— Я вспомнил, о чем хотел спросить. Этим вечером, мадемуазель, когда мы все шли к кабинету, услышав от Снелла, что он заперт, вы нагнулись и что-то подняли.

— Я? — Мисс Лингард казалась искренне удивленной.

— Да, как только мы свернули в коридор, ведущий к кабинету.

— Как странно — я этого не помню... Хотя постойте... Да, вы правы — я машинально кое-что подняла. По-моему, это должно быть здесь.

Открыв черную атласную сумочку, она высыпала ее содержимое на стол.

Пуаро и майор Риддл с любопытством обозревали предложенную им коллекцию, состоящую из двух носовых платков, пудреницы, маленькой связки ключей, футляра для очков и еще одного предмета, который особенно заинтересовал Пуаро.

— Ей-богу, это пуля! — воскликнул майор Риддл.

Предмет и в самом деле имел форму пули, но при рассмотрении оказался маленьким карандашиком.

— Вот что я подняла, — сказала мисс Лингард. — Я совсем об этом забыла.

— Вы знаете, кому он принадлежит, мисс Лингард?

— Да, это карандаш полковника Бери. Он сделал его из пули, которой вроде бы был ранен во время Южноафриканской войны[1].

— Когда вы видели карандаш у него в последний раз?

— Сегодня во второй половине дня, когда они играли в бридж, — я заметила, что он записывал им счет, когда пришла к чаю.

— А кто именно играл в бридж?

---

[1] Речь идет об англо-бурской войне 1899—1902 гг.

— Полковник Бери, леди Чевеникс-Гор, мистер Трент и мисс Кардуэлл.

— Пожалуй, — сказал Пуаро, — мы оставим карандаш у себя и сами отдадим полковнику.

— Конечно. Я ведь так забывчива, что могла вовсе о нем не вспомнить.

— Не будете ли вы так любезны, мадемуазель, попросить полковника Бери зайти сюда?

— Разумеется. Сейчас я его разыщу.

Она быстро вышла. Пуаро встал и начал бесцельно ходить взад-вперед.

— Мы начинаем восстанавливать ход сегодняшних событий, — заметил он. — Это весьма интересно. В половине третьего сэр Джервас просматривает отчеты с капитаном Лейком. Он слегка озабочен. В три часа он обсуждает свою книгу с мисс Лингард и пребывает в сильнейшем расстройстве. Мисс Лингард, в связи с услышанным ею случайным замечанием, связывает это расстройство с Хьюго Трентом. За чаем его поведение вполне нормально. После чая, по словам Годфри Бэрроуза, он чем-то доволен. Без пяти восемь он спускается вниз, идет в свой кабинет, пишет «простите» на листе бумаги и стреляет в себя!

— Я понимаю, что вы имеете в виду, — медленно произнес майор Риддл. — Это непоследовательно.

— У сэра Джерваса происходят какие-то странные, абсолютно внезапные смены настроения! Он озабочен — он всерьез расстроен — он в нормальном состоянии — он чем-то доволен! Тут что-то не так. А потом его слова «слишком поздно», относящиеся к моему приезду. Он оказался прав — я действительно прибыл слишком поздно и не застал его в живых.

— Вы в самом деле думаете...

— Теперь я никогда не узнаю, почему сэр Джервас посылал за мной.

Пуаро все еще мерил шагами комнату. Он переставил пару предметов на каминной полке, осмотрел карточный столик, стоящий у стены, открыл ящик и вынул записи счета игры в бридж. Затем он подошел к письменному столу и пригляделся к корзине для мусора. Там не было ничего, кроме бумажной сумки. Пуаро вытащил ее, понюхал, пробормотал «апельсины», разгладил и прочел надпись: «Карпентер и сыновья. Торговля фруктами. Хэмборо-Сент-Мэри». Он успел аккуратно сложить сумку в несколько квадратов, когда в комнату вошел полковник Бери.

Глава 8

Полковник опустился на стул, вздохнул и покачал головой.

— Скверная история, Риддл, — сказал он. — Леди Чевеникс-Гор — просто молодец! Великолепная женщина! Ее мужеству можно позавидовать.

— Вы как будто знаете ее много лет? — спросил Пуаро, вернувшись к своему стулу.

— Да, я был на ее первом балу. Помню, на ней было пышное белое платье, а в волосах розовые бутоны... Никто не мог с ней сравниться!

Его голос был полон энтузиазма. Пуаро протянул ему карандаш.

— Кажется, это ваш?

— А? Что? Да, спасибо, я как раз сегодня пользовался им, когда мы играли в бридж. Знаете, у меня три раза подряд шли сплошные козыри. Никогда со мной такого не было!

— Насколько я понял, вы играли в бридж перед чаем? — продолжал Пуаро. — В каком настроении был сэр Джервас, когда он вышел к чаю?

— В самом обычном. Никогда не подумал бы, что Джервас собирается покончить с собой. Хотя, возможно, он был возбужден чуть больше обычного.

— Когда вы видели его в последний раз?

— За чаем. Больше я не видел беднягу живым.

— А вы не заходили в кабинет после чая?

— Нет — я же сказал, что больше его не видел!

— Когда вы спустились к обеду?

— После первого гонга.

— Вы и леди Чевеникс-Гор спустились вместе?

— Нет, мы... э-э... встретились в холле. По-моему, она была в столовой и занималась цветами.

— Надеюсь, вы не будете возражать, полковник Бери, — сказал майор Риддл, — если я задам вам вопрос сугубо личного порядка. Были ли какие-нибудь трения между вами и сэром Джервасом в связи с компанией «Синтетик пэрагон раббер»?

Лицо полковника Бери внезапно побагровело.

— Вовсе нет! — быстро отозвался он. — Старина Джервас был совершенно безрассудным человеком! Ему казалось, что все, чем он занимается, непременно должно оканчиваться успехом! Джервас не желал понимать, что весь мир накануне кризиса, который неминуемо отразится на любых акциях!

— Значит, трения все-таки были?

— Не было никаких трений! Просто Джервас вел себя неразумно.

— Но в своих неудачах он обвинял вас?

— Джервас был ненормальный! Ванда знала это, но могла с ним справиться, поэтому я полагался на нее.

Пуаро кашлянул, и майор Риддл, взглянув на него, переменил тему:

— Я знаю, полковник Бери, что вы старый друг семьи. Известно ли вам, как сэр Джервас распорядился своим состоянием?

— Ну, насколько я знаю, бо́льшая часть должна перейти к Рут.

— Вам не кажется, что это несправедливо к Хьюго Тренту?

— Джервас терпеть не мог Хьюго.

— Но ведь у него было очень развито семейное чувство, а мисс Чевеникс-Гор, в конце концов, только приемная дочь.

Поколебавшись, полковник Бери нерешительно произнес:

— Пожалуй, лучше все вам рассказать. Только учтите, что это строго конфиденциально.

— Разумеется.

— Рут — незаконнорожденная, но она тоже Чевеникс-Гор. Она дочь брата Джерваса, Энтони, который погиб на войне. Кажется, у него была связь с какой-то машинисткой. Когда Энтони убили, девушка написала Ванде. Ванда приехала повидать ее, когда она ожидала ребенка. Тогда Ванда посоветовалась с Джервасом — ей только что сказали, что она больше не сможет иметь детей. В результате, когда родилась девочка, они удочерили ее. Мать официально отказалась от своих прав. Они воспитывали Рут как собственную дочь, да, по сути дела, она таковой и является — стоит лишь взглянуть на нее, чтобы понять, что она истинная Чевеникс-Гор!

— Понятно, — сказал Пуаро. — Это объясняет позицию сэра Джерваса. Но если ему так не нравился мистер Хьюго Трент, почему же он стремился устроить его брак с мадемуазель Рут?

— Чтобы не угас род Чевеникс-Горов. Это был его пунктик.

— Несмотря на то, что он не любил молодого человека или не доверял ему?

— Вы не понимаете старину Джерваса! — фыркнул полковник Бери. — Он не относился к окружающим как к человеческим существам и устраивал браки, как это делалось в королевских семьях. Хьюго и Рут должны пожениться, и Хьюго примет фамилию Чевеникс-Гор. А что думали об этом сами Хьюго и Рут, не имело никакого значения.

— И мадемуазель Рут соглашалась с этими условиями?

— Рут? — Полковник усмехнулся. — Да это настоящая фурия!

— Вы знали, что незадолго до смерти сэр Джервас обдумывал проект нового завещания, по которому мисс Чевеникс-Гор наследовала бы только в случае брака с мистером Трентом?

Полковник Бери присвистнул от изумления.

— Значит, он в самом деле беспокоился насчет ее и Бэрроуза...

Он умолк, но было уже поздно. Пуаро поймал его на слове:

— Выходит, между мадемуазель Рут и молодым мсье Бэрроузом что-то было?

— Да нет, что вы, абсолютно ничего!

Майор Риддл кашлянул.

— Думаю, полковник Бери, — сказал он, — вы должны сообщить нам все, что знаете. Ведь это могло иметь прямое отношение к самоубийству сэра Джерваса.

— Может, и так, — с сомнением произнес полковник Бери. — Вообще-то молодой Бэрроуз весьма недурен собой — по крайней мере, так считают женщины. В последнее время он и Рут вроде бы стали закадычными друзьями, а Джервасу это совсем не нравилось. Но увольнять Бэрроуза он не хотел из страха перед упрямством Рут, которая не выносила, когда ей диктуют, как поступать. Думаю, потому Джервас и пришел к такому решению. Рут — не та девушка, которая пожертвует всем ради любви. Она любит комфорт и деньги.

— А как вы сами относитесь к мистеру Бэрроузу?

Полковник заявил, что, по его мнению, у Бэрроуза довольно волосатые пятки. Это выражение повергло Пуаро в замешательство, а майора Риддла заставило усмехнуться в усы.

Ответив еще на несколько вопросов, полковник Бери удалился.

Риддл посмотрел на Пуаро, который сидел погруженный в размышления.

— Что вы обо всем этом думаете, мсье Пуаро?

Маленький человечек взмахнул рукой.

— У меня начинает вырабатываться определенная схема...

— Неужели?

— В это трудно поверить, но одна легкомысленная фраза кажется мне все более многозначительной.

— Какая именно?

— Которую в шутку произнес Хьюго Трент: «Это, наверное, убийство».

— Я заметил, что вы все время к этому клоните, — сказал Риддл.

— Согласитесь, друг мой, чем больше мы узнаем, тем меньше находим мотивов для самоубийства? А вот для убийства у нас их уже целая коллекция!

— Все же не следует забывать о фактах — дверь заперта, ключ в кармане покойного. О, я знаю, есть много способов устроить это с помощью проволоки, булавок и тому подобного. Но они существуют лишь в теории, однако сомневаюсь, чтобы они срабатывали на практике.

— Во всяком случае, давайте рассмотрим ситуацию с позиции убийства, а не самоубийства.

— Ради Бога! Раз вы появились на сцене, то, возможно, это в самом деле убийство.

— Не сказал бы, что мне нравится это замечание, — улыбнулся Пуаро.

Затем он вновь стал серьезным.

— Да, давайте проанализируем дело с точки зрения убийства. В момент выстрела четыре человека находились в холле: мисс Лингард, Хьюго Трент, мисс Кардуэлл и Снелл. Где же были все остальные?

— Бэрроуз, согласно его показаниям, сидел в библиотеке. Подтвердить это не может никто. Другие находились в своих комнатах, но кто знает, были ли они там на самом деле? Все как будто спустились вниз порознь. Даже леди Чевеникс-Гор и Бери встретились только в холле. Леди Чевеникс-Гор пришла из столовой. Откуда же пришел Бери? Может быть, не сверху, а из кабинета? Тем более этот карандаш...

— Да, карандаш весьма интересен. Полковник никак не отреагировал, когда я показал его, но, вероятно, потому, что он не знал о том, где карандаш нашли. Кто еще играл в бридж, когда пользовались этим карандашом? Хьюго Трент и мисс Кардуэлл... Они отпадают, так как мисс Лингард и дворецкий подтверждают их алиби. Четвертой была леди Чевеникс-Гор.

— Не станете же вы всерьез подозревать ее!

— А почему бы и нет, друг мой? Я могу подозревать кого угодно! Предположим, что, несмотря на кажущуюся преданность мужу, она любит полковника Бери, чье постоянство достойно похвалы.

— Хм! — промолвил майор Риддл. — Много лет они представляли собой нечто вроде ménage à trois[1].

---

[1] Семья из трех человек (*фр.*).

— К тому же между сэром Джервасом и полковником пробежала кошка из-за этой компании.

— Да, эта история, безусловно, могла разозлить сэра Джерваса. Нам ведь неизвестны все подробности. Может, из-за этого он вас и вызвал. Скажем, сэр Джервас подозревал, что Бери обманывает его, но не хотел огласки, так как считал, что в этом замешана его жена. Да, это вполне вероятно. В таком случае, и у Бери, и у леди Чевеникс-Гор мог иметься мотив. Вообще довольно странно, что леди Чевеникс-Гор так спокойно восприняла смерть мужа. Вся эта спиритическая чушь может оказаться простым спектаклем.

— Существует и другая загвоздка, — заметил Пуаро. — Мисс Чевеникс-Гор и Бэрроуз. В их интересах было не дать сэру Джервасу подписать новое завещание. А теперь она получает все лишь при условии, что ее муж примет фамилию Чевеникс-Гор.

— Да, и слова Бэрроуза о поведении сэра Джерваса этим вечером звучат сомнительно. Хорошее настроение, чем-то доволен!.. Это не согласуется с другими показаниями.

— Не следует забывать и о мистере Форбсе. Сдержанный, корректный джентльмен, представитель авторитетной фирмы... Однако иногда даже самые респектабельные адвокаты, оказавшись на мели, присваивали деньги своих клиентов. ·

— Знаете, Пуаро, это уж чересчур сенсационно.

— Слишком похоже на кино? В жизни такое случается довольно часто.

— До сих пор в Уэстшире такого не бывало, — вздохнул главный констебль. — Ладно, давайте побеседуем с остальными, а то уже поздно. Мы еще не разговаривали с Рут Чевеникс-Гор, а она, возможно, самое важное лицо в этой истории.

— Согласен. Но ведь остается еще и мисс Кардуэлл. Может, сначала поговорим с ней, я надеюсь, это не займет много времени, а мисс Чевеникс-Гор оставим напоследок?

— Согласен.

Глава 9

Этим вечером Пуаро только мельком видел Сузан Кардуэлл. Теперь он смог более внимательно разглядеть девушку. Ее смышленое личико с искусно наложенным макияжем, обрамленное великолепными рыжими волосами, не блистало красотой, но обладало привлекательностью, которой позавидовали бы многие хорошенькие девушки. В глазах, как показалось Пуаро, застыло настороженное выражение.

После нескольких предварительных вопросов майор Риддл осведомился:

— Вы близкий друг этой семьи, мисс Кардуэлл?

— Я их вовсе не знаю. Это Хьюго устроил так, чтобы меня сюда пригласили.

— Стало быть, вы друг Хьюго Трента?

— Да, я его подруга. В этом доме я занимаю именно такое положение. — Сузан улыбнулась.

— Вы давно с ним знакомы?

— Нет, около месяца. — Помолчав, она добавила: — В некотором роде мы с ним помолвлены.

— И он привез вас сюда, чтобы представить своим родственникам?

— Боже мой, конечно нет! Мы держим все в секрете. Я просто приехала изучить обстановку. Хьюго говорил мне, что это место — настоящий сумасшедший дом, и я решила сама посмотреть, что здесь творится. Хьюго — славный мальчик, но у него нет ни капли мозгов. Дело в том, что создалась критическая ситуация. Ни у Хьюго, ни у меня нет ни гроша за душой, а старый сэр Джервас, основная надежда Хьюго, вбил себе в голову, что он должен жениться на Рут. Хьюго очень мягкотелый — он мог согласиться на этот брак, рассчитывая, что позже ему как-нибудь удастся вывернуться.

— Такая ситуация вас не устраивала, мадемуазель? — вежливо спросил Пуаро.

— Разумеется, нет. Рут ведь могла взбрыкнуть и отказать ему в разводе. Нет уж, никакого собора Святого Павла, покуда я не смогу войти туда с букетом лилий, потупив взор от смущения.

— Итак, вы приехали сюда, чтобы самой изучить ситуацию?

— Да.

— Eh bien?

— Конечно, Хьюго был прав. Это семейка психов. Кроме Рут, которая выглядит вполне нормальной. У нее есть свой дружок, и я больше, чем кто-либо другой, желаю им скорее пожениться.

— Вы имеете в виду мистера Бэрроуза?

— Бэрроуза? Конечно нет. Рут никогда бы не влюбилась в столь фальшивого типа.

— Тогда кто же объект ее привязанности?

Сузан Кардуэлл достала сигарету и зажгла ее.

— Вы лучше спросите ее. В конце концов, это не мое дело.

— Когда вы в последний раз видели сэра Джерваса? — спросил майор Риддл.

— За чаем.

— Его поведение не показалось вам странным?

Девушка пожала плечами:

— Не более странным, чем всегда.

— Что вы делали после чая?

— Играла в бильярд с Хьюго.

— И больше вы не видели сэра Джерваса?

— Нет.

— Вы слышали выстрел?

— С этим выстрелом целая история. Понимаете, мне казалось, что первый гонг уже прозвучал, поэтому я быстро переоделась, выбежала из комнаты, услышала, как я считала, второй гонг и сломя голову понеслась вниз по лестнице. В первый мой вечер здесь я опоздала к обеду на минуту, и Хьюго сказал мне, что это едва не свело на нет все наши шансы поладить со стариком, потому я так торопилась. Хьюго меня немного опередил. Тогда-то и раздался этот звук. Хьюго предположил, что это пробка от шампанского, но Снелл сказал, что шампанского к обеду не было, да и мне показалось, что звук шел не из столовой. Мисс Лингард думала, что он донесся сверху, но потом мы решили, что это автомобиль, пошли в столовую и забыли об этом.

— И вам ни на минуту не пришло в голову, что сэр Джервас мог застрелиться? — спросил Пуаро.

— А почему мне такое должно было прийти в голову? Старик был в восторге от собственной персоны. Не понимаю, почему он это сделал. Наверное, потому, что был психом.

— Печальное событие.

— Для нас с Хьюго очень печальное. Насколько я понимаю, он не оставил Хьюго ничего или почти ничего.

— Кто вам это сказал?

— Хьюго выведал у старого Форбса.

— Ну, мисс Кардуэлл... — майор Риддл немного помедлил, — думаю, это все. Как по-вашему, мисс Чевеникс-Гор в состоянии спуститься и побеседовать с нами?

— По-моему, да. Я передам ей.

— Одну минутку, мадемуазель, — вмешался Пуаро. — Вы видели это раньше?

Он протянул ей карандашик, сделанный из пули.

— Да, мы пользовались им днем, во время бриджа. Кажется, он принадлежит полковнику Бери.

— Полковник забрал его после окончания роббера?

— Понятия не имею.

— Благодарю вас, мадемуазель, это все.

— Хорошо, я позову Рут.

Рут Чевеникс-Гор вошла в комнату походкой королевы, с высоко поднятой головой и румянцем на щеках. Но взгляд ее, как и у Сузан Кардуэлл, был настороженным. На ней было то же платье светло-абрикосового оттенка, что и во время приезда Пуаро. На плече пламенела алая роза. Часом ранее она выглядела ярче и свежее, а теперь поникла и стала блеклой.

— Ну? — осведомилась Рут.

— Сожалею, что был вынужден вас побеспокоить... — начал майор Риддл.

Она прервала его:

— Конечно, вы были вынуждены. Вам приходится этим заниматься. Но я могу сэкономить вам время. Я не имею ни малейшего представления, почему старик застрелился. Могу лишь сказать, что это абсолютно на него непохоже.

— Вы не заметили ничего необычного в его сегодняшнем поведении? Он не был угнетен или, напротив, чрезмерно возбужден?

— Я ничего подобного не заметила.

— Когда вы видели его в последний раз?

— Во время чая.

— А позже вы не заходили в кабинет? — спросил Пуаро.

— Нет. Последний раз я видела его сидящим здесь. — Она указала на стул.

— Понятно. Вам знаком этот карандаш, мадемуазель?

— Это карандаш полковника Бери.

— Вы видели его недавно?

— Право, не помню.

— Вам что-нибудь известно о... разногласиях между сэром Джервасом и полковником Бери?

— Вы имеете в виду из-за компании «Пэрагон раббер»?

— Да.

— Известно. Старик был вне себя!

— Он считал себя обманутым?

Рут пожала плечами:

— Он ничего не смыслил в финансах.

— Могу я задать вам нескромный вопрос, мадемуазель? — осведомился Пуаро.

— Конечно, если вам так хочется.

— Вам жаль, что ваш отец умер?

Она уставилась на него:

— Разумеется, жаль. Я не стану распускать нюни, но мне будет его не хватать... Я любила старика — мы с Хьюго всегда его так называли. В слове «старик» есть нечто примитивное — вроде патриарха племени обезьянолюдей. Звучит непочтительно, но это говорилось с любовью. Но вообще-то он был самым бестолковым старым ослом из всех, что когда-либо существовали!

— Вы заинтересовали меня, мадемуазель.

— Мозгов у старика было не больше, чем у вши! Жаль, что приходится так говорить, но это правда. Он бы не способен ни к какой умственной деятельности. Конечно, старик был незаурядным человеком — обладал фантастической храбростью, путешествовал к полюсу, дрался на дуэли. Думаю, он потому и вел такую бурную жизнь, что знал о своем умственном убожестве.

Пуаро вынул из кармана письмо.

— Прочтите это, мадемуазель.

Девушка прочитала письмо и вернула его Пуаро.

— Так вот что привело вас сюда!

— Это письмо наводит вас на какую-нибудь мысль?

Рут покачала головой:

— Нет. Возможно, это правда. Бедного старика мог обкрадывать кто угодно. Джон говорит, что предыдущий управляющий воровал все, что плохо лежит. Понимаете, старик был настолько уверен в собственном величии, что не снисходил до подобных мелочей. Он просто напрашивался на то, чтобы его грабили!

— Ваша трактовка образа сэра Джерваса, мадемуазель, заметно отличается от общепринятой.

— Ну, он умел хорошо маскироваться. Ванда — моя мать — во всем его поддерживала. Старик был так счастлив, изображая Господа Всемогущего. Вот почему я даже рада, что он умер. Для него это лучший выход.

— Я не вполне вас понимаю, мадемуазель.

— Это овладевало им все сильнее, — с грустью сказала Рут. — В один прекрасный день его бы заперли в сумасшедший дом. Об этом уже начинали поговаривать.

— Вы знаете, мадемуазель, что он обдумывал новое завещание, по которому вы унаследовали бы его деньги, только выйдя замуж за мистера Трента?

— Какой абсурд! — воскликнула Рут. — Уверена, что суд признал бы такое завещание недействительным. Нельзя же диктовать людям, с кем они должны вступать в брак!

— А если бы он подписал такое завещание, вы подчинились бы этому условию, мадемуазель?

Рут уставилась на него:

— Я...

Она умолкла и минуты две сидела в нерешительности, глядя на болтающуюся на ноге комнатную туфлю. От каблука отвалился кусочек земли и упал на ковер.

— Подождите! — внезапно сказала Рут Чевеникс-Гор.

Она поднялась, вышла из комнаты и почти сразу же вернулась вместе с капитаном Лейком.

— Все равно об этом бы стало известно, — слегка запыхавшись, произнесла Рут. — Лучше сразу вам рассказать. Мы с Джоном поженились в Лондоне три недели назад.

Глава 10

Капитан Лейк выглядел куда более смущенным, чем Рут.

— Это большая неожиданность, мисс Чевеникс-Гор... то есть миссис Лейк, — сказал майор Риддл. — И никто не знает о вашем браке?

— Нет, мы все держали в секрете, и Джону это очень не нравилось.

— Я... мне казалось, что мы поступаем нечестно, — слегка запинаясь, заговорил Лейк. — Я должен был сразу же пойти к сэру Джервасу...

— И сообщить ему, что ты хочешь жениться на его дочери? — прервала его Рут. — Старик устроил бы грандиозный скандал, вышвырнул тебя вон, а меня, вероятно, лишил наследства. Нам оставалось бы только утешаться собственной честностью! Нет уж, поверь мне — мой план был гораздо лучше! Что сделано, то сделано. Шум бы все равно был, но старику пришлось бы примириться со случившимся.

Лейк все еще имел несчастный вид.

— Когда вы собирались сообщить новость сэру Джервасу? — спросил Пуаро.

— Я уже готовила почву, — ответила Рут. — Старик начал что-то подозревать насчет нас с Джоном, поэтому я притворилась, будто переключила внимание на Годфри. Естественно, такой вариант разозлил бы его еще больше. Я рассчитывала, что известие о моем браке с Джоном принесет ему облегчение.

— И никто не знал, что вы поженились?

— Я сказала только Ванде, так как надеялась привлечь ее на свою сторону.

— Вам это удалось?

— Да. Понимаете, она не слишком приветствовала мой брак с Хьюго — думаю, из-за того, что он считается моим кузеном. Вероятно, Ванда считала, что если в семье все сумасшедшие, то у нас тоже будут чокнутые дети. Конечно, все это чепуха, ведь я приемная дочь, скорее всего, какого-нибудь дальнего родственника старика.

— Вы уверены, что сэр Джервас ничего не знал?

— Абсолютно.

— А как по-вашему, капитан Лейк? — спросил Пуаро. — Вы не обсуждали сегодня этот вопрос с сэром Джервасом?

— Нет, сэр.

— Дело в том, капитан Лейк, что сэр Джервас очень разволновался именно после вашей с ним беседы. Он даже упомянул о семейном бесчестье.

— Вопрос о нашем браке не затрагивался, — повторил Лейк, сильно побледнев.

— Именно тогда вы в последний раз видели сэра Джерваса?

— Да. Я уже говорил вам об этом.

— Где вы были в восемь минут девятого?

— Где был? У себя дома. Я живу на окраине деревни — примерно в полумиле отсюда.

— И вы не приближались в это время к «Хэмборо-Клоуз»?

— Нет.

Пуаро повернулся к девушке:

— А где были вы, мадемуазель, когда ваш отец застрелился?

— В саду.

— В саду? Вы слышали выстрел?

— Да. Но я не обратила на него особого внимания. Я подумала, что кто-то охотится на кроликов, хотя теперь припоминаю, что звук раздался совсем близко.

— Каким путем вы вернулись в дом?

— Через это окно.

Рут махнула головой в сторону французского окна за ее спиной.

— Здесь был кто-нибудь?

— Нет. Но Хьюго, Сузан и мисс Лингард вышли из холла почти сразу же. Они говорили о выстрелах, убийствах и тому подобном.

— Та-ак, — протянул Пуаро. — Да, теперь я как будто начинаю понимать...

— Ну... э-э... благодарю вас, — с сомнением промолвил майор Риддл. — Думаю, пока это о достаточно.

Рут и ее муж повернулись и вышли из комнаты.

— Какого дьявола... — начал майор Риддл. Сделав паузу, он добавил с беспомощным видом: — Дело становится все более запутанным.

Пуаро кивнул. Он подобрал кусочек земли, отвалившийся от туфли Рут, и задумчиво рассматривал его.

— Это как разбитое зеркало на стене, — сказал он. — Зеркало мертвеца. Каждый новый факт, с которым мы сталкиваемся, словно показывает нам покойного под другим углом зрения. Думаю, скоро мы получим полную картину...

Пуаро встал и выбросил комочек земли в корзину для бумаг.

— Я скажу вам одну вещь, друг мой. Ключ ко всей тайне — зеркало. Пойдите в кабинет и посмотрите сами, если вы не верите мне.

— Если это убийство, то вам придется это доказать, — решительно заявил майор Риддл. — По-моему, это самоубийство. Вы обратили внимание на слова девушки о прежнем управляющем, который обкрадывал старика Джерваса? Держу пари, что Лейк специально выдумал эту историю. Возможно, он сам был немного нечист на руку, сэр Джервас это заподозрил и послал за вами, потому что не знал, насколько далеко зашли дела у Лейка и Рут. Сегодня Лейк сообщил ему о браке. Это доконало Джерваса. Теперь, по его словам, было «слишком поздно» что-либо предпринимать. И он решил покончить с собой. Он и в лучшие времена был не слишком уравновешен, а тут окончательно свихнулся. Вот моя версия. Что вы можете против нее возразить?

Пуаро все еще стоял в середине комнаты.

— Возражать особенно нечего, — ответил он. — Но ваша теория оставляет без внимания кое-какие моменты.

— А именно?

— Сегодняшние смены настроения сэра Джерваса, находку карандаша полковника Бери, показания мисс Кардуэлл (которые очень важны), показания мисс Лингард относительно порядка, в котором присутствующие спускались к обеду, положение стула, на котором обнаружили тело сэра Джерваса, бумажную сумку, в которой держали апельсины, и, наконец, самый важный ключ — разбитое зеркало.

Майор Риддл уставился на него.

— Вы собираетесь доказать, что весь этот вздор имеет смысл? — спросил он.

— Надеюсь, мне удастся сделать это завтра, — мягко ответил Эркюль Пуаро.

Глава 11

На следующее утро Пуаро проснулся, едва рассвело, так как ему отвели спальню в восточной стороне дома.

Встав с кровати, он отодвинул штору и полюбовался прекрасным солнечным утром.

Пуаро начал одеваться с присущей ему тщательностью. Закончив свой туалет, он закутался в теплое пальто и обернул вокруг шеи шарф.

Пройдя на цыпочках по спящему дому, он добрался до гостиной, бесшумно открыл французское окно и вышел в сад.

Солнце светило сквозь утреннюю туманную дымку. Эркюль Пуаро шагал по дорожке вокруг дома, пока не подошел к окнам кабинета сэра Джерваса. Здесь он остановился и огляделся вокруг.

Сразу под окнами вдоль дома зеленела полоска травы. Перед ней — широкий цветочный бордюр, где все еще красовались астры. Перед ним проходила вымощенная плитками дорожка, на которой стоял Пуаро. От бордюра к террасе тянулась поперечная травяная полоска. Пуаро внимательно обследовал ее, покачал головой и переключил внимание на бордюр, на взрыхленной почве которого справа отчетливо виднелись следы ног.

Пуаро, нахмурившись, разглядывал их, когда до его ушей донесся какой-то звук. Он быстро поднял голову.

В открытом окне на втором этаже показалось смышленное личико Сузан Кардуэлл, окруженное пышным ореолом рыжих волос.

— Что вы здесь делаете в такой ранний час, мсье Пуаро? Это ваш наблюдательный пункт?

Пуаро поклонился с подчеркнутой вежливостью:

— Доброе утро, мадемуазель. Да, вы правы. В данный момент вы созерцаете детектива — и притом великого детектива — за работой.

Фраза получилась несколько напыщенной. Сузан склонила голову набок.

— Надо будет упомянуть об этом в моих мемуарах, — заметила она. — Может быть, мне спуститься и помочь вам?

— Я был бы в восторге.

— Сначала я приняла вас за грабителя. Как вы вышли?

— Через окно гостиной.

— Подождите минуту — сейчас я к вам присоединюсь.

Сузан не заставила себя ждать. Пуаро оставался в том же положении, в каком она увидела его из окна.

— Вы рано проснулись, мадемуазель?

— Я почти не спала. Дошла до такого состояния, в котором впору вставать в пять утра.

— Ну, сейчас не настолько рано.

— После бессонной ночи все ощущаешь иначе. Итак, дорогой суперсыщик, что вы разглядываете?

— Как видите, мадемуазель, следы ног.

— В самом деле.

— Четыре следа, — продолжал Пуаро. — Смотрите — я покажу их вам. Два ведут к окну, а два — от него.

— Кому же они принадлежат? Садовнику?

— Ай-ай-ай, мадемуазель! Разве вы не видите, что эти следы оставлены маленькими изящными женскими туфельками на высоких каблуках? Убедитесь сами — наступите на землю рядом с ними.

Поколебавшись, Сузан поставила ногу на место, указанное ей Пуаро. На ней были надеты маленькие домашние туфли на высоком каблуке из темно-коричневой кожи.

— Видите — ваши почти такого же размера. Почти, но не совсем. Эти следы оставлены ногой побольше — возможно, мисс Чевеникс-Гор, или мисс Лингард, или даже леди Чевеникс-Гор.

— Только не леди Чевеникс-Гор — у нее миниатюрные ножки. Раньше людям каким-то образом это удавалось — я имею в виду иметь такие маленькие ноги. А мисс Лингард носит жуткую обувь на низком каблуке.

— Значит, это следы мисс Чевеникс-Гор. Ах да, вспомнил, она ведь говорила, что выходила в сад вчера вечером.

Он двинулся назад вдоль дома. Сузан последовала за ним.

— Мы все еще играем в сыщиков? — осведомилась она.

— Разумеется. Теперь мы пойдем в кабинет сэра Джерваса.

Взломанная дверь по-прежнему уныло висела на петлях. Комната выглядела так же, как вчера вечером. Пуаро раздвинул портьеры, впустив дневной свет.

С минуту он стоял у окна, глядя на цветочный бордюр, потом спросил:

— Полагаю, мадемуазель, у вас нет знакомых среди взломщиков?

Сузан Кардуэлл с сожалением покачала рыжей головой:

— Боюсь, что нет, мсье Пуаро.

— Главный констебль, увы, тоже не имеет с ними дружеских связей. Его отношения с преступным миром никогда не выходили за рамки строго официальных.

Другое дело — я! Как-то я имел очень приятную беседу с одним взломщиком. Он сообщил мне кое-что интересное о французских окнах. Если они заперты не слишком плотно, с ними можно проделать любопытный трюк.

Пуаро повернул ручку левого окна так, что стержень шпингалета вышел из лунки, и он смог, потянув обе створки на себя, широко открыть окно. Затем он снова закрыл створки, не поворачивая ручку и, таким образом, не опуская стержень в гнездо. Сделав это, Пуаро отпустил ручку, подождал немного и внезапно нанес сильный удар сверху над шпингалетом. От сотрясения стержень опустился в лунку, и ручка повернулась сама собой.

— Понимаете, мадемуазель?

— Кажется, да.

Сузан заметно побледнела.

— Когда окно закрыто, войти в комнату невозможно, но зато можно выйти из комнаты, закрыть створки снаружи, потом ударить по ним, как сделал я, и стержень сам войдет в лунку, повернув ручку. Теперь окно закрыто, и каждый, кто посмотрит на него, скажет, что оно заперто изнутри!

— Значит, — голос Сузан слегка дрогнул, — так и произошло вчера вечером?

— Думаю, что да, мадемуазель.

— Я этому не верю! — горячо воскликнула девушка.

Пуаро не ответил. Он подошел к каминной полке и внезапно резко повернулся:

— Мадемуазель, я нуждаюсь в вас как в свидетеле. У меня уже есть один свидетель — мистер Трент. Он видел, как я вчера вечером нашел вот этот маленький осколок зеркала. Я оставил его здесь для полиции и даже сказал главному констеблю, что разбитое зеркало — важная улика. Но он не воспользовался моим намеком. Теперь вы свидетель того, как я кладу этот осколок (к которому уже привлек внимание мистера Трента) в конверт — вот так, — делаю на нем надпись и запечатываю его. Вы согласны засвидетельствовать это, мадемуазель?

— Да, но... но я не понимаю, что все это значит.

Пуаро пересек комнату, остановился у письменного стола и посмотрел на висящее перед ним на стене разбитое зеркало.

— Я скажу вам, что это значит, мадемуазель. Если бы вы стояли здесь вчера вечером, глядя в это зеркало, то могли бы увидеть в нем, как было совершено убийство!

Глава 12

Впервые в жизни Рут Чевеникс-Гор — ныне Рут Лейк — спустилась к завтраку вовремя. Находившийся в холле Эркюль Пуаро отвел ее в сторону, прежде чем она успела войти в столовую.

— У меня есть к вам вопрос, мадам.

— Да?

— Вчера вечером вы были в саду. Не становились ли вы на цветочный бордюр под окном кабинета сэра Джерваса?

Рут уставилась на него:

— Да, дважды.

— Ага! Дважды. Каким образом?

— Первый раз, когда я собирала астры. Было около семи часов.

— Разве это подходящее время для сбора цветов?

— Вообще-то не очень. Вчера утром я уже приносила цветы, но после чая Ванда сказала, что цветы на обеденном столе выглядят скверно. Мне казалось, что с ними все в порядке, поэтому я не меняла их.

— Но ваша мать попросила вас это сделать?

— Да. Поэтому я и вышла в сад около семи. Я сорвала здесь астры, так как сюда редко кто заходит и это не испортило бы вид.

— А второй раз? Вы ведь сказали, что становились на бордюр дважды?

— Второй раз перед самым обедом. Я посадила на платье пятно брильянтина — как раз на плечо. Переодеваться мне не хотелось, а ни один из моих искусственных цветов не подходит к желтому платью. Я вспомнила, что видела на бордюре, где собирала астры, позднюю розу, побежала туда, сорвала ее и приколола к плечу.

Пуаро медленно кивнул:

— Да, я помню, что вчера вечером у вас на плече была роза. В котором часу, мадам, вы ее сорвали?

— Право, не знаю.

— Но это очень важно, мадам. Пожалуйста, постарайтесь вспомнить.

Рут нахмурилась и бросила на Пуаро быстрый взгляд.

— Точно ответить не могу, — сказала она наконец. — Должно быть... да, конечно, это произошло около пяти минут девятого. Когда я шла назад вокруг дома, то услышала гонг, а потом этот странный звук. Я поспешила в дом, так как решила, что это второй гонг, а не первый.

— Значит, вы подумали, что слышите второй гонг? А не пытались ли вы, стоя на бордюре, открыть окно кабинета?

— Пыталась. Я подумала, что окно открыто, а таким путем можно добраться гораздо быстрее. Но оно оказалось запертым.

— Итак, все объяснилось. Поздравляю вас, мадам.

— Что вы имеете в виду? — удивленно спросила Рут.

— То, что вы объяснили все — землю на ваших туфлях, следы ваших ног на бордюре, отпечатки ваших пальцев снаружи окна. Все это очень кстати.

Прежде чем Рут успела ответить, с лестницы быстро спустилась мисс Лингард. Ее щеки раскраснелись, она явно испугалась, увидев стоящих рядом Пуаро и Рут.

— Прошу прощения, — сказала мисс Лингард. — Что-нибудь случилось?

— По-моему, мсье Пуаро сошел с ума! — сердито заявила Рут.

Она прошла мимо них в столовую. Мисс Лингард устремила на Пуаро изумленный взгляд, но он покачал головой:

— После завтрака я все объясню. Я бы хотел, чтобы в десять часов все собрались в кабинете сэра Джерваса.

Войдя в столовую, он повторил эту просьбу.

Сузан Кардуэлл окинула его быстрым взглядом, потом посмотрела на Рут. Когда Хьюго попытался выразить неудовольствие, она резко толкнула его локтем, и он послушно смолк.

Окончив завтрак, Пуаро встал и направился к двери. Обернувшись, он вынул из кармана большие старомодные часы.

— Сейчас без пяти десять. Через пять минут — в кабинете.

Пуаро огляделся вокруг. На устремленных на него лицах застыл напряженный интерес. В кабинете собрались все, кроме леди Чевеникс-Гор, которая последней вошла в кабинет мягкой, скользящей походкой. Она выглядела больной и осунувшейся.

Пуаро придвинул ей большой стул, и она опустилась на него.

Взглянув на разбитое зеркало, леди Чевеникс-Гор вздрогнула и слегка повернула стул.

— Джервас все еще здесь, — заметила она прозаичным тоном. — Бедняга! Ничего, скоро он освободится...

Пуаро откашлялся и возвестил:

— Я попросил вас прийти сюда, чтобы сообщить вам правду о самоубийстве сэра Джерваса.

— Это рок, — промолвила леди Чевеникс-Гор. — Джервас был сильным человеком, но рок оказался сильнее.

Полковник Бери слегка пошевелился:

— Ванда, дорогая...

Она улыбнулась и протянула ему руку, которую он взял в свою.

— Ты такая поддержка для меня, Нед, — мягко произнесла леди Чевеникс-Гор.

— Насколько мы понимаем, мсье Пуаро, — резко осведомилась Рут, — у вас имеется исчерпывающее объяснение самоубийства моего отца?

Пуаро покачал головой:

— Нет, мадам.

— Тогда к чему вся эта болтовня?

— Я не знаю причины самоубийства сэра Джерваса Чевеникс-Гора, — спокойно ответил Пуаро, — потому что никакого самоубийства не было. Сэр Джервас не убивал себя. Его убили.

— Убили? — Несколько голосов повторили это слово. Испуганные лица смотрели на Пуаро.

— Убили? О нет. — Леди Чевеникс-Гор мягко покачала головой.

— Вы сказали, убили? — заговорил Хьюго. — Но это невозможно! Когда мы взломали дверь, в комнате никого не было. Окна были заперты, дверь заперта изнутри, а ключ нашли в кармане моего дяди. Как же его могли убить?

— И тем не менее его убили.

— А убийца, очевидно, удрал через замочную скважину? — скептически осведомился полковник Бери. — Или вылетел через трубу?

— Убийца, — отозвался Пуаро, — вышел через окно. Сейчас я покажу вам, как он это сделал.

И Пуаро повторил свои манипуляции с французским окном.

— Видите? Вот как убийца вышел из кабинета. С самого начала мне казалось невероятным, чтобы сэр Джервас покончил с собой. Он обладал ярко выраженной эгоманией, а такие люди не убивают себя.

Были и другие факты. По-видимому, перед смертью сэр Джервас сел за письменный стол, написал на листе бумаги слово «простите» и затем застрелился. Но перед последним действием он почему-то изменил положение своего стула, повернув его боком к столу. Зачем? Здесь должна быть какая-то причина. Я прозрел, когда нашел крошечный осколок зеркала, приставший к основанию тяжелой бронзовой статуэтки.

Я спросил себя, как мог там очутиться этот осколок? Ответ напрашивался сам собой. Зеркало было разбито не пулей, а статуэткой, и притом разбито намеренно.

Но почему? Я вернулся к письменному столу и посмотрел на стул. Теперь я понимал, что все было совсем не так. Никакой самоубийца не стал бы поворачивать стул, наклоняться вправо и только потом стрелять в себя. Значит, самоубийство было инсценировано!

Теперь я перехожу к другому важному моменту — к показаниям мисс Кардуэлл. По ее словам, она вчера вечером торопилась спуститься к обеду, полагая, что прозвучал второй гонг. Следовательно, ей казалось, будто она уже слышала первый гонг.

Посмотрите сами — если бы сэр Джервас сидел у стола в обычной позе, когда его застрелили, куда бы попала пуля? Идя по прямой линии, она прошла бы через дверь, если та была открыта, и в итоге попала в гонг!

Теперь вам ясна важность показаний мисс Кардуэлл? Больше никто не слышал первого гонга, но ее комната расположена непосредственно над этой, следовательно, она могла его услышать. Не забывайте, что это мог быть только один достаточно короткий звук.

Таким образом, версия о самоубийстве сэра Джерваса отпала полностью. Покойник не может встать, закрыть дверь, запереть ее и усадить себя в подходящей позе! Здесь был кто-то другой, и, следовательно, это не самоубийство, а убийство. Сэр Джервас, по-видимому, писал сидя за столом, а убийца, чье присутствие не вызывало у него никаких подозрений, стоял рядом и разговаривал с ним, а затем внезапно поднес пистолет к его правому виску и выстрелил. Дело сделано! Надо быстрее действовать дальше! Убийца надевает перчатки, запирает дверь и кладет ключ в карман сэра Джерваса. Но звук гонга могли услышать. А если так, то станет понятно, что во время выстрела дверь была открыта, а не закрыта. Поэтому убийца поворачивает стул, передвигает труп, прижимает пальцы убитого к пистолету, разбивает зеркало и выходит через окно, закрыв его так, как я вам продемонстрировал. При этом он ступает не на траву, а на цветочный бордюр, где следы впоследствии будет легко уничтожить, после чего идет вокруг дома в гостиную.

Сделав паузу, Пуаро добавил:

— Только одна особа находилась в саду во время выстрела. Эта же особа оставила следы на клумбе и отпечатки пальцев на наружной стороне окна.

Он подошел к Рут:

— Мотив налицо, не так ли? Ваш отец узнал о вашем тайном браке и намеревался лишить вас наследства.

— Это ложь! — В голосе Рут звучало презрение. — В вашей истории нет ни слова правды. Все ложь от начала до конца!

— Улики против вас весьма серьезны, мадам. Присяжные могут вам не поверить.

— Но ей не придется стоять перед присяжными!

Все с изумлением обернулись. Мисс Лингард вскочила со стула, дрожа всем телом:

— Я застрелила его и признаюсь в этом! У меня были свои причины. Я... я долго этого ждала. Мсье Пуаро абсолютно прав. Я последовала за ним в кабинет — пистолет я взяла из ящика заранее, — встала рядом, разговаривая о его книге, и выстрелила в него! Было самое начало девятого. Пуля ударила в гонг. Я и представить не могла, что она пробьет ему голову насквозь. У меня не было времени выходить и искать пулю. Я заперла дверь и положила ключ ему в карман. Потом повернула стул, разбила зеркало и, написав на бумаге «простите», вышла через окно, закрыв его так, как показал мсье Пуаро. Следы на бордюре я уничтожила граблями, которые заранее положила там, а затем пошла вокруг дома к гостиной. Окно гостиной я оставила открытым — я не знала, что Рут вышла через него. Должно быть, она обходила дом спереди, когда я шла сзади. Мне нужно было отнести грабли в сарай. Я подождала в гостиной, пока не услышала, что кто-то спускается вниз и что Снелл идет к гонгу, а потом... — Она посмотрела на Пуаро. — Вы знаете, что я сделала потом?

— О да, знаю. Я нашел бумажную сумку в мусорной корзине. Это была остроумная идея. Вы сделали то, что любят делать дети, — надули сумку, а потом ударили по ней. Раздался громкий хлопок. Таким образом вы установили время «самоубийства» и создали себе алиби. Но одно обстоятельство вас беспокоило. Вам не хватило времени подобрать пулю. Она должна была находиться где-то около гонга, а вам было нужно, чтобы ее нашли в кабинете, рядом с зеркалом. Не знаю, когда вам пришла в голову мысль взять карандаш полковника Бери...

— Когда мы все вышли из холла, — отозвалась мисс Лингард. — Я удивилась, увидев в гостиной Рут, и поняла, что она, очевидно, вошла из сада через окно. Тогда я заметила карандаш полковника Бери, лежащий на столике для бриджа, и потихоньку спрятала его в сумочку. Если бы позже увидели, как я подбираю пулю, я могла бы притвориться, что это карандаш. Но я надеялась, что никто этого не заметит. Я бросила пулю возле зеркала, когда вы разглядывали труп. Вы спросили меня, что я подобрала, и я сразу подумала о карандаше.

— Да, это была неплохая выдумка. Она совершенно сбила меня с толку.

— Я боялась, что кто-нибудь услышит настоящий выстрел, но знала, что все одеваются к обеду, закрывшись у себя в комнатах, а слуги заняты своими делами. Выстрел могла услышать только мисс Кардуэлл, но она наверняка подумала бы, что это автомобиль. Однако она услышала гонг... А мне казалось, что все прошло как надо...

— Весьма необычная история, — сухо заметил мистер Форбс. — К тому же мотив вроде бы отсутствует...

— Мотив был! — четко произнесла мисс Лингард и свирепо добавила: — Ну, идите звонить в полицию! Чего вы ждете?

— Не будете ли вы так любезны покинуть комнату? — обратился ко всем Пуаро. — Мистер Форбс, позвоните майору Риддлу. Я побуду здесь до его прихода.

Медленно, один за другим, все вышли из кабинета. Потрясенные, озадаченные, они бросали непонимающие взгляды на прямую фигуру женщины с аккуратно причесанными седыми волосами.

Выходящая последней Рут задержалась в дверях.

— Не понимаю! — сердито сказала она Пуаро. — Только что вы думали, будто это сделала я!

— Нет-нет. — Пуаро покачал головой. — Я никогда так не думал.

Рут медленно вышла.

Пуаро остался наедине с маленькой пожилой женщиной, которая только что созналась в тщательно спланированном хладнокровном убийстве.

— Нет, — заговорила мисс Лингард. — Вы не думали, что это сделала она. Вы обвинили ее, чтобы заставить меня признаться, не так ли?

Пуаро склонил голову.

— Пока мы ждем, — спокойно предложила мисс Лингард, — вы могли бы рассказать мне, почему вы меня заподозрили.

— Несколько обстоятельств. Во-первых, ваши показания о сэре Джервасе. Такой гордый человек вряд ли стал бы пренебрежительно отзываться о своем племяннике в разговоре с посторонним — тем более занимающим ваше положение. Вам хотелось подкрепить теорию самоубийства. Вы также совершили ошибку, выдвинув предположение, будто причиной самоубийства было какое-то позорное происшествие, связанное с Хьюго Трентом. В этом сэр Джервас тоже никогда бы не признался постороннему человеку. Далее, меня насторожил предмет, который вы подобрали в холле, а также то, что вы не упомянули о том, что Рут вошла в гостиную из сада. Затем я нашел бумажную сумку из-под апельсинов — подобную вещь едва ли можно было отыскать в мусорной корзине в гостиной такого дома, как «Хэмборо-Клоуз». Вы были единственным человеком, находившимся в гостиной, когда услышали «выстрел». Сам трюк с бумажной сумкой наводил на мысль, что его изобрела женщина, знакомая с домашним хозяйством. Так что все указывало на вас. Попытка бросить подозрение на Хьюго и отвести его от Рут, механизм преступления и его мотив...

Маленькая седоволосая женщина шевельнулась на стуле:

— Вы знаете мотив?

— Думаю, что да. Счастье Рут — вот мотив. Думаю, вы видели ее с Джоном Лейком и узнали, как обстоят их дела. А так как вы имели доступ к бумагам сэра Джерваса, то наткнулись на проект его нового завещания, по которому Рут лишается наследства, если не выйдет замуж за Хьюго Трента. И тогда вы решили расправиться с сэром Джервасом, используя тот факт, что он написал мне письмо. Возможно, вы видели копию этого письма. Не знаю, что послужило поводом к его написанию. Должно быть, сэр Джервас подозревал, что Бэрроуз или Лейк постоянно обкрадывают его, а сомнения насчет Рут вынудили его обратиться к частному детективу. Вы инсценировали самоубийство, подтверждая эту версию рассказом, что сэр Джервас был якобы расстроен чем-то, связанным с Хьюго Трентом. Вы послали мне телеграмму и сообщили, будто сэр Джервас произнес по поводу моего прибытия слова: «Слишком поздно».

— Джервас Чевеникс-Гор был хвастун, сноб и пустозвон! — яростно воскликнула мисс Лингард. — Я не могла позволить ему разрушить счастье Рут.

— Рут — ваша дочь? — мягко спросил Пуаро.

— Да, она моя дочь. Я часто думала о ней. Когда я услышала, что сэр Джервас ищет помощника для работы над семейной историей, то сразу же ухватилась за эту возможность, так как очень хотела увидеть мою девочку. Я не опасалась, что леди Чевеникс-Гор узнает меня. Мы виделись с ней давно, когда я была молодой и хорошенькой, — к тому же я сменила имя. Кроме того, леди Чевеникс-Гор слишком рассеянна, чтобы кого-нибудь хорошо помнить. Она мне нравилась, но я ненавидела семейство Чевеникс-Горов. Они обошлись со мной как с грязью. А теперь Джервас из-за своей гордости и снобизма собирался разрушить счастье моей дочери! Но я решила, что она должна быть счастлива. И она будет счастлива — если никогда не узнает обо мне!

Это была просьба, а не вопрос.

Пуаро медленно кивнул:

— От меня никто ничего не узнает.

— Спасибо, — тихо произнесла мисс Лингард.

Позже, когда полицейские покинули дом, Пуаро обнаружил Рут в саду с ее мужем.

— Вы действительно думали, что это сделала я, мсье Пуаро? — с вызовом спросила она.

— Я знал, мадам, что вы не могли этого сделать, — из-за астр.

— Из-за астр? Не понимаю.

— Мадам, на бордюре было всего четыре отпечатка ног. Но если вы собирали цветы, их должно было там быть гораздо больше. Значит, между вашими двумя посещениями сада кто-то уничтожил следы на бордюре. Это мог сделать только убийца, а раз ваши следы не были уничтожены, то вы не виновны. Это автоматически вас оправдывало.

Лицо Рут прояснилось.

— Теперь я поняла. Наверно, это ужасно, но мне жаль бедную женщину. В конце концов, она ведь созналась, чтобы помешать моему аресту, — во всяком случае, она так считала. Это в какой-то мере благородный поступок. Мне не по себе при мысли, что ее будут судить за убийство.

— Не огорчайтесь, — мягко произнес Пуаро. — До этого дело не дойдет. Доктор сказал мне, что у нее тяжелое сердечное заболевание. Ей осталось жить несколько недель.

— Я рада этому. — Рут сорвала осенний крокус и поднесла его к щеке. — Бедняжка. Интересно, почему она это сделала?..

ТРЕУГОЛЬНИК НА РОДОСЕ

Глава 1

Эркюль Пуаро сидел на белом песке и смотрел на сверкающую голубую воду. Он был щеголевато одет в белый фланелевый костюм и большую панаму. Пуаро принадлежал к старомодному поколению, которое считало необходимым тщательно защищаться от солнца. Сидевшая рядом с ним и болтавшая без умолку мисс Памела Лайалл представляла современную точку зрения, согласно которой на ее загорелой фигуре наличествовал минимум одежды.

Поток ее красноречия останавливался лишь в те моменты, когда она в очередной раз намазывалась маслянистой жидкостью из стоящего рядом с ней пузырька.

По другую сторону от мисс Памелы Лайалл на полосатом полотенце лежала лицом вниз ее лучшая подруга, мисс Сара Блейк. Загар мисс Блейк был идеальным, и подруга время от времени бросала на нее завистливые взгляды.

— А я по-прежнему вся в пятнах, — с сожалением промолвила она. — Не будете ли вы так любезны, мсье Пуаро?.. Вот здесь, под правой лопаткой, — в этом месте я не могу втереть как следует...

Мсье Пуаро исполнил просьбу, после чего тщательно вытер масляную руку носовым платком. Мисс Лайалл, чьими главными интересами в жизни были наблюдения за окружающими и звуки собственного голоса, продолжала говорить:

— Я была права насчет той женщины в платье от Шанель. Это Валентина Дейкрс — я имею в виду Чантри. Я сразу ее узнала. Она просто чудесна, не так ли? Хорошо понимаю, почему мужчины сходят по ней с ума. Она очень уверена в себе, а это уже половина успеха. Фамилия другой пары, которая приехала вчера вечером, — Гоулд. Он очень хорош собой.

— Молодожены? — не оборачиваясь, пробормотала Сара.

Мисс Лайалл покачала головой с видом человека, умудренного опытом:

— Нет — ее одежда недостаточно новая. Новобрачных сразу видно. Вам не кажется, мсье Пуаро, что нет ничего увлекательнее, чем наблюдать за людьми и пытаться угадать, что они собой представляют?

— Ты не только наблюдаешь, дорогая, но и задаешь им вопросы, — заметила Сара.

— Я еще ни разу не разговаривала с Гоулдами, — с достоинством произнесла мисс Лайалл. — А кроме того, не вижу ничего дурного в том, чтобы интересоваться окружающими. Человеческая натура необычайно увлекательна. Как по-вашему, мсье Пуаро?

На сей раз она сделала достаточно длинную паузу, чтобы позволить собеседнику ответить.

— Ça dépend[1], — отозвался мсье Пуаро, не сводя глаз с воды.

Памела была шокирована.

— О, мсье Пуаро, не думаю, чтобы на свете существовало что-нибудь более интересное и непредсказуемое, чем человек!

— Непредсказуемое? Вот уж нет.

— Не нет, а да! Только подумаешь, что ты их раскусила, как они выкидывают что-нибудь абсолютно неожиданное!

Эркюль Пуаро покачал головой:

— Нет-нет, это не так. Очень редко кто-нибудь совершает поступок, который не dans son caractère. Это даже скучно.

---

[1] Смотря в каких обстоятельствах (*фр.*).

— Совершенно с вами не согласна! — заявила мисс Памела Лайалл.

Она помолчала минуты полторы и возобновила атаку:

— Как только я вижу новых людей, сразу же начинаю интересоваться, кто они, какие у них отношения друг с другом, что они думают и чувствуют. Это так интересно!

— Едва ли, — возразил Пуаро. — Тип человеческой натуры повторяется гораздо чаще, чем об этом думают. Море, — задумчиво добавил он, — куда разнообразнее.

— Вы считаете, — спросила Сара, повернув голову, — что люди воспроизводят определенные стереотипы?

— Précisément[1], — сказал Пуаро, рисуя что-то пальцем на песке.

— Что вы нарисовали? — с любопытством спросила Памела.

— Треугольник, — ответил Пуаро.

Но внимание Памелы устремилось на новый объект.

— А вот и Чантри! — воскликнула она.

По пляжу шла высокая женщина, явно осознающая производимое ею впечатление. Слегка кивнув и улыбнувшись, она села на песок на некотором расстоянии от них. С ее плеч соскользнул алый с золотом халат, открыв белый купальный костюм.

— Разве у нее не великолепная фигура? — вздохнула Памела.

Но Пуаро смотрел не на фигуру, а на лицо тридцатидевятилетней женщины, которая с шестнадцати лет славилась своей красотой.

Как и все остальные, он все знал о Валентине Чантри. Она была знаменита многим — огромными, похожими на сапфиры, голубыми глазами, капризами и причудами, браками и авантюрами. У Валентины Чантри было пятеро мужей и множество любовников. Она побывала замужем за итальянским графом, американским стальным магнатом, профессионалом-теннисистом и автогонщиком. Из этих четверых американец

---

[1] Вот именно (*фр.*).

умер, а остальные растворились в безвестности после суда по делам о разводе. Пробыв полгода незамужней, Валентина Чантри вступила в пятый по счету брак — на сей раз с коммандером флота[1].

Коммандер Чантри пришел на пляж вместе с супругой. Это был угрюмый темноволосый мужчина с жестким подбородком, похожий на человекообразную обезьяну.

— Тони, дорогой, мой портсигар... — промолвила Валентина.

Коммандер Чантри тут же извлек портсигар, прикурил для нее сигарету и помог опустить с плеч бретельки белого купальника. Валентина легла на песок, раскинув руки. Он сел рядом, словно дикий зверь, охраняющий добычу.

— Знаете, они меня ужасно интересуют, — понизив голос, сказала Памела. — В нем есть нечто животное. Он такой мрачный и молчаливый... Очевидно, таким женщинам, как Валентина, это нравится. Это все равно что дрессировать тигра! Любопытно, как долго продлится их брак. Она ведь быстро устает от мужей, но если попытается от него избавиться, то, думаю, он может стать опасным.

На пляж довольно робко вышла еще одна пара, прибывшая вчера вечером. Как выяснила мисс Лайалл, изучив регистрационную книгу отеля, их звали мистер и миссис Даглас Гоулд. Она также знала их полные имена и возраст — эти данные, согласно итальянским правилам[2], также вносились в книгу.

Мистеру Дагласу Кэмерону Гоулду было тридцать один год, а миссис Марджори Эмме Гоулд — тридцать пять лет.

Как уже говорилось, хобби мисс Лайалл было изучение человеческих существ. В отличие от большинства англичан она могла заговорить с незнакомыми при первой встрече, не выжидая, следуя британской

---

[1] К о м м а н д е р — чин в британском военно-морском флоте, соответствующий капитану третьего ранга.

[2] В описываемое время греческий остров Родос находился под итальянским управлением.

традиции, неделю, прежде чем предпринять осторожные попытки сближения. Поэтому, почувствовав едва
заметную неуверенность миссис Гоулд, она тут же окликнула ее:

— Доброе утро! Прекрасный день, не так ли?

Маленькая миссис Гоулд чем-то напоминала мышь.
Она была недурна собой — с правильными чертами и
приятным цветом лица, но застенчивость и блеклая,
немодная одежда делали ее невзрачной. Зато ее муж,
напротив, отличался почти театральной красотой.
Очень светлые, курчавые волосы, голубые глаза, широкие плечи, узкие бедра... Казалось, что он выглядел бы более уместно на сцене, чем в реальной
жизни, однако это впечатление пропадало, стоило ему
открыть рот. Его речь сразу выдавала человека прос-
тодушного, искреннего и, очевидно, не блещущего
умом.

Миссис Гоулд с признательностью посмотрела на
Памелу и села рядом с ней.

— Какой у вас красивый загар! Возле вас чувствуешь
себя неполноценной.

— Нужно столько труда, чтобы ровно загореть, —
вздохнула мисс Лайалл и спросила после небольшой
паузы: — Вы ведь только приехали, верно?

— Да, вчера вечером — на итальянском пароходе.

— А раньше вы бывали на Родосе?

— Нет. Здесь очень красиво.

— Жаль только, что сюда так далеко добираться, —
добавил ее муж.

— Да, если бы он был поближе к Англии...

— Тогда здесь было бы невозможно находиться, —
заметила Сара. — Люди лежали бы рядами, словно
рыба на прилавке.

— Это верно, — согласился Даглас Гоулд. — Досад-
но, что итальянский курс обмена валюты такой разо-
рительный.

Беседа касалась самых банальных тем, не отличаясь
особым блеском.

Немного поодаль Валентина Чантри пошевелилась
и села, придерживая рукой купальник на груди.

Зевнув по-кошачьи, она осмотрелась вокруг. Ее взгляд скользнул по Марджори Гоулд и задержался на кудрявой золотоволосой голове Дагласа.

Грациозно поведя плечами, Валентина заговорила, и ее голос звучал чуть громче, чем требовалось:

— Тони, дорогой, это солнце просто божественно! В прошлой жизни я, наверное, была солнцепоклонницей. Как ты думаешь?

Ее супруг проворчал в ответ нечто неразборчивое.

— Пожалуйста, милый, расправь немного полотенце, — попросила Валентина Чантри томным тягучим голосом.

Она долго перемещала свое роскошное тело. Даглас Гоулд смотрел на нее с нескрываемым интересом.

— Какая красавица! — восторженно шепнула Памеле миссис Гоулд.

Мисс Лайалл с радостью ухватилась за возможность поделиться информацией.

— Это Валентина Чантри — раньше ее звали Валентина Дейкрс, — сообщила она, понизив голос. — Великолепная женщина! Муж от нее без ума — глаз с нее не сводит!

Миссис Гоулд снова окинула взглядом пляж.

— Какое чудесное море — совсем синее, — промолвила она. — Думаю, Даглас, нам пора искупаться.

Все еще наблюдавшему за Валентиной Чантри Дагласу понадобилось некоторое время, чтобы ответить.

— Искупаться? — рассеянно переспросил он. — Да, сейчас иду.

Марджори Гоулд встала и направилась к воде.

Валентина Чантри повернулась на бок. Она продолжала смотреть на Дагласа Гоулда, и ее алые губы изогнулись в легкой улыбке.

Шея Дагласа внезапно побагровела.

— Тони, дорогой, — обратилась к мужу Валентина, — мне нужна баночка с кремом для лица. Она на туалетном столике. Будь ангелом — принеси ее.

Коммандер послушно поднялся и зашагал к отелю.

Марджори Гоулд окунулась в море и позвала мужа:

— Иди сюда, Даглас! Вода совсем теплая.

— Вы не будете купаться? — спросила его Памела Лайалл.

— Сначала я хотел бы как следует погреться, — рассеянно отозвался Даглас.

Валентина Чантри подняла голову, словно собираясь окликнуть мужа, но он уже скрылся за оградой сада отеля.

— Мне нравиться купаться уже перед уходом, — объяснил мистер Гоулд.

Миссис Чантри снова села. Она взяла пузырек с маслом для загара, но крышка, казалось, не желала отвинчиваться.

— О Боже! — недовольно воскликнула Валентина. — Никак не могу отвинтить эту штуку!

Она посмотрела на группу по соседству.

Галантный, как всегда, Пуаро поднялся, но Даглас Гоулд обладал преимуществом молодости. Он уже был рядом с Валентиной.

— Разрешите вам помочь?

— О, благодарю вас! — отозвалась она, томно растягивая слова. — Вы очень любезны. Я вечно мучаюсь с этими крышками. А у вас сразу получилось. Большое спасибо!

Эркюль Пуаро усмехнулся про себя.

Он встал и прошелся по пляжу неторопливой походкой. Когда он возвращался, Марджори Гоулд вышла из воды и направилась к нему. Она хорошо поплавала, и ее лицо сияло. Правда, все портила на редкость безобразная купальная шапочка.

— Я очень люблю море, — слегка запыхавшись, сказала Марджори. — А здесь оно такое красивое и теплое!

Пуаро понял, что она была купальщицей-энтузиасткой.

— Даглас и я просто помешаны на купании, — продолжала миссис Гоулд. — Он может часами плескаться в воде.

Взгляд Эркюля Пуаро устремился поверх ее плеча туда, где завзятый купальщик мистер Даглас Гоулд сидел на песке, разговаривая с Валентиной Чантри.

— Не понимаю, почему он не идет в море, — промолвила его жена. Ее голос звучал по-детски озадаченно.

Пуаро задумчиво посмотрел на Валентину Чантри. Он подумал, что миссис Гоулд — не первая женщина, которую удивляло подобное поведение супруга.

— Ее считают очень привлекательной, — со вздохом сказала Марджори. — Но Дагласу не нравится такой тип женщин.

Пуаро не ответил.

Миссис Гоулд снова плюхнулась в воду и поплыла от берега, медленно и ритмично взмахивая руками. То, что она любит воду, не вызывало сомнений.

Пуаро направился к группе на песке.

Она увеличилась за счет генерала Барнса — старого ветерана, предпочитавшего общество молодых. Сейчас он сидел между Памелой и Сарой, со смаком обсуждая различные скандалы.

Коммандер Чантри вернулся, выполнив поручение. Он и Даглас Гоулд сидели рядом с Валентиной.

Миссис Чантри непринужденно болтала, как всегда растягивая слова и поворачиваясь то к мужу, то к Дагласу.

Она как раз заканчивала очередную историю:

— ...И что, по-вашему, сказал этот дурень? «Я видел вас всего минуту, но запомнил навсегда!» С его стороны это было очень мило. Вообще, мир чудесен — все так добры ко мне! Тогда я сказала Тони — помнишь, дорогой? — «Если хочешь немного поревновать, то ревнуй меня к этому посыльному». Он был просто восхитителен...

— Некоторые из этих посыльных — славные парни, — заметил после паузы Даглас Гоулд.

— Да, он так старался и был так рад, что сумел мне помочь.

— Ничего удивительного, — сказал Даглас. — На его месте так поступил бы любой.

— Как вы любезны! — с восторгом воскликнула Валентина. — Слышал, Тони?

Коммандер Чантри что-то буркнул.

— Тони не отличается красноречием, — вздохнула Валентина. — Правда, ягненочек?

Белая рука с длинными алыми ногтями взъерошила темные волосы Чантри, который угрюмо покосился на супругу.

— Не знаю, как он меня терпит, — продолжала она. — Тони такой умный, а я все время болтаю чепуху, но он не возражает. Никто не возражает, что бы я ни говорила и ни делала, — все меня балуют. Думаю, мне это не на пользу...

— Это ваша жена там, в море? — обратился к Дагласу коммандер Чантри.

— Да. Пожалуй, мне пора к ней присоединиться.

— Но на солнце так приятно, — промолвила Валентина. — Лучше вам посидеть еще немного на берегу. Тони, дорогой, я вряд ли сегодня буду купаться — в первый день можно простудиться. А почему ты не купаешься? Мистер... мистер Гоулд составит мне компанию, пока ты поплаваешь.

— Нет, спасибо. Пока что-то не хочется, — мрачно отозвался Чантри. — Кажется, ваша жена машет вам, Гоулд.

— Как миссис Гоулд прекрасно плавает! — вздохнула Валентина. — Уверена, что она из тех женщин, которые все делают как надо. Я их всегда побаивалась, потому что чувствовала, как они меня презирают. У меня никогда ничего не получается — я форменная тупица, правда, Тони?

Коммандер Чантри вновь ограничился ворчанием.

— Ты слишком добрый, чтобы это признать, — сказала Валентина. — Мужчины такие преданные — вот что мне в них нравится. Не то что женщины, которые обо всех говорят гадости. Женщины чересчур мелочны.

Сара Блейк повернулась к Пуаро и пробормотала сквозь зубы:

— Образец мелочности — предположить, будто дорогая миссис Чантри не является верхом совершенства! Как же глупа эта женщина! В жизни не встречала большей идиотки, чем Валентина Чантри. Все, на что она способна, — это закатывать глаза и повторять: «Тони, дорогой!» По-моему, у нее вата вместо мозгов.

Пуаро выразительно приподнял брови:

— Un peu sévère![1]

— К тому же у нее повадки как у кошки — не может оставить в покое ни одного мужчину. Недаром ее муж выглядит мрачнее тучи.

— Миссис Гоулд хорошо плавает, — сказал Пуаро, глядя на море.

— Да, она не то что мы, которые боимся промокнуть. Интересно, миссис Чантри хоть раз войдет в море, пока будет здесь?

— Ну нет! — воскликнул генерал Барнс. — Побоится испортить макияж. Вообще-то выглядит она недурно, хотя уже не первой молодости.

— Она как раз смотрит на вас, генерал, — ехидно сказала Сара. — А насчет макияжа вы не правы. В наши дни мы все водо- и поцелуенепроницаемы.

— Миссис Гоулд выходит из воды! — возвестила Памела.

— «Идем мы в лес орехи собирать, — пропела Сара. — Жена выходит мужа забирать».

Миссис Гоулд зашагала по песку.

— Ты идешь купаться, Даглас? — нетерпеливо осведомилась она. — Вода такая теплая.

— Сейчас.

Даглас Гоулд быстро поднялся. Валентина Чантри ласково ему улыбнулась.

— До свидания, — попрощалась она.

Гоулд и его жена направились к воде.

Когда они отошли подальше, Памела критически заметила:

— Не очень умно... Уводить мужа от другой женщины — дурная политика. Жена при этом выглядит властной, а мужья это ненавидят.

— Вы, кажется, много знаете о мужьях, мисс Памела, — усмехнулся генерал.

— О чужих — своим пока не обзавелась.

---

[1] Это несколько сурово! (фр.)

— Это совсем другое дело.

— Зато, генерал, я знаю, как не следует поступать с мужьями.

— Прежде всего, — сказала Сара, — не следует надевать такую шапочку...

— По-моему, шапочка очень удобная, — возразил генерал. — И вообще, она вроде бы славная, разумная малышка.

— Вы попали в точку, генерал, — промолвила Сара. — Но даже такой женщине может не хватить ума, если ей приходится иметь дело с Валентиной Чантри. — Обернувшись, она произнесла громким возбужденным шепотом: — Посмотрите-ка на него! Он сейчас лопнет от ярости!

Действительно, коммандер Чантри смотрел на удаляющихся супругов в высшей степени неприязненно.

Сара повернулась к Пуаро.

— Ну? — осведомилась она. — Что вы об этом думаете?

Вместо ответа, Эркюль Пуаро снова начертил на песке треугольник.

— Вечный треугольник... — пробормотала Сара. — Возможно, вы правы. Если так, то в ближайшие несколько недель мы здесь не соскучимся.

Глава 2

Мсье Эркюль Пуаро был разочарован Родосом. Он приехал сюда отдохнуть от преступлений. Ему говорили, что в конце октября Родос почти пуст, что это спокойное и уединенное место.

Само по себе это оказалось достаточно верным. Чантри, Гоулды, Памела, Сара, генерал, сам Пуаро и две итальянские пары были единственными постояльцами отеля. Но проницательный ум мсье Пуаро уже ощущал неизбежное напряжение грядущих событий.

«Просто у меня в голове сплошные преступления, — мысленно упрекал он себя. — Очевидно, всему виной несварение желудка. У меня из-за него разыгралось воображение».

Тем не менее его не покидало ощущение беспокойства.

Однажды утром он обнаружил миссис Гоулд, сидящую с шитьем на террасе.

Когда Пуаро подошел к ней, ему показалось, что она быстро спрятала батистовый носовой платочек.

Глаза ее подозрительно блестели. Поведение тоже казалось чересчур веселым.

— Доброе утро, мсье Пуаро, — поздоровалась она бодрым голосом, сразу возбудившим у него подозрения.

Пуаро понимал, что у миссис Гоулд его появление никак не могло вызвать такую радость. В конце концов, они едва знакомы. Хотя Эркюль Пуаро испытывал самодовольство во всем, что касалось его профессиональной деятельности, он был крайне скромен в оценке своей внешней привлекательности.

— Доброе утро, мадам, — отозвался он. — Еще один прекрасный день.

— Да, конечно. Хотя нам с Дагласом всегда везет с погодой.

— Вот как?

— Да. Мы вообще везучие. Знаете, мсье Пуаро, когда видишь, сколько кругом огорчений и неприятностей, сколько супружеских пар разводится, начинаешь испытывать благодарность за собственное счастье.

— Рад это слышать, мадам.

— Мы с Дагласом так счастливы вместе! Ведь мы женаты уже пять лет, а в наши дни это немалый срок...

— Не сомневаюсь, мадам, что многим он кажется вечностью, — сухо промолвил Пуаро.

— Но я уверена, что мы сейчас счастливее, чем были, когда только поженились. Понимаете, мы полностью подходим друг другу!

— Это, конечно, самое главное.

— Вот почему мне так жаль тех, кто несчастлив.

— Вы имеете в виду...

— Я говорю в общем, мсье Пуаро.

— Понимаю.

Миссис Гоулд поднесла к свету шелковую нить, одобрила оттенок и продолжила:

— Например, миссис Чантри. Не думаю, что она приятная женщина...

— Возможно, вы правы.

— Я в этом уверена. Но в каком-то смысле ее жаль. Несмотря на деньги, красоту и все прочее... — пальцы миссис Гоулд дрожали, и ей никак не удавалось продеть нитку в иглу, — она не из тех женщин, к которым мужчины привязываются по-настоящему. От таких миссис Чантри они быстро устают. Как вы думаете?

— Я бы, несомненно, очень быстро устал от ее разговоров, — осторожно ответил Пуаро.

— Это я и имела в виду. Конечно, она по-своему привлекательна... — Миссис Гоулд колебалась, ее губы дрожали, но она продолжала шить. Менее наблюдательный человек, чем Эркюль Пуаро, мог бы не заметить ее волнения. — Мужчины как дети! — неожиданно воскликнула она. — Верят абсолютно всему...

Миссис Гоулд склонилась над шитьем. В ее руке снова появился батистовый платочек.

Пуаро решил переменить тему.

— Вы не купаетесь этим утром? А ваш супруг на пляже?

Миссис Гоулд быстро заморгала.

— Мы договорились обойти вокруг стены старого города, — излишне бодро ответила она. — Но каким-то образом разминулись. Они ушли без меня.

Местоимение звучало весьма красноречиво, но, прежде чем Пуаро успел что-нибудь сказать, появился генерал Барнс и опустился на стул рядом с ними.

— Доброе утро, миссис Гоулд. Доброе утро, Пуаро. Сегодня утром вы оба дезертировали? На пляже многих не видно — вы, ваш муж, миссис Гоулд, и миссис Чантри.

— А коммандер Чантри? — небрежно осведомился Пуаро.

— Нет, он на пляже. Мисс Памела его обрабатывает. — Генерал усмехнулся. — Кажется, он оказался для нее крепким орешком. Один из сильных молчаливых мужчин, про которых читают в книгах.

— Этот человек меня пугает, — сказала миссис Гоулд. — Он иногда выглядит таким мрачным, как будто может... сделать что угодно! — Она поежилась.

— Думаю, у него просто несварение, — пошутил генерал. — Диспепсия часто служит объяснением романтической меланхолии или приступов ярости.

Марджори Гоулд вежливо улыбнулась.

— А где ваш супруг? — спросил генерал.

— Даглас? — непринужденно отозвалась она. — Он и миссис Чантри пошли прогуляться. Кажется, они хотели посмотреть на стену старого города.

— Это очень интересно. Рыцарские времена и тому подобное. Вам тоже следовало бы пойти, маленькая леди.

— Очевидно, я опоздала, — ответила миссис Гоулд.

Пробормотав извинение, она встала и скрылась в отеле.

Генерал Барнс посмотрел ей вслед и с беспокойством покачал головой:

— Славная малышка. Стоит дюжины размалеванных шлюшек, вроде кое-кого, чье имя я не стану упоминать! А муж у нее болван! Не понимает своего счастья.

Снова покачав головой, он поднялся и направился в отель.

Сара Блейк только что пришла с пляжа и слышала последний монолог генерала.

Скорчив рожу вслед удаляющемуся воину, она плюхнулась в кресло и передразнила:

— «Славная малышка!» Мужчины всегда расхваливают скромниц, а как доходит до дела, предпочитают размалеванных шлюшек! Печально, но факт.

— Мне все это очень не нравится, мадемуазель, — резко сказал Пуаро.

— Вот как? Мне тоже. Хотя если говорить честно, то наоборот. Многим свойственна жуткая черта — они наслаждаются неприятностями и скандалами, случающимися с их друзьями.

— А где коммандер Чантри? — спросил Пуаро.

— На пляже. Подвергается анатомированию со стороны Памелы, что отнюдь не улучшает его настроения. Когда я пришла, он выглядел мрачнее тучи. Шторм уже близко — можете не сомневаться.

— Кое-чего я не понимаю... — пробормотал Пуаро.

— Понять достаточно легко, — отозвалась Сара. — Вопрос в том, что будет дальше.

Пуаро покачал головой:

— Да, грядущее внушает беспокойство.

— Хорошо излагаете, — одобрила Сара и вошла в отель.

В дверях она едва не столкнулась с Дагласом Гоулдом. Молодой человек выглядел довольным, но в то же время слегка виноватым.

— Доброе утро, мсье Пуаро, — поздоровался он и застенчиво добавил: — Я показывал миссис Чантри стену крестоносцев. Марджори не захотела идти с нами.

Брови Пуаро чуть приподнялись, но даже если он хотел прокомментировать услышанное, то не успел этого сделать, так как на террасу ворвалась Валентина Чантри с громким криком:

— Розовый джин, Даглас! Я должна выпить розового джина!

Даглас Гоулд пошел заказывать напиток. Валентина опустилась на стул рядом с Пуаро. Она вся сияла.

При виде направляющихся к ним ее мужа и Памелы Валентина помахала им рукой и осведомилась:

— Хорошее было купание, Тони, дорогой? Правда, сегодня божественное утро?

Коммандер Чантри не ответил. Он быстро поднялся по ступенькам, прошел мимо жены, не удостоив ее ни словом, ни взглядом, и скрылся в баре.

Его стиснутые кулаки были прижаты к бокам, что усиливало сходство с гориллой.

Валентина Чантри широко открыла изящный рот.

— О! — произнесла она с довольно глупым видом.

Лицо Памелы Лайалл выражало искреннее наслаждение ситуацией, которое она пыталась скрыть под маской простодушия.

— Хорошо провели утро? — спросила она у Валентины, сев рядом с ней.

— Просто чудесно! — отозвалась Валентина. — Мы...

Не слушая продолжения, Пуаро встал и направился в бар. Он нашел там Дагласа Гоулда, дожидающегося розового джина. Лицо молодого человека покраснело от гнева.

— Этот тип — просто грубое животное! — сказал он Пуаро, кивнув в сторону удаляющейся фигуры коммандера Чантри.

— Вполне возможно, — согласился Пуаро. — Но не забывайте, что les femmes[1] нравятся грубые животные.

— Меня бы не удивило, если бы он гнусно с ней обращался! — проворчал Даглас.

— Возможно, ей нравится и это.

Даглас Гоулд озадаченно посмотрел на него, взял джин и вышел на террасу.

Эркюль Пуаро сел на табурет и заказал сироп из черной смородины. Пока он с удовольствием потягивал его, вошел Чантри и выпил подряд несколько порций розового джина.

Внезапно он сердито заявил, обращаясь скорее в пространство, чем к Пуаро:

— Если Валентина думает, что может избавиться от меня так же, как от своих придурков, то она ошибается! Она моя, и я смогу ее удержать. Другой мужчина получит ее только через мой труп!

Бросив деньги на стойку, он круто повернулся и вышел.

Глава 3

Через три дня Эркюль Пуаро отправился на гору Пророка. Поездка была приятной — дорога, вьющаяся среди зеленых пихт, поднималась все выше и выше, оставляя далеко внизу мелочные людские склоки. Автомобиль остановился у ресторана. Пуаро вышел и углу-

---

[1] Женщины (фр.).

бился в лес. Вскоре он оказался на площадке, словно расположенной на крыше мира. Внизу расстилалось ослепительно синее море.

Эркюль Пуаро чувствовал, что здесь наконец обрел желанный покой. Он сел на пень, аккуратно подстелив сложенное пальто.

«Несомненно, le bon Dieu знает, что делает, — размышлял Пуаро. — Но все же странно, что он тратит силы на сотворение некоторых человеческих существ. Eh bien, здесь я, по крайней мере, вдалеке от этих раздражающих проблем».

Вздрогнув, Пуаро обернулся. К нему быстро направлялась маленькая женщина в коричневых кофте и юбке. На сей раз Марджори Гоулд отбросила всякое притворство. Лицо ее было мокрым от слез.

Спастись было негде — она уже была рядом с ним.

— Вы должны помочь мне, мсье Пуаро! Я так несчастна! Не знаю, что мне делать.

Пальцы Марджори судорожно вцепились в рукав Пуаро. Внезапно она отпрянула, словно что-то в его лице встревожило ее.

— Вы просите моего совета, мадам?

— Да... — неуверенно отозвалась она.

— Eh bien — вот он. — Его голос звучал резко. — Уезжайте отсюда немедленно — пока еще не слишком поздно.

— Что?! — Марджори уставилась на него.

— Вы слышали меня. Уезжайте с этого острова.

Она продолжала ошеломленно смотреть на Пуаро:

— Но почему?

— Послушайтесь моего совета — если дорожите жизнью.

— Что вы имеете в виду? — воскликнула Марджори. — Вы пугаете меня!

— Да, — кивнул Пуаро. — Это входит в мои планы. — Он говорил вполне серьезно.

Марджори Гоулд закрыла лицо руками.

— Но я не могу! Даглас не захочет! Эта женщина не отпустит его — она завладела его душой и телом! Он совсем потерял голову и не станет слушать ни одного дурного слова о ней... Даглас верит всем ее россказням — что она оскорбленная невинность, что ее муж плохо с ней обращается, что никто ее не понимает... Обо мне он не думает — я больше для него не существую... Даглас хочет, чтобы я дала ему свободу — развелась с ним. Он уверен, что она разведется со своим мужем и выйдет за него. Но Чантри ее не отпустит — не такой это человек. Вчера вечером она показала Дагласу синяки на руке — сказала, что это сделал муж. Даглас рассвирепел — у него ведь такая рыцарская натура... Я боюсь! Чем все это кончится? Скажите, что мне делать?

Эркюль Пуаро стоял, глядя через широкое пространство моря на голубоватые холмы азиатского побережья.

— Я уже сказал вам, — ответил он. — Уезжайте с острова, пока еще не слишком поздно.

Она покачала головой:

— Я не могу. Если бы не Даглас...

Пуаро вздохнул и пожал плечами.

Глава 4

Эркюль Пуаро сидел на пляже рядом с Памелой Лайалл.

— Треугольник становится все крепче, — с явным удовольствием заметила она. — Вчера вечером оба сидели по разные стороны от нее и сердито пялились друг на друга. Чантри слишком много пил и держался с Гоулдом оскорбительно. А вот Гоулд вел себя безупречно. Валентина, конечно, этим наслаждалась — урчала, как тигр-людоед. Что, по-вашему, произойдет дальше?

Пуаро покачал головой:

— Я боюсь, очень боюсь...

— Мы все боимся, — лицемерно произнесла мисс Лайалл. — Это дело скорее по вашей линии — во всяком случае, может стать таковым. Неужели вы не в состоянии ничего предпринять?

— Я сделал все, что мог.

Миссис Лайалл склонилась к нему.

— И что же вы сделали? — возбужденно осведомилась она.

— Я посоветовал миссис Гоулд покинуть остров, пока не стало слишком поздно.

— Значит, вы думаете... — Памела не договорила.

— Да, мадемуазель?

— Так вот что, по-вашему, может случиться! — медленно произнесла Памела. — Но он никогда этого не сделает. Это все Валентина Чантри... А он такой славный... — Помолчав, она добавила: — Значит, вы думаете об убийстве?

— Во всяком случае, мадемуазель, кое-кто о нем думает.

Памела вздрогнула.

— Я этому не верю! — заявила она.

Глава 5

События вечера двадцать девятого октября разворачивались как по заранее написанному сценарию.

Все началось со ссоры двоих мужчин — Гоулда и Чантри. Голос Чантри становился все громче и громче — его последние слова слышали четверо: кассир, управляющий, генерал Барнс и Памела Лайалл.

— Вы паршивая свинья! Если вы и моя жена думаете, что сможете заставить меня, то вы ошибаетесь! Пока я жив, Валентина останется моей женой!

С багровым от гнева лицом он выбежал из отеля.

Это случилось перед обедом. Однако после обеда (никто не знал, каким образом) состоялось примирение. Валентина предложила Марджори Гоулд проехаться на автомобиле при луне. Памела и Сара отправились с ними. Гоулд и Чантри играли в бильярд, а потом присоединились к Эркюлю Пуаро и генералу Барнсу в комнате отдыха.

Практически впервые Чантри улыбался и был в хорошем настроении.

— Как прошла игра? — поинтересовался генерал.

— С этим парнем мне не справиться. Обошел меня на сорок шесть очков, — ответил коммандер.

— Уверяю вас, это чистая случайность, — скромно промолвил Даглас Гоулд. — Что будете пить? Пойду разыщу официанта.

— Спасибо. Мне розовый джин.

— Хорошо. А вам, генерал?

— Благодарю вас. Я, пожалуй, выпью виски с содовой.

— Я тоже. Как насчет вас, мсье Пуаро?

— Вы очень любезны. Я бы хотел sirop de cassis[1].

— Сироп... Простите?

— Sirop de cassis — сироп из черной смородины.

— А, ликер! Понятно. Никогда не слышал о нем. Полагаю, он у них есть.

— Есть. Но это не ликер.

— Забавный у вас вкус, — рассмеялся Даглас Гоулд. — Но каждый пьет свою отраву. Пойду закажу напитки.

Коммандер Чантри сел на стул. Хотя по натуре он не был ни разговорчивым, ни общительным, но старался держаться дружелюбно.

— Странно, как быстро привыкаешь обходиться без новостей, — заметил он.

— Не могу сказать, что от «Континентал дейли мейл» четырехдневной давности много толку, — проворчал генерал. — Конечно, мне каждую неделю присылают «Таймс» и «Панч», но они чертовски запаздывают.

— Интересно, будут ли у нас всеобщие выборы из-за этого палестинского вопроса?

— Да уж, наворотили там дел — хуже некуда, — заявил генерал, когда вернулся Даглас Гоулд в сопровождении официанта с напитками.

Генерал начал рассказывать историю, происшедшую во время его службы в Индии в 1905 году. Оба англичанина вежливо слушали, хотя и без особого интереса. Эркюль Пуаро потягивал свой сироп.

---

[1] Черносмородиновый сироп (*фр.*).

Генерал завершил повествование, и слушатели вежливо засмеялись.

В дверях комнаты отдыха появились женщины. Все они как будто были в отличном настроении, весело переговаривались друг с другом.

— Тони, дорогой, это было просто божественно! — воскликнула Валентина, опускаясь на стул рядом с мужем. — Миссис Гоулд пришла в голову чудесная идея! Вам всем следовало поехать с нами!

— Как насчет выпивки? — осведомился Чантри, вопросительно глядя на остальных.

— Мне розовый джин, дорогой, — ответила Валентина.

— Джин и имбирное пиво, — сказала Памела.

— А мне коктейль, — попросила Сара.

— Хорошо. — Чантри поднялся и придвинул к жене свой нетронутый стакан с джином. — Возьми мой. Я закажу себе другой. А что заказать вам, миссис Гоулд?

Марджори снимала пальто с помощью мужа. Она обернулась с улыбкой:

— Мне, если можно, оранжад.

— Хорошо.

Чантри направился к двери. Миссис Гоулд улыбнулась мужу:

— Было так здорово, Даглас. Жаль, что ты не поехал.

— Мне самому жаль. Съездим как-нибудь в другой раз, ладно?

Они улыбнулись друг другу.

Валентина Чантри залпом осушила стакан с джином.

— То, что нужно, — удовлетворенно вздохнула она.

Даглас Гоулд отнес на диван пальто Марджори.

Вернувшись, он резко спросил:

— В чем дело?

Валентина Чантри откинулась на спинку стула, прижав руку к сердцу. Ее губы посинели.

— Мне как-то не по себе...

Она судорожно ловила ртом воздух.

Чантри вернулся в комнату:

— Что с тобой, Вэл?

— Я... не знаю... Джин... у него странный вкус...

— Розовый джин?

Повернувшись, Чантри схватил за плечо Дагласа Гоулда.

— Это была моя выпивка, Гоулд! Что, черт возьми, вы туда подсыпали?

Смертельно побледнев, Даглас Гоулд смотрел на искаженное судорогой лицо женщины на стуле.

— Я... я никогда...

Валентина Чантри соскользнула на пол.

— Врача! Скорее! — крикнул генерал Барнс.

Через пять минут Валентина Чантри умерла...

Глава 6

На следующее утро никто не купался.

Бледная испуганная Памела Лайалл в простом темном платье подловила в холле Эркюля Пуаро и отвела его в маленькую комнату с письменными принадлежностями.

— Ужасно! — воскликнула она. — Убийство! Вы предвидели это!

Пуаро печально склонил голову.

Памела топнула ногой.

— Вы должны были это предотвратить!

— Каким образом? — спросил Пуаро.

На момент это привело ее в замешательство.

— Ну... обратиться к кому-нибудь... в полицию...

— И что сказать? Что кто-то замышляет убийство? Уверяю вас, mon enfant[1], если один человек намерен убить другого...

— Вы могли предупредить жертву, — настаивала Памела.

— Иногда предупреждения бесполезны, — сказал Эркюль Пуаро.

— Значит, вы должны были предупредить убийцу — дать ему понять, что знаете о его намерениях...

---

[1] Дитя мое (*фр.*).

Пуаро одобрительно кивнул:

— Да, этот план получше. Но и тогда приходится учитывать главный порок преступника.

— Какой?

— Самоуверенность. Убийца никогда не верит, что его преступление может не удаться.

— Но это же абсурд! — воскликнула Памела. — Само преступление было абсолютно детским! Полиция сразу же арестовала Дагласа Гоулда.

— Да, — задумчиво произнес Пуаро. — Даглас Гоулд — очень глупый молодой человек.

— Невероятно глупый! Я слышала, что полицейские нашли остаток яда... Что это было?..

— Разновидность строфантина. Яд, действующий на сердце.

— Вроде бы они нашли остатки в кармане его смокинга.

— Совершенно верно.

— Невероятная глупость! — повторила Памела. — Возможно, Даглас Гоулд собирался избавиться от яда, но его парализовал шок из-за того, что он отравил не того, кого хотел. Представляете, как бы это выглядело на сцене? Любовник добавляет строфантин в стакан мужа, но, когда он отвлекся, яд выпивает жена... Только какой ужас испытал Даглас Гоулд, когда понял, что убил женщину, которую так любил! — Она поежилась. — Ваш вечный треугольник! Кто бы мог подумать, что все так закончится?

— Я этого опасался, — пробормотал Пуаро.

Памела посмотрела на него:

— Вы ведь предупредили миссис Гоулд. Почему же вы не предупредили и его?

— Дагласа Гоулда?

— Нет, я имела в виду коммандера Чантри. Вы могли сказать ему, что он в опасности, — в конце концов, ведь он был настоящим препятствием! Не сомневаюсь, что Даглас Гоулд смог бы заставить жену дать ему развод, — она добрая душа и ужасно его любит. Другое дело — Чантри. Он твердо решил не давать Валентине свободу.

Пуаро пожал плечами:

— От моего разговора с Чантри не было бы никакого толку.

— Возможно, — согласилась Памела. — Он наверняка ответил бы, что сам в состоянии позаботиться о себе, и велел бы вам убираться к дьяволу. Но я чувствую, что нужно было что-нибудь предпринять.

— Я подумывал о том, чтобы попытаться убедить Валентину Чантри покинуть остров, — медленно произнес Пуаро, — но она была слишком глупа, чтобы поверить в такое. Pauvre femme[1], глупость погубила ее.

— А я не верю, чтобы была какая-нибудь польза, если бы она покинула остров. Он бы просто последовал за ней, — сказала Памела.

— Кто?

— Даглас Гоулд.

— Вы думаете, что Даглас Гоулд последовал бы за ней? О нет, мадемуазель, вы не правы — абсолютно не правы. Вы не проникли в суть этого дела. Если бы Валентина Чантри покинула остров, ее муж уехал бы вместе с ней.

Памела выглядела озадаченной.

— Естественно.

— В таком случае преступление просто произошло бы где-нибудь в другом месте.

— Не понимаю.

— Я говорю вам, что то же самое преступление — убийство Валентины Чантри ее мужем — произошло бы где-нибудь еще.

Памела уставилась на него:

— Вы хотите сказать, что коммандер Чантри... Тони Чантри убил Валентину?

— Да. И вы видели, как он это сделал! Даглас Гоулд принес ему выпивку. Он сел и поставил стакан перед собой. Когда вошли женщины и мы все посмотрели на них, Чантри насыпал строфантин, который держал наготове, в розовый джин и вскоре любезно передал его жене, которая выпила яд.

---

[1] Бедная женщина (*фр.*).

— Но пакетик строфантина нашли в кармане Дагласа Гоулда!

— Подложить его туда, пока мы все толпились вокруг умирающей, не составляло труда.

Прошло две минуты, прежде чем Памела вновь обрела дар речи.

— Но я не понимаю! Вы же сами говорили про треугольник...

Эркюль Пуаро энергично кивнул:

— Да, говорил. Но вы представляли себе неправильный треугольник. Вы были обмануты ловким притворством! Вам казалось, будто Тони Чантри и Даглас Гоулд влюблены в Валентину Чантри. Вас заставили поверить, что Даглас Гоулд, будучи влюбленным в Валентину (чей муж отказывался развестись с ней), решился на отчаянную меру — отравить Чантри, но яд по роковой ошибке выпила Валентина. Все это лишь иллюзия. Чантри уже давно решил разделаться с женой — я с первого взгляда понял, что она до смерти ему надоела. Он женился на ней ради ее денег, а теперь захотел жениться на другой женщине, поэтому задумал избавиться от Валентины, сохранив деньги при себе.

— Жениться на другой женщине?

— Да-да, на маленькой Марджори Гоулд. Вечный треугольник присутствовал, но вы смотрели на него под неправильным углом. Ни один из двоих мужчин не любил Валентину Чантри. Ее тщеславие и искусная режиссура Марджори Гоулд заставили вас так думать. Миссис Гоулд — очень умная и по-своему необычайно привлекательная женщина в своем скромном образе Мадонны! Я знал четырех преступниц такого типа — миссис Эдамс, которую оправдали в суде, хотя все знали, что она убила своего мужа; Мэри Паркер, которая разделалась со своей тетей и двумя братьями, прежде чем попалась из-за собственной неосторожности; миссис Роуден, окончившую жизнь на виселице; миссис Лекрей, чудом избежавшую казни. Я сразу разгадал этот тип в Марджори Гоулд. Такие женщины чувствуют себя в преступлении как рыба в воде! Все было превосходно спланировано. Разве у вас было хоть одно реальное доказательство, что Даглас Гоулд влюблен в Валентину Чантри? Если вы подумаете, то поймете, что все основывалось на откровениях миссис Гоулд и демонстративных вспышках ревности Чантри.

— Какой ужас! — воскликнула Памела.

— Умная парочка, — с профессиональным бесстрастием оценил Пуаро. — Они договорились «познакомиться» здесь и разыграть свой преступный спектакль. Эта Марджори Гоулд — хладнокровная ведьма! Она бы отправила на виселицу своего бедного простака мужа без всяких угрызений совести.

— Но ведь вчера вечером его арестовали!

— Да, — кивнул Пуаро, — но после этого у меня состоялся разговор с полицией. Это правда, что я не видел, как Чантри подсыпал строфантин в стакан. Я, как и остальные, смотрел на вернувшихся дам. Но с того момента, когда я понял, что Валентину Чантри отравили, я не спускал глаз с ее мужа и заметил, как он потихоньку сунул пакетик с ядом в карман пиджака Дагласа Гоулда. — Пуаро добавил мрачным тоном: — Я хороший свидетель. Мое имя широко известно. Когда в полиции услышали мой рассказ, то сразу поняли, что дело обстоит совсем иначе.

— А потом? — с интересом спросила Памела.

— Eh bien, они задали коммандеру Чантри несколько вопросов. Он пытался протестовать, но, не отличаясь большим умом, вскоре раскололся.

— Значит, Дагласа Гоулда отпустили?

— Да.

— А Марджори?

Лицо Пуаро стало суровым.

— Я предупредил ее на горе Пророка. Это был единственный шанс предотвратить преступление. Я фактически сказал, что подозреваю ее, и она это поняла. Но Марджори Гоулд считала себя слишком умной... Я посоветовал ей покинуть остров, если она дорожит своей жизнью, но она предпочла остаться...

«КАРТЫ НА СТОЛ»

Тридцатые годы были очень успешными для творчества Агаты Кристи. Публикуется ряд ее произведений, приобретших большую популярность в странах Европы и Америки. Среди них очень известное «Убийства по алфавиту», где в одной из глав высказывается следующее предположение: «Предположим... четверо садятся за бридж, а пятый, лишний, усаживается в кресле у камина. Вечер кончается, и человека у камина находят мертвым. Один из четверых, объявив «пас», подошел и убил его, а остальные, сосредоточившись на игре, этого не заметили». Идентичная, но в определенной мере искусственная, как считает английский критик Джулиан Саймондз, ситуация и была обыграна в произведении «Карты на стол». Оно написано сразу же после «Убийств по алфавиту». Как видим, замыслы писательницы обгоняли ее реальные возможности, не позволяя ей, однако, выходить за рамки уже не раз использованной схемы. Она заключается в том, что Агата Кристи создает в ряде произведений своего рода «закрытое общество». Это типичный прием писательницы, собирающей под одной крышей некоторое число людей, когда один из них вскоре будет убит. Расследование причин, почему все эти люди оказались вместе, а также убийства, и составляет сюжетную канву таких произведений Агаты Кристи, как «Карты на стол», «Смерть в облаках» (1935), «Смерть на Ниле» (1937), «Десять негритят» (1939).

Увлекательность сюжета произведения «Карты на стол» зависит не только от «серых клеточек» в голове Эркюля Пуаро, но и от поступков его прилежных помощников — старшего инспектора Бэттла, полковника Рейса и миссис Ариадны Оливер. Она впервые появляется на страницах этого произведения и представляет для нас особый интерес. Для

Агаты Кристи было характерно достаточно ироническое отношение к своим собратьям по детективному жанру, в том числе и к себе. Недаром она не сразу признала себя автором-профессионалом. И потому она представила миссис Ариадну Оливер в явно смешном виде. Эта дама не только создатель сенсационных детективных романов, но еще и ярая феминистка, которая хочет руководить Скотленд-Ярдом, хотя пишет посредственные и не очень грамотные статьи на тему о преступности.

Произведение «Карты на стол» было опубликовано в издательстве «Коллинз» в Лондоне в 1936 году. Через год оно вышло в издательстве «Додд, Мид энд Кᵒ» в США.

«ВЕЧЕРИНКА В ХЭЛЛОУИН»

В этом романе Эркюль Пуаро расследует преступление вместе с писательницей Ариадной Оливер. Она фигурирует в целом ряде произведений, с большим или меньшим успехом заменяя капитана Гастингса, обычного напарника Пуаро. Тугодум Гастингс, как и его литературный предшественник доктор Ватсон, спутник Шерлока Холмса, прекрасно стимулирует работу «серых клеточек» великого сыщика. Ариадна Оливер, напротив, обладает слишком богатым воображением, ибо сама сочиняет детективные романы, которые Пуаро, однако, не читает. Как популярного автора, миссис Оливер постоянно приглашают на литературные утренники и школьные праздники, где она сталкивается с самыми разными представителями английского общества и узнает о таких преступлениях, которые не могут не будоражить Пуаро, скучающего в своем кабинете.

В романе отражены настроения в английском обществе шестидесятых годов, когда многие были склонны видеть причины преступности, особенно среди молодежи и подростков, в росте психической неуравновешенности, распущенности, плохом воспитании, наркотиках. Смертная казнь была отменена, преступников часто направляли в психиатрические лечебницы, а потом отпускали домой «вести нормальную жизнь». С малолетними преступниками, число которых возросло, суд вообще не знал, что делать. Обычно находились оправдания — неблагополучная семья, невнимание родителей и др. В романе «Вечеринка в Хэллоуин» Пуаро с подозрением относится к «избыточному милосердию», ибо многолетний опыт говорит ему, что оно слишком часто приводит к новым преступлениям, которые не произошли бы, если бы о правосудии заботились в первую очередь, а о милосердии во вторую. Однако в обществе утверждается взгляд на преступление как на печальное недоразумение, как на дело рук человека «не вполне отвечающего за свои действия». А это ведет к тому, что «убийство при определенных обстоятельствах становится приемлемым для значительной части общества», утрачивающего критерий добра и зла, убийца же — лишь «объектом для дискуссий психиатров».

В глазах Агаты Кристи убийство — всегда грех, зло, причины которого должны быть раскрыты. Иначе невозможно установить ни меру наказания, ни меру сострадания. Ибо зло изобретательно и может предстать в облике Нарцисса — красивого, как Сатана, Майкла Гарфилда — или голубоглазой Ровены Дрейк, устраивающей вечеринки для детей в своем доме, но безжалостной, как леди Макбет.

Как часто бывает в романах Агаты Кристи, весь ужас происходящего среди обывательского уюта выражает детская считалка: «Бом-бом, дили-дили — в колодце кошку утопили» (намек на смерть Ольги Семеновой). Ее надо понимать буквально, на что не способны сами англичане, но способен Пуаро, воспринимающий причудливые английские нравы трезвым рассудком иностранца. С большим или меньшим успехом Агата Кристи использует этот прием в романах «Десять негритят» («Десять негритят отправились обедать»), «Полный карман ржи» («Споем песенку про шестипенсовик»), «Миссис Макгинти мертва», «Хикори-дикори» («Хикори-дикори, часики тикали...»), «Три слепых мышонка».

В романе «Вечеринка в Хэллоуин», как и в ряде других произведений, Агата Кристи касается одной из своих любимых тем, определенным образом характеризующих английского обывателя. Это его известная подозрительность, настороженность, ирония, переходящая в высокомерие и даже во враждебность по отношению к иностранцам (чем грешат и французы, например, но по-своему). С таким отношением часто сталкивается Пуаро, именуемый за глаза «лягушатником», ибо бельгийцы и французы, любящие лягушачье лакомство, мало чем отличаются, по мнению многих англичан. В романе жертвой такого отношения становится иностранка Ольга Семенова, являющаяся в глазах местных жителей потенциальной преступницей, что, конечно, облегчает действия настоящего преступника. Юрист Фуллертон (сожалеющий об отмене смертной казни) отказывает ей в помощи, столь же презрительно он думает и о Пуаро — «любитель-иностранец, отставной детектив из бельгийской полиции, теперь уже впавший в маразм».

Роман был опубликован в Англии в издательстве «Коллинз» в 1969 году и тогда же в США в издательстве «Додд, Мид энд К°».

«УБИЙСТВО В ИЗВОЗЧИЧЬЕМ ДВОРЕ»

В сборник входит четыре больших рассказа, главным действующим лицом которых является сыщик Эркюль Пуаро. Агата Кристи в «Автобиографии» вспоминает о том, как в ее воображении возник этот образ. Это было в самом начале ее творческого пути на рубеже 20-х годов. Внимание будущей писательницы привлек герой подобного рода. Однако она не хотела повторять других авторов, делая своего героя похожим на уже известных читателю персонажей. Например, на Шерлока Холмса, представленного Конан Дойлом. «Я никогда не смогла бы подражать ему», — замечает Агата Кристи. Был еще Арсен Люпен, герой произведений французского писателя Мориса Леблана (1864 — 1941). Но Агата Кристи никак не могла понять, кто же он на самом деле — сыщик или преступник. Ей очень нравились полицейские романы «Тайна желтой комнаты» (1908) и «Духи дамы в черном» (1909) еще одного французского писателя Гастона Леру (1868 — 1927). В них действует энергичный и находчивый молодой репортер Рультабий. Он-то и привлек внимание Агаты Кристи.

Писательница наделила своего героя весьма необычной внешностью. Роста он оказался небольшого, с головой яйцом и роскошными, закрученными вверх усами. Нужно было дать ему имя. И в честь древнегреческого героя Геркулеса писательница назвала своего маленького человечка Эркюль. А фамилию его она, возможно, увидела в какой-нибудь газете, или ей просто пришло это на ум. Во всяком случае сочетание Эркюль Пуаро очень понравилось Агате Кристи. Что же касалось его национальности, то ее герой стал бельгийцем. Во время Первой мировой войны в Англии оказалось много бельгийцев-беженцев, и Агата Кристи нередко с ними сталкивалась.

Много лет спустя в «Автобиографии» Агата Кристи выразила сожаление о том, что ее герой появился на свет в уже весьма почтенном возрасте. Прослужив долго в бельгийской полиции, инспектор Эркюль Пуаро удалился от дел почти в семьдесят лет и переехал в Англию. Исследователь творчества писательницы, английский критик Генри Китинг подсчитал, что Эркюль Пуаро родился в 1844 году, а умер в 1974 году, то есть ему было, по всей вероятности, сто тридцать лет.

Эркюль Пуаро обладает выдающимися аналитическими способностями. Это помогает ему раскрыть самые сложные и запутанные преступления. «Порядок и метод» — вот его лозунг, и начинает он обычно с «маленьких идей». Когда кое-что из них получает подтверждение, то Эркюль Пуаро многозначительно произносит: «Теперь я понимаю».

«Маленькие идеи», считает Китинг, позволяют Пуаро не торопиться разрешать каждую головоломную проблему, оттянуть разгадку преступления, хотя факты вполне порой позволяют такое сделать. Пуаро не просто гордится, а даже кичится своими необыкновенными способностями. Особенно наглядно это проявляется в его разговорах со старшим инспектором Скотленд-Ярда Джеппом в рассказе «Убийство в извозчичьем дворе».

Наиболее интересным из рассказов этого сборника можно считать «Родосский треугольник», где используется прием «двойного треугольника». Банальный любовный треугольник популярной литературы, к чему привык читатель, вводит его в заблуждение. Жертвой в рассказе оказывается именно «возмутительница спокойствия», которую можно пожалеть.

Английский критик Роберт Барнард отмечает, что в более поздние годы творчества, когда имя Агаты Кристи было уже хорошо известно в мире, лучшие из ее рассказов послужили основой либо сценариев фильмов, либо повестей, но уже под другим названием. Так, сюжет «Родосского треугольника» явно прослеживается в повести «Зло под солнцем».

Сборник рассказов «Убийство в извозчичьм дворе» был опубликован в Лондоне в издательстве «Коллинз» в 1937 году. В США он вышел в том же году под названием «Зеркало мертвеца», но без рассказа «Необыкновенная кража».

Т. Шишкина, А. Шишкин

СОДЕРЖАНИЕ

Литературно-художественное издание

Агата Кристи

Весь Эркюль Пуаро

КАРТЫ НА СТОЛ

Романы, рассказы

Ответственный редактор *З.В. Полякова*

Художественный редактор *И.А. Озеров*

Технический редактор *Л.И. Витушкина*

Ответственный корректор *В.А. Андриянова*

Изд. лиц. ЛР № 065372 от 22.08.97 г.
Подписано к печати с готовых диапозитивов 27.09.2000
Формат 84х108¹/₃₂. Бумага газетная. Гарнитура «Таймс»
Печать офсетная. Усл. печ. л. 31,92. Уч.-изд. л. 30,4
Тираж 8 000 экз. Заказ № 2360

ЗАО «Издательство «Центрполиграф»
111024, Москва, 1-я ул. Энтузиастов, 15
E-MAIL: CNPOL@DOL.RU

Отпечатано в ГУП Издательско-полиграфический
комплекс «Ульяновский Дом печати»
432601, г. Ульяновск, ул. Гончарова, 14

ЭРЛ СТЕНЛИ ГАРДНЕР
«ВЕСЬ ПЕРРИ МЕЙСОН»

*Знаменитый адвокат расследует
самые запутанные дела!*
Полное собрание романов о Перри Мейсоне!

Популярнейший американский писатель Эрл Стенли Гарднер много лет владел адвокатской конторой и положил в основу своих произведений богатый опыт ведения запутанных дел. Его бессмертный герой — адвокат Перри Мейсон — пользуется заслуженной славой, ведь он способен докопаться до истины, даже если для этого потребуется рисковать собственной жизнью. К нему обращаются и те, кто потерял надежду найти защиту у закона, и те, кто сам хочет нарушить закон. Неожиданные повороты дела способны поставить любого адвоката в тупик, но только не Перри Мейсона! Он сам принимается за расследование дела и представляет его в суде именно таким, каким оно было в действительности.

Перри Мейсон и его друзья-соратники — частный детектив Пол Дрейк и секретарша Делла Стрит — всегда готовы прийти на помощь человеку, потерявшему надежду на спасение. Дела адвоката Перри Мейсона известны во всем мире!

Твердый целлофанированный переплет, формат 130×206 мм.
Объем 592—608 с.

ЦЕНТРПОЛИГРАФ

Книга-почтой

Если Вы желаете приобрести книги издательства «Центрполиграф» без торговой наценки, то можете воспользоваться услугами отдела «Книга-почтой»

Все книги будут рассылаться наложенным платежом без предварительной оплаты. Заказы принимаются на отдельные книги, а также на целые серии, выпускаемые нашим издательством. В последнем случае Вы будете регулярно получать по 2 новых книги выбранной серии в месяц.

Для этого Вам нужно только заполнить почтовую карточку по образцу и отправить по адресу:

111024, Москва, а/я 18, «Центрполиграф»

```
┌─────────────────────────────────────────────────────────┐
│                                                  ┌────┐   │
│        ПОЧТОВАЯ КАРТОЧКА                          │ В  │   │
│                                                  └────┘   │
│                                                  РОССИЯ   │
│            г. Москва, а/я 18                              │
│  Куда ──────────────────────────────                      │
│                                                           │
│                                                           │
│  Кому   «ЦЕНТРПОЛИГРАФ»                                    │
│                                                           │
│                                   Индекс предприятия связи и адрес отправителя │
│  ╺┌─┐┌─┐┌─┐┌─┐┌─┐┌─┐             680011                    │
│   │ ││ ││ ││ ││ ││ │            г.Хабаровск, ул. Мира,     │
│   └─┘└─┘└─┘└─┘└─┘└─┘            д. 10, кв. 5.              │
│     1 1 1 0 2 4               Ивановой Г.П.                │
│  Пишите индекс предприятия связи места назначения    Мин. связи России. Издательство «Марка». 1992 │
│                                             З. 109070. ППФ Гознака. Ц 55 к. │
└─────────────────────────────────────────────────────────┘
```

На обратной стороне открытки необходимо указать, какую книгу Вы хотели бы получить или на какую из серий хотели бы подписаться. Укажите также требуемое количество экземпляров каждого названия.

Стоимость пересылки почтового перевода наложенного платежа оплачивается отделению связи и составляет 10—20% от стоимости заказа.

Книги оплачиваются при получении на почте.

К сожалению, издательство не может долго удерживать объявленные цены по независящим от него причинам, в связи с общей ситуацией в стране. Надеемся на Ваше понимание.

МЫ РАДЫ ВАШИМ ЗАКАЗАМ!